A 3ª ALTERNATIVA

A 3ª ALTERNATIVA

Stephen R. Covey

Tradução
Eduardo Rieche

1ª edição

Rio de Janeiro/2012

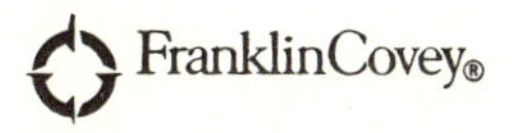

CIP-BRASIL. CATALOGAÇÃO NA FONTE
SINDICATO NACIONAL DOS EDITORES DE LIVROS, RJ.

Covey, Stephen R., 1932-
C914t A terceira alternativa: resolvendo os problemas mais difíceis da vida / Stephen R. Covey. – tradução: Eduardo Rieche. - Rio de Janeiro: Best*Seller*, 2012.

Tradução de: The 3rd alternative
ISBN 978-85-7684-551-5

1. Solução de problemas. 2. Conflito interpessoal. 3. Mudança (Psicologia). I. Título.

12-7027 CDD: 158
CDU: 159.947

Texto revisado segundo o novo Acordo Ortográfico da Língua Portuguesa.

Título original norte-americano
THE THIRD ALTERNATIVE

Publicado mediante acordo com Free Press, uma divisão da Simon & Schuster, Inc.

Design de capa adaptado do original de Eric Fuentecilla
Editoração eletrônica: Abreu's System

Impresso no Brasil

ISBN 978-85-7684-551-1

No caso das coisas que têm várias partes, o todo é independente das partes.

— Aristóteles

Sinergia é a única palavra em nossa língua que traduz o comportamento de sistemas inteiros, imprevisível a partir da observação dos comportamentos isolados de quaisquer das partes do sistema ou de quaisquer subconjuntos das partes do sistema.

— Buckminster Fuller

Sinergia: uma conjunção mutuamente vantajosa ou a compatibilidade entre participantes ou elementos distintos de um mesmo conjunto.

— Webster's Dictionary

O que surge difere de seus componentes, na medida em que esses são incomensuráveis, e não podem ser reduzidos à sua soma, ou à sua diferença.

— G. H. Lewes

Sinergia é quando o todo é maior do que a soma das partes.

— Estudante da quarta série, A. B. Combs Elementary School, Raleigh, Carolina do Norte

Para minha esposa e eterna amiga, Sandra —
cheia de vida, luz e encorajadora esperança

Sumário

Prefácio à Edição Brasileira

A Terceira Alternativa foi o último livro da profícua carreira de escritor do Dr. Stephen R. Covey, que partiu deste mundo no dia 16 de julho de 2012, quando aproximava-se do seu octogésimo aniversário.

Não é fácil resumir o grande legado deixado por ele, desde que, na década de oitenta, conseguiu relacionar, de modo pragmático e numa linguagem acessível, as teorias mais destacadas sobre o desenvolvimento humano com os hábitos observáveis das pessoas mais eficazes, produtivas e equilibradas. Encontrar formas simples para falar da complexidade é um talento tão raro quanto útil, daí o seu grande sucesso, com dezenas de milhões de livros vendidos no mundo todo.

Dr. Covey esteve no Brasil em diversas ocasiões, tendo palestrado para milhares de líderes dos setores corporativo e governamental, educadores, profissionais liberais e jovens. Seu esforço contínuo para apresentar o Ser Humano segundo um paradigma integral – o *paradigma da pessoa completa*, como gostava de dizer – encontrou muita ressonância entre nós, brasileiros, que temos uma inclinação quase natural para reconciliar em nossa existência as dimensões espiritual, emocional, racional e física.

Lamentavelmente, ele sobreviveu poucas semanas depois de receber a notícia de que a FranklinCovey Internacional e a Abril Educação haviam selado uma parceria estratégica no Brasil para disseminar aqui o projeto "O líder em mim". O programa, que já foi implementado em mais de mil escolas, em cerca de 20 países, trabalha aspectos de protagonismo infantil, com base nos *7 hábitos das pessoas altamente eficazes*, em escolas de ensino fundamental, públicas e privadas.

É sintomático que, em sua última obra, Dr. Covey tenha se debruçado sobre a questão da *Terceira Alternativa*, tratando com ousadia de nosso potencial coletivo – pouquíssimo utilizado ainda – para encontrar soluções criativas, superar intricados conflitos pessoais e sociais ou abrir novos caminhos de desenvolvimento sustentável.

Há vários anos ele ensinava que a vida precisa ser vivida em "*crescendo*", termo musical que indica um *aumento gradual de volume*. Certamente, o leitor perceberá nas páginas que seguem, em *som alto e claro*, essa mensagem derradeira e bela que o Dr. Covey nos deixou para que vivamos num mundo melhor.

Luciano Alves Meira
Vice Presidente da FranklinCovey Brasil

1

O Ponto de Transição

A vida é repleta de problemas. Problemas que parecem impossíveis de resolver. Problemas pessoais. Problemas familiares. Problemas no trabalho, na nossa vizinhança e no mundo em geral.

Talvez o seu casamento tenha sido muito bom no início, mas agora vocês mal conseguem se aturar. Talvez você tenha cortado relações com seus pais, irmãos ou filhos. Talvez você se sinta sobrecarregado e inseguro no trabalho, sempre tentando fazer mais com menos. Ou talvez, como tantos outros, você esteja cansado de nossa sociedade litigiosa, em que as pessoas são tão ágeis para processá-lo que é arriscado dar um passo sequer. Nos preocupamos com a criminalidade e com o quanto ela tem se expandido em nossa sociedade. Vemos políticos tentando resolver isso, sem chegar a lugar algum. Assistimos aos telejornais e perdemos a esperança de que os eternos conflitos entre as pessoas e as nações sejam resolvidos algum dia.

Então, desanimamos, desistimos ou nos contentamos com certos acordos que, no fim, não nos parecem muito bons.

Por isso eu quis escrever este livro.

Ele trata de um princípio fundamental que, em minha opinião, pode transformar a sua vida e todo o mundo. Foi a percepção mais nobre e mais importante que tive ao estudar as pessoas que levam uma vida verdadeiramente eficaz.

Basicamente, é a chave para resolver os problemas mais difíceis da vida. Todas as pessoas sofrem com as adversidades, a maioria em silêncio. Muitas enfrentam corajosamente seus problemas, trabalhando e com a esperança de um futuro melhor. Para muitas delas, os temores são muito palpáveis. Alguns desses temores são físicos, alguns psicológicos, mas todos são muito reais.

Se você entender e viver de acordo com o princípio apresentado neste livro, talvez possa não apenas vencer os seus problemas, mas passar a construir um futuro melhor do que jamais imaginou ser possível. Eu não descobri este princípio — ele é imortal. Mas para aqueles que o aplicarem aos desafios enfrentados, não seria eufemismo algum dizer que, talvez, seja a maior descoberta de sua vidas.

Meu livro *Os 7 hábitos das pessoas altamente eficazes* aponta nessa direção. De todos os princípios expostos naquele livro, o considerei "o mais estimulante, o mais capacitador, o mais unificador e o mais empolgante". Em *Os 7 hábitos*, pude lidar com esse princípio apenas de maneira genérica; neste livro, no entanto, convido-o a explorá-lo comigo muito mais ampla e profundamente. Se você se dispuser a realmente entendê-lo, nunca mais pensará do mesmo modo. Você se verá lidando com os desafios mais difíceis da vida de uma maneira inteiramente nova, exponencialmente mais eficaz.

Estou bastante entusiasmado para compartilhar algumas histórias sobre pessoas raras, que compreenderam este princípio. Elas não são apenas solucionadoras de problemas, mas também criadoras do novo futuro com o qual todos sonhamos. Entre muitos, você conhecerá:

- Um pai que, em uma noite surpreendente, salvou sua filha, há anos atormentada pelo desespero e por ideias suicidas.
- Um jovem indiano que está solucionando o problema da energia elétrica para milhões de pessoas pobres — praticamente a custo zero.
- Um chefe de polícia que reduziu à metade a taxa de criminalidade juvenil em uma grande cidade canadense.
- Uma mulher que está trazendo de volta à vida o poluído porto de Nova York — novamente, quase sem custo.
- Um casal que mal conseguia se falar e agora ri daqueles dias difíceis.

- O juiz que deu um fim rápido e pacífico para o maior processo ambiental da história norte-americana — sem colocar os pés em uma sala de audiências.
- O diretor de uma escola para filhos de trabalhadores imigrantes que elevou os índices de formatura de um acanhado patamar de 30% para 90% e triplicou os níveis de habilidades básicas de seus alunos — sem gastar nem um centavo a mais.
- Uma mãe solteira e sua filha adolescente que substituíram os sérios confrontos pela renovação da compreensão e do afeto.
- Um médico que cura praticamente todos os seus pacientes de uma doença mortal por uma fração do custo de outros médicos.
- A equipe que fez com que a Times Square deixasse de ser um antro de violência e sujeira e se tornasse a maior atração turística da América do Norte.

É preciso enfatizar uma coisa: nenhuma dessas pessoas é uma celebridade milionária e superinfluente. Todas são, na maioria dos casos, pessoas comuns, que aplicam com sucesso este princípio supremo aos seus problemas mais difíceis. E você também pode fazer isso.

Consigo ouvir você pensando: "Bem, não pretendo fazer nada de heroico como essas pessoas. Tenho meus próprios problemas, e eles são enormes para mim. Estou cansado, e só quero encontrar uma solução que funcione."

Acredite em mim, não há nada neste livro que não seja ao mesmo tempo global *e* pessoal. O princípio se aplica igualmente a uma mãe solteira que se esforça ao máximo para criar uma adolescente inquieta e a um chefe de Estado que tenta pôr fim a uma guerra.

Você pode aplicar este princípio para:

- Um difícil conflito profissional com seu chefe ou colegas de trabalho.
- Um casamento com "diferenças irreconciliáveis".
- Um desentendimento escolar de seu filho.
- Uma situação que o tenha colocado em apuros financeiros.
- A decisão importantíssima que você tem de tomar em seu trabalho.
- As discussões em torno de algum problema em seu bairro ou comunidade.

- Familiares que brigam constantemente — ou que simplesmente não falam uns com os outros.
- Um problema relacionado a excesso de peso.
- Um emprego que não o satisfaz.
- Uma criança que não "decola".
- Um problema complicado de um cliente que você precisa resolver.
- Uma pendência que poderia levá-lo aos tribunais.

Ensinei o princípio subjacente deste livro por mais de 40 anos para, literalmente, centenas de milhares de pessoas. Ensinei-o aos alunos em idade escolar, a salas repletas de diretores-executivos corporativos, a graduandos, a chefes de Estado em cerca de 30 países, além de todos os outros tipos de pessoa. Abordei-as praticamente da mesma maneira. Escrevi este livro para que este princípio seja igualmente aplicável em um *playground*, um campo de batalha, uma sala de reuniões, uma câmara legislativa ou uma cozinha familiar.

Pertenço a um grupo mundial de ponta que busca construir melhor relação entre o Ocidente e a comunidade islâmica. Esse grupo inclui uma ex-secretária de Estado dos Estados Unidos, imãs e rabinos proeminentes, líderes mundiais de negócios e especialistas em resolução de conflitos. Em nossa primeira reunião, ficou claro que todos tinham um propósito específico. Tudo transcorreu de modo bastante formal e agradável, e era possível sentir o clima de tensão. Isso foi em um domingo.

Pedi permissão ao grupo para ensinar um princípio antes de seguirmos adiante, e o grupo gentilmente concordou. Então, ensinei a mensagem deste livro.

Na noite de terça-feira, todo o ambiente já havia sido transformado. Os propósitos privados haviam sido arquivados. Havíamos chegado a uma empolgante solução, que jamais poderíamos ter previsto. As pessoas na sala estavam plenas de respeito e amor umas para com as outras — era possível ver e sentir isso. A ex-secretária de Estado sussurrou ao meu ouvido: "Nunca vi nada tão poderoso. O que que você fez aqui poderia revolucionar completamente a diplomacia internacional." Falaremos mais sobre isso adiante.

Como eu disse, não é preciso ser um diplomata global para colocar este princípio em prática em seus próprios desafios. Recentemente, realizamos pesquisas com pessoas em todo o mundo para descobrir quais eram seus principais desafios: na vida pessoal, no trabalho e no mundo em geral. Não foi uma amostra representativa; só queríamos descobrir o que diferentes pessoas tinham a dizer. As 7.834 pessoas que responderam englobavam todos os continentes e todos os níveis de vários tipos de organização.

- *Em suas vidas pessoais.* O desafio mais pessoal é a pressão pelo excesso de trabalho, juntamente com a insatisfação profissional. Muitos estão com problemas de relacionamento. Uma gerente intermediária europeia escreve: "Fico estressada, me sinto exausta e não tenho tempo nem energia para cuidar de mim mesma." Outro diz: "Minha família está se desestabilizando e isso desequilibra quase todas as outras coisas."
- *No trabalho.* Evidentemente, as principais preocupações das pessoas em relação ao trabalho são sempre a escassez de capital e de lucros. Mas muitas também estão preocupadas em perder terreno no jogo global: "Estamos presos demais aos nossos 100 anos de tradição. [...] Estamos ficando cada vez mais irrelevantes. [...] Faz-se muito pouco uso da criatividade e do empreendedorismo." Na África, um gerente bem-estabelecido escreveu: "Estava trabalhando para uma organização internacional, mas pedi demissão no ano passado. Deixei a empresa porque não conseguia mais encontrar sentido no que estava fazendo."
- *No mundo.* Na opinião de nossos entrevistados, os três primeiros desafios que enfrentamos como seres humanos são a guerra e o terrorismo, a pobreza e a lenta destruição do meio ambiente. Um gerente asiático de nível intermediário usou um tom de súplica: "Nosso país é um dos mais pobres da Ásia. Este é o [nosso] grito de guerra, pois a maioria de nossa população vive na pobreza. Há falta de emprego, educação, as facilidades de infraestrutura dificilmente estão disponíveis, uma dívida enorme, má gestão e corrupção galopante."[1]

---

[1] Acesse o relatório completo da pesquisa, "The 3rd Alternative: the most serious challenges" [A Terceira Alternativa: os grandes desafios]. Disponível em: http://www.the3rdAlternative.com. (conteúdo em inglês)

Esta é uma rápida visão de como nossos amigos e vizinhos estão se sentindo. Eles podem listar desafios diferentes amanhã, mas acredito que veríamos apenas variações do mesmo tipo de sofrimento.

Sob essas pressões crescentes, estamos lutando mais uns contra os outros. O século XX foi uma época de guerra impessoal, mas o século XXI parece ser uma época que exige malícia pessoal. O termômetro da raiva tem apresentado índices cada vez mais altos. Famílias brigam, colegas de trabalho discutem, agressores cibernéticos espalham terror, os tribunais estão abarrotados e fanáticos assassinam inocentes. "Comentaristas" desdenhosos invadem a mídia — quanto mais ultrajantes seus ataques, mais dinheiro eles fazem.

Essa crescente febre de animosidades pode nos fazer mal. "Fico profundamente perturbado ao perceber o modo como todas as nossas culturas demonizam o Outro. [...] As piores eras da história da humanidade costumam começar assim, com uma visão negativa dos outros. E, então, isso se transforma em um violento extremismo", diz Elizabeth Lesser, especialista em bem-estar.[2] Sabemos muito bem como termina esse tipo de coisa.

Então, *como* vamos resolver os nossos conflitos mais acirrados e solucionar nossos problemas mais difíceis?

- Continuaremos em pé de guerra, determinados a *não* suportar mais esse tipo de coisa e *dispostos* a descontar tudo em nossos "inimigos"?
- Vamos fazer o papel de vítima, à espera inútil de alguém para nos salvar?
- Levaremos o pensamento positivo ao extremo e nos contentaremos com um agradável estado de negação?
- Aguardaremos resignados, sem qualquer esperança real de que as coisas venham a melhorar? No fundo, acreditamos mesmo que todos os remédios são apenas placebos?

---

[2] Elizabeth Lesser, "Take the 'Other' to lunch" [Convide o "Outro" para almoçar]. Disponível em: http://dotsub.com/view/6581098e-8c0d-4ec0-938d-23a6cb9500eb/viewTranscript/eng.

- Continuaremos trabalhando, como a maioria das pessoas de boa vontade, fazendo o que sempre fizemos, na esperança genuína de que as coisas venham *de alguma forma* a melhorar?

Não importa a abordagem escolhida para enfrentar os nossos problemas, haverá consequências naturais para elas. A guerra gera a guerra, as vítimas tornam-se dependentes, a realidade empurra as pessoas para a negação, os cínicos não contribuem em nada. E, se continuarmos fazendo as mesmas coisas que sempre fizemos, esperando que *desta* vez os resultados sejam diferentes, não estaremos enfrentando a realidade. Como Albert Einstein teria afirmado: "Nossos problemas significativos não podem ser resolvidos no mesmo nível de raciocínio com o qual os criamos."

Para resolver nossos problemas mais difíceis, temos de mudar radicalmente nosso modo de pensar — e é isso que este livro aborda.

Durante a leitura, você vai se ver diante de um ponto de transição entre seu passado, seja lá o que ele tenha sido, e um futuro que, até agora, você nunca havia imaginado. Descobrirá dentro de si um talento para a mudança. Pensará sobre seus problemas de uma forma totalmente revolucionária. Desenvolverá novos reflexos mentais, que irão encorajá-lo a superar barreiras que outras pessoas consideram insuperáveis.

Você será capaz de enxergar, a partir deste ponto de transição, um novo futuro para si mesmo — e os próximos anos podem ser radicalmente diferentes do que você esperava. Em vez de partir para um futuro inevitável de diminuição de sua própria capacidade e repleto de problemas, você pode começar, agora, a matar sua fome por uma vida "num *crescendo*"*, sempre renovada e plena de significados e contribuições extraordinárias — até o fim.

Ao recentralizar sua vida em torno do princípio deste livro, você descobrirá uma maneira surpreendente de alcançar esse futuro.

---

* Expressão musical italiana que indica rapidez e intensidade crescentes. (*N. da E.*)

A Terceira Alternativa

2

A Terceira Alternativa: O princípio, o paradigma e o processo de sinergia

Há uma maneira de resolver os problemas mais difíceis que enfrentamos, mesmo aqueles que parecem insolúveis. Há um caminho que perpassa quase todos os dilemas da vida e os momentos de crises profundas. Há um caminho a seguir. Não é o seu jeito, e não é o meu jeito. É um jeito mais elevado. É uma opção melhor, que nenhum de nós jamais imaginou antes.

Eu a chamo de "a Terceira Alternativa".

A maioria dos conflitos tem dois lados. Estamos acostumados a pensar em termos de "minha equipe" contra "sua equipe". A minha equipe é boa, a sua equipe é ruim, ou, no mínimo, "menos boa". A minha equipe está correta e é justa; a sua equipe está errada e, talvez, seja até injusta. Meus motivos são nobres; na melhor das hipóteses, você é que está confuso. É o meu partido, a minha equipe, o meu país, o meu filho, a minha empresa, a minha opinião, o meu lado contra o seu. Em cada caso, existem Duas Alternativas.

Quase todo mundo se identifica com uma alternativa ou com a outra. É por isso que temos liberais contra conservadores, republicanos contra democratas, trabalhadores contra gerentes, advogados contra advogados, filhos contra pais, conservadores contra trabalhahistas, professores contra

A Terceira Alternativa. A maioria dos conflitos tem dois lados. A Primeira Alternativa é a minha, a Segunda Alternativa é a sua. Por meio da sinergia, podemos chegar a uma Terceira Alternativa — o nosso jeito, uma maneira mais elevada e melhor de se resolver o conflito.

administradores, universidades contra municípios, vida rural contra vida urbana, ambientalistas contra desenvolvimentistas, brancos contra negros, religião contra ciência, compradores contra vendedores, demandantes contra réus, nações emergentes contra nações desenvolvidas, cônjuges contra cônjuges, socialistas contra capitalistas e crentes contra descrentes. É por isso que temos racismo, preconceito e guerra.

Cada uma das Duas Alternativas está profundamente enraizada em uma certa mentalidade. Por exemplo, a mentalidade dos ambientalistas é formada pela apreciação da beleza, da delicadeza e do equilíbrio da natureza. A mentalidade do desenvolvimentista é formada por um desejo de acompanhar o crescimento das comunidades e o aumento das oportunidades econômicas. Cada lado geralmente se percebe como virtuoso e racional e considera o outro como desprovido de virtude ou de bom-senso.

As raízes da minha maneira de pensar se entrelaçam profundamente com a minha própria identidade. Se eu disser que sou um ambientalista, um conservador ou um professor, estou descrevendo coisas além daquilo em que acredito ou o que valorizo — estou descrevendo *quem eu sou*. Então, quando você ataca o meu lado, você me ataca e à minha autoimagem. Em última análise, os conflitos de identidade podem deflagrar um estado de guerra.

Considerando-se que o raciocínio de Duas Alternativas está tão enraizado em muitos de nós, como podemos superá-lo? Normalmente, não conseguimos. Ou continuamos lutando ou estabelecemos um acordo instável. É por isso que enfrentamos tantos impasses frustrantes. O problema, no entanto, não está no mérito do "lado" ao qual pertencemos, mas, geralmente, no *modo como pensamos*. O problema real está em nossos paradigmas mentais.

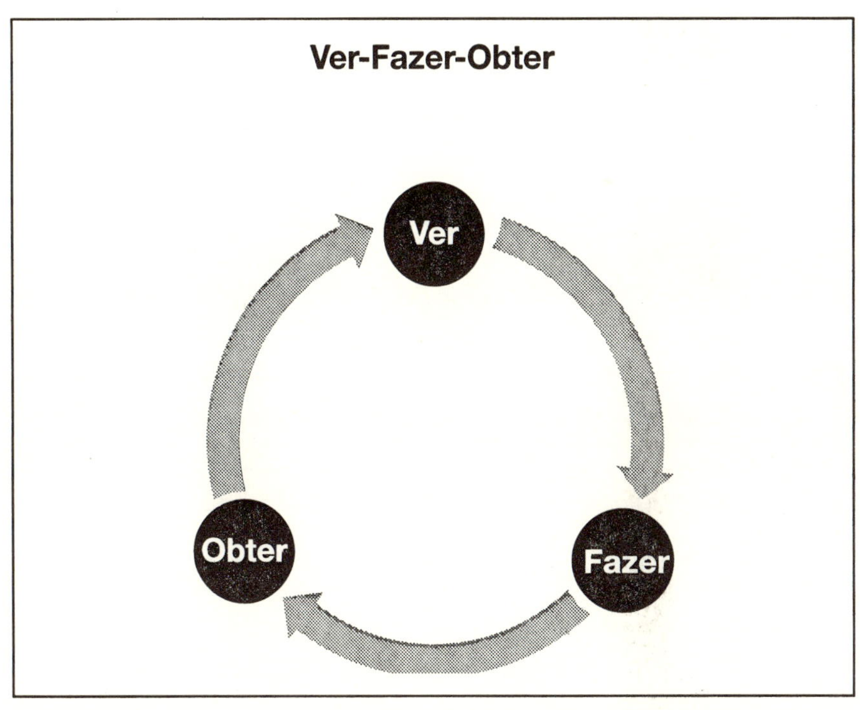

Ver-Fazer-Obter. Nossos paradigmas regem o nosso comportamento, que, por sua vez, governa as consequências de nossas ações. OBTEMOS resultados com base naquilo que FAZEMOS, e o que FAZEMOS depende de como VEMOS o mundo à nossa volta.

A palavra "paradigma" significa um padrão ou modelo de pensamento que influencia o modo como nos comportamos. É como um mapa, que nos ajuda a decidir qual direção seguir. O mapa que *vemos* determina o que *fazemos*, e o que *fazemos* determina os resultados que *obtemos*. Se mudarmos os paradigmas, nosso comportamento e os resultados também mudarão.

Por exemplo, quando o tomate foi levado das Américas para a Europa pela primeira vez, um botânico francês identificou-o como o temido "fruto proibido" do qual falavam os antigos estudiosos. Comer um tomate causaria espasmos, espumação pela boca e morte, advertia o botânico. Portanto, os primeiros colonos europeus na América não chegavam perto de tomates, embora os cultivassem em suas hortas como plantas decorativas. Ao mesmo tempo, uma das doenças mais perigosas enfrentadas pelos colonos foi o escorbuto, provocado pela falta de vitamina C — abundante nos tomates. A cura estava bem ali, em seus quintais, mas eles morreram por causa de um paradigma equivocado.

Depois de um século ou mais, o paradigma mudou, à medida que novas informações surgiram. Os italianos e os espanhóis começaram a comer tomates. Sabe-se que Thomas Jefferson os cultivava e defendia o seu consumo. Hoje, o tomate é extremamente popular. Agora *vemos* os tomates como saudáveis, nós os *comemos* e *ficamos* saudáveis. Esse é o poder da mudança de paradigma.

Se sou um ambientalista e o meu paradigma, ou mapa mental, exibe apenas uma bela floresta intocada, vou querer preservá-la. Se você, como desenvolvimentista, tiver um mapa mental que exiba apenas depósitos subterrâneos de petróleo, você vai querer realizar a prospecção do petróleo. Ambos os paradigmas podem estar corretos. Sim, existe uma floresta primária na terra, mas os depósitos de petróleo também estão lá. O problema é que nenhum dos mapas mentais é *completo* — e nunca poderá ser. Como se constatou, a folhagem do tomateiro *é* venenosa; por isso, em parte, o paradigma antitomate estava correto. Embora alguns mapas mentais possam ser mais completos do que outros, nenhum mapa estará sempre verdadeiramente completo, pois o mapa não é o terreno em si mesmo. Como afirmou D. H. Lawrence: "Ao fim, toda meia-verdade produz a contradição de si mesma, no sentido da meia-verdade oposta."

Se eu observar somente o mapa mental da Primeira Alternativa — meu *próprio* mapa mental incompleto —, então a única maneira de resolver o problema é convencer o outro lado a mudar de paradigma ou, até mesmo, forçá-lo a aceitar a minha alternativa. É, também, a única maneira de preservar minha autoimagem: eu tenho de ganhar e você tem de perder.

Se, por outro lado, eu jogar fora o meu mapa e seguir o seu — a Segunda Alternativa —, enfrentarei o mesmo problema. Você também não é capaz de garantir que o seu mapa mental esteja completo, de modo que irá me obrigar a pagar um preço considerável por segui-lo. Talvez você ganhasse, mas, nesse caso, eu sairia perdendo.

Poderíamos combinar os mapas, e isso é útil. Teríamos um mapa mais inclusivo, que levaria em conta ambas as perspectivas. Eu entenderia a sua perspectiva e você, a minha. Isso é progresso. Mesmo assim, poderíamos ter como resultado objetivos incompatíveis. Continuo querendo que a floresta não seja perturbada, e você ainda insiste na prospecção de petróleo na floresta. Meu entendimento completo do seu mapa pode me levar a uma disputa ainda maior.

E, então, chegamos à parte interessante. Ela acontece quando olho para você e digo: "Talvez possamos chegar a uma solução melhor do que qualquer um de nós previu. *Você estaria disposto a procurar uma Terceira Alternativa, na qual ainda não pensamos?*" Quase ninguém faz essa pergunta, mas, ainda assim, ela é a chave não apenas para a resolução de conflitos, mas também para a transformação do futuro.

O Princípio da Sinergia

É possível chegar à Terceira Alternativa por meio de um processo chamado sinergia. A sinergia acontece quando 1 mais 1 é igual a 10, 100, ou mesmo 1.000! É o poderoso resultado ao qual se chega quando dois ou mais seres humanos respeitosos decidem, juntos, ir além de suas ideias preconcebidas para enfrentar um grande desafio. É a paixão, a energia, a habilidade, a emoção de criar um nova realidade, que é muito melhor do que a anterior.

Sinergia não é o mesmo que acordo. Em um acordo, um mais um, na melhor das hipóteses, é igual a um e meio. Todos perdem alguma coisa. A sinergia não é apenas a *resolução* de um conflito. Quando chegamos à sinergia, *transcendemos* o conflito. Vamos além dele, em direção a algo novo, algo que empolga a todos com novas promessas e transforma o futuro. A sinergia é melhor do que o meu jeito *ou* o seu jeito. É o nosso jeito.

Quase ninguém entende a ideia de sinergia. Uma razão para isso é que ela tem sido banalizada pelo uso indevido e generalizado. Nos negócios, a palavra "sinergia" muitas vezes é cinicamente usada como um termo mais agradável para fusões ou aquisições realizadas apenas para alavancar o preço das ações. De acordo com a minha experiência, se você quiser ver alguém se entusiasmar, basta lançar mão da palavra "sinergia". Isso porque muitas pessoas nunca experimentaram de fato sequer um grau moderado de sinergia. E, se já ouviram essa palavra, muitas vezes ela foi pronunciada por manipuladores, que distorceram a ideia. Como disse um amigo meu: "Quando ouço a palavra 'sinergia' usada por pessoas de terno e gravata, sei que meu fundo de previdência está em perigo." As pessoas não confiam nessa palavra. Seus chefes as forçaram a desenvolver uma mentalidade defensiva, acreditando que todas as conversas sobre "sinergia criativa, colaborativa e cooperativa" são apenas um código para "eis aqui uma nova maneira para que possamos explorá-lo". E mentes que estão na defensiva não podem ser nem criativas nem cooperativas.

No entanto, a sinergia é um milagre. Está à nossa volta, em todos os lugares. É um princípio fundamental no trabalho em todo o mundo natural. As sequoias entrelaçam suas raízes para se proteger contra os fortes ventos e crescerem a alturas inacreditáveis. As algas verdes e os fungos, que se unem pelo líquen, colonizam e prosperam sobre a superfície nua da rocha, onde nada mais poderá crescer. As aves, voando em formação em V, podem ir quase duas vezes mais longe do que um pássaro solitário, em função da corrente de ar ascendente criada pelo bater de suas asas. Se dois pedaços de madeira forem colocados juntos, eles suportarão um peso exponencialmente maior do que cada peça separadamente. Minúsculas partículas em uma gota d'água trabalham juntas para criar um floco de neve que é absolutamente distinto de todos os outros flocos de neve. Em todos esses casos, o todo é maior do que a soma das partes.

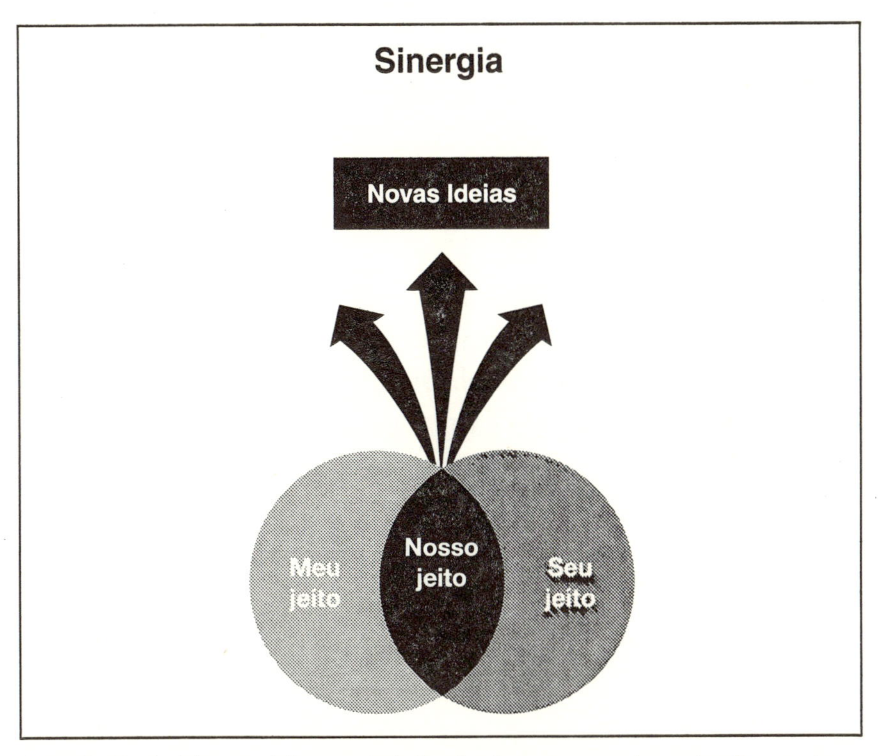

Sinergia. O princípio natural de que o todo é maior do que a soma das partes. Em vez de seguirmos de acordo com o meu jeito ou o seu, escolhemos o caminho da sinergia para obter resultados maiores e mais produtivos. Você e eu, juntos, somos muito maiores do que sozinhos.

Um mais um é igual a dois — exceto em uma situação de sinergia. Por exemplo, se uma máquina conseguir exercer 22,5 toneladas de força por polegada quadrada (PSI, na sigla em inglês) sobre uma barra de ferro, isso irá quebrá-la. Uma barra de cromo do mesmo tamanho irá quebrar se receber uma força de cerca de 26 toneladas. Uma barra de níquel quebrará com cerca de 30 toneladas. Somadas, isso significa 78,5 toneladas. Portanto, se misturarmos em uma única barra o ferro, o cromo e o níquel, ela suportará 78,5 toneladas, certo?

Errado. Se eu misturar ferro, cromo e níquel em determinadas proporções, a barra de metal resultante vai suportar 112 toneladas! Subtraindo 78,5 de 112 toneladas, ficamos com 33,5 toneladas de força, que parecem ter aparecido do nada. Juntos, os metais são 43% mais fortes do que separadamente. E isso é *sinergia.*[3]

Essa força extra é o que torna possível os motores a jato. O calor e a pressão elevados de um jato derreteriam um metal mais fraco. Mas o aço de cromo-níquel pode suportar temperaturas muito mais altas do que o aço comum.

O mesmo princípio da sinergia é verdadeiro no caso dos seres humanos. Eles podem fazer coisas imprevisíveis juntos tomando por base apenas suas forças individuais.

A música é um exemplo maravilhoso de sinergia humana. Ritmos, melodias, harmonias e estilos individuais se combinam para criar novas texturas, riqueza e profundidade musical. Os musicólogos nos informam que, durante grande parte da história da humanidade, a música foi uma arte de improvisação; as pessoas simplesmente tocavam ou cantavam juntas a qualquer momento. Escrever música de uma maneira padronizada é conquista recente. Ainda hoje, algumas das músicas mais interessantes, como o jazz, são improvisos.

Um acorde musical é composto por várias notas tocadas ao mesmo tempo. As notas não perdem seu caráter individual, mas, juntas, criam uma sinergia — uma harmonia — que as notas individuais não conseguem produzir. Assim como as notas musicais, as pessoas sinérgicas não perdem suas identidades; elas combinam suas forças com os pontos fortes das outras pessoas para produzir um resultado muito maior do que qualquer um poderia alcançar sozinho.

Nos esportes, essa característica é chamada de química. Grandes equipes esportivas apreciam a espécie de sinergia, ou de química, que pode derrotar as outras equipes, mesmo aquelas com instalações incríveis e indivíduos mais talentosos, mas que não apresentam sinergia alguma. Não se pode prever, com base nas habilidades atléticas de cada jogador, como será a performance da equipe. O desempenho de uma grande equipe ultrapassa em muito a soma das habilidades individuais de cada jogador.

---

[3] Este exemplo vem de R. Buckminster Fuller, *Synergetics — explorations in the geometry of thinking* [Sinergéticos — explorando a geometria do raciocínio] (Nova York: Macmillan, 1975), p.6.

O exemplo supremo de sinergia humana é, naturalmente, a família. Toda criança é uma "Terceira Alternativa", um ser humano distinto, dotado de capacidades que nunca existiram antes e nunca poderão ser duplicadas. Tais capacidades não podem ser previstas somando-se as capacidades dos pais. A combinação especial de capacidades humanas naquela criança é única no universo, e seu potencial criativo é exponencialmente grande. O grande Pablo Casals disse: "A criança precisa saber que ela é um milagre, que não houve, desde o início do mundo, e que não haverá, até o fim do mundo, nenhuma outra criança igual a ela."

A sinergia é a própria essência da família. Cada membro da família contribui com um tempero diferente à mistura. O que acontece quando uma criança sorri para sua mãe é mais do que apenas simbiose — mais do que apenas um reflexo do fato de viverem juntas e tirarem proveito uma da outra. Como diz meu amigo Colin Hall, a sinergia pode ser apenas uma outra palavra para o amor.

Inúmeros exemplos como esses ilustram o poder da sinergia para transformar o mundo. Mas ela também pode transformar o seu trabalho e a sua vida. Sem sinergia, seu trabalho irá estagnar. Você não vai crescer, e não vai se aprimorar. A concorrência no mercado e as mudanças tecnológicas têm se intensificado a tal ponto que, se você não tiver uma mentalidade de sinergia positiva, poderá se tornar obsoleto em seu nicho de mercado. Nenhuma sinergia, nenhum crescimento. Você se verá enredado em um círculo vicioso descendente de corte de custos, até que o seu negócio vá à falência. Por outro lado, se você desenvolver a mentalidade de sinergia positiva, poderá estar para sempre na vanguarda, em um círculo virtuoso ascendente, em direção ao crescimento e a uma influência maior.

Existe, também, uma coisa chamada sinergia negativa. Isso acontece quando o círculo vicioso é acelerado por forças emergentes. Por exemplo: fumar causa câncer de pulmão. O amianto também causa câncer de pulmão. Se você fuma *e* respira amianto, suas chances de desenvolver câncer de pulmão são muito maiores do que as duas taxas individuais somadas. Se você não está deliberadamente envolvido com a sinergia positiva, pode estar enredado na sinergia negativa.

A sinergia positiva não é gradual. Você pode melhorar um produto por meio de um processo contínuo e estável de aprimoramento, mas não conseguirá inventar um novo produto com esse método. A sinergia não é apenas a resposta para os conflitos humanos; é também o princípio que subjaz à criação de cada coisa realmente nova no mundo. É a chave para saltos quânticos em produtividade. É a força motriz mental por trás de toda criatividade genuína.

Vamos considerar alguns casos — nos níveis social, pessoal e organizacional —, nos quais a sinergia virou o jogo.

Não Violência Criativa

Quando conheci Arun Gandhi, neto do lendário Mahatma Gandhi, ele me contou suas percepções sobre a vida de seu avô:

> *Ironicamente, se não fosse pelo racismo e pelo preconceito, talvez não tivéssemos tido um Gandhi. Veja, tudo aconteceu em função do desafio, do conflito. Ele poderia ter sido apenas mais um advogado de sucesso que teria feito muito dinheiro. Mas, por causa do preconceito na África do Sul, uma semana após a sua chegada, ele foi submetido a humilhações. Ele foi expulso de um trem por causa da cor de sua pele. E isso o humilhou tanto que ele ficou sentado na plataforma da estação a noite toda, imaginando o que poderia fazer para obter justiça. Sua primeira reação foi de raiva. Ele estava tão irritado que queria a justiça do olho por olho. Ele queria responder com violência às pessoas que o humilharam. Mas ele se deteve e pesnou: "Isso não está certo." Aquilo não lhe traria justiça. Poderia fazê-lo se sentir bem momentaneamente, mas não o conduziria a qualquer espécie de justiça. Seria apenas a perpetuação do ciclo de conflitos.*
>
> *A partir desse ponto, ele desenvolveu a filosofia da não violência e a colocou em prática em sua vida, assim como em sua busca por justiça na África do Sul. Ele acabou ficando naquele país por 22 anos. E, então, retornou e liderou o movimento da Índia. E aquele movimento resultou em um país independente, algo que ninguém jamais havia imaginado.*[4]

---

[4] Citado em Stephen R. Covey, "The mission statement that changed the world" [A missão que mudou o mundo], *The Stephen R. Covey Community.* Disponível em: http://www.stevencovey.com/blog/?=14.

Gandhi é um dos meus heróis. Ele não era perfeito e não atingiu todos os seus objetivos. Mas aprendeu a sinergia dentro de si mesmo. Ele inventou uma Terceira Alternativa: a *não violência criativa.* Ele transcendeu o raciocínio de Duas Alternativas. Ele não estava disposto a fugir, mas também não iria lutar. É isso o que os animais fazem; quando encurralados, eles lutam ou fogem. Isso é o que fazem, também, os que pensam sob a égide de Duas Alternativas. Eles lutam ou fogem.

Gandhi mudou as vidas de mais de 300 milhões de pessoas utilizando a sinergia. Hoje, há mais de 1 bilhão de pessoas na Índia. É um lugar incrível. É possível sentir a energia, o vigor econômico e espiritual desse povo fantástico e independente.

A Aula de Música

Uma mulher, que chamaremos de Nadia, percebeu que sua filha chorava ao sair da escola carregando o estojo com seu violino. Entre soluços, a criança de 8 anos de idade contou à mãe que a professora não iria mais permitir que os alunos tocassem na sala de aula. Durante toda aquela noite, Nadia, ela mesma uma violinista experiente, ficou cada vez mais irritada — não conseguia dormir pensando na decepção no rosto da filha — e, cuidadosamente, planejou um discurso para repreender a professora.

Mas, na manhã seguinte, Nadia pensou melhor e, antes de desferir seu ataque, decidiu descobrir o que realmente estava acontecendo. Ela chegou cedo à escola, a fim de encontrar a professora antes do início da aula. "Minha filha adora violino", disse ela, "e estou querendo saber o que aconteceu para que as crianças não possam mais praticar na escola." Para sua surpresa, a professora começou a chorar. "Não há mais tempo para a música", explicou ela. "Temos de gastar todo o nosso tempo em disciplinas básicas, como leitura e matemática." Era uma ordem do governo.

Por um instante, Nadia pensou em atacar o governo, mas depois ela disse: "Deve haver uma maneira para que as crianças aprendam música *e* as disciplinas básicas." A professora piscou os olhos. "É claro, a música *é* matemática." Nesse ponto, o cérebro de Nadia começou a entrar em ação. E se as disciplinas básicas pudessem ser ensinadas *por meio* da música? Ela olhou para a professora e ambas começaram a rir, porque haviam tido o mesmo pensamento, ao mesmo tempo. O fluxo de ideias da hora seguinte foi quase mágico.

Nadia logo ofereceu suas horas livres para ajudar nas aulas da filha. Juntas, ela e a professora ensinaram todos os assuntos usando a música. Os alunos estudavam frações não só com números, mas também com notas de música (duas colcheias equivalem a uma semínima). A leitura de poemas se tornou muito mais fácil quando as crianças podiam cantá-los. A história tornou-se viva, à medida que as crianças estudavam os grandes compositores e suas épocas, e tocavam suas músicas. Eles ainda aprenderam um pouco de algumas línguas estrangeiras, cantando canções populares de outros países.

A sinergia entre a mãe musicista e a professora foi tão importante quanto a sinergia entre a música e as disciplinas básicas. Os alunos aprenderam as duas coisas — e rapidamente. Em breve, outros professores e pais de alunos se dispuseram a experimentar o método. Com o tempo, até mesmo o governo se interessou por essa Terceira Alternativa.

Qualidade Total

Quando, nos anos 1940, o professor de administração W. Edwards Deming tentou convencer os industriais norte-americanos da necessidade de aumentar a qualidade de seus produtos, eles preferiram optar por hipotecar o seu futuro, cortando os gastos de pesquisa e desenvolvimento, e enfocando nos lucros a curto prazo. Este é o raciocínio de Duas Alternativas: ter alta qualidade ou ter custos baixos, mas não ambos. Todo mundo sabia disso. Nos Estados Unidos, a demanda por lucros de curto prazo produzia uma pressão constante para reduzir a qualidade e, assim, surgiu um círculo vicioso. Uma mentalidade se desenvolveu: *O que podemos dispensar? Até quando poderemos fazer esse produto de má qualidade antes que os clientes se revoltem?*

Rejeitado nos Estados Unidos, Deming foi para o Japão. Essencialmente, ele ensinou que os defeitos aparecem em qualquer processo de fabricação, e que tais defeitos afastariam os consumidores; portanto, a meta da fabricação deveria ser reduzir continuamente o percentual de defeitos. Os industriais japoneses combinaram a ideia de Deming com sua própria filosofia *kanban*, que coloca o controle da produção nas mãos dos trabalhadores. *Kanban* significa "mercado"; os trabalhadores da fábrica escolhem as peças como um cliente em uma mercearia. A pressão é sempre no sentido de produzir peças melhores. O resultado dessa combinação de ideias foi algo novo no mundo, a Terceira Alternativa: "Gestão da Qualidade Total", cujo objetivo era melhorar continuamente a qualidade, enquanto se reduziam continuamente os custos. Uma mentalidade se desenvolveu: *Como esse produto pode ser melhorado?*

Enquanto isso os fabricantes norte-americanos, sufocados pela mentalidade de Duas Alternativas, esforçavam-se para competir com os carros e os eletrodomésticos japoneses, cada vez mais confiáveis e acessíveis. Com o tempo, esse círculo vicioso teve um efeito paralisante sobre a indústria pesada dos Estados Unidos.

Raciocínio de Duas Alternativas

Como mostram esses exemplos, a falta de uma mentalidade da Terceira Alternativa é o grande obstáculo para a sinergia. Pessoas com a mentalidade de Duas Alternativas sobre um determinado assunto não conseguem chegar à sinergia até que admitam, ao menos, tal possibilidade. Os que pensam em termos de Duas Alternativas enxergam apenas a concorrência, nunca a cooperação; é sempre "nós contra eles". Os que pensam em termos de Duas Alternativas veem apenas falsos dilemas; é sempre "a minha maneira ou nada feito". Os que pensam em termos de Duas Alternativas sofrem de uma espécie de daltonismo — só conseguem ver azul ou amarelo, nunca verde.

O raciocínio de Duas Alternativas está em todas as partes. Sua manifestação mais extrema é a guerra, mas, abreviando-o, ele significa engajar-se em alguns "grandes debates". Nós o observamos em liberais que tapam seus ouvidos quando os conservadores falam, e vice-versa. Nós o observamos em líderes empresariais que sacrificam os interesses de longo prazo da empresa em função de ganhos a curto prazo, mas também naqueles que insistem em se classificar como "visionários a longo prazo", enquanto a empresa entra em colapso porque eles se recusam a considerar o curto prazo. Nós o observamos na pessoa religiosa que rejeita a ciência e no cientista que não vê valor algum na religião (em uma certa universidade de Londres, os cientistas nem almoçam no refeitório da faculdade quando os teólogos estão lá!).

Duas Alternativas. Em um conflito, estamos acostumados a pensar em termos de "meu jeito" ou "seu jeito". As pessoas com uma mentalidade de sinergia ponderam ambos os lados, ou simplesmente vão além desse pensamento estreito, em direção a uma solução de Terceira Alternativa.

Os que pensam em termos de Duas Alternativas muitas vezes não conseguem *ver* as outras pessoas como seres humanos individuais — veem somente suas ideologias. Eles não avaliam os diferentes pontos de vista e, assim, não tentam entendê-los. Talvez eles possam dar falsas demonstrações de respeito, mas não estão verdadeiramente dispostos a ouvir; eles querem manipular. Eles estão na ofensiva, porque são inseguros — seu território, sua autoimagem, sua identidade estão em jogo. Em última análise, sua estratégia para lidar com as diferenças é "localizar e destruir". Para essas pessoas, um mais um é igual a zero, ou menos do que isso. A sinergia não consegue prosperar nesse ambiente.

Você deve estar se perguntando: "É possível alcançar a sinergia com todas as pessoas?" Seria muito difícil com pessoas com desequilíbrio cognitivo e emocional, que não conseguem controlar seus impulsos. Evidentemente, não se pode entrar em sinergia com um psicopata. Mas a maioria das pessoas são apenas pessoas. O problema que se insinua com o raciocínio de Duas Alternativas é a armadilha bipolar na qual nós, pessoas perfeitamente normais e racionais, facilmente caímos. É parecido com o quadro da página 37: "As pessoas ao meu lado são [escolha uma definição da coluna A]. As pessoas do seu lado são [escolha uma definição da coluna B]."

A	B
Boas	Más
Generosas	Insensíveis
Inteligentes	Estúpidas
Sensatas	Tolas
Razoáveis	Irracionais
Virtuosas	Cruéis
Flexíveis	Mentirosas
Talentosas	Idiotas
Patriotas	Traidoras
As melhores pessoas do mundo	As piores pessoas do mundo

Eu costumava pensar que a maioria dos adultos estava acima desse tipo de coisa, que eles entendiam a complexidade do mundo em que vivemos. Assistindo à mídia dos dias de hoje e às pessoas que ganharam bastante promovendo o raciocínio de Duas Alternativas, não estou tão seguro desse fato.

Além disso, o raciocínio de Duas Alternativas nos exaspera se confrontamos um dilema, definido como um problema que parece não ter uma solução satisfatória. Ouço e vivo histórias sobre tais problemas o tempo todo, e você também. Um professor diz: "Não consigo lidar com esse aluno, mas também não posso desistir dele." Um líder empresarial afirma: "Não conseguimos fazer esse negócio crescer sem mais capital mas não conseguiremos capital a menos que façamos o negócio crescer — é um paradoxo clássico." Um político declara: "Não podemos nos dar o luxo de fornecer cuidados médicos de qualidade para todos, nem podemos deixar que as pessoas sofram se não puderem pagar." Um diretor de vendas comenta: "Meus dois melhores vendedores falam mal um do outro e se prejudicam constantemente. Mas, sem eles, perderíamos nossas melhores contas." A esposa diz sobre seu marido: "Não consigo viver com ele, e não consigo viver sem ele."

Os Chifres de um Dilema

Pode ser angustiante sentir que existem apenas Duas Alternativas igualmente péssimas. Os antigos gregos classificaram essa situação como estar preso aos "chifres de um dilema", pois é como enfrentar um touro: seja qual for o chifre que o pegar, ele o atravessará por inteiro.

Em face de tais dilemas, a insegurança do pensador de Duas Alternativas é compreensível. Algumas pessoas levantam as mãos e se rendem. Outras, atacam um "chifre" do dilema e arrastam todo mundo consigo. Obcecadas por estarem com a razão, elas armam uma grande cena para defender seu direito, mesmo quando a ferida ainda está sangrando. Outras, ainda, selecionam o chifre que as matará, porque sentem que precisam fazer isso; elas não conseguem vislumbrar uma Terceira Alternativa.

Muitas vezes deixamos de reconhecer que estamos diante de um *falso* dilema — o que é muito ruim, pois, na verdade, a maioria dos dilemas é falsa. Podemos vê-los em todas as partes. As pesquisas perguntam: "Você é a favor da solução republicana ou democrata? Você é a favor ou contra a legalização das drogas? É certo ou errado usar animais em pesquisas? Você está a nosso favor ou contra nós?" Tais questões não nos permitem pensar além de Duas Alternativas (que é, de modo geral, aquilo que o pesquisador pretende!). Exceto para os que pensam em termos de Duas Alternativas, quase sempre há opções além dos dois extremos de um dilema. Raramente nos perguntamos se há uma resposta melhor — uma Terceira Alternativa. Nenhum pesquisador *jamais* vai lhe fazer essa pergunta.

A Grande Zona Intermediária

Uma consequência debilitante do raciocínio de Duas Alternativas é a perda da esperança. Em qualquer grande debate há uma "grande zona intermediária" de pessoas que não se identificam com nenhum dos polos. De modo geral, elas são anuladas pelos extremos do raciocínio de Duas Alternativas. Elas acreditam no trabalho em equipe, na colaboração e na avaliação do ponto de vista da outra parte, mas não enxergam as possibilidades da Terceira Alternativa. Elas realmente não acreditam que haja *soluções* reais para um conflito com o chefe, um mau casamento, uma ação judicial, ou para a disputa entre Israel e a Palestina. Elas são as que afirmam: "Não nos damos bem. Não somos compatíveis. Não há solução."

Elas acreditam no acordo, e o consideram a melhor coisa que podem esperar. O acordo goza de boa reputação e, provavelmente, já conseguiu que muitos problemas se agravassem. Segundo os dicionários, ambas as partes de um acordo "concedem, sacrificam ou abdicam" de alguns de seus próprios interesses, a fim de se chegar a uma conciliação. É a clássica situação de "perde/perde" — o oposto de uma situação de "ganha/ganha". As pessoas podem ficar satisfeitas ao fechar um acordo, mas nunca ficam encantadas. A relação se enfraquece e, com bastante frequência, a disputa apenas reaparece com mais força.

Pelo fato de viverem em um mundo de perde/perde, as pessoas na grande zona intermediária não têm muita esperança. Muitas vezes, elas são as que se afastam de seus empregos ano após ano, mas dão pouco de si e do seu potencial. Tendem a ver a vida através das lentes defasadas da Era Industrial. Seu trabalho é bater o ponto e cumprir, mecanicamente, uma tarefa, sem transformar o próprio mundo ou criar um novo futuro. Elas são boas jogadoras, mas não influenciam muito no jogo. Ninguém lhes pede mais nada além disso. Logicamente, seu ceticismo é uma defesa compreensível contra o raciocínio de Duas Alternativas. "Uma praga em ambas as casas" é sua resposta silenciosa ao serem flagradas em uma guerra de territórios no trabalho ou em uma briga entre membros da família. E elas levantam imediatamente a guarda com a mudança de uma liderança ou uma nova estratégia. "Abaixo as velhas formas, vamos abrir espaço para o novo. Vamos nos tornar uma organização enxuta e de alto desempenho!" Para elas, esse é o código para: "Você não concorda que seria uma coisa boa desistir de seus benefícios e/ou sofrer um corte de salário e/ou fazer o trabalho de duas pessoas para que nossos resultados pareçam melhores? Você não concorda que todos devem abrir mão de alguma coisa?" É claro que elas concordam. Elas nunca são consultadas, são vistas como partes intercambiáveis e aprenderam há muito tempo a não ter esperanças.

Muitas vezes, portanto, uma triste consequência para a grande zona intermediária é o câncer metastático do cinismo. Qualquer pessoa entusiasmada é considerada suspeita. Há desprezo por novas ideias. E quando ouvem a palavra "sinergia", as pessoas têm uma reação alérgica. Nunca vivenciaram a verdadeira sinergia.

Os Paradigmas da Sinergia

Como vimos, pessoas que superam o raciocínio de Duas Alternativas e seguem em frente até a mentalidade de sinergia — pessoas como Gandhi, Deming e Nadia, a mãe musicista —, são raras, mas muito influentes, criativas e produtivas. Elas assumem, automaticamente, que todos os dilemas são falsos. Elas são as responsáveis pelas mudanças de paradigma, as inovadoras, as que viram o jogo.

Se quisermos nos juntar a elas, alcançar o raciocínio da Terceira Alternativa, temos de mudar nossos paradigmas de quatro maneiras significativas (veja a figura da página 41). Saiba desde já que essas quatro mudanças de paradigma não são fáceis. Elas são contraintuitivas. Elas nos afastarão do egoísmo e nos conduzirão ao autêntico respeito pelos outros. Elas nos desviarão da necessidade de encontrar a resposta "certa" o tempo todo, porque estaremos procurando a "melhor" resposta. Elas nos levarão por caminhos imprevisíveis, pois ninguém sabe de antemão com o que uma Terceira Alternativa se parecerá.

O quadro da página 41 contrasta os quatro paradigmas do raciocínio comum e usual de Duas Alternativas com os paradigmas do raciocínio de Terceira Alternativa. Pode-se constatar que o raciocínio de Duas Alternativas está cada vez mais longe das soluções criativas em cada etapa. Sem os paradigmas do raciocínio de Terceira Alternativa, as soluções criativas se tornam impossíveis. Um paradigma é o fundamento para o próximo, então, a sequência de paradigmas é importante. E por que é assim?

Os psicólogos dizem que a primeira condição para a cura e o crescimento é "a autenticidade, a franqueza, ou a congruência". Quanto menos colocarmos um muro diante de nós, maiores as chances de alcançaramos a sinergia. Assim, o primeiro paradigma é "Eu me vejo". Significa que eu estou autoconsciente — procurei, em meu próprio coração, os meus motivos, as minhas incertezas e os meus preconceitos. Examinei minhas próprias suposições. Estou pronto para ser autêntico com você.

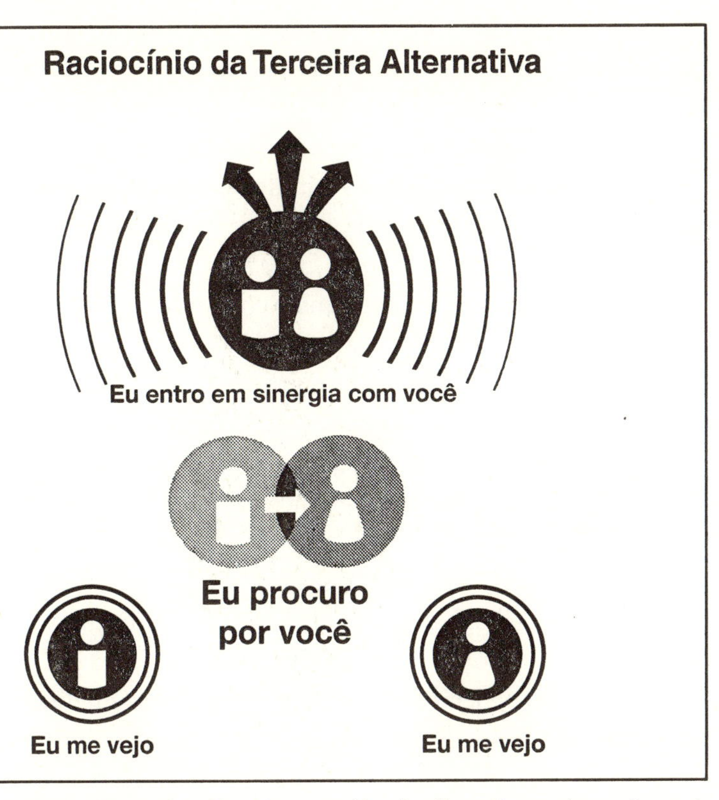

Raciocínio da Terceira Alternativa. Para alcançar a Terceira Alternativa preciso praticar, primeiro, a autoconsciência e valorizar o ponto de vista diferente que você representa. Então, devo procurar entender de forma abrangente esse ponto de vista. Só então poderemos passar para a sinergia.

	Raciocínio de Duas Alternativas	Raciocínio de Terceira Alternativa
1	Vejo apenas o meu "lado".	Vejo a mim mesmo — independentemente do meu "lado".
2	Elaboro um estereótipo seu.	Vejo você — como um ser humano, não apenas como um representante do seu "lado".
3	Eu me defendo contra você, porque você está errado.	Procuro por você, porque você vê as coisas de maneira diferente.
4	Ataco você. Entramos em guerra um contra o outro.	Entro em sinergia com você. Juntos, criamos um futuro incrível que ninguém poderia ter imaginado.

A segunda condição é aceitar, cuidar e valorizar o *outro*. Carl Rogers, um dos meus autores favoritos e um dos meus heróis, chama essa atitude de "consideração positiva incondicional", um sentimento expansivo e positivo pelo outro, porque eu valorizo o outro como um ser humano integral e não como um conjunto de atitudes, comportamentos ou crenças. O outro não é uma *coisa* para mim, o outro é uma pessoa. "Vejo você" como uma irmã, um irmão, um filho de Deus.

A terceira condição é a compreensão empática, que não acontece até que os dois primeiros paradigmas tenham sido aceitos. Empatia significa perceber e realmente entender de onde a outra pessoa está vindo. A empatia é rara; nem você nem eu a oferecemos ou a recebemos com muita frequência. Ao contrário, como diz Rogers, "oferecemos outro tipo de entendimento, muito diferente: 'Entendo o que há de errado com você.'" Por outro lado, o paradigma eficaz é "Procuro por você", a fim de compreender totalmente o que está em seu coração, sua mente e sua alma, e não a fim de julgá-lo. Novas ideias respiram melhor em uma atmosfera de autêntica compreensão mútua.

É preciso cumprir as três primeiras condições para se chegar à quarta condição. Então, podemos aprender e crescer juntos em direção a uma verdadeira solução "ganha/ganha" que seja nova para nós dois. "Eu entro em sinergia com você" só quando tiver genuína consideração positiva por você *e* por mim mesmo, e entender claramente o que está acontecendo em seu coração e em sua mente. "Eu entro em sinergia com você" apenas quando superar a mentalidade de escassez de que só há Duas Alternativas possíveis e uma delas está *errada*. "Eu entro em sinergia com você" só quando adotar a mentalidade de abundância, de que existem infinitas alternativas gratificantes, estimulantes e criativas, nas quais sequer havíamos pensado ainda.[5]

Vamos analisar cada um desses paradigmas.

Paradigma 1: Eu me Vejo

Este primeiro paradigma é sobre ver a mim mesmo como um ser humano único, capaz de julgar e agir de modo independente.

---

[5] Para mais informações sobre as condições que promovem relações edificantes e criativas, ver Carl Rogers, *Tornar-se pessoa* (São Paulo: Martins Fontes, 2008).

O que vejo quando olho no espelho? Vejo uma pessoa inteligente, respeitável, cheia de princípios e de mente aberta? Ou vejo alguém que sabe todas as respostas e desacata as pessoas do "outro lado" do conflito? Penso por contra própria ou meus pensamentos me são impostos?

Não sou apenas "o meu lado" em um conflito. Sou mais do que a soma dos meus preconceitos, do meu partido e de minhas ideias preconcebidas. Meus pensamentos não são predeterminados por minha família, minha cultura ou minha empresa. Parafraseando George Bernard Shaw, não sou um punhado de ressentimentos egoístas reclamando que o mundo não se ajusta à minha — ou à "nossa" — maneira de pensar. Mentalmente, posso me separar de mim mesmo e avaliar como os meus paradigmas estão influenciando as minhas ações.

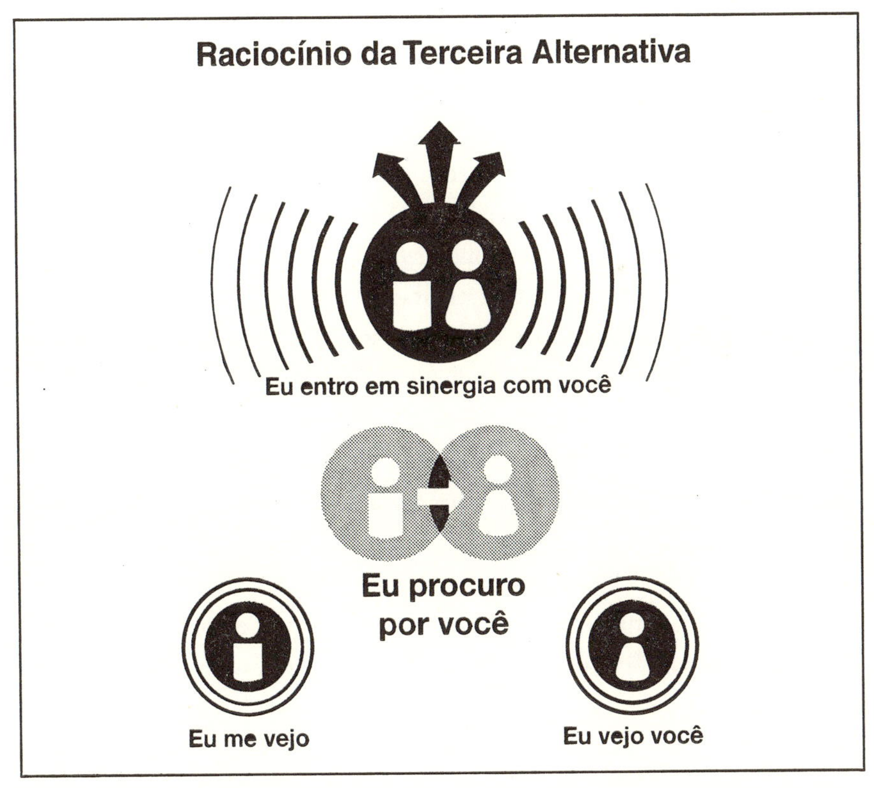

Eu me vejo. Eu me vejo como um ser humano criativo e autoconsciente, que é mais do que o "lado" que represento em um conflito. Posso compartilhar certas crenças ou pertencer a determinados grupos, mas eles não definem quem sou. Escolho a minha própria história.

	Eu me vejo	Eu vejo o meu "lado"
VER	Eu me vejo como um ser humano criativo e autoconsciente, que é mais do que o "lado" que represento. Posso compartilhar certas crenças ou pertencer a determinados grupos. Mas isso não define quem sou. Meu pensamento vem de dentro para fora.	Eu me vejo em termos do grupo ao qual pertenço: o meu "lado", o meu partido, a minha empresa, o meu país, o meu gênero, a minha raça. Eu me defino como um conservador, um trabalhador, uma feminista ou um gângster, e não como um indivíduo. Meu pensamento vem de fora para dentro.
FAZER	Penso sobre o que penso. Desafio minhas próprias crenças, bem como as de outras pessoas.	Penso o que meu grupo pensa. Estou certo — por que eu iria desafiar minhas crenças?
OBTER	Engajamento criativo com outras pessoas.	Conflitos destrutivos com outras pessoas.

O paradigma "Eu me vejo" contrasta com o paradigma típico "Eu vejo o meu 'lado'", como mostrado nas linhas contrastantes do quadro acima. Em qualquer conflito, o modo como *vemos* as coisas determina o que *fazemos* e o que *fazemos* determina os resultados que *obtemos.*

O paradigma ineficaz é ver a mim mesmo como *definido* por alguma coisa exterior a mim; como resultado, tudo que valorizo vem de fora. Ser *definido* é estar fixado ou limitado. Mas os seres humanos são livres para escolher o que serão e farão; isso é fundamental para todas as pessoas. Quando uma mulher diz que é ambientalista, ela na verdade quer dizer que compartilha algumas crenças sobre o meio ambiente com outras pessoas. Ela certamente não quer dizer que é *apenas* uma ambientalista — tal pessoa também é uma mulher, filha de alguém, talvez esposa ou namorada de alguém. Ela também pode ser uma musicista, uma advogada, uma cozinheira ou uma atleta.

A questão-chave é que nenhum desses papéis a *definem* completamente. Quando ela se olha no espelho, se ela for sensata, *verá* algo mais do que os papéis que desempenha. Ela verá o seu *eu* — uma personalidade inteligente, independente e criativa, que transcende as definições.

Quando um líder se define como um homem de negócios racional, prático e teimoso, ele pode estar a caminho do fim. Ele pode tomar todas as decisões "certas", de acordo com os pressupostos da cultura de seu MBA e, ainda assim, ir à falência. Isso acontece todos os dias, e não há nada de novo aí. Mais de 2 mil empresas chegaram a figurar na lista da *Fortune 500* desde os anos 1950; a grande maioria já desapareceu. Já pudemos constatar, nas calamidades econômicas dos últimos anos, como esse raciocínio teimoso pode se revelar frágil. Observadores como o eminente professor de negócios Henry Mintzberg creem que uma arrogante cultura de MBA está na base do ciclo de repetidas crises financeiras.[6]

Em grande medida, é claro, nos sentimos definidos pela nossa cultura. Tendemos a nos vestir, falar, comer, brincar e pensar do mesmo modo que as pessoas com as quais nos identificamos. Não importa se somos executivos, bailarinos, sacerdotes, políticos ou policiais. Vestimos o uniforme. Ouvimos os especialistas. Assistimos aos filmes. E conversamos sobre aqueles assuntos.

O filósofo Owen Flanagan coloca a questão desta maneira: "Nascemos em famílias e comunidades que já têm uma imagem estabelecida das pessoas. Não temos nenhuma voz ativa sobre as coordenadas de imagens dentre as quais nascemos. A imagem nos antecede, frequentemente por séculos. [...] Quando chegamos a uma idade em que podemos ter algum controle, trabalhamos a partir daquela imagem, da história que já está profundamente absorvida, uma história que já faz parte da nossa autoimagem."[7] Podemos nos tornar defensores ferrenhos daquela autoimagem, mesmo que, aos poucos, ela se revele cada vez menos relacionada com nós mesmos, e mais com uma imagem imposta externamente.

O Verdadeiro Roubo de Identidade

Ouvimos muito sobre o roubo de identidade quando alguém furta a sua carteira e se passa por você, usando os seus cartões de crédito. Mas o mais grave roubo de identidade é ser engolido pelas definições que as outras

---

[6] Henry Mintzberg, "A Crisis of Management, Not Economics" [Uma crise de gestão, e não econômica], *Globe and Mail* (Toronto), 31 de março de 2009.

[7] J. Owen Flanagan, *The problem of the soul* [O problema da alma], (Nova York: Basic Books, 2002), p. 30.

pessoas fazem de você. Você fica tão imerso nos propósitos externos, na história cultural, nas pressões políticas e sociais, que perde a noção de quem você é e do que poderia fazer na vida. Chamo isso de "o verdadeiro roubo de identidade". Esse roubo de identidade é muito real e acontece o tempo todo, simplesmente porque as pessoas não fazem distinção entre suas próprias mentes e a mentalidade cultural.

Nossos políticos estão se deixando paralisar pelo roubo de identidade. Mesmo aqueles bem-intencionados, com a mente aberta e profundamente íntegros, permitem que sua identidade lhes seja roubada. É a força do raciocínio de Duas Alternativas, e não o julgamento independente, que governa o seu comportamento. Como afirma um ex-congressista norte-americano: "Eles se fecham inutilmente em gupos atrás das linhas partidárias. Parece não haver maneira alguma de escapar."[8]

Ao criar o espelho, o homem começou a perder sua alma. Tornou-se mais preocupado com a imagem do que com o seu Eu. Assim, ele conta a si mesmo uma história que se adapte à imagem social:

"Detesto estas reuniões políticas, mas, como membro do partido, preciso estar aqui."

"Lá está aquele cara do outro partido. É a sua vez de falar. Não sei por que eles perdem tempo com isso."

"Como as pessoas podem acreditar em coisas como essas? Por que não conseguem usar um pouco de bom-senso? Sou apenas um cara simples, que usa o bom-senso. Por que não conseguem ser como eu? Eles estão cegos?"

"Bem, o que ele diz faz algum sentido. Mas, espere, ele não pode falar algo com sentido! Isso não é possível. Ele está do outro lado."

"Não sei como um cara tão sensível pode ser tão teimoso."

---

[8] Lee H. Hamilton, "We can reconcile polarized politics" [Podemos reconciliar a política polarizada], *JournalStar.com*, 3 de dezembro de 2010. Disponível em: http://journalstar.com/news/opinion/editorial/columnists/article_bf62ba78-9073-5d13-b19e-ef5a-66ea2465.html.

Talvez seja um golpe para a nossa autoimagem cultural reconhecer algum valor em uma imagem contracultural ("Você quer dizer que não temos toda a razão e toda a verdade ao nosso lado? Há alguma coisa do outro lado?"). Ainda assim, cada um de nós tem o poder de transcender a imagem cultural que temos de nós mesmos. Podemos estar acima dos uniformes que usamos, de nossas opiniões convencionais e de todos os outros símbolos da mesmice.

Por um lado, não somos máquinas pré-programadas. Ao contrário de um carro, de um relógio ou de um computador, cada um de nós tem a capacidade especificamente humana de ver além de nossa programação cultural. Somos autoconscientes. Essa tomada de consciência significa que podemos nos observar de fora e avaliar nossas crenças e nossas ações. *Podemos pensar sobre o que pensamos.* Podemos desafiar nossas crenças. Uma máquina não pode fazer isso. Como seres humanos autoconscientes, somos livres para fazer nossas próprias escolhas, somos criativos e temos consciência das coisas. Essa compreensão sobre nós mesmos nos dá confiança.

Por outro lado, nunca poderemos nos observar completamente por nossa própria conta. Quando olhamos ao espelho, conseguimos ver apenas parte de nós mesmos. Temos pontos cegos. Aqueles que pensam em termos de Duas Alternativas e que enfrentam conflitos raramente questionam suas próprias programações. Eles dependem de pressupostos culturais que lhes parecem completamente racionais, mas que, de saída, são sempre deficitários. A sinergia nos levará não somente a aprender sobre os outros, mas também sobre nós mesmos — é inevitável. Esse entendimento nos traz humildade.

Se realmente consigo me ver, também posso observar minhas tendências culturais. Vejo em que preciso ser complementado, já que sou incompleto. Vejo as pressões exercidas sobre mim. Vejo as expectativas que os outros têm a meu respeito, e vejo meus verdadeiros motivos.

Mas também posso ver além da minha própria cultura. Vejo onde posso contribuir, porque tenho um diferencial. Vejo a influência que posso exercer. Vejo a mim mesmo não como uma vítima das circunstâncias, mas como um criador do futuro.

Ao pensar sobre isso, aqueles que realmente *veem* a si mesmos entendem esse paradoxo criativo — o fato de serem simultaneamente limitados e ilimitados. Eles não confundem o seu mapa mental com o território real.

Eles sabem que têm pontos cegos, assim como um potencial infinito. Portanto, eles podem ser ao mesmo tempo humildes e confiantes.

A maioria dos conflitos surge a partir da má compreensão desse paradoxo sobre nós mesmos. Aqueles que são muito seguros de si carecem de autoconsciência. Não sendo capazes de perceber que sua própria perspectiva é *sempre* limitada, eles insistem em seguir o caminho que escolheram ("Já vivi o suficiente para saber quando estou certo"). Inevitavelmente, obtêm resultados fracos e, muitas vezes, ferem as pessoas no processo. Por outro lado, os que se acomodam diante de suas limitações se tornam dependentes. Eles se veem como vítimas e não conseguem fazer as contribuições das quais são capazes.

Chamo esse paradoxo de paradoxo *criativo*, porque somente aqueles que reconhecem não ter resposta alguma seguem procurando, e somente aqueles que reconhecem seu próprio potencial têm coragem e confiança para continuar à procura. Como afirma Eliezer Yudkowsky, pesquisador da inteligência artificial: "O primeiro passo para se chegar a uma Terceira Alternativa é tomar a decisão de procurar por uma."

Meu filho David tem procurado a Terceira Alternativa ao longo de toda a sua vida. Eis o que ele tem a dizer sobre isso:

A Terceira Alternativa é a base para todas as interações. É assim que todos deveriam pensar. O fato de meu pai ter incutido isso em minha mente foi a maior lição que recebi dele.

Quando eu estava na faculdade, tentei ser aceito em uma disciplina que precisava cursar para me formar, e ouvi a frase clássica: "Sinto muito, a turma já está cheia, você não pode entrar." Então, conversei com meu pai e perguntei o que eu deveria fazer. Ele disse: "Persista! Descubra uma Terceira Alternativa. Se eles dizem que não há espaço, diga-lhes que você vai levar sua própria cadeira ou que vai ficar o tempo todo em pé. Diga-lhes que vai cursar essa disciplina de qualquer maneira. Diga-lhes que sabe que algumas pessoas irão desistir, que você está mais comprometido do que elas e que vai demonstrar o seu comprometimento." E fui aceito!

Quando criança, eu pensava que o conceito da Terceira Alternativa era totalmente insano, muito audacioso. Mas quando comecei a aplicá-

lo fiquei espantado com o poder de encontrar regularmente uma maneira de fazer o que eu precisava fazer.

Uma vez, tirei uma nota muito ruim em uma disciplina da área de saúde. O professor havia aplicado um exame final incrivelmente difícil, que pegou todos de surpresa. Então, falei para o meu pai: "O que vou fazer? Não posso ter uma nota como essa no meu boletim." Ele me disse para conversar com o professor e encontrar uma maneira de obter um A. Assim, fui até o professor e disse: "Meu desempenho realmente foi ruim no exame final, como o de várias outras pessoas, mas deve haver algo que eu possa fazer para conseguir uma nota melhor do que essa." Ele me respondeu com todas as negativas habituais, mas insisti e, finalmente, ele me perguntou: "O que você faz para se exercitar?" Respondi que corria na equipe de atletismo. Ele disse: "Se você conseguir correr os 400 metros em menos de 55 segundos, dou-lhe um A-." Naquela época, eu corria 400 metros em 52 segundos — o professor estava, obviamente, desinformado sobre o que era um bom tempo. Um amigo meu cronometrou minha corrida; corri facilmente em 52 segundos e recebi um A- por algo que não tinha relação alguma com aquela disciplina. Foi um caso de ser persistente e adotar uma Terceira Alternativa.

Como cresci com a ideia de sempre buscar a Terceira Alternativa, isso se tornou uma parte de mim. Não se trata de ser agressivo, rude ou desagradável, mas não aceito um "não" facilmente como resposta. Sempre há uma Terceira Alternativa.

As experiências de David são exemplos simples de como podemos encontrar, dentro de nós mesmos, as sementes da Terceira Alternativa. Ele mesmo é um exemplo de como podemos redefinir quem somos, mudando a história que contamos a nós mesmos a nosso respeito.

O Poder mais Importante que Temos

Nossos paradigmas e condicionamentos culturais compõem a história de nossas vidas. Cada uma tem um começo, um enredo e personagens. É possível, até mesmo, que haja heróis e vilões. Incontáveis enredos secundários compõem o enredo principal. Há reviravoltas cruciais e a narrativa se transforma. E, o mais importante de tudo: existe conflito. Se não houver conflito, não há história. Toda grande história gira em torno de uma luta de algum tipo: um herói contra um vilão, uma corrida contra o tempo, um personagem contra sua consciência, um homem contra seus próprios limites. Secretamente, nos vemos como os heróis de nossas próprias histórias (ou, em algumas instâncias sombrias e quase sempre profundas, como os nossos próprios inimigos). Quem pensa de acordo com as Duas Alternativas desempenha o papel de um fraudulento protagonista preso em um combate com o antagonista.

Mas há uma terceira voz na história, que não é nem a do herói nem a do vilão. É a voz que *conta* a história. Se formos verdadeiramente autoconscientes, perceberemos que não somos apenas personagens de nossa própria história, mas também os narradores. Não aparecemos apenas como personagens, somos, também, os escritores.

Minha história é apenas parte de histórias muito maiores — histórias de uma família, de uma comunidade e de toda uma cultura. Talvez eu tenha uma influência limitada sobre como essas histórias evoluem, mas tenho um controle suficientemente grande sobre como a *minha* história se desenvolve. Sou livre para contar minha própria história. Esta observação do jornalista David Brooks é muito sensata:

> *Dentre todas as coisas que não controlamos temos, sim, algum controle sobre as nossas histórias. Temos, de fato, uma voz determinante ao escolher a narrativa que utilizaremos para dotar o mundo de sentido. A responsabilidade individual está contida no ato de selecionar e revisar constantemente a narrativa que contamos sobre nós mesmos.*
>
> *As histórias que selecionamos, por sua vez, nos ajudam a interpretar o mundo. Elas nos orientam a prestar atenção a certas coisas e a ignorar outras. Elas nos levam a considerar certas coisas como sagradas e outras como repugnantes. Elas são a estrutura que molda os nossos desejos e objetivos. Assim, apesar de a seleção da história parecer vaga e intelectual, ela é, na verdade, muito poderosa. O poder mais importante que possuímos é ajudar a escolher as lentes pelas quais observamos a realidade.*[9]

[9] David Brooks, "The rush to therapay" [A corrida à terapia], *New York Times*, 9 de novembro de 2009.

Meu filho David geralmente conta a história de que levou sua própria cadeira para a aula da faculdade. Ele a utiliza para ilustrar o quanto a Terceira Alternativa pode ser simples e poderosa. Mas, em um nível mais profundo, essa pequena história é um importante enredo secundário da história mais ampla que ele conta para si mesmo *sobre* si mesmo — na qual ele não é uma vítima, não está limitado pelo raciocínio de Duas Alternativas e é responsável pelo que Brooks chama de "narrativa principal" de sua vida.

Nos conflitos de enredo em nossas vidas, não somos apenas "personagens". Somos também os narradores, aqueles que escolhem a maneira como a história se desenvolve. Conheci muitas pessoas que não possuíam essa simples percepção e que se sentiam presas dentro de terríveis conflitos, como se fossem impotentes para mudar a história. Já vi esposas e maridos em litígio, cada um deles proclamando seu próprio heroísmo por ter de lidar com aquele vilão, o tempo todo ignorando o fato de que eles não apenas fazem parte da história, mas também são os próprios criadores da história! Eles reclamam que não estão mais apaixonados, e se espantam quando afirmo que ambos são perfeitamente livres para amarem um ao outro se essa for a escolha deles. A noção de "estar apaixonado" é puramente passiva; a noção de "amar" é ativa — é um verbo. O sentimento do amor é fruto do verbo amar. As pessoas têm o poder de fazer coisas amorosas umas *para* as outras, assim como têm o poder de fazer coisas odiosas umas *para* as outras. *Elas* — e não uma terceira pessoa — escrevem o roteiro.

Eu disse, anteriormente, que nossas vidas são histórias e que todas têm um começo. As histórias também têm um meio e um fim. A maioria de nós está em algum lugar no meio de sua história. Podemos decidir como a história terminará.

A Terceira Alternativa começa sempre comigo mesmo. Ela vem de dentro para fora, de minha parte mais interna, apoiando-se em uma base de confiança e humildade. Ela se origina no paradigma da autoconsciência, que me permite ficar fora de mim mesmo, observar e ponderar meus próprios preconceitos e meu modo de perceber as coisas. Ela vem do reconhecimento de que escrevo minha própria história e da vontade de reescrevê-la, se necessário — porque quero que ela acabe *bem*.

Pense sobre isso — profundamente. Se você estiver envolvido em uma situação de conflito, pergunte a si mesmo:

- Qual é a minha história? Preciso mudar o roteiro?
- Em que lugares posso ter pontos cegos em minha autoavaliação?
- Como a minha programação cultural influenciou meu raciocínio?
- Quais são os meus verdadeiros motivos?
- As minhas crenças são precisas?
- De que modo as minhas hipóteses estão incompletas?
- Estou contribuindo para o resultado — um fim para a história — que eu realmente quero?

Paradigma 2: Eu vejo você

O segundo paradigma trata de ver os outros como pessoas, em vez de observá-los como coisas.

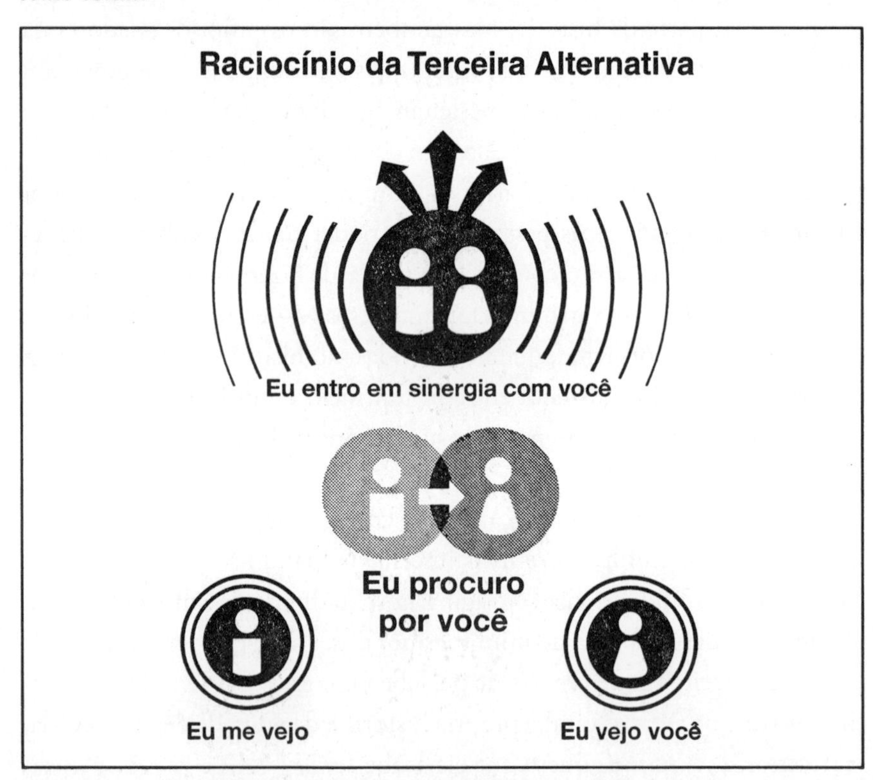

Eu vejo você. Vejo um ser humano por inteiro, diferente de qualquer outro, uma pessoa de valor inato, dotada de talentos, paixões e forças insubstituíveis. Você é mais do que o seu "lado" em um conflito. Você merece dignidade e o meu respeito.

Quando olhamos para os outros, o que vemos? Vemos um indivíduo ou vemos idade, gênero, raça, política, religião, deficiência, nacionalidade ou orientação sexual? Vemos um membro de um "grupo de fora" ou alguém do "nosso grupo"? Ou realmente enxergamos o caráter único, o poder e os talentos de cada indivíduo singular?

Talvez realmente não *os* vejamos na mesma medida em que vemos nossas próprias ideias, noções preconcebidas e, até mesmo, os preconceitos que nutrimos *sobre* eles.

Todos nós sabemos quando alguém está fingindo, quando estamos lidando com a própria pessoa ou com uma fachada. A pergunta é: *Eu sou esse tipo de pessoa? Ou sou aquele que olha para os outros com autêntico e verdadeiro respeito?*

O paradigma "Eu vejo você" se opõe ao paradigma típico "Eu estereotipo você", conforme mostrado nas linhas contrastantes do quadro a seguir. Lembre-se: o que *vemos* determina o que *fazemos*, e o que *fazemos* determina os resultados que *obtemos*.

	Eu vejo você	Eu estereotipo você
VER	Vejo um ser humano por inteiro, dotado de valor inato, talentos, paixões e forças únicas no universo. Você é mais do que o seu "lado". Você merece dignidade e respeito.	Vejo o grupo ao qual você pertence: o seu "lado", o seu partido, o seu gênero, a sua nacionalidade, a sua empresa, a sua raça. Você é um símbolo, uma "coisa", um liberal, um chefe, um hispânico ou um muçulmano, em vez de uma pessoa única.
FAZER	Demonstro respeito autêntico por você.	Ignoro você ou demonstro falso respeito por você.
OBTER	Uma atmosfera de sinergia onde somos muito mais fortes juntos do que separadamente.	Uma atmosfera de hostilidade. Ficamos enfraquecidos por nossas divisões e antagonismos mútuos.

O paradigma "Eu vejo você" é, fundamentalmente, uma questão de caráter. Tem a ver com o amor humano, a generosidade, a inclusão e as melhores intenções. Com o paradigma "Eu estereotipo você" não consigo manter os seus interesses em vista da mesma maneira que mantenho os meus; não há Terceira Alternativa possível. Quando olho para você, vejo apenas o representante de um dos lados. Posso até me comportar corretamente em sua presença, mas, na verdade, minha demonstração de respeito por você como pessoa é falsa.

Batizei esse paradigma eficaz de "Eu vejo você" a partir do que pude depreender da sabedoria dos povos *banto* da África. Naquela cultura, as pessoas se cumprimentam dizendo "Eu vejo você". Dizer "Eu vejo você" significa afirmar: "Eu reconheço sua individualidade única." Significa dizer: "Minha humanidade está atrelada, está inextricavelmente ligada à sua." Tudo isso faz parte do espírito do *Ubuntu*.

É muito difícil traduzir *Ubuntu*. Significa algo como "autonomia pessoal", porém, mais do que isso, significa "uma pessoa que depende de outras pessoas para ser uma pessoa". Elizabeth Lesser, especialista em bem-estar, explica a questão desta maneira: "Preciso de você para poder ser eu e você precisa de mim para poder ser você." Um exemplo nos ajuda a compreender esse singular conceito africano: "Uma frase como 'Mary tem *Ubuntu*' significaria que Mary é conhecida por ser uma pessoa cuidadosa e preocupada, que permanece fiel a todas as obrigações sociais." É mais do que isso: "Mary não sabe que é bonita, inteligente ou engraçada sem o *Ubuntu*. Mary se dá conta de sua própria identidade somente ao se relacionar com outras pessoas."[10]

Outra maneira de entender o *Ubuntu* é pelo seu oposto: a construção de estereótipo. Estereotipar é retirar do quadro as coisas que nos tornam indivíduos singulares. Nós dizemos: "Sim, ele é um homem de vendas — agressivo, insistente"; "Ela é uma daquelas que se autoconsomem — sempre pensando que tudo gira em torno dela"; "Ele é uma personalidade do tipo A"; "Ele é um idiota"; "Ele é um homem de finanças"; "O que você esperava? Ele sempre desiste"; "Ela é uma daquelas pessoas que estão sempre apelando para os diretores-executivos". Somos incapazes de ver essas pessoas como indivíduos, não como tipos.

---

[10] Michael Battle e Desmond Tutu, *Ubuntu: I in You and You in Me* [Ubuntu: Eu em ti e tu em mim] (Nova York: Church Publishing, 2009), p. 3.

No espírito do *Ubuntu*, ver realmente as outras pessoas é acolher os dons que só elas podem oferecer: seus talentos, sua inteligência, sua experiência, sua sabedoria e seus diferenciais. Em uma sociedade *Ubuntu* os viajantes não precisam se preocupar com provisões; suas necessidades serão satisfeitas por presentes ofertados por aqueles que encontrarem pelo caminho. Mas esses presentes tangíveis são apenas símbolos do dom muito maior: o Eu. Se recusarmos o dom do Eu ou o desvalorizarmos, não seremos mais livres para nos beneficiarmos mutuamente dos recursos uns dos outros.

Ao explicar o significado do *Ubuntu*, Orland Bishop, diretor da Shade Tree Multicultural Foundation, em Watts, Califórnia, fala sobre o que perdemos quando não vemos, de fato, uns aos outros: "Nossa civilização atual tem subtraído determinadas liberdades dos seres humanos, não porque uma cultura oprime a outra, mas porque perdemos a capacidade de pensar no significado da visão, no que essas capacidades internas realmente significam."[11]

O espírito do *Ubuntu* é essencial para o raciocínio da Terceira Alternativa. Em uma situação de conflito, nunca entrarei em sinergia com você se não me dispuser a vê-lo mais do que simplesmente como um oponente. O espírito do *Ubuntu* vai além da obrigação de me comportar respeitosamente em relação a você. Ele significa que a minha humanidade está atrelada à sua — logo, se eu agir de uma maneira que o desumaniza, também me desumanizarei. Por quê? Porque, quando o reduzo à condição de *coisa*, faço o mesmo comigo.

Recentemente, uma amiga estava dirigindo por uma rua quando outro motorista começou a buzinar e acenar para ela. Ela reduziu a velocidade, pensando que havia alguma coisa errada com seu carro. Mas o outro motorista acelerou, gritou obscenidades sobre certo político e praticamente disparou estrada afora. Então ela percebeu que seu carro tinha um adesivo de apoio àquele político. Para o agressivo motorista, ela não era mais um outro ser humano; ela era uma *coisa*, um adesivo, um símbolo odiado.

O homem irritado desumanizou minha amiga. Mas nesse processo ele também diminuiu sua própria humanidade. Provavelmente, ele também

[11] Orland Bishop, "Sawubona". Disponível em: http://www.youtube.com/watch?v=2IjUkVZRPK8&feature=related. Acessado em 22 de novembro de 2010.

tem uma casa, um emprego, uma família. Provavelmente, existem pessoas que o amam. Mas, naquele momento de escolha, ele se tornou sub-humano, nada além do cego instrumento de uma ideologia.

Essa desumanização dos outros — a que muitas vezes nos referimos como estereotipagem — tem sua origem em uma profunda insegurança interna. Esse é o ponto em que o conflito também começa. Os psicólogos sabem que muitos de nós tendemos a nos lembrar dos aspectos negativos dos outros, mais do que dos aspectos positivos. "Consideramos as pessoas responsáveis por seus comportamentos ruins e não lhes damos crédito por seus bons comportamentos", diz Oscar Ybarra, eminente psicólogo. Ele acredita que isso acontece porque ver os outros sob uma luz negativa nos ajuda a nos sentirmo superiores a eles. Ybarra descobriu que quando as pessoas estabelecem uma relação saudável e realista consigo mesmas, as memórias negativas desaparecem.[12] É por isso que o paradigma "Eu me vejo" precede o paradigma "Eu vejo você".

As Pessoas Não São Coisas

Em seu famoso livro *Eu e tu*, o grande filósofo Martin Buber ensinou que muitas vezes nos relacionamos uns com os outros como se fôssemos objetos, e não pessoas. Um objeto é um *Isso*, mas uma pessoa é um *Tu*. Se eu tratar uma pessoa como um Isso, como um objeto a ser usado para meus próprios fins, também me tornarei um Isso, não uma pessoa viva, mas uma máquina. A relação entre "Eu e Isso" não é igual à relação entre "Eu e Tu". "A humanidade, reduzida a um *Isso*, tal como se pode imaginar, [...] nada tem em comum com a humanidade viva", afirma Buber. "Se um homem deixar que ela o domine, o mundo continuamente crescente do *Isso* o derrotará e lhe roubará a realidade de seu próprio *Eu*."

Ao reduzir as outras pessoas à condição de coisas pensamos que podemos melhor controlá-las. É por isso que as empresas se referem a seus empregados com o irônico termo "recursos humanos", como se eles fossem apenas mais uma obrigação na folha de pagamento, como impostos ou contas a pagar. É por isso que muitas pessoas, na maioria das organizações, são vistas

---

[12] David J. Schneider, *The psychology of stereotyping* [A psicologia da estereotipagem] (Nova York: Guilford Press, 2004), p. 145.

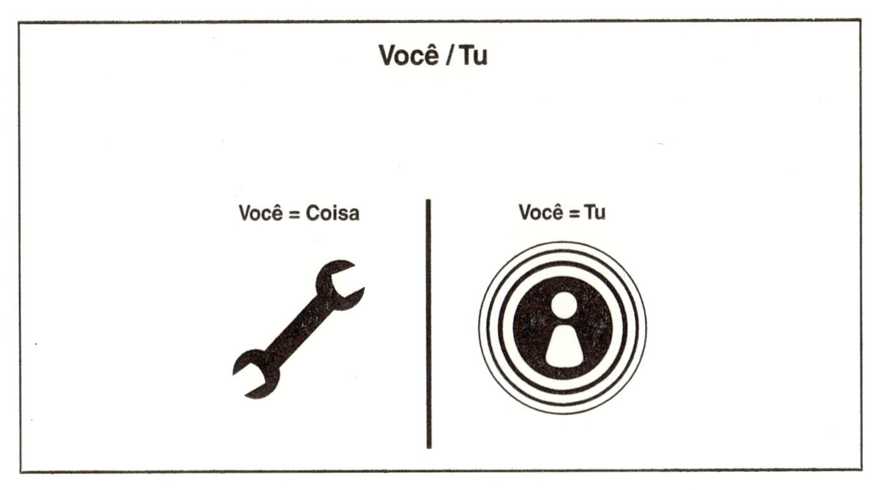

Você/Tu. Para mim, você não é uma "coisa", uma ferramenta, como uma chave ou um martelo, que posso usar para meus próprios fins. Como afirmou Martin Buber, você é um "tu", um fim em si mesmo, uma pessoa real, com forças e fraquezas, com idiossincrasias e talentos surpreendentes.

apenas em termos de sua função, mesmo que possuam muito mais criatividade, desenvoltura, engenhosidade, inteligência e talento do que seus trabalhos exigem ou, até mesmo, permitem! Os custos de oportunidade de se considerar as pessoas apenas como coisas são muito altos. Nenhuma folha de pagamento mostra o surpreendente tamanho do potencial que permanece escondido e guardado nas pessoas e em suas capacidades.

Por outro lado, Buber diz: "Se eu deparar com um ser humano como um *Tu*, [...] ele não será uma coisa entre coisas."[13]

Buber usa o termo "Tu" porque ele indica mais do que apenas um respeito superficial, mas também evoca reverência pela outra pessoa. Ele sugere intimidade, abertura e confiança. Ver o outro como um "Isso" sugere afastamento e indiferença. É um incentivo à exploração.

Lamento sinceramente por aqueles que não sentem essa reverência. Conseguir entender o outro — sem a necessidade urgente de controlá-lo ou manipulá-lo — é entrar em um território sagrado, e é algo profundamente enriquecedor. Carl Rogers descreve com eloquência o que essa experiência significa para ele:

[13] Martin Buber, *Eu e Tu* (São Paulo: Centauro, 2001).

Um dos sentimentos mais gratificantes que conheço [...] provém de poder apreciar [uma] pessoa da mesma maneira que aprecio um pôr do sol. As pessoas são tão belas quanto um pôr do sol quando as deixamos ser. De fato, talvez a razão pela qual possamos apreciar um pôr do sol é que não podemos controlá-lo. Quando olho para um pôr do sol, como fiz outro dia, não me ponho a dizer: "Diminua um pouco o tom de laranja no canto direito, ponha um pouco mais de roxo na base e use um pouco mais de rosa naquela nuvem." Não faço isso. Não tento controlar um pôr do sol. Olho com admiração sua evolução.[14]

Perder esse sentido de reverência na presença de outro ser humano pode ser uma das maiores tragédias humanas.

Em 1964 o lutador pela liberdade Nelson Mandela começou a cumprir uma pena de 27 anos na desoladora prisão Robben Island, na África do Sul. Como jovem advogado, ele se rebelou contra o sistema do *apartheid*, que oprimia negros africanos como ele. "Milhares de desrespeitos, milhares de indignidades e milhares de momentos esquecidos produziram em mim uma raiva, uma rebeldia, um desejo de lutar contra o sistema que aprisionava o meu povo", explica ele.[15] Na prisão, ele experimentou mais do mesmo e, de início, se tornou ainda mais amargo.

Mas, gradualmente, o coração de Mandela mudou. Anos após sua libertação da prisão, encontrei-me com ele. Perguntei-lhe: "Quanto tempo demorou para superar sua amargura em relação aos guardas, aqueles que o torturavam e o tratavam com tanta indignidade?" Ele respondeu: "Cerca de quatro anos." Perguntei-lhe qual o motivo da mudança, e ele disse: "Eles falavam sobre suas relações uns com os outros, sobre suas famílias, e acabei percebendo que eles também eram vítimas do sistema de *apartheid*."

Um jovem guarda, Christo Brand, descreveu sua jornada pessoal da seguinte maneira: "Quando comecei a trabalhar em Robben Island, me disseram que os vigilantes não passavam de animais. Alguns guardas odia-

---

[14] Carl Rogers, *A Way of Being* [Um modo de ser] (Nova York: Houghton Mifflin Harcourt, 1995), p. 22.

[15] Nelson Mandela, *In his own words* [Em suas próprias palavras] (Nova York: Hachette Digital, 2003),. p., xxxii.

vam os presos e eram muito cruéis."[16] Mas, então, ele foi designado para supervisionar Nelson Mandela. "Quando cheguei à prisão, Nelson Mandela já tinha 60 anos. Ele era sensato e cortês. Me tratou com respeito, e meu respeito por ele cresceu. Depois de algum tempo, nasceu uma amizade entre nós, mesmo sabendo que ele era um prisioneiro."

Essa amizade transformou a vida de Christo Brand. Ele começou a fazer favores para Mandela, contrabandeando pão e levando mensagens. Ele, inclusive, quebrou regras para permitir que Mandela se encontrasse e segurasse o netinho no colo. "Mandela estava preocupado que eu fosse pego e punido. Ele escreveu para a minha esposa dizendo que eu deveria continuar meus estudos. Mesmo estando preso, ele incentivava um guarda a estudar."

Mandela se afeiçoou ao filho mais novo de Brand, Riaan, que foi autorizado a visitá-lo e aprendeu a amá-lo como a um avô. Anos depois, quando Mandela se tornou presidente da África do Sul, o fundo de educação federal concedeu uma bolsa de estudos para Riaan.[17]

Tanto para Nelson Mandela quanto para Christo Brand o relacionamento se converteu de "Eu–Isso" para "Eu–Tu". O jovem que via os negros africanos como animais aprendeu a amar o velho prisioneiro e a se opor ao sistema de *apartheid*. O velho que tinha considerado os brancos como seus inimigos se afeiçoou ao jovem guarda. Foi apenas uma etapa do que Mandela chama de "longa caminhada para a libertação" de seus próprios preconceitos.

Mandela escreveu: "Foi durante aqueles longos e solitários anos que a fome pela liberdade do meu povo se tornou uma fome pela liberdade de todas as pessoas, brancos e negros. Eu estava convencido de que o opressor devia ser libertado tanto quanto o oprimido. [...] Os oprimidos e o opressor estão igualmente desprovidos de sua humanidade."[18] Por esse tipo de percepção, seu povo diria que Mandela tem *Ubuntu*.

---

[16] "Christo Brand", *The forgiveness project* [O projeto do perdão]. Disponível em: http://theforgivenessproject.com/stories/christo-brand-vusumzi-mcongo-south-africa/. Acessado em 23 de novembro de 2010.

[17] Andrew Meldrum, "The guard who really was Mandela's friend" [O guarda que era realmente amigo de Mandela], *Observer* (Londres). Disponível em: http://www.guardian.co.uk/world/2007/may/20/nelsonmandela. Acessado em 23 de novembro de 2010.

[18] Nelson Mandela, *Long walk to freedom* [Longa jornada para a liberdade] (Nova York: Holt, Rinehart and Winston, 2000), p. 544.

Essas transformações acontecem quando os relacionamentos se tornam autenticamente pessoais. Mandela e Brand passaram a se ver como *pessoas*, em vez de como representantes da odiada oposição. Quando, enfim, *vemos* verdadeiramente uns aos outros, conforme diz o arcebispo Desmond Tutu, "temos um vislumbre de como as coisas podem melhorar, [...] quando o mundo se deixa dominar por um espírito de compaixão e uma admirável manifestação de generosidade; quando, por algum tempo, estamos unidos pelos laços de uma humanidade solidária".[19] Esse é o poder do paradigma "Eu vejo você".

Quando adoto o paradigma "Eu vejo você", o meu respeito por você é autêntico, não forçado. Vejo *você*, o seu lado do conflito. Sei que sua história é rica, complexa e repleta de ideias inspiradoras. No paradigma "Eu vejo você", você e eu, juntos, somos excepcionalmente poderosos, pois as suas forças e as minhas se complementam. Não há combinação como a nossa em nenhum outro lugar. Podemos caminhar em direção a uma Terceira Alternativa juntos. Isso não é possível se operarmos sob o paradigma da estereotipagem.

No paradigma "Eu vejo você" eu tenho *Ubuntu*; tenho um amplo círculo de empatia. Se eu realmente vir *você*, estarei predisposto a entendê-lo, sentir o que você sente e, assim, minimizar os conflitos e maximizar a sinergia com você. Em contrapartida, se você ficar fora do meu círculo de empatia, não poderei sentir o que você sente ou ver o que você vê, nem você nem eu seremos tão fortes, perspicazes ou inovadores como poderíamos ser juntos.

Incentivo-o a levar a sério esse paradigma em sua vida pessoal. Pense em uma ou duas pessoas — um colega, um amigo, um familiar — que precisam ser *vistas*. Você sabe o que quero dizer com isso. Será que eles têm razão de achar que você os desvaloriza, os ignora, ou demonstra um falso respeito por eles? Você fala deles pelas costas? Você os vê como símbolos, ou os vê como pessoas reais, cheias de forças e fraquezas, idiossincrasias e inconsistências, talentos incríveis e fantásticos pontos cegos — exatamente como você?

---

[19] Desmond Tutu, *No Future Without Forgiveness* [Nenhum futuro sem perdão] (Nova York: Doubleday, 1999), p. 265.

Paradigma 3: Eu Procuro por Você

Este paradigma trata de procurar deliberadamente por pontos de vista conflitantes, em vez de evitá-los ou se defender deles.

A melhor resposta a alguém que não vê as coisas do mesmo modo que você é dizer: "Você discorda? Preciso ouvir você!" E dizer isso de verdade.

Os melhores líderes não negam nem reprimem os conflitos. Eles os encaram como oportunidades para progredir. Eles sabem que não há crescimento, não há descoberta, não há inovação — e, de fato, não há paz —, a menos que as perguntas provocativas sejam feitas abertamente e tratadas com honestidade.

Em vez de ignorar, rebaixar ou demitir uma pessoa que discorda, o líder eficaz dirá: "Se uma pessoa com sua inteligência, competência e compro-

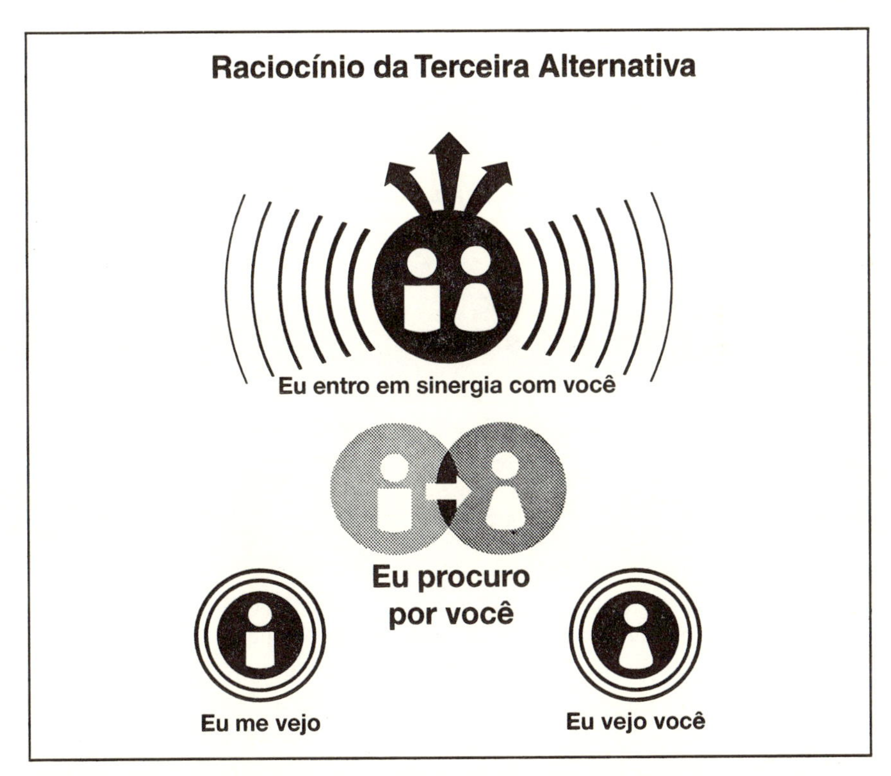

Eu procuro por você. Em vez de considerar o ponto de vista diferente como uma ameaça, procuro avidamente aprender com você. Se uma pessoa com o seu caráter e sua inteligência discorda de mim, preciso ouvir você. Escuto com empatia até que eu o compreenda de verdade.

metimento discorda de mim, então deve haver algo em sua discordância que não entendo, e tenho que entender. Você tem uma perspectiva, um quadro de referências que preciso contemplar."

Chamo isso de paradigma "Eu procuro por você" para expressar a contundente mudança de raciocínio que a Terceira Alternativa exige. Quando confrontado com alguém que discorda de mim, como todos, reajo automaticamente, me colocando na defensiva. É por isso que o raciocínio da Terceira Alternativa é tão paradoxal. Ele me convida a valorizar as pessoas que divergem de mim, em vez de erguer muros defensivos contra elas.

O paradigma "Eu procuro por você" se opõe ao paradigma "Eu me defendo de você", conforme mostrado nas linhas contrastantes no quadro abaixo. Lembre-se: o que *vemos* determina o que *fazemos* e o que *fazemos* determina os resultados que *obtemos*.

Minha própria identidade está enredada em minhas opiniões, minhas ideias, meus instintos e, sim, em meus preconceitos; é por isso que os paradigmas anteriores devem ser "Eu me vejo" e "Eu vejo você". O raciocínio da Terceira Alternativa requer a profunda segurança interior que provém de uma visão realista de mim mesmo e de um apreço pelos talentos e pelas perspectivas excepcionais que você traz. A mentalidade defensiva é o oposto: ela se alimenta da insegurança e da autoilusão, desumanizando as pessoas que são diferentes.

	Eu procuro por você	Eu me defendo de você
VER	Outros pontos de vista — diferentes "parcelas da verdade" — não são apenas desejáveis, mas essenciais.	Outros pontos de vista estão errados — ou, na melhor das hipóteses, não são muito úteis.
FAZER	Eu digo: "Você vê as coisas de maneira diferente — preciso ouvir você!" Então, escuto empaticamente até realmente entender como você vê as coisas.	Eu digo: "Você vê as coisas de maneira diferente — você é uma ameaça." Se eu não puder persuadi-lo, vou ignorá-lo, evitá-lo ou me opor energicamente a você.
OBTER	Uma visão mais ampla e mais abrangente do problema, que viabiliza uma solução mais sólida.	Uma visão estreita e exclusivista do problema, que leva a uma solução incompleta.

"Eu procuro por você" parte do princípio de que a verdade é complicada e, provavelmente, todos detêm uma pequena parcela dela. "A verdade nunca é pura, e raramente é simples", já afirmava Oscar Wilde. Ninguém a possui por inteiro. Os que pensam de acordo com a Terceira Alternativa reconhecem que quanto mais parcelas da verdade detêm, mais veem as coisas como elas realmente são. Então, tais pessoas buscam *deliberadamente* diferentes parcelas da verdade. Se você tem uma verdade que eu não tenho, por que não vou ao seu encontro, de modo que você possa me ensinar?

Deixe-me enfatizar o quanto essa mudança de pensamento é radical. Ela considera o conflito não como um problema, mas como uma oportunidade. Ela considera a extrema discordância como um atalho para a aprendizagem, não como uma parede de tijolos. Os muitos livros a respeito de negociação sempre enfatizam que devem ser encontrados pontos de acordo, áreas de interesse comum. Isso é importante. Mas talvez seja ainda mais importante explorar e capitalizar as diferenças.

Não é apenas natural, mas essencial que as pessoas tenham opiniões diferentes. Eu já disse várias vezes ao longo dos anos que se duas pessoas têm a mesma opinião, uma delas é desnecessária. Um mundo sem diferenças seria um mundo de mesmice, em que nenhum progresso seria possível. Ainda assim, em vez de valorizar tais diferenças, nos defendemos delas, porque acreditamos que nossa identidade está sob ameaça. As pessoas que trabalham sob a égide de uma mentalidade defensiva erguem muros em torno de si mesmas para sustentarem suas posições, em vez de seguirem em frente.

Muros

Uma das coisas mais desanimadoras sobre como lidamos com o conflito é esse muro de cimento em torno das opiniões. Historicamente, vimos os muros figurativos que existiam entre as pessoas se transformando em muros reais. Vimos isso em Berlim, entre os mundos capitalista e comunista. Vemos isso no Oriente Médio, entre israelenses e palestinos. Não poderemos avançar enquanto os muros estiverem erguidos, pelo menos até que um de nós esteja disposto a procurar o outro e compreendê-lo verdadeiramente.

Esses muros são feitos de pilhas de clichês irracionais. Logicamente, os clichês políticos são a maneira mais transparente de manipulação, mas pode-se encontrar argumentos banais em todos os lugares, no trabalho e em casa. As mesmas acusações utilizadas como argumentos continuam, ano após ano, produzindo faíscas entre os que pensam de acordo com as Duas Alternativas, mas construindo um ambiente lúgubre para todo o resto:

"Liberal que defende o aumento dos gastos públicos e dos tributos!"
"Conservador insensível!"
"Leniente com o crime!"
"Belicista racista!"
"Vira-casaca covarde!"
"Joguete político que financia o complexo militar-industrial!"
"Se elegermos você, os terroristas ganharão!"
"Se elegermos você, os ricos ficarão mais ricos e os pobres serão deixados de lado!"
"Socialista!"
"Fascista!"

Em *Viagens de Gulliver*, de Jonathan Swift, vemos um estranho grupo chamado Laputans, que são a elite dominante em seu país. Eles decidiram que falar de verdade exige muito esforço e, então, carregam sacos cheios de símbolos, que apenas mostram uns aos outros sempre que se encontram. "Já vi muitas vezes dois desses sábios", diz Gulliver, "abrirem os sacos e conversarem durante uma hora; em seguida, recolherem seus utensílios aos sacos e despedirem-se."[20] Evidentemente, Swift estava zombando do governo e de líderes empresariais que lançam continuamente os mesmos pontos obsoletos em uma conversa, como substitutos para a autêntica comunicação.

Hoje, um tom cada vez mais venenoso está se infiltrando nesses atos de não comunicação. Parece que vivenciamos uma falta de civilidade no discurso como jamais se viu em tempo algum. Há raiva, divisão, frustração e polarização. Mesmo nos níveis mais altos de governo, em que já reinou o respeito mútuo, ouvimos uma vez ou outra acessos de raiva em vez de diálogo. O raciocínio fundamentado em Duas Alternativas está se tornando venenoso.

Na internet, nas assim chamadas notícias da tevê a cabo, nas ondas de rádio de todos os países, demagogos têm encontrado um rápido caminho

[20] Jonathan Swift, *Viagens de Gulliver* (São Paulo: Companhia das Letras, 2010).

para o enriquecimento, estimulando e incitando as pessoas a se posicionarem em campos opostos. Alguns desses demagogos se consideram mártires, alguns, claramente, são apenas aproveitadores, mas muitos instigam o ódio contra qualquer um que discordar deles. Em sua simplória mentalidade "nós contra eles", como diz o professor Ronald Arnett, eles "dão a ilusão de percepção operada, quando, na realidade, há uma recusa em adquirir novos conhecimentos ouvindo o ponto de vista do outro".[21]

Com a internet, temos um poder recém-descoberto de formar tribos, como destaca o empreendedor Seth Godin.[22] É uma coisa maravilhosa. Todos, de filósofos estoicos a dançarinos folclóricos ucranianos, podem se conectar e explorar os seus interesses comuns em conjunto. Mas há um lado ameaçador nesse novo tribalismo: as pessoas apenas se agrupam com outras que pensam de modo semelhante. Duas pessoas que fazem a mesma pergunta ao Google obterão duas respostas diferentes, pois o sofisticado mecanismo de busca já sabe o tipo de resposta que cada uma quer ouvir. Ironicamente, mesmo que haja oportunidades de ouvir as muitas vozes que proliferam na internet, as pessoas, imobilizadas por trás dos muros digitais, eximem-se de qualquer contato ou de considerarem pontos de vista diferentes. Elas se transformam em Laputans, balançando vigorosamente a cabeça para negarem as banalidades das outras pessoas, tapando seus ouvidos para qualquer outra coisa.

O Bastão da Fala

Há anos tenho sido incomodado por esses agentes de hostilidade e fragmentação. Tentei enfrentá-los, ensinando o paradigma "Eu procuro por você". Estive com mais de 30 chefes de Estado e inúmeros líderes empresariais e governamentais. Estive com crianças em idade escolar de Singapura à Carolina do Sul. E sempre ensino a mesma coisa, aquilo que chamo de "A Comunicação do Bastão da Fala".

---

[21] Ronald C. Arnett, *Communication and community: implications of Martin Buber's dialogue* [Comunicação e comunidade: implicações do diálogo de Martin Buber] (Carbondale: Southern Illinois University Press, 1986), p. 34.

[22] Seth Godin, "The Tribes We Lead" [As tribos que comandamos]. Disponível em: http://www.ted.com/talks/seth_godin_on_the_tribes_we_lead.html. Acessado em 20 de novembro de 2010.

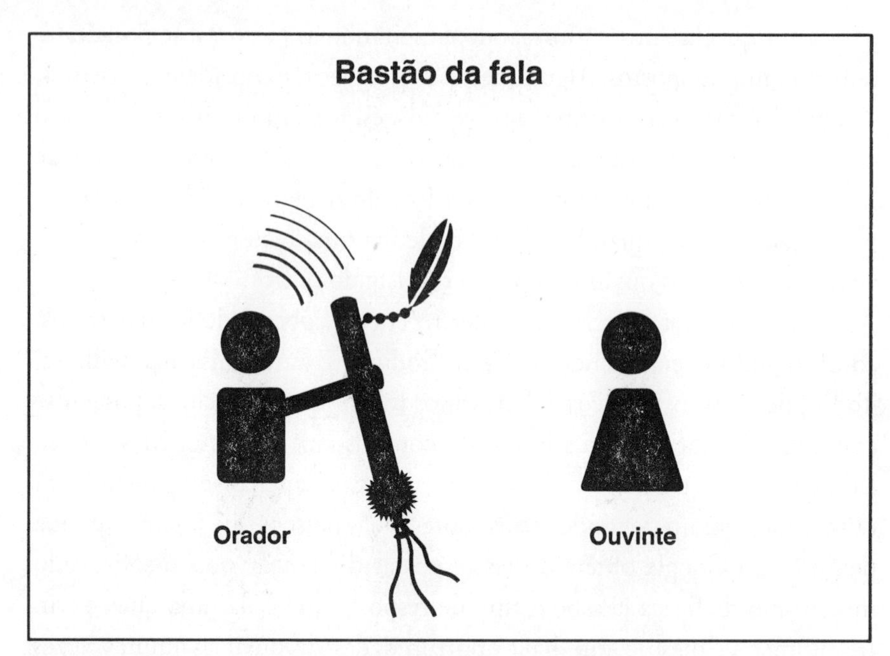

O Bastão da Fala. Uma antiga tradição de povos indígenas norte-americanos, o Bastão da Fala é um símbolo da comunicação pacífica. Enquanto o orador está de posse do bastão, ninguém pode interrompê-lo, até que ele se sinta ouvido e compreendido.

Durante séculos os povos indígenas norte-americanos usaram o Bastão da Fala em suas reuniões de conselho para designar quem teria o direito de falar. Enquanto o orador está de posse do bastão, ninguém pode interrompê-lo, até que ele se sinta ouvido e compreendido. Certa vez, um nobre grupo de líderes nativos norte-americanos me presenteou com um Bastão da Fala tradicional, do qual gosto muito (na mesma cerimônia, eles também me rebatizaram de "Águia Careca"!). Vale a pena considerar o simbolismo do Bastão da Fala:

Quem está de posse do Bastão da Fala tem em suas mãos o poder sagrado das palavras. Só ele pode falar enquanto segura o bastão; os outros membros do conselho devem permanecer em silêncio. A pena de águia presa ao Bastão da Fala lhe concede coragem e sabedoria para falar de modo sincero e sensato. A pele de coelho na ponta do bastão indica que suas palavras devem vir de seu coração e que devem ser suaves e calorosas. A pedra azul simboliza que o Grande Espírito ouve a mensagem do seu coração, bem como as palavras que ele fala. A concha, iridescente e sempre em mudança, mostra que toda criação muda — os dias, as estações, os anos —, e que as pessoas e as situações também mudam. As quatro cores das contas — amarelo para o nascer do sol (leste), vermelho para o pôr do sol (oeste), branco para a neve (norte) e verde para a terra (sul) — são representações simbólicas dos poderes do universo que ele tem em suas mãos naquele momento, a fim de falar o que está em seu coração. Anexados ao bastão, estão fios do pelo do grande búfalo. O orador pode falar com o poder e a força desse grande animal.[23]

Essa descrição de um Bastão da Fala *cherokee* resume muito bem o que tenho tentado ensinar. O Bastão da Fala não está relacionado com vencer uma discussão, mas em ouvir a história e entender os sentimentos da outra pessoa. Ele exige coragem, sabedoria e a mistura de verdade com compaixão. Nada é mais crucial na cultura global do século XXI do que entender os outros em vez de tentar dominá-los. A comunicação do Bastão da Fala é uma necessidade moral de nosso tempo.

O Bastão da Fala é essencial para o que é conhecido como o círculo de conversa, apreciado pelos mais velhos para discutir e lidar com problemas importantes e decisões a serem tomadas. Por costume, o círculo não é uma sociedade de debates. A dra. Carol Locust descreve-o da seguinte maneira: "O círculo serve para permitir que cada pessoa expresse a sua verdade em um lugar de confiança e segurança. [...] Ninguém é mais importante que o outro, todos são iguais e não há começo nem fim, para que todas as palavras faladas sejam aceitas e respeitadas em igualdade de condições."

As origens do círculo de conversa se perderam no tempo, mas encontram expressão no mito fundador da Confederação Iroquois. Durante séculos as cinco nações da região inferior dos Grandes Lagos da América do Norte travaram guerras sangrentas entre si, cada tribo buscando uma posição dominante. Provavelmente, logo no começo do século XII, um jovem forasteiro, conhecido como o lendário Deganawidah, o Pacificador, chegou às nações e transformou tudo.

[23] Carol Locust, "The talking stick" [O Bastão da Fala], *Acacia artisans: stories and facts* [Artesãos da Acácia: histórias e fatos]. Disponível em: http://www.acaciart.com/stories/archive6.html. Acessado em 10 de outubro de 2010.

A história diz que o Pacificador procurou um guerreiro sanguinário que vivia em função da violência, um homem tão terrível e isolado dos outros que ninguém sequer tinha lhe dado um nome. Uma noite, o Pacificador foi até o abrigo do guerreiro sem nome e subiu no telhado, onde a fumaça de sua fogueira saía por um buraco. Dentro, o guerreiro estava entretido com uma chaleira de água fervente. Ao ver o rosto do estranho refletido na água, ele ficou fascinado com sua beleza e começou a meditar sobre o mal que vinha provocando.

Quando o estranho desceu do telhado e entrou na cabana, o guerreiro o abraçou. "Fiquei surpreso ao ver um homem me olhando no fundo da chaleira. Sua beleza pessoal me surpreendeu muito. [...] Cheguei à conclusão de que talvez fosse eu mesmo quem estivesse olhando para o alto. Naquele momento, pensei: 'Meu hábito de matar seres humanos não é adequado.'"

Ele desabafou com o estranho. Contou sua história, e o estranho a ouviu respeitosamente. Finalmente, o guerreiro disse: "Bem, já terminei. Agora, é a sua vez. Eu agora ouvirei a mensagem que você traz, seja ela qual for."

O Pacificador lhe disse: "Agora, você alterou o verdadeiro padrão de sua vida. Agora, você alcançou um novo estado de espírito, ou seja, a justiça e a paz." Juntos, eles olharam novamente para a água e viram o quanto eram parecidos. O Pacificador deu um nome ao guerreiro, Hiawatha, e os dois homens, juntos, "travaram uma batalha intelectual e espiritual por muitos anos", com o objetivo de unir os Mohawks, os Oneidas, os Onondagas, os Cayugas e os Senekas, no que hoje é conhecida como a Confederação Iroquois.[24]

Chamada por alguns de "a democracia participativa mais antiga do mundo", a Confederação teve início com o estabelecimento de uma Terceira Alternativa para a interminável guerra e, simultaneamente, para a escravização diante da tribo mais forte. As Cinco Nações nunca mais entraram em guerra umas com as outras. O sistema constitucional Iroquois, conhecido como a Grande Lei da Paz, persiste até hoje, governado por um conselho de chefes dos clãs, em que a maioria das decisões é tomada por con-

[24] William Nelson Fenton, *The Great Law and the longhouse: a political history of the Iroquois Confederacy* [A Grande Lei e as casas comunitárias: uma história política da Confederação Iroquois] (Norman, OK: University of Oklahoma Press, 1998), p. 90-91.

senso e cada representante tem voz igual.[25] Embora importante, esse conselho lida apenas com os assuntos principais, enquanto a maioria das questões locais é tratada pelos conselhos tribais, em um sistema de governo federal único. Curiosamente, os conselhos de mulheres têm poder de veto sobre as decisões dos líderes do sexo masculino.

Embora os historiadores discordem sobre o grau de sua influência, a Confederação Iroquois parece ter servido de modelo para a criação dos Estados Unidos. Décadas antes da Revolução Americana, Benjamin Franklin propôs, pela primeira vez, que as colônias britânicas da América se unificassem de maneira semelhante. Ele ficou impressionado com o engenhoso "esquema da União" Iroquois: "Ela sobreviveu por eras, e parece indissolúvel." Se eles podem fazê-lo, indagou-se Franklin, por que as colônias não poderiam?[26]

Esse é o grande legado daquele primeiro círculo de conversa, nascido no momento em que Hiawatha viu a si mesmo e ao seu irmão refletidos na água. O resultado, como disse o Pacificador, foi um "novo estado de espírito" — os paradigmas "Eu me vejo" e "Eu vejo você" —, que "mudou o verdadeiro padrão" da vida de Hiawatha. Para divulgar esse novo estado de espírito entre as nações os dois homens praticaram o paradigma seguinte: "Eu procuro por você", convocando círculos de conversa onde quer que fossem, divulgando a Grande Lei da Paz entre as Cinco Nações. O Bastão da Fala se tornou o ícone da Grande Lei da Paz.

Por quase um milênio as Cinco Nações viveram em paz umas com as outras; ao mesmo tempo, o Ocidente dito civilizado continuou fazendo guerras e transformando a matança generalizada em ciência.

Construindo a Empatia

A essência da comunicação do Bastão da Fala é a escuta empática, como diriam os psicólogos. Dediquei grande parte da minha vida a ensinar a escuta empática, pois ela é a própria chave para a paz e a sinergia. Não é

---

[25] *Encyclopedia of the Haudenosaunee (Iroquois Confederacy)* [Enciclopédia da Haudenosaunee (Confederação Iroquois)], ed. Bruce Elliott Johansen e Barbara Alice Mann (Westport, CT: Greenwood Publishing Group), p. 246.

[26] Citado em Susan Kalter, *Benjamin Franklin, Pennsylvania, and the first nations* [Benjamin Franklin, Pensilvânia e as primeiras nações] (Champaign: University of Illinois Press, 2006), p. 28.

apenas mais uma técnica para manipular os outros. Hiawatha desvencilhou-se de toda a sua solidão, raiva e culpa, pois o Pacificador estava disposto a procurar por ele e a ouvir seu coração, assim como suas palavras. Somente depois de se livrar desse fardo Hiawatha conseguiu se abrir para ouvir a mensagem do Pacificador: "Bem, já terminei. Eu, agora, ouvirei a mensagem que você traz."

O que é a empatia? Gosto desta definição do filósofo israelense Khen Lampert: "A empatia acontece quando nos vemos [...] na mente do outro. Observamos a realidade através de seus olhos, sentimos suas emoções, compartilhamos sua dor."[27] A capacidade de empatia parece estar impregnada em nós: mesmo os recém-nascidos choram ao ouvir o choro de outros bebês.

A empatia difere da simpatia, que significa concordar ou passar para o lado da outra pessoa em um conflito. Ouvir com empatia não significa que concordamos com o ponto de vista daquela pessoa. Significa que tentamos *ver* aquele ponto de vista. Significa ouvir tanto o conteúdo quanto a emoção que a outra pessoa está expressando, a fim de que possamos nos colocar no lugar dela e entender aquela sensação.

Comparo a escuta empática a abastecer as pessoas de "ar psicológico". Se você estivesse sufocando neste exato momento, não se importaria com qualquer outra coisa, exceto receber ar — agora! Mas quando você começa a recuperar a respiração, a necessidade já foi satisfeita. Assim como a necessidade de ar, a maior necessidade psicológica do ser humano é ser compreendido e valorizado.

Quando você ouve com empatia a outra pessoa, abastece aquela pessoa de ar psicológico. Uma vez que essa necessidade vital é satisfeita, é possível se concentrar na resolução do problema. Em um mundo em conflito, muitas pessoas se sentem desprestigiadas, prejudicadas em seus direitos, frustradas por terem sido ignoradas ou terem tido suas ideias deturpadas. Aquela pessoa que se prontifica a ouvir — a realmente ouvir — carrega uma chave, que abre uma sufocante prisão mental. Ouça Carl Rogers descrevendo a reação de quem realmente se sente compreendido:

---

[27] Khen Lampert, *Traditions of Compassion* [Tradições da compaixão] (Nova York: Palgrave Macmillan, 2006), p. 157.

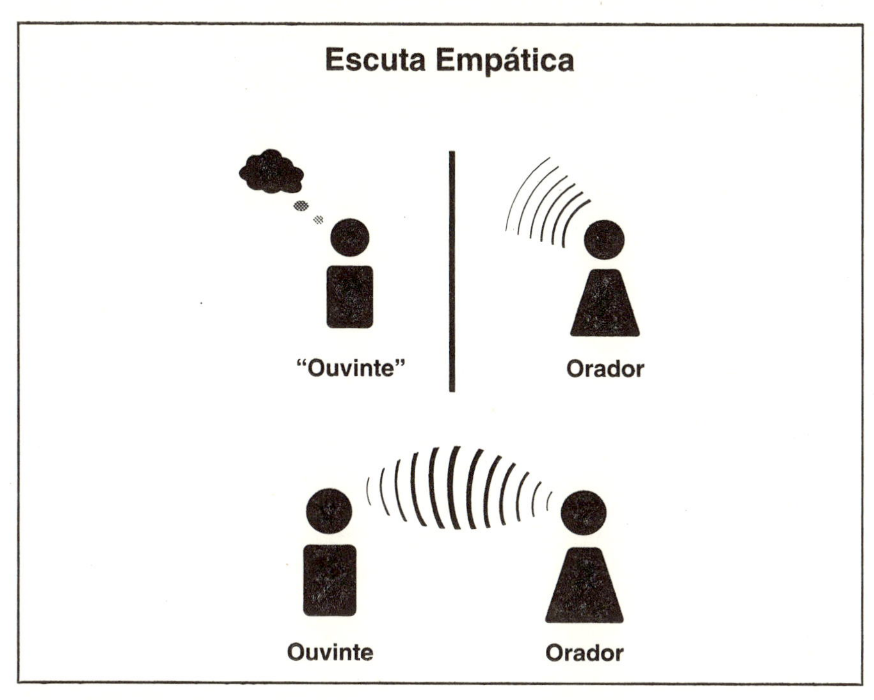

Escuta Empática. Em um conflito, enquanto a outra pessoa fala, geralmente estamos pensando em nossas próprias refutações e respostas. Não conseguimos ouvir um ao outro através desse "muro". Por outro lado, um ouvinte empático procura entender os pensamentos e os sentimentos do outro.

> *Quase sempre, quando uma pessoa percebe que foi profundamente ouvida, seus olhos se umedecem. Penso que, em algum sentido real, ela está chorando de alegria. É como se ela estivesse dizendo: "Graças a Deus, alguém me ouviu. Alguém sabe o que é estar no meu lugar." Em tais momentos, é como se ela fosse um prisioneiro em uma caverna, enviando dia após dia uma mensagem em código Morse: "Alguém me ouve? Tem alguém aí?" E, finalmente, um dia ele ouve alguns fracos sinais, que soletram: "Sim." Com essa simples resposta, ele é libertado de sua solidão; ele se torna um ser humano novamente.*[28]

Eu procuro por você, eu o ouço, e os muros caem. Pense no impacto sobre nossos casamentos conturbados, nossas disputas legais, nossas batalhas po-

[28] Carl Rogers, *Tornar-se pessoa* (São Paulo: Martins Fontes, 2008).

líticas, nossos conflitos mais difíceis quando pudermos finalmente dizer: "Graças a Deus, alguém me ouve." A tensão psíquica escoará e poderemos nos encaminhar para uma Terceira Alternativa.

A capacidade de sentir o que o outro sente é inata nos seres humanos. No início dos anos 1990 pesquisadores descobriram um tipo de célula do cérebro chamada "neurônio-espelho", que dispara quando nós mesmos executamos uma ação ou quando vemos outra pessoa executando. Cientistas italianos notaram esse fenômeno pela primeira vez em macacos. Enquanto realizavam experiências para observar quais células do cérebro eram acionadas quando um macaco agarrava alguma porção de comida, eles se surpreenderam ao constatar que as mesmas células do cérebro eram despertadas quando o macaco observava um *outro* macaco agarrar o alimento.

Aparentemente, os neurônios-espelho podem distinguir movimentos hostis de inocentes. As células reagem de maneira diferente quando observamos uma pessoa levantar o braço, mesmo se não pudermos identificar se ela tem a intenção de pentear o cabelo ou pegar um porrete para nos atacar. Os mesmos neurônios são acionados se nós mesmos sorrimos ou se alguém sorri para nós. Ao vermos um sorriso, sentimos o sorriso. Ao vermos a dor, sentimos a dor. Esses neurônios podem *sentir* o que a outra pessoa sente.[29]

Se a capacidade para a empatia é natural para nós e tem um impacto tão profundo, por que ela é tão rara? Porque os paradigmas antagônicos são muito fortes. Em seu belo estudo *Empathy and the Novel*, Suzanne Keen observa que "o desejo de dominação, divisão e relações hierárquicas" enfraquece a empatia. Por convenção, uma pessoa empática é um "coração sangrando", que acredita ingenuamente que compreender as pessoas as fará mudar. Os realistas pragmáticos não são empáticos.[30]

Mas quando se considera as consequências naturais de se impor "dominação, divisão e hierarquia" a seres humanos, é preciso perguntar a si mesmo quem são os *verdadeiros* realistas. Se procuro dominar e dividir as

---

[29] Devo essa informação ao dr. Joseph G. Cramer, do Departamento de Pediatria da University of Utah.

[30] Suzanne Keen, *Empathy and the novel* [A empatia e a novidade] (Oxford: Oxford University Press, 2007), p. 157.

pessoas, forçando-as a se enquadrarem em categorias, estimulo, inevitavelmente, a resistência. Não haverá "Eu–Tu", apenas "Eu–Isso". Terei conflito em vez de criatividade.

Outra barreira para a empatia, como diz Rogers, é "nossa tendência muito natural de julgar, avaliar, aprovar ou desaprovar as afirmações das outras pessoas". Ele dá um exemplo: "Ao fim de uma palestra, uma das declarações mais prováveis de se ouvir é: 'Não gostei da fala dele.' Como você reage? Quase que invariavelmente, sua resposta será de aprovação ou de desaprovação diante da atitude expressa. Ou você responde: 'Eu também não', ou, então: 'Ah, gostei bastante.' Em outras palavras, sua primeira reação é avaliar o que acabou de lhe ser dito a partir do seu ponto de vista."[31] Esse tipo de intercâmbio geralmente é inofensivo, mas, quanto mais nítido o conflito, mais críticos nos tornamos, e menor será a probabilidade de estabelecermos empatia. Quando a discordância toca em crenças profundas ou em questões de identidade, a empatia geralmente desaparece por completo. É por isso que a escuta empática é contraintuitiva, a menos que se faça disso um hábito, como tenho ensinado há muitos anos: em *primeiro* lugar, busquem compreender, para *depois* serem compreendidos. Não o contrário.

Para que a escuta empática se torne um hábito, temos de ser firmes com relação ao assunto. Quando ouço alguém que discorda de mim, vou até essa pessoa e digo: "Você vê as coisas de maneira diferente. Preciso ouvir você." Quanto mais eu fizer isso, mais confortável me sentirei, e mais aprenderei. Gosto de intercâmbios.

Em resposta à pessoa que "não gostou da fala dele", direi, como um ouvinte empático: "Fale mais sobre isso." Se o ponto em questão for de menor importância, vou perceber. Se for um tema com o qual eu realmente me preocupo, tentarei, *primeiro,* entender o ponto de vista da outra pessoa, pois assim é mais provável que ela ouça o *meu* ponto de vista.

Mas você diz: "Sou um bom ouvinte. Sou justo. Estou disponível." Há grandes chances de você não estar ouvindo empaticamente. Se você for

---

[31] Carl Rogers, "Communication: its blocking and its facilitation" [Comunicação: seu bloqueio e sua facilitação]. Disponível em: http://www.redwoods.edu/instruct/jjohnston/English1A/readings/rhetoricandthinking/communicationitsblockingitsfacilitation.htm. Acessado em 23 de outubro de 2010.

como a maioria das pessoas, está formulando suas respostas enquanto estou falando. Posso ser realmente livre e disponível se você contradiz automaticamente tudo o que digo? Se você está tentando se comunicar com a sua filha, ela vai se abrir com você se você julgar, contradisser ou rir dos pontos de vista dela? Se você é o patrão, as pessoas que trabalham para você podem realmente lhe dirigir a palavra e esperar serem compreendidas?

Na próxima vez que participar de uma discussão, experimente isto: cada pessoa só poderá falar depois de ter acatado as ideias *e* os sentimentos de quem falou antes e depois que aquela pessoa se sentir satisfeita. A primeira coisa que você vai descobrir é que não é tão fácil quanto parece. Uma coisa é reafirmar as ideias de outra pessoa, mas capturar seus *sentimentos* é uma tarefa mais difícil. No entanto, se você continuar tentando, chegará à empatia. Você descobrirá como é se colocar no lugar da outra pessoa e ver o mundo como ela o vê.

As técnicas de escuta ativa — espelhamento de sentimentos, repetição de ideias, abstenção de julgamentos ou comentários — são amplamente conhecidas e úteis. Mas para ser um ouvinte empático é preciso apenas sentar, ficar quieto e prestar atenção. Claro, se você é o tipo de pessoa cujo rosto fica vermelho quando não gosta do que está ouvindo, isso pode ser mais difícil.

Sem dúvida que o maior desafio é adotar a *mentalidade* de empatia. Se você me procurar porque discordo de você; se, na sua consideração positiva em relação a mim, sinceramente quiser compreender o que penso, por que penso e como me sinto com relação àquele assunto, você se surpreenderá com a rapidez com que me mostrarei disponível para você. As técnicas de escuta ativa podem ficar no meio do caminho da escuta empática. E se eu sentir que você está apenas fingindo interesse pelo meu ponto de vista, me ressentirei profundamente do fato de você usar técnicas de escuta ativa como mais uma tentativa de manipulação.

No fim, a empatia amplia o seu próprio raciocínio. Quando o seu cônjuge, seu colega de trabalho ou seu amigo realmente se abre com você e se torna transparente, ele injeta os pontos de vista dele nos seus. As verdades dele agora também pertencem a você. Pelo fato de ter valorizado tanto a verdade e compreendido o quão limitada ela era, a filósofa política Hannah Arendt aprendeu sozinha a ultrapassar tais limites nas mentes dos outros.

Ela escreveu: "Pensar com a mentalidade expandida significa treinar a própria imaginação para visitar os outros."[32] E o Dalai Lama costuma dizer que aqueles com quem ele está em conflito são os seus professores mais importantes.[33]

Você pode estar pensando: "Mas a escuta empática não vai prolongar o conflito? Realmente preciso ouvir tudo de novo? Isso não vai apenas piorar as coisas? Não tenho tempo para isso!" Essas questões revelam o seu paradigma. Se você pensa que já ouviu tudo isso antes, está enganado. A menos que você tenha, figurativamente, me passado o Bastão da Fala — a menos que você tenha me entendido e aos meus sentimentos tão bem que possa defender o meu ponto de vista em meu lugar —, você, na verdade, não escutou nada.

E quanto a prolongar o conflito, descobri que, invariavelmente, a maneira mais rápida para se chegar à solução é a escuta empática. O tempo que você investe em entender a minha mente e os meus sentimentos não é nada comparado ao tempo e aos recursos que perderia brigando comigo. Somente nos Estados Unidos, 1,2 milhão de advogados cobram aproximadamente US$ 71 bilhões por ano por seus serviços — e esse número nem sequer inclui os processos por indenização que eles ganham nos tribunais. Quanto desse tempo e desse dinheiro poderiam ser poupados se as pessoas procurassem compreender umas às outras aberta e honestamente?

No âmbito pessoal, quantos anos são desperdiçados em casamentos conturbados e outros relacionamentos pela falta de empatia? A escuta empática demanda tempo, mas nada se compara ao tempo que se leva para restaurar os laços rompidos ou desgastados, para conviver com problemas reprimidos e não resolvidos.

Em 2010, em meio a um debate nacional divisionista sobre uma nova lei de cuidados de saúde, o presidente dos Estados Unidos e os líderes do Congresso decidiram expressar suas opiniões contrárias na tevê. Foi uma rara e fascinante experiência presenciar o intercâmbio nos mais altos níveis

---

[32] Hannah Arendt e Ronald Beiner, *Lições sobre a filosofia política de Kant.* (Rio de Janeiro: Relume-Dumará, 1993).

[33] Citado por Marc Gopin, em *Healing the heart of conflict* [Curando o coração do conflito]. Emmaus, PA: Rodale, 2004, p. 237.

do governo, coisa que, em geral, ocorre a portas fechadas. Também foi incrivelmente revelador.

Reconheço que pode ser mais difícil chegar à sinergia quando há muitas pessoas envolvidas. Mas isso já foi feito várias vezes, e costuma acontecer quando algumas pessoas decidem abandonar a insanidade e adotar um caminho melhor. Não foi o que se passou dessa vez. Ambos os lados falaram com inteligência e habilidade persuasiva. Eles contaram histórias horrorosas sobre pessoas que não conseguiram ser atendidas, sobre custos exorbitantes e erros ultrajantes. Eles riram e choraram diante das enormes ineficiências e injustiças. Eles foram severos com o que consideraram falhas nas filosofias de seus oponentes. Pelo impressionante volume de informações dos quais dispunham, pode-se dizer que, claramente, eles haviam feito a lição de casa.

Mas, no fim, a frustração de ambos os lados era bastante palpável. Apesar de todos os hábeis apelos à lógica, aos dados e à emoção, eles não haviam avançado sequer 1 milímetro na resolução de seus conflitos. Mesmo considerando o fato de que todos tinham consciência de que estavam diante das câmeras e que isso havia sido um exercício dentro do jogo político, ainda se podia sentir o vazio e a decepção que todos experimentaram ao perceber que os muros entre eles não mostraram sinais de enfraquecimento.

O que estava faltando? Seus paradigmas estavam errados, e não estou me referindo aos paradigmas políticos. Ficou claro que eles viam a si mesmos e aos outros apenas como representantes de um lado, e não como indivíduos pensantes, racionais e criativos, capazes de julgamentos independentes. Como resultado, não houve qualquer tentativa de escuta empática. Eles simplesmente não estavam interessados em *compreender* as histórias uns dos outros, de modo a aprender mutuamente e adotar uma Terceira Alternativa.

Não estou dizendo que não deve haver debate, que as pessoas não devem defender publicamente suas posições.

Dentro dos paradigmas da nossa sociedade polarizada, geralmente assumimos que o único ponto relevante de uma discussão é vencer — derrotar o outro lado. Tente fazer isso com seus amigos e familiares e veja o quanto se distanciará de uma relação amorosa e criativa. Para alguém que pensa de acordo com a Terceira Alternativa, o objetivo não é a vitória, mas a *transformação*, de todos, em todos os lados. À medida que aprendemos uns com os outros, naturalmente mudamos nossos pontos de vista, às vezes de modo radical.

No paradigma "Eu procuro por você" discuto com você para testar ideias, não para impô-las. Uso a argumentação como um veículo para a aprendizagem, não como uma arma. O meu objetivo não é marcar mais pontos do que você no velho e desgastado jogo de protagonismos, mas *mudar* o jogo.

No paradigma "Eu procuro por você" ouço você para compreender suas parcelas da verdade, não para identificar as falhas em seus argumentos e usá-las contra você. Rogers explica: "A única realidade que posso conhecer é o mundo como o percebo. [...] A única realidade que você pode conhecer é o mundo como você o percebe. [...] E a única certeza é que essas realidades percebidas são diferentes. Existem tantos 'mundos reais' quanto pessoas!"[34] A menos que eu detenha a verdade toda (o que, lamento dizer, não é provável), só tenho a me beneficiar com a verdade alheia. Não vou aprender muito se ficar ouvindo apenas o meu próprio discurso. Considere este pensamento do filósofo John Stuart Mill:

> *O mal a temer não é o violento conflito entre partes da verdade, mas a supressão silenciosa de algumas dessas partes; sempre há esperança quando as pessoas são obrigadas a ouvir os dois lados; é quando elas ouvem apenas um lado que os erros se cristalizam em preconceitos, e a própria verdade deixa de ter o efeito de verdade.*[35]

No paradigma "Eu procuro por você" corro um risco terrível e prazeroso. Se eu realmente conseguir entender como você se sente e for capaz de ver as coisas como você as vê, há o perigo de mudar meu ponto de vista! Se eu for honesto, é improvável que eu perceba as coisas da mesma forma que antes, nem é desejável. Se você não influenciar minha maneira de pensar,

---

[34] Carl Rogers, *Tornar-se pessoa* (São Paulo: Martins Fontes, 2008).

[35] John Stuart Mill, *On liberty and others essays* [Sobre a liberdade e outros ensaios] (Lawrence, KS: Digireads.com, 2010), p. 35.

então tenho motivos para me preocupar com a minha própria mentalidade fechada. Na verdade, para meu próprio bem, preciso ouvir a sua verdade. Como diz Carl Rogers, o meu paradigma não deve ser "Eu me importo com você porque você é idêntico a mim", mas "Eu o prezo e valorizo porque você é diferente de mim".[36]

Tomando Grandes Decisões

Neste momento você deve estar dizendo para si mesmo: "Toda essa conversa sobre empatia parece não só muito piegas, mas também muito maluca. É lógico que estou disposto a ouvir, que não quero ser desrespeitoso, mas conheço muito bem a maneira como penso. Não preciso de outras pessoas para me dizerem o que devo pensar."

Minha resposta é que não há absolutamente nada de insano na escuta empática; na verdade, é uma coisa muito prática de se fazer. Você estará em apuros se *não* a praticar. Qualquer um que, no ambiente de trabalho, não escute bem, está fadado ao fracasso. Os negócios punem os líderes que não tomam grandes decisões, e grandes decisões dependem de uma compreensão completa dos pontos de vista de clientes, fornecedores, membros da equipe, outros departamentos, criadores, investidores — em suma, de todos os interessados. A grande decisão é definida como "a melhor escolha possível, a que se chega eliminando toda a incerteza possível".[37] E a única maneira de minimizar a incerteza é ouvir as pessoas.

Por exemplo: alguns anos atrás, os líderes de uma empresa multinacional de alimentos decidiram cortar os custos de produção comprando suco de maçã concentrado de um novo fornecedor, que oferecia um preço menor. Os executivos financeiros incluíram apenas os seus pares na decisão, excluindo o diretor de pesquisa e desenvolvimento, que, supostamente, era o responsável pelo desenvolvimento do produto. Esse espantado diretor, um cientista-pesquisador, tentou alertar seus chefes de que o novo produto não continha nem uma gota de suco de maçã — era apenas uma água açucarada —, mas os chefes estavam tão satisfeitos com a economia de US$

---

[36] Carl Rogers, *Tornar-se pessoa* (São Paulo: Martins Fontes, 2008).

[37] David G. Ullman, *Making robust decisions* [Tomando grandes decisões] (Bloomington, IN: Trafford, 2006), p. 35.

250 mil por ano que debocharam dele, chamando-o de "ingênuo e utópico". Um dia, os executivos foram para a cadeia e pagaram US$ 25 milhões em multas — um montante equivalente a 100 anos dos dólares que eles teoricamente haviam economizado ao servirem um produto fraudulento.[38]

Então, quem é "ingênuo e utópico"? Aquele que busca pontos de vista diferentes, com a intenção de compreender, ou aquele que não o faz?

Decisões ruins como essa são tomadas todos os dias, por pessoas de negócios que não conseguem ou não querem escutar empaticamente. Mas a mesma fraqueza ajuda a explicar as más decisões em todos os aspectos da vida: em casa, na comunidade, no âmbito governamental, entre pais e filhos. A recusa em ouvir gera conflito, em vez de criatividade, fraqueza, em vez de solidez. A grande ironia? Aqueles que temem que a escuta empática os fará parecer fracos são exatamente os que tomam as decisões mais frágeis.

Conheço um casal que tem três filhos adultos. É uma boa família, comum em todos os sentidos, cheia de vida e coragem. O pai fazia várias viagens por motivos profissionais, enquanto a filha e os dois meninos cresciam. Seu relacionamento com eles era sólido e seguro, embora ele simplesmente não estivesse muito próximo. Tudo corria bem até que a filha adolescente começou a ter problemas de comportamento na escola e, em seguida, conflitos com a lei.

A cada vez que a filha se via em apuros, seu ansioso e consciente pai sentava-se ao seu lado e tentava conversar sobre o problema — talvez um tanto impacientemente. Em todas as ocasiões, eles ficavam dando voltas em torno das mesmas questões: "Estou muito gorda, sou muito feia", "Não, você não está, para mim você é linda", "Você é obrigado a dizer isso porque é meu pai", "Eu não diria se não fosse verdade", "Sim, diria sim", "Você acha que eu mentiria para você?". E a discussão se desviava para a questão da honestidade do pai. Ou, então, ele contava uma história de sua própria juventude, sobre como cresceu com braços e ombros macérrimos, enquanto todos zombavam dele. "E tenho de me sentir melhor por causa disso?", ela perguntava.

---

[38] Marianne M. Jennings, ed., *Business ethics: case studies and selected readings* [Ética empresarial:. estudos de casos e leituras selecionadas] (Florence, KY: Cengage Learning, 2008), p. 217-17.

As coisas se acalmavam um pouco, ele viajava e o ciclo recomeçava. Ele estava viajando quando a esposa telefonou para dizer que a filha havia desaparecido. Imediatamente, ele pegou um avião para casa e a família ficou transtornada durante dias, enquanto se realizava a busca. Finalmente, ela foi localizada, em um abrigo de fugitivos em uma cidade vizinha, e os pais foram resgatá-la. Ela ficou em silêncio durante todo o trajeto de volta para casa. O pai, um homem amável e genuinamente perplexo, abriu seu coração, dizendo o quanto havia sentido sua falta e como tinha sido assustador não saber onde ela estava. Ele contou histórias sobre amigos dele que haviam tido uma juventude conturbada, mas que agora eram adultos bem-estabelecidos.

Naquela noite, ele e a esposa conversaram abertamente sobre os problemas. "Não sei o que fazer com ela", ele confessou. A esposa respondeu: "Você pode tentar ouvi-la." "O que você quer dizer? Eu a ouço constantemente. É praticamente tudo o que faço quando estou em casa."

A esposa deu um meio sorriso. "Ouça-a. Não fale nada. Não converse. Apenas ouça."

Ele se sentou com a filha, que ainda estava em silêncio, e lhe perguntou: "Você gostaria de conversar?" Ela balançou a cabeça em negativa, mas ele ficou onde estava, também em silêncio. O dia já estava escurecendo quando ela finalmente falou: "Eu simplesmente não quero mais viver."

Alarmado, ele lutou contra o impulso de contestar essa afirmação, e disse baixinho: "Você não quer mais viver." Seguiram-se cerca de cinco minutos de silêncio — os cinco minutos mais longos de sua vida, como ele admitiria mais tarde.

"Não sou feliz, pai. Não gosto de nada em mim. Quero acabar logo com isso."

"Você não é feliz", ele suspirou.

A menina começou a chorar. Na verdade, ela começou a soluçar intensamente, tentando falar ao mesmo tempo; as palavras saíram como um fluxo contínuo. Era como se uma represa tivesse se rompido. Ela falou durante toda a madrugada, ele mal pronunciou dez palavras e, no dia seguinte, as coisas pareciam mais esperançosas. Se antes o pai ofertara apenas sua simpatia, agora, pelo menos, ele havia descoberto a empatia.

Esse foi apenas o primeiro "ar psicológico" de muitos ao longo dos próximos e difíceis anos da adolescência, mas a menina agora é uma mulher, calma e confiante em si mesma e no amor de seu pai. O fato de ele ter procurado por ela, valorizado o desabafo de seu coração, em vez de lhe impor sua versão da realidade, ajudou a lhe dar uma base sólida para a vida.

Incentivo-o a levar a sério este paradigma: "Eu procuro por você." Pense nos seus próprios momentos de tensão e de dependência nos relacionamentos com outras pessoas. Quando as tensões são grandes e a confiança é reduzida, quando o próximo passo não parece claro para todos, quando um muro se ergue, tente experimentar a empatia.

- Vá até o outro lado e diga: "Você vê as coisas de maneira diferente. Preciso ouvir você."
- Pague o preço por entender. Dedique total atenção ao outro. Não se distraia enquanto estiver ouvindo. Não julgue, avalie, analise, aconselhe, descarregue seus comentários, se compadeça, critique ou discuta. Os que estão falando não precisam que você fique ao lado deles. Tudo de que precisam é sua consideração positiva para com *eles*.
- Fique em silêncio. Você não tem de dar uma resposta, um veredito, uma solução ou um "conserto". Livre-se de toda essa pressão. Basta sentar-se e ouvir.
- Fale apenas o suficiente para manter o fluxo da conversa. Diga coisas como "Conte mais", "Vá em frente" ou, apenas, "Hmm".
- Preste muita atenção às emoções. Reafirme os sentimentos: "Você deve estar se sentindo [arrependido, irritado, magoado, desgastado, ansioso, decepcionado, perplexo, confuso, traído, inseguro, desconfiado, cético, preocupado, frustrado] por causa disso."
- Use um Bastão da Fala — literal ou figurativamente — se isso ajudar.
- Lembre-se: você está ouvindo uma história. Quando você vai ao cinema, não interrompe os personagens e discute a história, nem procura responder à tela (se fizer isso, será convidado a se retirar — e que bons ventos o levem!). Você está envolvido, o seu senso de realidade está suspenso, você está quase em transe.

- Esteja pronto para aprender. Se estiver propenso a isso, conseguirá ter discernimentos que despertarão sua própria mente e complementarão a sua própria perspectiva. Mudar o seu ponto de vista em decorrência de informações adicionais é natural — não é um sinal de fraqueza.
- Certifique-se de que você realmente entende. Se necessário, conte a história de volta para o seu interlocutor. Reafirme o que pensou ter ouvido. Fale sobre os sentimentos que percebeu. Pergunte se ele sente que você entendeu perfeitamente o seu ponto de partida. Se não, tente novamente, até que ele esteja satisfeito.
- Demonstre alguma gratidão. É um grande elogio ser convidado para penetrar a mente e o coração de outro ser humano. E é um benefício real para você, porque você ganha acesso a uma parcela da verdade que não compreendia antes. Como afirmou John Stuart Mill: "Se houver quaisquer pessoas que contestem uma opinião recebida, vamos agradecê-las por isso, abrir as nossas mentes para escutá-las, e nos alegrar por haver alguém fazendo por nós o que, de qualquer forma, deveríamos fazer."[39]

Você percebe como é possível deixar o "ar psicológico" entrar em um conflito? Em algum momento do experimento, não se surpreenda se as outras partes mudarem de atitude em relação a você e também se dispuserem a *ouvi-lo.* Se você já pagou o preço por compreendê-las verdadeiramente, então elas estarão dispostas a ouvir a sua história. Quando isso acontece, você realmente está no caminho de uma Terceira Alternativa.

Paradigma 4: Eu entro em sinergia com você

Este último paradigma trata de buscar uma solução que seja melhor do que aquilo que foi pensado antes, em vez de se ver preso ao ciclo de ataques mútuos.

---

[39] John Stuart Mill, *On liberty and other essays* [Sobre a liberdade e outros ensaios] (Lawrence, KS: Digireads.com, 2010), p. 31.

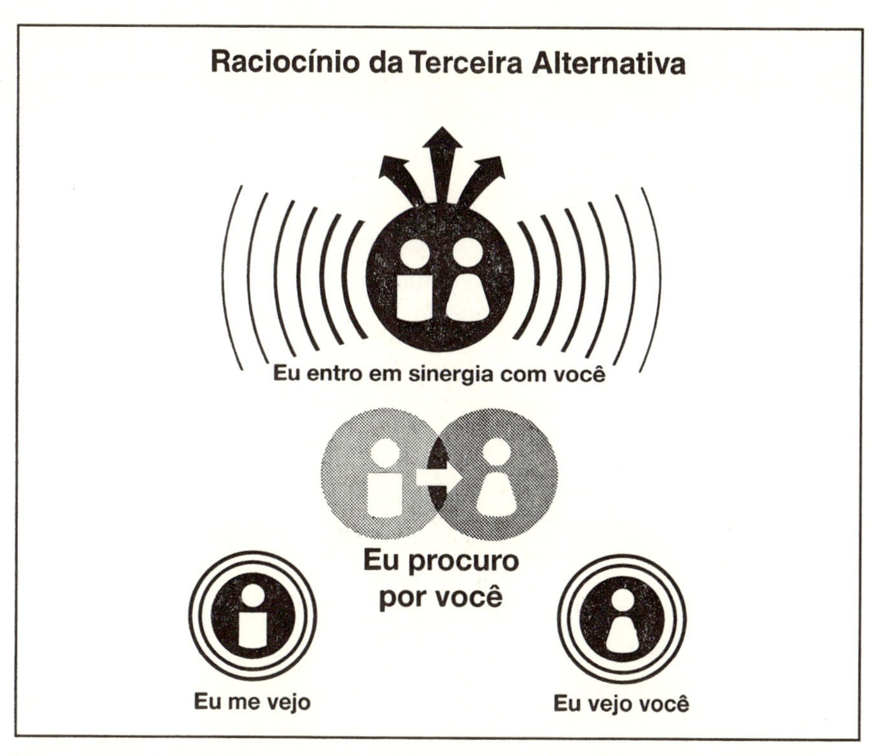

Eu entro em sinergia com você. Uma vez que entendemos um ao outro completamente, estamos em condições de entrar em sinergia, de encontrar uma solução que seja melhor do que qualquer coisa que já tenha sido proposta individualmente. A sinergia é a resolução de problemas de maneira rápida, criativa e colaborativa.

	Eu entro em sinergia com você	Eu ataco você
VER	1 + 1 é igual a 10, 100 ou 1000!	1 + 1 é igual a 0 ou menos!
FAZER	Procuro pela Terceira Alternativa. Pergunto: "Você está disposto a buscar uma solução que seja melhor do que aquilo que qualquer um de nós tem em mente?"	Procuro uma briga. Insisto na minha própria e limitada solução. Certifico-me de que o outro lado perca, embora, no fim, eu possa ter de chegar a um acordo.
OBTER	Quais são os benefícios de encontrar a Terceira Alternativa?	Quais são os custos de desprezar os outros? Para os negócios? Para uma nação? Para uma família?

Chamo isso de paradigma "Eu entro em sinergia com você". Como vimos, a sinergia é o processo de criar, de fato, a Terceira Alternativa. Está relacionado à paixão, à energia, à inventividade, à emoção de criar uma nova realidade que é muito melhor do que a velha realidade. É por isso que também o chamo de *o paradigma de criação.*

O quadro ilustra como o paradigma da sinergia contrasta com o paradigma do ataque. A mentalidade "Eu ataco você" é a conclusão lógica das mentalidades "Eu estereotipo você" e "Eu me defendo de você". Esse é o paradigma da destruição — de relacionamentos, parcerias, companhias, famílias, organizações, nações — e, até mesmo, do futuro. Se tenho essa mentalidade a seu respeito, você é um estereótipo, não uma *pessoa* que eu possa *ver.* Você representa uma ideologia que não consigo tolerar, porque está completamente *errado.* Ou, então, é uma esposa, um marido, um companheiro ou um familiar que ameaça minha identidade, minha própria autoestima. Então, se o vejo dessa maneira, o que digo? "Vou me vingar de você", "Não há espaço para nós dois, é você ou eu".

Posso sentir pena de você, posso tentar convertê-lo para o meu ponto de vista, mas, em última análise, você é meramente a representação de algo com o qual não consigo conviver, e então me defendo ignorando-o, zombando de você ou subestimando-o. O estágio final é o ataque direto: tenho de derrotá-lo. Para mim, não basta ganhar; é preciso que você perca. Um mais um é igual a zero, porque estamos em um jogo de soma zero. E a que resultados chegaremos? Você e eu, juntos, não conseguiremos produzir nada, a não ser guerra.

Com a mentalidade de ataque, o melhor desfecho possível é chegar a um acordo, o que, por definição, significa que ambos perdem algo. Chegar a um acordo quer dizer que um mais um é igual a um e meio. Chegar a um acordo não é sinergia. Essa situação goza de boa reputação, e as pessoas pensam que é ótimo chegar a um acordo, mas não se trata de sinergia.

Por outro lado, a mentalidade oposta, "Eu entro em sinergia com você", é a conclusão lógica das mentalidades "Eu me vejo", "Eu vejo você" e "Eu procuro por você". Lembre-se de que tudo começa com o respeito autêntico por mim e por você: vou ao seu encontro, não uso você, parafraseando Martin Buber. A próxima etapa é a empatia entusiasmada, uma determinação genuína para procurar e compreender todas as parcelas disponíveis da verdade. Não podemos entrar em sinergia até que todos se sintam inteiramente compreendidos, tanto em termos de conteúdo quanto de sentimento. O professor Horacio Falcão, da escola internacional de negócios INSEAD, descreve a interação desta maneira: "Mostro, por meio do meu próprio comportamento, que você não precisa me temer. Portanto, não tem de se defender, porque não o estou atacando. Assim, você não tem de resistir e tampouco exibir seu poder, porque não estou exibindo o meu."[40]

Agora, pergunte-se: quais são os custos da mentalidade de ataque para o seu negócio? Para o seu país? Para a sua família? Por outro lado, quais são os benefícios da mentalidade de sinergia, dedicada a encontrar a Terceira Alternativa, para o seu negócio? Para o seu país? Para a sua família?

Você mesmo pode responder a essas perguntas. Mas considere o que teria acontecido se, naquela fatídica noite em uma estação de trem da África do Sul, Mohandas Gandhi tivesse se rendido à mentalidade de ataque. Quais teriam sido as consequências para ele e, em última análise, para o futuro da Índia? Em um terceiro contexto, totalmente distinto, o que teria acontecido se Nadia, a mãe tão contrariada com a interrupção das aulas de música na escola de sua filha, tivesse desferido um violento ataque contra a professora, em vez de entrar em sinergia com ela? E, em um terceiro contexto, totalmente distinto, o que aconteceria se os fabricantes japoneses tivessem tratado W. Edwards Deming como um estrangeiro intruso e o atacado com anticorpos culturais?

A palavra japonesa para o paradigma de ataque é *kiai*. Nas artes marciais, esse termo se refere ao foco total e intenso para bloquear ou destruir um inimigo, e é simbolizado por um grito explosivo. O paradigma oposto, o da sinergia, é chamado de *aiki*. Esse termo se refere à abertura de espírito, a um alinhamento não antagônico de sua própria força com a força de seu oponente. A arte marcial revolucionária fundamentada na sinergia é chamada *aiki-do*, ou "o caminho da paz". No *aiki-do* você neutraliza o conflito ao misturar a sua força com a de seu oponente, a fim de produzir, paradoxalmente, muito mais poder. Felizmente, a indústria japonesa recebeu o

[40] Horacio Falcão, "Negotiating to Win" [Negociando para ganhar], *INSEAD Knowledge*. Disponível em: http://knowledge.insead.edu/strategy-value-negotiation-100419.cfm? vid = 404, 16 de abril de 2010.

norte-americano Deming com uma mentalidade de *aiki-do*, e os resultados foram históricos.

De acordo com o proeminente mestre de *aiki-do* Richard Moon, "a coisa mais importante no *aiki-do* é nunca nos opormos à força de alguém. O modo como isso é aplicado na resolução de conflitos é nunca nos opormos às crenças ou às ideias de outra pessoa. [...] Queremos saber mais sobre o que a outra pessoa está pensando, queremos saber mais sobre a sua energia, seu espírito, e quando agimos assim, podemos ser mais lúdicos, seguir adiante, e isso pode mudar a situação".[41]

Nunca perca de vista o fato de que a sinergia verdadeira requer *aiki* em vez de *kiai*, a mentalidade do autêntico respeito e empatia, em vez da mentalidade do bloqueio e do ataque.

O Processo de Sinergia

Depois da ausência de uma mentalidade adequada, o segundo obstáculo à sinergia é a falta de habilidade. A sinergia é o processo que leva à Terceira Alternativa, e você precisa saber como esse processo funciona. Até agora, falei sobre as *características* essenciais de uma pessoa sinérgica e examinei os paradigmas que compõem o raciocínio da Terceira Alternativa. A partir de agora, tratarei das *habilidades* de uma pessoa sinérgica.

As crianças praticam sinergia espontaneamente. Nascemos com o paradigma de criação. Um amigo me contou que testemunhou seus dois filhos e os amigos deles construírem uma cidade inteira com algumas caixas de alimentos, algumas cerejas caídas das árvores (os habitantes da cidade), uma pilha de pedras e uma casca de banana (o palácio do rei). Elaboraram entre si uma complexa história sobre essa grande civilização, inventando-a conforme avançavam. Eles acrescentaram política, guerras, economia, amor, ciúme e paixão à história.

As crianças fabricam o mundo naturalmente. À medida que crescemos e nos especializamos ao longo da vida escolar e profissional, muitas vezes

[41] Citado a partir de Lisa Schirch, *Ritual and symbol in peacebuilding* [Ritual e símbolo na construção da paz] (Sterling, VA: Kumarian Press, 2005), p. 91.

extraviamos as habilidades que costumávamos utilizar para inventar mundos. Mas essas habilidades nunca se perdem. Às vezes, as pessoas se surpreendem quando chegam, em caso de necessidade, a uma Terceira Alternativa. Uma crise pode forçar o raciocínio da Terceira Alternativa, como nos eventos em torno do acidente da *Apollo 13*, a malfadada missão à Lua, em abril de 1970. Depois de uma explosão a bordo, os três astronautas começaram a ficar lentamente asfixiados dentro da danificada espaçonave por causa do acúmulo de dióxido de carbono liberado por seus próprios pulmões. A perda de energia os obrigou a trocar o modo de comando pelo modo de aterrissagem lunar, que não estava programado para suportar três seres humanos respirando. Os filtros de dióxido de carbono se esgotariam gradualmente, levando-os à morte lenta. Havia vários filtros novos em forma de cubo disponíveis no modo de comando, mas eles eram incompatíveis com o sistema de modo lunar, que só funcionava com filtros de forma cilíndrica. Era o problema clássico de Duas Alternativas, de precisar adaptar uma cavilha quadrada a um buraco redondo.

"Fracassar *não* é uma opção!", prometeu Gene Kranz, diretor da missão no solo. A Terceira Alternativa tinha de ser encontrada. Assim, a partir dos materiais disponíveis aos astronautas — envoltórios plásticos, fita adesiva, papelão, tubos de borracha —, os técnicos no solo rapidamente conceberam uma engenhoca em forma de caixa de correio que conectava os filtros incompatíveis. As especificações para essa solução improvisada foram transmitidas via rádio para os astronautas. Eles a construíram, e funcionou.

Nesse caso, a Terceira Alternativa teve origem sob a pressão de uma situação de vida ou morte, naturalmente extrema. Mas o que podemos aprender com a sinergia conseguida pela equipe da missão Apollo? Aprendemos que soluções da Terceira Alternativa podem ser rapidamente encontradas. Aprendemos, também, que podemos criar soluções da Terceira Alternativa a partir dos recursos dos quais dispomos; nem sempre precisamos de recursos adicionais ou diferentes. Aprendemos, mais uma vez, que a maior parte dos dilemas é um falso dilema. Acima de tudo, aprendemos que as pessoas profundamente comprometidas umas com as outras podem chegar a sinergias miraculosas.

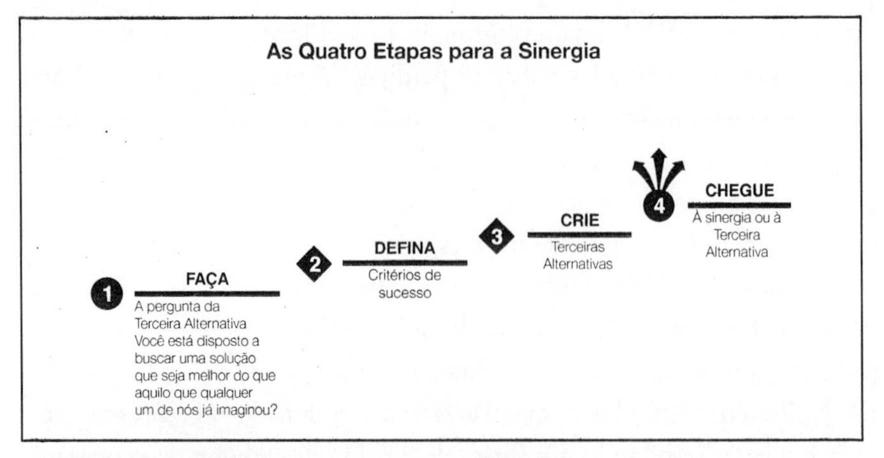

As Quatro etapas para a sinergia. Este processo ajuda a colocar o princípio de sinergia em prática. (1) Mostre disposição para encontrar uma Terceira Alternativa. (2) Defina o que é o sucesso para todos. (3) Teste soluções até (4) chegar à sinergia.

Vimos que, por vezes, uma crise força a sinergia. Mas não é preciso haver uma crise para chegarmos à sinergia. Se eu começar com a mentalidade correta, posso alcançar a sinergia deliberadamente, por meio das quatro etapas seguintes.

Quatro Etapas para a Sinergia

1. Eu lhe pergunto: "Você está disposto a buscar uma solução que seja melhor do que aquilo que qualquer um de nós já tenha proposto?" Essa única e revolucionária pergunta pode eliminar as atitudes defensivas, porque não estou pedindo que você abandone a sua ideia. Nada disso. Estou simplesmente querendo saber se podemos procurar por uma Terceira Alternativa que seja *melhor* do que a minha ideia *e* do que a sua ideia. Tudo começa como uma experiência de raciocínio, nada mais.
2. Então, lhe pergunto algo do tipo: "O que quer dizer *melhor*?" A ideia é fazer surgir uma visão clara do trabalho a ser realizado, uma lista de critérios para um resultado bem-sucedido, que agrade a ambos — os critérios que vão além das nossas demandas mais arraigadas.
3. Uma vez definidos esses critérios, começamos a pensar em possíveis soluções que possam atendê-los. Concebemos protótipos, temos

ideias criativas sobre novas estruturas, refletimos sobre quaisquer possibilidades. Suspendemos temporariamente o julgamento. Mais adiante, descreverei várias maneiras de fazer isso, mas toda sinergia depende de permitir que testemos as possibilidades mais radicais.

4. Sabemos o momento em que chegamos à sinergia pela empolgação que toma conta da sala. A hesitação e os conflitos desaparecem. Continuamos a trabalhar na sinergia até experimentarmos aquela explosão de dinamismo criativo que representa uma Terceira Alternativa de sucesso, e a reconhecemos ao constatá-la.

Existem muitos especialistas em "resolução de conflitos". Mas para a maioria deles a resolução de conflitos significa, normalmente, negociar uma acomodação em um nível mais baixo, que acaba com a discussão, sem necessariamente alcançar novos e surpreendentes resultados. A Terceira Alternativa é mais do que um armistício, e muito mais do que se chegar a um acordo — é a criação de uma nova realidade, melhor do que o que está "de um lado" *ou* "de outro lado". Não é nem a primeira posição nem a segunda posição. É uma *terceira* posição.

Vamos analisar um pouco mais profundamente a maneira como essas etapas para a sinergia se comportam na vida real.

Etapa 1: Faça a Pergunta da Terceira Alternativa

A primeira etapa no processo de sinergia é fazer a pergunta da Terceira Alternativa: "Você está disposto a encontrar uma solução que seja melhor do que aquilo que qualquer um de nós tem em mente?"

Essa pergunta muda tudo. Se a resposta for sim, subitamente não haverá necessidade de negociação, que nos conduzirá inevitavelmente a um acordo. Se a resposta for sim, o conflito perderá a tensão. Em uma situação de pouca confiança, o "sim" pode ser muito hesitante e, até mesmo, relutante. Mas é o primeiro passo para sair da rigidez e se chegar a uma solução promissora.

Propor sinceramente essa pergunta me obriga a reprogramar minha própria maneira de pensar. É preciso que eu não me veja mais como a fonte objetiva e única de toda a sabedoria. Tenho de pensar dentro dos paradigmas do respeito mútuo e da valorização das diferenças. Tenho, como vimos, de compreender o princípio paradoxal de que duas pessoas podem discordar e estar ambas certas ao mesmo tempo.

Além disso, é preciso que eu me observe mais do que simplesmente como o representante de um dos lados. Sou mais do que os meus conflitos, a minha posição, a minha ideologia, a minha equipe, a minha empresa ou o meu partido. Não sou uma vítima do passado. Sou uma pessoa completa, um indivíduo único, capaz de moldar o meu próprio destino. Posso escolher um futuro diferente. Também devo estar disposto a suspender minhas próprias noções preconcebidas a respeito de uma solução (note que eu disse "estar disposto a"). Devo estar aberto a possibilidades nas quais *eu* nunca pensei. Devo estar pronto para ir aonde o processo me leva, porque a sinergia é, por natureza, imprevisível.

"Você estaria disposto a buscar uma solução melhor?"

"Sim, mas não vejo qual seria essa solução, e não pretendo ceder."

"Não estou lhe pedindo para ceder. Estou perguntando se você está disposto a trabalhar comigo para criar algo melhor do que aquilo que você ou eu tínhamos em mente. Essa solução ainda não existe. Vamos criá-la juntos."

Sem esses paradigmas estabelecidos nunca serei capaz de fazer a pergunta da Terceira Alternativa por inteiro. Nunca serei capaz de ir além dos limites do meu condicionamento mental.

Mas e se o outro lado do conflito não pensar dessa maneira? O que acontecerá se os paradigmas do outro lado forem duvidosos, desrespeitosos e puramente partidários?

Quando eu lhes faço a pergunta da Terceira Alternativa, eles provavelmente se sentirão desarmados. Eles vão se surpreender com o fato de que estou disposto a me abrir para novas possibilidades. Muitas vezes, eles ficam intrigados e curiosos, talvez até imaginando que estou tramando algo. Mas se eu agir sempre de modo respeitoso e realmente procurar compreender os interesses e as posições da outra parte, a resposta geralmente será "Sim, claro", ainda que de forma hesitante. Lembre-se: se eu não lhes der oportunidade de se manifestarem e me esforçar para entendê-los profundamente, eles podem muito bem rejeitar qualquer insinuação minha em direção a uma nova solução. E eles teriam razão em fazê-lo.

De acordo com minha própria experiência, os resultados, em quase todos os casos, têm sido surpreendentes. Vi conflitos agonizantes, que se prolongaram ao longo de anos, serem resolvidos em questão de horas. Não só os problemas foram resolvidos, como as relações foram reforçadas. Sei de brigas acirradas nos tribunais que terminaram subitamente quando os dois lados realmente passaram a compreender um ao outro e procuraram algo melhor do que apenas brigar entre si.

Lembre-se de que, ao fazer a pergunta da Terceira Alternativa, você não está pedindo aos outros que desistam de suas ideias ou posições. Você está fazendo um exercício de reflexão em conjunto, perguntando "e se". Ambos estão colocando em suspenso suas posições em nome do experimento.

Ganhar é divertido. Mas há mais de uma maneira de ganhar. A vida não é um jogo de tênis em que apenas um jogador consegue ultrapassar a rede. É ainda mais emocionante quando ambos os lados ganham e se sentem satisfeitos com a nova realidade criada em conjunto. É por isso que o processo de sinergia começa com a pergunta: "Você estaria interessado em buscar uma solução de ganha/ganha com a qual ambos nos sintamos realmente bem?"

Etapa 2: Defina Critérios de Sucesso

Você não fica, muitas vezes, surpreso com as coisas que fazem as pessoas brigarem? Frequentemente, o ponto-chave do conflito é banal. Países entram em guerra por conta de pedaços pequenos e inúteis de terra. Maridos e esposas se divorciam porque não conseguem decidir de quem é a vez de lavar a louça depois do jantar. Empresas vão à falência por motivos insignificantes.

Mas o ponto de conflito, geralmente, não é "o ponto". De modo geral, questões muito mais profundas estão na base de conflitos destrutivos. Parafraseando o meu amigo, o professor Clayton M. Christensen, o verdadeiro trabalho a ser feito não é resolver o ponto de conflito, mas, em primeiro lugar, mudar o paradigma que originou o conflito.

Quando os palestinos se reúnem para protestar contra um novo assentamento israelense, o assentamento em si mesmo certamente não é a questão. O verdadeiro trabalho a ser feito é mudar o coração das pessoas. O conflito mais profundo no Oriente Médio, que remonta a décadas, se não a séculos, é sobre os princípios aos quais as pessoas se apegam em seus corações, como equidade e justiça. Um conflito do coração pode se revelar um conflito mais difícil e indomável.

Lembre-se de que, em japonês, a mentalidade sinérgica é chamada de *aiki*, a mistura de forças para criar um resultado harmonioso. Em um conflito de princípios, você não pode simplesmente rejeitar os princípios do outro. Ironicamente, na maioria das vezes, você *compartilha* desses princípios. Certamente israelenses e palestinos, ou turcos e cipriotas gregos, ou católicos e protestantes na Irlanda do Norte, podem apelar e apelam ao princípio da equidade básica para justificarem suas posições. A chave para resolver o conflito é a aplicação do princípio comum, a mentalidade *aiki* no trabalho, de maneira nova e mais eficaz. Ambos os lados extraem suas forças de seu compromisso com esse princípio compartilhado, levando-o a um nível totalmente diferente.

Assumindo que já compreendemos profundamente as histórias dos outros e suas parcelas da verdade, estamos livres, então, para satisfazer nossas necessidades e nossos desejos mais profundos, criando uma visão inteiramente nova, que será uma vitória para ambos. Colocamos essa mentalidade sinérgica para funcionar definindo os critérios de sucesso. A palavra *critério* vem do grego e significa "um meio para cumprir um princípio ou um padrão". Em um conflito, todos nós queremos um ótimo desfecho. A questão é: o que seria um ótimo desfecho?

Eis aqui um exemplo simples dessa etapa: um supervisor de parques públicos estava frustrado. Um parque em sua pequena cidade estava sob ameaça de fechamento por causa de cortes orçamentários. Além disso, havia um conflito crônico entre os donos de cachorros, que queriam levar seus animais de estimação para passear no parque, e outros frequentadores, que se opunham ao ruído e à bagunça. É claro, nenhum deles queria o fim do parque. Todos estavam dispostos a buscar uma Terceria Alternativa, e então eles se reuniram e elaboraram uma lista de critérios de sucesso:

- O parque deve permanecer aberto, com financiamento adequado.
- As pessoas e os cães devem estar seguros no parque.
- O parque deve ser limpo periodicamente.
- Não deve haver ruído excessivo no parque.

Todos concordaram com esses critérios básicos. Todos se comprometeram com a tarefa a ser realizada: encontrar uma Terceira Alternativa que ajudasse a alcançar uma vitória para todos: os funcionários do parque, o público, os contribuintes e os cães. Mais adiante veremos qual foi o desdobramento desse caso.

Esse processo de sinergia tem sido usado para criar nações inteiras. Quando o governo confederativo original dos Estados Unidos se mostrou impraticável, representantes do povo se reuniram para criar um novo conjunto de critérios de sucesso: a Constituição de 1787. Mais recentemente, consideremos o insólito caso da República de Maurício. Essa pequena ilha no oceano Índico, lar de mais de 1 milhão de pessoas de ascendência africana, europeia, indiana e do Sudeste Asiático, é um exemplo notável de sinergia. Lá, adeptos de todas as grandes religiões, falantes de dezenas de línguas e praticantes de diversas tradições étnicas combinam-se em uma cultura próspera e harmoniosa, diferente de qualquer outra em todo o mundo. Quando Maurício conquistou sua independência da Grã-Bretanha, em 1968, os recursos limitados e as diferenças étnicas ameaçavam a viabilidade e a paz da ilha. Considerando-se a maioria indiana, os não indianos temiam ser sub-representados e marginalizados. Alguns especialistas previram que Maurício se autodestruiria em uma caldeira volátil de política, religião e raça — como aconteceu com tantas outras sociedades. Mas, com uma abordagem sinérgica e tendo por base um comprometimento com a celebração das diferenças, os mauricianos elaboraram uma Constituição para dar voz a todos do país. Esse foi um critério essencial para o sucesso. Quando as eleições são realizadas, a maioria dos assentos parlamentares vai para os eleitos — mas oito são reservados para os "melhores perdedores". Isso garante uma representação equilibrada e uma voz para as minorias. Isso, sim, é uma Terceira Alternativa criativa!

Um outro problema surgiu porque havia tantas religiões e culturas em Maurício que sempre havia um feriado a ser celebrado. Havia tantas comemorações que se tornou realmente difícil executar o trabalho, mas nenhum grupo quis abandonar as suas festividades. Assim, um critério foi definido: se uma pessoa celebra, todos celebram. Maurício agora reserva alguns dias por ano para feriados religiosos, acatados por todo o país. Todos festejam a Páscoa cristã, o Eid muçulmano e o Diwali hindu. Os mauricianos adoram celebrar os feriados dos outros, e isso cria uma rica sensação de apreço, respeito e amor por cada um e pela comunidade.

Por meio da definição de critérios inovadores e compartilhados por uma sociedade bem-sucedida as ilhas Maurício escaparam dos conflitos profundos que paralisam muitos outros países etnicamente diversificados. Os mauricianos não são perfeitos, eles têm problemas sociais significativos, mas esta é uma verdadeira história de sucesso. Eles obtiveram sucesso não ao abandonar o princípio da equidade ou ao restringi-lo a uma estrutura limitada e de autointeresse, mas *ampliando-o* de maneiras novas e sólidas. Os mauricianos não apenas coexistem — eles *prosperam* juntos. Como afirma o líder mauriciano Navin Ramgoolam: "Todos nós viemos em diferentes tipos de navios, de diferentes continentes. Agora, estamos todos no mesmo barco."[42]

Para chegar à sinergia precisamos de um conjunto sólido de critérios que representem o sucesso para o maior número possível de interessados. E precisamos dele o mais cedo possível. Se excluirmos critérios importantes, acabaremos tendo de desprezar a nossa solução e reelaborá-la, porque não representará a verdadeira sinergia. Seremos poupados de uma boa quantidade de lamentação se conseguirmos começar com um conjunto abrangente de critérios de sucesso.

Os seus critérios de sucesso podem assumir muitas formas. Você pode condensar sua missão em uma frase poderosa, que resuma as suas mais altas aspirações; se não alcançar essa missão, nada mais importa muito. Ou os seus critérios podem ser menos ambiciosos. Se você estiver construindo uma casa, terá uma planta. Se estiver programando um aplicativo de computador, terá uma lista de especificações e um *wireframe*. Se estiver administrando uma empresa, terá um plano estratégico. Você pode ter um código de valores que pretende seguir. Em qualquer um dos casos, você deve ter um fim claro em mente antes de partir para a sinergia; caso contrário, estará apenas fazendo um convite ao caos.

---

[42] "Beyond beaches and palm trees" [Além de praias e palmeiras], *Economist*, outubro de 2008; Joseph Stiglitz, "The Mauritius miracle, or how to make a big success of a small economy" [O milagre de Maurício, ou como fazer um grande sucesso a partir de uma pequena economia, *Guardian* (Manchester), 7 de março de 2011. Disponível em: http://www.guardian.co.uk/commentisfree/2011/mar/07/mauritius-healthcare-education.

O mantra da sinergia é: *O maior número de ideias, do maior número possível de pessoas, o mais rapidamente possível.*

Tomemos como exemplo a filosofia de inovação da Procter & Gamble, talvez a mais bem-sucedida empresa de produtos de consumo no mundo. Fonte de dezenas de marcas de primeira linha, a inovadora equipe da P&G sempre começa com um propósito firme e critérios claros de sucesso. Por exemplo: há alguns anos as pesquisas com consumidores mostraram que as pessoas queriam dentes mais brancos, mas não queriam pagar o alto preço que os dentistas exigiam para o clareamento. Assim, a equipe da P&G foi trabalhar na definição dos critérios de uma solução de sucesso. Eles convidaram especialistas da área odontológica da Crest, especialistas em branqueamento da Tide, especialistas em aderência de sua longa história com termoplásticos e muitos outros. Essa equipe diversificada definiu os critérios: o produto seria acessível, fácil de aplicar, rápido quanto aos resultados, fabricado em alta velocidade e embalado para ter vida longa na prateleira. Inúmeros critérios técnicos completaram a lista. Com esses critérios de sucesso em mente a equipe criou as fitas branqueadoras Whitestrips, que se tornou um produto de grande sucesso da P&G, vendido no Brasil com a marca Oral-B.[43]

Esse esforço contrasta com a experiência de um de nossos clientes farmacêuticos europeus, que há vários anos tentou colocar no mercado um medicamento que reduzia a pressão alta. Quando eles se inscreveram para obter aprovação para vender a medicamento nos Estados Unidos, a Food and Drug Administration (FDA) recusou o pedido. A substância exigia administração duas vezes ao dia, e o FDA assinalou que os medicamentos concorrentes já existentes no mercado exigiam apenas uma dosagem ao dia. A administração duas vezes ao dia dobrava o risco para o consumidor de sobredosagem ou subdosagem; por isso, o medicamento não pôde ser comercializado nos Estados Unidos.

Foi um golpe terrível para a empresa. Além disso, quando as notícias chegaram à sede na Europa, o diretor de vendas da empresa disse: "Por que você não nos incluiu no planejamento? Poderíamos ter dito que esse medicamento não atenderia aos requisitos da FDA." Um critério de sucesso no

---

[43] A. G. Lafley e Ram Charan, *O jogo da liderança* [Rio de Janeiro: Campus, 2008].

mercado norte-americano é a administração uma vez ao dia, mas a equipe de desenvolvimento não sabia disso. Ao não incluir as partes importantes na definição dos critérios de sucesso a empresa criou um medicamento que não se mostrou sólido o suficiente para sobreviver ao mercado.

Embora o processo de sinergia nos conduza a lugares que não conseguimos antecipar, isso não significa que devemos começar sem destino algum em mente. O processo de sinergia relaciona-se com *a maneira* pela qual buscamos alcançar o lugar desejado por todos nós. Estabelecer os critérios de sucesso nos ajuda a definir como será esse lugar. Os critérios nos ajudam a compreender melhor onde estamos agora, para que possamos seguir a direção correta. Sem critérios de sucesso é fácil começar a subir uma escada juntos apenas para descobrir que ela está encostada na parede errada e que cada passo só nos levará para o lugar errado.

Você provavelmente está se perguntando: "E se alguém insistir em critérios que são inaceitáveis para os outros?" Essa possibilidade será menor se tivermos cumprido a tarefa do Paradigma 3: compreender verdadeiramente o outro; então, saberemos o que é e o que não é uma "vitória" para cada parte. A verdadeira questão é: "Será que estamos dispostos a buscar os critérios que viabilizam uma vitória *para todos nós*? Critérios nos quais ainda não pensamos?" Um "sim" permite que nos aprofundemos.

Além da Equidade

Critérios não passíveis de negociação quase sempre estão relacionados com questões de equidade ou justiça. "Não é justo, não é equitativo, não é correto, não é respeitoso." Não há queixas humanas mais básicas do que essas, seja na escola, no mercado, nos tribunais ou nas Nações Unidas. Na minha opinião, no entanto, o desafio para um pensador da Terceira Alternativa está em chegar a critérios que sejam *mais* do que justos, que vão *além* do princípio da equidade. Como fazer isso?

Muitos conflitos, se não a maioria deles, têm origem na questão da equidade. Em todos os lugares as pessoas, de certa forma, compreendem se estão sendo tratadas ou não de maneira justa. Na tentativa de entender a ideia de justiça, os economistas realizaram experiências ao longo dos anos com o que eles chamam de o jogo do ultimato. Nesse jogo, uma pessoa é o proponente e a outra, o respondente. O proponente recebe dez notas de

US$1. Ele, então, começa a oferecer uma quantidade qualquer de notas para o respondente, que é livre para aceitar ou rejeitar a oferta. O problema é que ambos os jogadores devem terminar o jogo com dinheiro; se não, aquele que ficar com o dinheiro deverá devolvê-lo.

Se ambos os jogadores fossem robôs, seguindo esse raciocínio, o ultrarracional proponente iria oferecer apenas US$1 para o respondente, que, então, o aceitaria racionalmente, e ambos ficariam com dinheiro. Mas os seres humanos não jogam dessa maneira. Normalmente, o proponente oferece ao respondente US$5, que esse aceita, e ambos terminam com a mesma quantidade de dinheiro. Parece justo. Curiosamente, porém, quando o proponente oferece muito pouco ao respondente, este, muitas vezes, se recusa a aceitar *qualquer* dinheiro, porque não considera isso justo e, assim, os dois jogadores perdem. Esse resultado pode parecer irracional, mas demonstra o poder do princípio da equidade.

Esse jogo foi testado com centenas de grupos em todo o mundo, de banqueiros londrinos a pastores nas montanhas do Peru. Embora os resultados variem *dentro* das culturas, há pouca variação *entre* as culturas. Todas as culturas têm um senso inato de equidade.

Mas, como mostra o jogo do ultimato, a justiça está, geralmente, no ponto de vista de quem observa: o que é justo aos meus olhos poderia ser injusto aos seus. É por isso que o raciocínio da Terceira Alternativa tem de transcender o princípio da equidade. O problema com o jogo do ultimato é que ele impõe artificialmente a *escassez* aos jogadores. No jogo há apenas dez notas de US$1 a serem compartilhadas. Estabelecidas as regras, não importando como o jogo é jogado, o proponente perde. Ele *deve* abrir mão de algum dinheiro. Por outro lado, no mundo real, nenhuma das partes perde, porque os US$10 podem ser multiplicados. No mundo real, o princípio não é a *escassez*, mas a *abundância* — não há limites para a riqueza que pode ser criada. E há uma série de maneiras de se chegar lá. Como uma Terceira Alternativa, o jogadores poderiam formar uma parceria e investir o dinheiro em um retorno produtivo, ou aplicá-lo em um negócio que gerasse muito mais dinheiro para ambos. A mentalidade da Terceira Alternativa escapa dos limites artificiais da Primeira e da Segunda Alternativas, que, geralmente, nos levam a um cabo de guerra, no qual a equidade é a questão-chave.

Francamente, como partidários do raciocínio da Terceira Alternativa não estamos muito interessados em equidade; estamos muito mais interessados em sinergia. Para nós, uma solução meramente justa ou equitativa não é suficiente. Queremos mais. Se desejamos apenas o que é justo, é porque ainda não chegamos à mentalidade da Terceira Alternativa.

Gosto desta observação feita por Charles H. Green, o fundador e diretor-executivo da Trusted Advisor Associates: "A demanda por 'equidade' pode ser inimiga da confiança. A confiança mútua é fundamentada na reciprocidade, o que exige nosso esforço para valorizar o outro lado. [...] Se gastamos nossa energia negociando quem recebe 49% e quem fica com 51%, destruímos a confiança em nossa busca por 'equidade'."[44] Portanto, elaborar uma lista de critérios pode se tornar um exercício tenso, que apenas conduzirá a mais conflitos. Não é preciso martelar cada prego; muitas vezes, a melhor coisa a fazer é simplesmente perguntar: "O que é o sucesso?" E, então, anotar as respostas mais imediatas e óbvias.

Sempre que você estiver optando pela Terceira Alternativa, tente fazer uma lista de critérios de sucesso. Para chegar a um acordo sobre esses critérios faça a si mesmo as seguintes perguntas:

- Todos estão envolvidos na definição dos critérios? Estamos obtendo o maior número de ideias, do maior número possível de pessoas?
- Quais resultados *realmente* queremos? Qual o *verdadeiro* trabalho a ser feito?
- Quais resultados seriam "vitórias" para todos?
- Estamos abrindo mão de nossas arraigadas demandas do passado e buscando algo melhor?

Quando todos estiverem satisfeitos com as respostas, você estará pronto para criar opções da Terceira Alternativa. Mais tarde, quando selecionar seu curso de ação, poderá retornar e verificar qual a alternativa atende melhor seus critérios de sucesso.

---

[44] Charles H. Green, "Get beyond fairness" [Indo além da equidade]. Disponível em: http://trustedadvisor.com/trustmatters/91/Trust-Tip-16-Get-Beyond-Fairness.

Etapa 3: Crie Terceiras Alternativas

Pensando em meus anos de trabalho com pessoas ao redor do mundo, posso dizer que os pontos altos sempre foram episódios de sinergia. Eles geralmente começam quando alguém tem coragem de dizer uma verdade que de fato precisa ser dita. Então, os outros passam a pensar que também podem ser autênticos e, no fim, a empatia leva à sinergia. Essa é a lição da Confederação Iroquois. Quando o Pacificador teve coragem suficiente para procurar seu adversário e realmente ouvi-lo, aquela cultura começou a se transformar, da guerra para a paz.

Basta apenas uma pessoa — você — para iniciar o ciclo de sinergia. Ele começa quando você se dispõe a dizer aos outros: "Você vê as coisas de maneira diferente. Preciso ouvi-lo." Uma vez que todos se sintam ouvidos, é possível perguntar: "Você está disposto a buscar uma Terceira Alternativa?" Se a resposta for sim, vocês podem começar a experimentar possíveis soluções que atendam aos seus critérios de sucesso.

Por favor, observe que eu disse "soluções", no plural. A busca por uma Terceira Alternativa quase sempre envolve muitas alternativas possíveis. Criamos modelos, rearrumamos coisas antigas em novas formas, mudamos a direção do nosso pensamento. Trabalhamos de um modo livre, confiantes na abundância de soluções. Suspendemos o julgamento até aquele momento emocionante em que percebemos que chegamos à sinergia.

Neste livro você verá muitas maneiras de se criar Terceiras Alternativas, mas toda a sinergia depende de nos permitirmos fazer experiências de modo livre e rico, quase sem limites. Quando digo isso para as pessoas, todas concordam com esse princípio, mas a maioria simplesmente não consegue se conceder esse tipo de liberdade. Isso pode soar irônico nos dias de hoje, quando todos dizem apreciar novas ideias e em que nossas tecnologias avançam à velocidade da luz. Ainda assim, a cultura da maioria das equipes de trabalho e das organizações é profundamente rígida — e isso é verdade em todo o mundo. Quem quiser tentar a sinergia assumirá um risco incrível e maravilhoso.

Pelo fato de estarmos à procura de uma solução inteiramente nova devemos dar vazão *total* à nossa disposição de abrir espaço para a concepção criativa de uma terceira maneira de agir. Devemos estar dispostos a nos tornar vulneráveis nesse "deixar-se ir". Talvez seja muito difícil: todos os nossos instintos nos dizem para lutar (ou fugir) diante de uma oposição. Por isso, é fundamental fazer uma pausa e escolher, deliberadamente, buscar a Terceira Alternativa. De acordo com a lei de sinergia: *Sempre existe uma maneira melhor.*

De Onde Vem a Terceira Alternativa?

Aonde devemos ir para encontrar a Terceira Alternativa? Qual é a fonte da sinergia? A escritora Amy Tan considera que as fontes de sinergia são "sugestões do universo, a chegada da sorte, o fantasma de minha avó, os acidentes".[45] Em outras palavras, as ideias que produzem uma Terceira Alternativa podem ser universais e pessoais, aleatórias e dissonantes. Mas são sempre novas, excitantes e extraordinariamente produtivas.

O conceito da Terceira Alternativa é muito antigo. Tanto os sábios hindus quanto os filósofos gregos sabiam que as ideias verdadeiramente revolucionárias não surgem a partir de debates, mas a partir de diálogos entre pessoas com diferentes perspectivas. Os *Diálogos* de Platão incorporam uma busca por novas verdades, e não uma tentativa de persuadir os outros a respeito de verdades já estabelecidas. Buda ensinou que nunca encontraremos iluminação em uma atmosfera de raiva, má vontade ou desejo de poder. Ele falava de uma "visão perfeita", que vai além da limitada fórmula "Eu estou certo e você está errado". O filósofo alemão Hegel usou a palavra *aufhebung* ("suspensão") para descrever aquele instante de discernimento que se sobrepõe a todas as suposições anteriores. Ele percebeu que a Primeira Alternativa (a tese) e a Segunda Alternativa (a antítese) podem se combinar para produzir uma Terceira Alternativa: a síntese. Praticantes do zen buscam o momento de *kensho*, um lampejo de entendimento que torna irrelevantes todas as nossas discussões mesquinhas.

O grande filósofo Immanuel Kant era fascinado pela Terceira Alternativa. Em sua época, aqueles que pensavam de acordo com as Duas Alternativas discutiam acerca da religião e da ciência, assim como hoje, mas Kant queria ultrapassar essa briga para chegar a uma visão mais ampla de ambos os campos. Ele afirmou:

---

[45] Amy Tan, "Creativity" [Criatividade], TED.com, abril de 2008. Disponível em: http://www.ted.com/talks/lang/eng/amy_tan_on_creativity.html.

Não abordo as objeções pertinentes meramente com a intenção de refutá-las, mas, pensando detidamente nelas, sempre acabo incorporando-as em meus juízos, e concedo-lhes a oportunidade de subverter todas as minhas mais caras crenças. Mantenho a esperança de que, assim, ao observar os meus juízos imparcialmente, do ponto de vista dos outros, alguma Terceira Alternativa possa se acrescentar à minha visão anterior.[46]

Os maiores pensadores da história são os que estimulam o mundo na direção de uma Terceira Alternativa. São chamados de pensadores "seminais", porque plantam uma nova semente de compreensão, que se desdobra em maneiras totalmente novas de ver o mundo. Nossas universidades precisam se tornar o berço da Terceira Alternativa. Mas a sinergia não é somente propriedade dos "grandes pensadores". Todos nós nos beneficiamos de simples sinergias sempre que combinamos forças. Tente amarrar os sapatos com uma só mão e você verá como a sinergia pode ser útil. Uma criança não pode alcançar uma maçã em uma árvore, mas se outra criança se apoiar em seus ombros, as duas poderão pegar todas as maçãs que quiserem. Juntas, elas ganham tudo; separadamente, elas perdem tudo.

Às vezes, a Terceira Alternativa vem da combinação de elementos de dois argumentos opostos. Em alguns casos, você pode aprimorar as ideias dos lados conflitantes para chegar a uma solução inteiramente nova. Por exemplo, resistir e render-se são opostos. A resistência, normalmente, é violenta; a rendição é não violenta. Mas Gandhi e, seguindo seu exemplo, Martin Luther King Jr. combinaram as duas ideias em uma Terceira Alternativa de resistência não violenta, um conceito que levou povos inteiros à liberdade.

Mesmo quando ainda era estudante universitário, os professores de King notaram sua capacidade de pensar de modo sinérgico. "Independentemente do assunto, King nunca se cansava de mover-se da tese unilateral para a antítese também unilateral e, finalmente, para uma síntese mais coerente, que ia além de ambas", lembra um deles. Em situações de conflito, King era um pensador extraordinariamente eficaz da Terceira Alternativa. Em uma sala onde as pessoas estavam perto de "rastejarem através das

---

[46] Citado a partir de Hannah Arendt e Beiner, *Lições sobre a filosofia política de Kant* (Rio de Janeiro: Relume Dumará, 1993).

mesas e cortarem as gargantas umas das outras, King apenas ficava sentado até que a confusão chegasse ao fim". Enquanto alguns viam sua passividade como uma falha, outros conseguiam perceber que seu hábito de escuta silenciosa fazia parte de seu criativo processo de pensamento. Um amigo dele afirmou: "'Ele tinha uma notável facilidade para enfrentar longas e contenciosas reuniões e, então, resumir o que todos haviam dito e sintetizar isso, em uma conclusão que agradava a todos." Ele costumava desafiar uma pessoa a "expressar uma visão tão radical quanto possível e outra a expressar uma visão tão conservadora quanto possível". Era quase como um jogo.[47] Para Martin Luther King Jr. a escuta empática e as soluções sinérgicas andavam de mãos dadas.

A sinergia pode surgir a partir da combinação deliberada de forças ou do aprimoramento de forças opostas. Mas, muitas vezes, as Terceiras Alternativas mais interessantes acontecem quando as pessoas fazem conexões estranhas e inesperadas.

Tomemos o exemplo do pequeno e subfinanciado parque municipal ameaçado de fechamento e disputado por proprietários de cães e seus opositores. Embora todas as pessoas envolvidas concordassem com um resultado — um parque bonito, limpo e permanente, tanto para os donos de cachorros quanto para seus vizinhos —, elas não tinham ideia de como chegar a esse resultado. Então, começaram a procurar uma Terceira Alternativa. Ninguém se lembra quem havia proposto a estranha ideia de um cemitério de cães, mas ela acabou por ser a chave para salvar e renovar o parque. Tal empreendimento não ocuparia muito espaço, permitiria que as pessoas honrassem a memória de seus animais de estimação que gostavam de passear no parque e propiciaria os recursos tão necessários para manter o parque aberto. Os donos de animais passaram a doar dinheiro para pavimentar as pedras, os jardins e as árvores. Uma área onde o uso de coleiras não é exigido permite que os cães passeiem livremente, e que seus donos possam vigiar o parque para mantê-lo limpo. Assim, os cães salvaram o parque, e todos estão muito satisfeitos com essa Terceira Alternativa.

---

[47] David J. Garrow, *Bearing the cross: Martin Luther King, Jr., and the southern christian leadership conference* [Carregando a cruz: Martin Luther King, Jr. e a conferência sobre liderança dos cristãos do sul] (Nova York: Harper Collins, 2004), p. 46, 464.

Às vezes, uma simples Terceira Alternativa surge em meio a um contexto muito mais complexo. Em 1992, um novo e assustador tipo de cólera se alastrou pela Índia. Políticos e profissionais de saúde apontaram os dedos uns para os outros, brigando por conta dos gastos públicos e da dificuldade de purificação da água nas áreas mais afetadas do país. Enquanto eles discutiam, um cientista indiano, Ashok Gadgil, estava pensando em como descontaminar a água sem utilizar produtos químicos caros ou apelar para o processo de fervura, que exigia grandes quantidades de combustível. Ele sabia que a radiação ultravioleta destruía as bactérias e, então, decidiu retirar a tampa de uma lâmpada fluorescente comum e segurá-la sobre uma bacia de água infectada. Em pouco tempo os raios ultravioleta descontaminaram completamente a água.

Enquanto os outros lutavam em torno de questões políticas, financiamento de pesquisas e investimentos de infraestrutura, Gadgil apresentou um purificador de água com raios ultravioleta que pode ser acionado com uma bateria de carro. Agora amplamente utilizado em todo o mundo, o método de Gadgil consegue descontaminar uma tonelada de água ao custo de meio centavo de dólar.

Ashok Gadgil nos mostra que a Terceira Alternativa pode surgir a partir de conexões extraordinárias com o comum e o cotidiano. Não é preciso ser um gênio, nem gastar fortunas com pesquisas extensas, mas um tipo diferente de raciocínio *é* necessário. Como afirmou certa vez Albert Szent-Györgyi, ganhador do Prêmio Nobel: "A descoberta consiste em ver o que todo mundo viu e pensar o que ninguém pensou."

A origem do computador é um exemplo particularmente bom de como as conexões improváveis funcionam. No século XVIII, os fabricantes de seda de Lyon, França, lutavam contra os custosos erros que danificavam a sua seda estampada. Um jovem trabalhador da manufatura da seda, chamado Basile Bouchon, sabia que esses defeitos apareciam porque a padronagem tinha de ser realinhada todas as vezes em que a tela era levantada. Um processo tedioso e propenso a erros.

O pai de Bouchon construía órgãos. Em algum momento o jovem fez uma conexão entre as estampas da tecelagem de seda e o modelo de papel que seu pai utilizava como guia para perfurar os tubos dos órgãos. Bouchon perfurou um pedaço de papelão e o utilizou para guiar as agulhas de sua tela de padronagem para que a estamparia permanecesse estável. Sua invenção do cartão perfurado automatizou a indústria têxtil, que, por sua vez, deflagrou a Revolução Industrial.

Um século mais tarde Herman Hollerith, um engenheiro de 21 anos de idade que trabalhava para o Census Bureau dos Estados Unidos, tomou conhecimento dos cartões perfurados. Ocorreu-lhe que, assim como as agulhas de um tear, fios elétricos poderiam se conectar por meio dos buracos do cartão e, assim, ele construiu uma máquina de cartão de tabulação das informações dos censos de dados. Até então eram necessários oito longos anos para concluir manualmente o censo. Usado pela primeira vez no censo de 1890, os cartões perfurados da máquina de Hollerith reduziram o processo para alguns meses. Para fabricar suas máquinas de tabulação Hollerith fundou uma pequena empresa; hoje, ela é conhecida como IBM. Nos 50 anos seguintes o computador eletrônico evoluiu a partir do conceito básico de Hollerith. Olhando para um computador hoje em dia, não é muito fácil imaginar as improváveis ligações entre tubos de órgão, teares de seda e o censo dos Estados Unidos, que lhe deram origem. Mas esses são os tipos de associações acidentais que fazem a sinergia acontecer.

Você, provavelmente, está dizendo: "Tudo bem, mas essas ligações foram feitas ao longo dos séculos. Precisamos de soluções agora!"

Naturalmente, você não pode forçar conexões como essas, mas pode criar um ambiente em que elas estejam mais propensas a acontecer. Você pode acelerar o processo e promover conexões estranhas e inesperadas que deem origem a ideias extravagantes e maravilhosas.

Considere apenas um exemplo. Um clássico conflito político, ambiental e humanitário surgiu no século XX, com relação às tentativas de erradicar a malária. Comum em países tropicais, esse assassino cruel acomete mais de 250 milhões de pessoas por ano e acaba com 1 milhão de vidas, a maioria crianças e idosos. A malária é disseminada pelo mosquito *Anopheles*; ao picar, ele injeta um parasita mortal na corrente sanguínea.

Por algum tempo, em meados do século, inseticidas como o DDT conseguiram controlar os mosquitos, e as mortes por malária caíram. Em seguida, os cientistas ficaram alarmados ao descobrir que o DDT estava matando não apenas as pragas, mas também pássaros e outros animais selvagens e, possivelmente, causando câncer em seres humanos. Em 1962,

Primavera silenciosa, importante e respeitado livro de Rachel Carson, lançou o alerta de que os pesticidas químicos podiam estar envenenando o ambiente para todos os seres vivos. No fim, o DDT foi praticamente proibido, e a malária voltou à ativa.

Políticos e cientistas tomaram partido. Alguns argumentaram que a proibição do DDT causava mortes desnecessárias e que os benefícios do DDT ultrapassavam de longe os riscos. Outros argumentaram que o DDT era perigoso e que, de qualquer maneira, os mosquitos estavam desenvolvendo resistência ao inseticida. Enquanto os partidários do raciocínio de Duas Alternativas discutiam uns com os outros, a Bill and Melinda Gates Foundation pediu que especialistas de diferentes formações se unissem e chegassem a novas alternativas para deter a malária. O grupo incluía pesquisadores médicos, um fisiologista de insetos, engenheiros de software, um astrofísico e até mesmo um cientista aeroespacial. No espírito de sinergia, apareceram inúmeras alternativas.

O cientista aeroespacial foi quem sugeriu o uso de raios laser para abater os mosquitos. Todos reviraram os olhos e riram, mas a ideia foi se disseminando. Engenheiros ópticos realizaram experiências com raios laser azuis de aparelhos comuns de DVD. Os programadores criaram softwares para direcionar os raios laser. Um inventor chamado 3ric Johanson (isso mesmo, 3ric) montou tudo com peças adquiridas no eBay. O resultado? A "WMD" (arma de destruição de mosquitos, na sigla em inglês), que "cozinha" os mosquitos *Anopheles* em pleno voo. Inofensivo aos seres humanos e animais selvagens, o raio laser é tão finamente calibrado que consegue detectar um mosquito pela vibração de suas asas e derrubá-lo com uma minúscula rajada de luz. Cercas no perímetro urbano equipadas com raios laser são capazes de defender aldeias inteiras da malária.

A cerca de laser antimosquito é apenas uma ideia inusitada dentre muitas. A equipe da Gates Foundation também propôs a mutação do mosquito para eliminar o parasita da malária, enganando o mosquito com alvos falsos, ou alterando geneticamente o próprio parasita. E isso é só o começo.[48] A luta entre as forças pró e antiDDT parece completamente sem ima-

---

[48] Lisa Zyga, "Scientists build anti-mosquito laser" [Cientistas constroem *laser* antimosquito], *physorg.com*, 16 de março de 2009. Disponível em: http://www.physorg.com/

ginação em contraste com o poder criativo dessa equipe, determinada a encontrar uma Terceira Alternativa — ou muitas dessas alternativas.

O que aprendemos sobre a fonte de sinergia? Sabemos que não vamos encontrá-la na atmosfera tensa do raciocínio de Duas Alternativas. Sabemos que ela nos ajuda a libertar nossas mentes da rotina do dia a dia. Sabemos que ela exige uma disposição para buscar algo completamente novo. Sabemos que são necessárias a escuta empática e uma disponibilidade genuína para ouvir ideias divergentes.

Tudo isso é verdade — e há também algo além, algo extraordinário e insondável sobre o cérebro humano que podemos perceber. Estamos falando da realidade magnífica de bilhões e bilhões de ligações neuronais. Nossas mentes são *concebidas* para realizar conexões estranhas, inesperadas e até mesmo bizarras, que podem levar a percepções quase mágicas. Quanto mais formos capazes de aproveitar essa grande capacidade que temos, mais completamente conseguiremos visualizar, sintetizar e transcender o tempo e as circunstâncias presentes para chegar à fonte de sinergia.

Agora vamos analisar como podemos criar, conscientemente, o ambiente para esse tipo de experiência.

O Teatro Mágico

No famoso romance de Hermann Hesse, *O lobo da estepe*, o personagem principal, Harry, sente-se preso em um sufocante mundo de Duas Alternativas. Ele se irrita com a vida convencional que é forçado a levar, em que todas as reflexões já foram feitas, e anseia por algo mais. Um dia ele encontra um músico misterioso, que o leva para um quarto secreto chamado "Teatro Mágico". A placa na porta diz: "Só para os loucos. Preço do ingresso: a sua mente."

Dentro do Teatro Mágico, em meio a "um mundo inesgotável de portas e espelhos mágicos", Harry vê imagens infinitamente refratadas, algumas alegres, outras extravagantes e escuras. Ele prevê muitas vidas possíveis para si e é acometido por uma sensação emocionante de liberdade: "O próprio

---

news156423566.html. Jennifer 8 Lee, "Using lasers to zap mosquitoes" [Usando *lasers* para eletrocutar mosquitos], *New York Times*, 12 de fevereiro de 2010. Disponível em: http://bits.blogs.nytimes.com/2010/02/12/using-laser-to-zap-mosquitoes/.

ar tinha um encanto. O calor me envolvia e me fazia flutuar." Ele fala sobre "perder a noção do tempo". Aprende que todo ser humano é um "mundo multiforme, um céu cheio de constelações, um caos de formas, de estados e estágios, de heranças e possibilidades". Acima de tudo, Harry aprende a rir — de suas visões inusitadas e das visões dos outros.[49]

O melhor ambiente para encontrar a Terceira Alternativa é um "Teatro Mágico", em que todas as possibilidades estão ao seu alcance, onde todos podem contribuir e onde nenhuma ideia está além dos limites. É uma zona franca. As pessoas perdem seu egoísmo e o orgulho pela autoria das suas ideias porque todas as ideias nessa sala são empíricas. Elas podem propor uma solução no primeiro minuto, pensar um pouco mais e propor a solução exatamente oposta no minuto seguinte; ninguém se preocupa em ser coerente.

Ralph Waldo Emerson disse: "A coerência tola é o bicho-papão das mentes pequenas." O que ele quis dizer é que não devemos nos sentir acorrentados às nossas ideias — por que não descartá-las se conseguimos pensar em outras, melhores? No Teatro Mágico não se ganha ponto algum por ser coerente. Nenhuma ideia é a ideia final. Todas as ideias são bem-vindas, até mesmo — e, talvez, especialmente — as ideias malucas. Afinal, quantas grandes invenções começaram como a ideia maluca de alguém? Então, as pessoas riem muito umas das outras e de si mesmas no Teatro Mágico, exatamente como deveria ser.

Entrar no Teatro Mágico exige uma mudança temporária de paradigma. Suspendemos o julgamento. Não estamos lá para debater, criticar ou concluir qualquer coisa; tudo isso vem depois. É mais jogo do que trabalho, mais um começo do que um fim, há mais propostas do que soluções. É um lugar para a construção de modelos e para derrubá-los, começando tudo de novo. No Teatro Mágico, como Hesse diz, "mil possibilidades nos aguardam".

Qualquer lugar pode ser um Teatro Mágico, embora algumas equipes e organizações que realmente valorizam a criatividade costumem definir um espaço para esse tipo de trabalho. Onde quer que ele seja realizado, deve-se reunir todo mundo e seguir essas regras básicas:

---

[49] Hermann Hesse, *O lobo da estepe* (Rio de Janeiro: Record, 2005).

- Participe do jogo. Não é "de verdade". Todo mundo sabe que é um jogo.
- Evite um fechamento. Evite acordos ou consensos. Evite a tentação de fixar-se em uma solução.
- Evite julgar as ideias dos outros — ou mesmo as suas. Sugira o que vier à mente; ninguém vai obrigá-lo a se prender a isso. Não se contente em pensar fora da caixa — *pule* para fora.
- Faça modelos. Desenhe imagens em quadros-negros, esboce diagramas, construa maquetes, faça rascunhos. Mostre o que você pensa em vez de narrar; exiba para que todos possam ver o que você tem em mente.
- Transforme as ideias nas mentes dos outros. Subverta a sabedoria convencional, não importando o quanto isso pareça fora de propósito: "E se fizéssemos estradas de borracha e pneus de cimento?" (Esta questão realmente levou ao desenvolvimento do asfalto emborrachado. A borracha de pneus velhos é misturada com asfalto para reduzir significativamente o ruído em autoestrada).
- Trabalhe rápido. Defina um limite de tempo para que a energia na sala permaneça alta e o raciocínio criativo flua rapidamente.
- Alimente inúmeras ideias. A abundância é o tema. O raciocínio deve prosperar, florescer e germinar. Esboços devem cobrir as paredes. Não é possível prever qual discernimento repentino pode conduzir a uma Terceira Alternativa. Se o Teatro Mágico não parecer uma selva de ideias quando você terminar é porque a sinergia não foi colocada em prática.

O Teatro Mágico soa um pouco como o *brainstorming*, com o qual muitas pessoas estão familiarizadas. Mas descobri que as sessões de *brainstorming* são muito suaves para produzir algo novo. Surgem algumas ideias meio estanques, escolhemos uma, a levamos adiante e achamos que fomos criativos. Mas não podemos fazer esse tipo de trabalho com o paradigma errado — um paradigma cheio de prejulgamentos, lento, autodefensivo. O que importa é o paradigma. Temos de estar dispostos a viver apenas por um momento em uma sala "só para os loucos".

A princípio, tudo isso pode ser desconfortável, mas quanto mais você fizer experiências com essas regras básicas, mais ansioso ficará para ver o que acontece. Você vai se sentir da mesma maneira que um artista criativo, pois a Terceira Alternativa será incrivelmente original e distinta. A maioria dos artistas nos diz que não sabe com o que sua criação se parecerá até que ela esteja pronta. Max Weber, pioneiro pintor modernista, afirmou: "No exercício do meu humilde esforço criativo, dependo muito do que ainda não sei e do que ainda não fiz."[50]

É evidente, porém, que o Teatro Mágico é universal. A busca pela Terceira Alternativa já não depende de estar frente a frente com outras pessoas dentro do Teatro Mágico, para não mencionar as reuniões formais. Com as redes sociais, dispositivos como tablets, celulares e conexões sem fio entre Manhattan e Sydney, entre vilarejos remotos do Peru e o acampamento de base do monte Everest, nossa capacidade de sinergia com as pessoas ao redor do mundo simplesmente explodiu. As pessoas estão conectando virtualmente suas mentes em torno de nossos maiores desafios, compartilhando conhecimentos provenientes de experiências pessoais e profissionais, dados das pesquisas atuais e suas próprias ideias inovadoras. O fenômeno on-line é a sinergia em escala cósmica.

Agora você pode propor uma questão importante e fazer com que o mundo inteiro entre em sinergia com você. A beleza da sinergia on-line é que você não tem de estar presente — ela caminha independentemente de você. Se o problema for bastante real e você estiver na comunidade adequada, a sua grande questão criará seu próprio movimento viral, gerando novas ideias, insights inesperados, Terceiras Alternativas — e perguntas mais provocativas. Mesmo se você descobrir uma boa resposta para a sua questão, outras pessoas continuarão explorando-a e ela crescerá muito além de você.

Você vai ouvir os céticos zombando do Teatro Mágico. Eles não conseguem suportá-lo. Eles vão tentar fazer você se sentir um tolo por ter sugerido isso. Na verdade, eles têm medo; pensam que a dignidade deles está em perigo. Mas eles estão errados. O melhor lugar para se estimular a sinergia é um laboratório, real ou virtual, regido pelas regras básicas mencionadas anteriormente. Somente em um laboratório desse tipo a equipe antimalária da Gates Foundation poderia ter ideias audaciosas como abater mosquitos

---

[50] Carl Rogers, *Tornar-se pessoa* (São Paulo: Martins Fontes, 2008).

com raios laser. E quem sabe quantas crianças, no fim das contas, deverão suas vidas a essa equipe? Albert Einstein não estava brincando quando disse: "Se a princípio a ideia não é absurda, então não há esperanças para ela."

A maioria dos líderes de negócios atribui um alto valor à criatividade. Em uma pesquisa considerada um marco, realizada em 2010 para a IBM, 1.500 diretores-executivos em 60 países e 33 indústrias destacaram a criatividade como "a número 1 entre as competências da liderança do futuro".[51] Todos os líderes querem que seus subordinados sejam criativos. Mas a criatividade, como afirmou Edward de Bono, líder nessa área, não pode ser "despertada pela vaga exortação", exigindo um "procedimento deliberado e prático".[52] Como você já deve ser capaz de perceber a essa altura, o processo da Terceira Alternativa parece simples e volúvel, mas não é indisciplinado. Para as empresas, o raciocíno da Terceira Alternativa é, claramente, uma boa prática.

Mas isso não é verdadeiro apenas no ramo dos negócios. Qualquer grupo que utilizar o paradigma do Teatro Mágico pode multiplicar sua capacidade criativa. A energia defensiva decai e a energia criadora se eleva. Carl Rogers confirma isso:

> *Descobri que se eu puder ajudar a criar um clima marcado pela autenticidade, pela valorização e pela compreensão, coisas estimulantes acontecem. As pessoas e os grupos que desfrutam de um clima como esse deixam para trás a rigidez e caminham rumo à flexibilidade, [...] mudam da previsibilidade para uma criatividade imprevisível.*[53]

Etapa 4: Chegue à Sinergia

Como saber que chegamos a uma Terceira Alternativa?

Reconhecemos a Terceira Alternativa pela excitação que se instala no ambiente. O mau humor, a defensividade, a hesitação, vão todos embora. Uma

---

[51] Austin Carr, "The most important leadership competency for CEOs? Creativity". [A qualidade de liderança mais importante para diretores-executivos? Criatividade], *Fast Company*, 18 de maio de 2010. Disponível em: http://www.fastcompany.com/1648943/creativity-the-most-important-leadership-quality-for-ceos-study.

[52] Edward de Bono, *Pensamento lateral* (Rio de Janeiro: Record, 1995).

[53] Carl Rogers, *Tornar-se pessoa* (São Paulo: Martins Fontes, 2008).

explosão de dinamismo criativo acompanha a Terceira Alternativa, e nós a reconhecemos porque a sentimos. Falamos de "saltos quânticos" de compreensão, em "experiências de pico", em estar "no fluxo". A emoção da descoberta está no ar, um deleite infantil em ver algo precioso que simplesmente estava fora de nosso campo de visão. Não conseguimos esperar para contar às pessoas o que descobrimos. O autor Bolivar J. Bueno reflete sobre a aventura da sinergia: "As crianças adoram brincar de esconde-esconde — há alegria em encontrar algo que está escondido. À medida que crescemos, esse desejo pela surpresa nunca vai totalmente embora. Gostamos de descobrir tesouros escondidos — isso é o que queremos compartilhar com os outros."[54]

Reconhecemos a Terceira Alternativa quando já não estamos interessados em velhas lutas e velhas suposições. A nova alternativa nos domina e nos surpreende com sua simplicidade e elegância. Mudamos radicalmente o nosso pensamento. A nova alternativa não é um compromisso, pelo qual todos abrem mão de algo para chegar a um acordo enquanto o ressentimento permanece. A Terceira Alternativa transforma nossos relacionamentos com antigos adversários — subitamente, nos tornamos parceiros de uma descoberta, em vez de inimigos em um campo de batalha.

Reconhecemos a Terceira Alternativa quando nos sentimos inspirados por ela. De uma só vez, vemos tudo com clareza. Queremos saber por que nunca vimos isso antes. Quando corretamente entendida, a sinergia é o maior nível de atividade de nossas vidas — o verdadeiro teste e a verdadeira manifestação de nosso potencial como indivíduos, famílias, equipes e organizações. Acredito que a falta de sinergia é uma das grandes tragédias na vida, porque muito potencial permanece inexplorado, completamente subaproveitado e não utilizado. Pessoas ineficientes convivem dia após dia com um potencial não utilizado. Elas experimentam a sinergia apenas em doses pequenas e periféricas em suas vidas. Por outro lado, a sinergia se concentra em nossos talentos e ideias singulares, e na diversidade de perspectivas sobre os desafios mais difíceis. Os resultados podem ser quase milagrosos. Criamos novas alternativas — respostas que nunca tivemos antes —, que servem às nossas maiores necessidades.

---

[54] Bolivar J. Bueno, *Why we talk* [Por que falamos?] (Kingston, NY: Creative Crayon Publishers, 2007), p. 109.

Reconhecemos a Terceira Alternativa porque ela funciona muito bem. Não é uma melhoria gradual, mas um avanço fundamental, um salto quântico para a frente. Produtos, serviços, empresas e até mesmo indústrias inteiras nascem a partir da sinergia. Ela faz surgir novas ciências, tecnologias, até mesmo culturas. Ela revoluciona os relacionamentos. Ela pode ser incrivelmente valiosa para as pessoas que a utilizam, geralmente porque satisfaz o resto do mundo.

Então, como reconhecemos a Terceira Alternativa? É aquilo que atende aos nossos critérios de sucesso. Ela faz o trabalho que precisa ser feito. Ela incorpora o resultado que todos nós queremos. Ela muda o jogo. Ela possibilita a vitória de todos.

Em suma, o paradigma "Eu entro em sinergia com você" nos leva além da guerra, na direção da paz — não simplesmente a uma ausência de conflito, mas a um florescimento de novas possibilidades. Ela aproveita as diferenças, em vez de rejeitá-las. Ela inclui uma mentalidade de abundância, a convicção de que tudo é abundante e está à espera de ser descoberto e compartilhado: soluções, prestígio, lucros, reconhecimento, possibilidades. Oposto ao paradigma do ataque, é o paradigma da criatividade.

Talvez seja um pouco confuso chamar o momento de sinergia de uma "etapa" no processo para se chegar a uma Terceira Alternativa. Talvez seja melhor chamá-lo de "tropeço" ou "salto". É surpreendente e imprevisível, para dizer o mínimo. E não há garantias de que vamos alcançar tudo o que queremos. Mas as recompensas são tão grandes que continuamos trabalhando até chegarmos lá; não poderíamos nos contentar com nada menor do que isso.

Buscando a Terceira Alternativa em Nosso Mundo

Neste livro você vai conhecer muitas pessoas — pessoas comuns, trabalhadores, médicos, policiais, representantes de vendas, artistas, professores, pais —, além de líderes de negócios, de educação e de governo que optaram por não se contentar com nada que não esteja à altura da Terceira Alternativa. Você verá quantos deles deram um passo além do que parecia um conflito sem esperança em nome da criação de um novo futuro para si mesmos e para o restante de nós. Cada história é um convite para você buscar a Terceira Alternativa ao lidar com seus próprios desafios e oportunidades.

Um aviso: como já havia comunicado, essas histórias podem ser extremamente úteis. Um indivíduo ou organização pode, por algum tempo, ser um exemplo brilhante da Terceira Alternativa, mas em seguida se desviar e se transformar em um gritante exemplo para não ser seguido. As pessoas têm pontos fracos e não são consistentes em seus princípios. Líderes visionários e sinérgicos partem e pessoas com paradigmas muito diferentes tomam seus lugares. As direções mudam. O propósito dessas histórias não é se atrelar a uma pessoa ou organização em particular, mas ilustrar o princípio e o processo da sinergia. Aprenda com o sucesso. Aprenda com os erros. Mantenha-se focado no princípio e em breve você entenderá o poder transformador da Terceira Alternativa em cada domínio importante de sua vida.

O capítulo "A Terceira Alternativa no Trabalho" é sobre a descoberta de soluções da Terceira Alternativa no mercado de trabalho. Você verá como pode prosperar em seu trabalho e nos negócios à medida que se tornar um parceiro que entra em sinergia com outras pessoas.

"A Terceira Alternativa em Casa" é sobre ter uma família positiva, companheira e criativa em um mundo de famílias em conflito, em que nossas relações mais preciosas estão ameaçadas.

"A Terceira Alternativa na Escola" é sobre deixar para trás as desavenças com relação à educação e partir para a transformação das vidas de nossos filhos, ajudando-os a se tornarem pessoas que pensam de acordo com a Terceira Alternativa, que, por sua vez, transformarão o futuro para todos nós.

"A Terceira Alternativa e a Lei" é sobre a transformação de nossa cultura litigiosa em uma cultura de compreensão, empatia e sinergia, levando-nos a utilizar melhor a energia e as fortunas impressionantes que perdemos lutando uns contra os outros nos tribunais.

"A Terceira Alternativa na Sociedade" é sobre a superação das forças desintegradoras nas nossas comunidades. É sobre encontrar Terceiras Alternativas para assuntos difíceis, como criminalidade, doenças, degradação ambiental e pobreza.

"A Terceira Alternativa no Mundo" é sobre estar acima das cansativas e cada vez piores disputas que ameaçam destruir nosso mundo. Você conhecerá algumas pessoas notáveis que assumiram o incomparável papel de pacificadores — a mais alta expressão de sinergia.

O capítulo final, "A Terceira Alternativa na Vida", é sobre "viver num *crescendo*". Para mim, isso significa que minhas experiências sinérgicas mais emocionantes me aguardam, que a minha contribuição mais importante está sempre à minha frente. Vou ser bastante pessoal agora. Estou me aproximando dos 80 anos e poderia facilmente me aposentar, mas não planejo fazê-lo a fim de levar uma vida de ócio. Pelo contrário, vejo minha vida se tornando mais e mais significativa.

No fim, a busca pela Terceira Alternativa é nossa maior oportunidade para mudar nossas mentalidades e dar um basta às disputas improdutivas que não nos levam a lugar algum, abrir nossas mentes, ouvir uns aos outros e nos alegrar com as novas vidas que podemos criar para nós mesmos. O que, senão o raciocínio da Terceira Alternativa, pode produzir infinitamente as novas e impressionantes soluções de que tanto precisamos para nossos maiores desafios? Nossa maneira de pensar, altamente politizada e conflitiva, até agora não conseguiu livrar o mundo da pobreza, das doenças e dos vários tipos existentes de escravidão. A Terceira Alternativa não é apenas uma "boa prática" — é um imperativo moral.

ENSINAR PARA APRENDER

A melhor maneira de aprender com este livro é ensiná-lo a alguém. Todo mundo sabe que o professor aprende muito mais do que o aluno. Então, encontre alguém — um colega de trabalho, um amigo, um familiar — e transmita-lhe as percepções que você adquiriu. Faça as perguntas provocativas da lista a seguir, ou formule as suas próprias.

- Defina o princípio de sinergia. O que a natureza nos ensina sobre o poder da sinergia? Por que a sinergia é de fundamental importância tanto para seu crescimento pessoal quanto profissional?
- Quais são as limitações do raciocínio de Duas Alternativas? De que maneira ele nos impede de encontrar soluções para problemas difíceis?
- Explique o conceito da Terceira Alternativa. Descreva casos em sua vida ou na vida de outras pessoas em que se alcançou genuinamente a Terceira Alternativa.
- Descreva como nossos paradigmas mentais governam nosso comportamento e os resultados que obtemos na vida.
- Por que as pessoas querem se acomodar logo na "grande zona intermediária"? Como o raciocínio de Duas Alternativas conduz ao ceticismo e ao cinismo?
- Explique os paradigmas do raciocínio da Terceira Alternativa: Eu me vejo; Eu vejo você; Eu procuro por você; Eu entro em sinergia com você. Por que eles devem estar nesta sequência?
- Qual é "o verdadeiro roubo de identidade"?
- Defina o espírito do *Ubuntu*. Como ele difere da estereotipagem? O que a história do guarda carcerário de Nelson Mandela nos ensina sobre superar os obstáculos impostos à sinergia?
- Explique as regras da comunicação por meio do Bastão da Fala. Como ele nos leva à sinergia?

- Tente usar a comunicação do Bastão da Fala com uma pessoa que você precisa compreender melhor — um amigo, um colega de trabalho ou um familiar. Como isso funciona para você?
- Qual é a pergunta da Terceira Alternativa? Explique as etapas do processo da Terceira Alternativa.
- O que é o Teatro Mágico? Como as regras do Teatro Mágico nos ajudam a chegar à sinergia?

EXPERIMENTE

Nas páginas seguintes você encontrará uma ferramenta de planejamento ("Quatro Etapas para a Sinergia") e um guia de usuário para a ferramenta. Use essa ferramenta para experimentar a criação de Terceiras Alternativas para os cenários apresentados a seguir, ou crie os seus próprios.

- Os vizinhos querem construir um galpão ao ar livre na propriedade deles, que bloqueará a visão de uma bela floresta de pinheiros.
- Ofereceram ao seu cônjuge/companheiro um novo e invejável emprego em uma empresa em rápida expansão, mas isso requer a mudança para outra cidade. Você realmente não deseja se mudar e deixar seu próprio trabalho e seus amigos.
- Você tem um sério desentendimento atualmente com uma escola ou um professor cujos métodos e abordagem você desaprova.
- Você ama seu emprego em uma empresa de pequeno porte que, talvez, seja forçada a dispensar você e seus colegas de trabalho por causa da diminuição do fluxo dos negócios.

QUATRO ETAPAS PARA A SINERGIA

❶ Faça a Pergunta da Terceira Alternativa:

"Você está disposto a encontrar uma solução que seja melhor do que aquilo que qualquer um de nós já apresentou?". Se sim, vá para a Etapa 2.

❷ Defina Critérios de Sucesso

Liste neste espaço as características de uma solução que agradaria a todos. O que é o sucesso? Qual o verdadeiro trabalho a ser feito? O que seria uma situação de "ganha/ganha" para todos os interessados?

❸ Crie Terceiras Alternativas

Neste espaço (ou em outros) crie modelos, desenhos, peça emprestadas ideias, transforme o seu modo de pensar. Trabalhe de maneira rápida e criativa. Suspenda todos os julgamentos até aquele momento emocionante em que você sabe que chegou à sinergia.

❹ Chegue à Sinergia

Descreva aqui a sua Terceira Alternativa e, se quiser, explique como pretende colocá-la em prática.

GUIA DO USUÁRIO PARA AS QUATRO ETAPAS DA FERRAMENTA DE SINERGIA

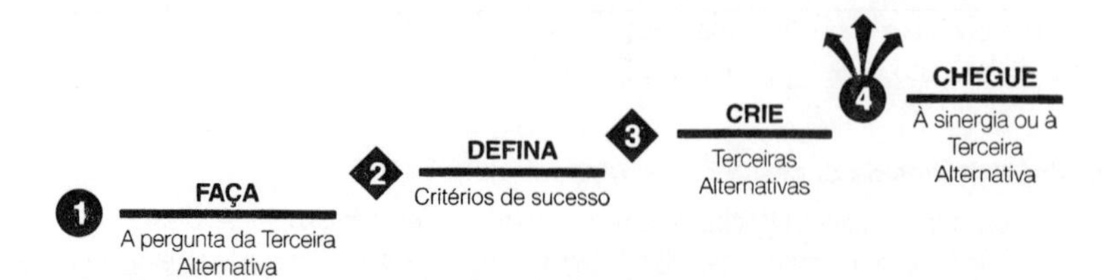

As Quatro Etapas para a Sinergia. Este processo ajuda a colocar o princípio de sinergia em prática. (1) Mostre disposição para encontrar uma Terceira Alternativa. (2) Defina o que é o sucesso para todos. (3) Teste soluções até (4) chegar à sinergia. Pratique a escuta empática ao longo do processo.

Como Chegar à Sinergia

❶ Faça a Pergunta da Terceira Alternativa

Em uma situação de conflito ou de criação, esta pergunta ajuda todos a abandonar posições rígidas ou ideias preconcebidas em prol do desenvolvimento de uma terceira posição.

❷ Defina os Critérios de Sucesso	**❸ Crie Terceiras Alternativas**
Liste as características ou redija um parágrafo descrevendo qual seria um resultado bem-sucedido para todos. Responda estas perguntas conforme você avançar: • Todos estão envolvidos em estabelecer os critérios? Estamos conseguindo obter o maior número possível de ideias do maior número possível de pessoas? • Quais resultados realmente queremos? Qual é a verdadeira tarefa a ser realizada? • Quais resultados significariam "vitórias" para todos? • Estamos abrindo mão de nossas demandas arraigadas do passado e buscando algo melhor?	Siga estas diretrizes: • Participe do jogo. Não é "de verdade". Todo mundo sabe que é um jogo. • Evite um fechamento, acordo prematuro ou consenso. • Evite julgar as ideias dos outros — ou as suas próprias. • Faça modelos. Desenhe imagens em quadros-negros, esboce diagramas, construa maquetes, faça rascunhos. • Transforme as ideias nas mentes dos outros. Subverta a sabedoria convencional. • Trabalhe rápido. Defina um limite de tempo para manter a energia e as ideias fluindo rapidamente. • Alimente inúmeras ideias. Não é possível prever qual conclusão repentina pode conduzir a uma Terceira Alternativa.

❹ Chegue à Sinergia

Você reconhece a Terceira Alternativa pelo sentimento de emolgação e inspiração que toma conta do ambiente. O antigo conflito é abandonado. A nova alternativa preenche os critérios de sucesso. Atenção: não confunda acordo com sinergia. Um acordo gera satisfação, mas não prazer. Acordo significa que todos perdem alguma coisa; a sinergia significa que todos ganham.

A Terceira Alternativa no Trabalho

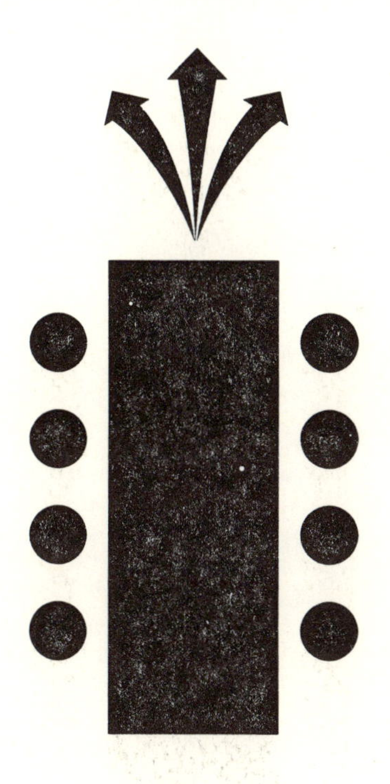

3

A Terceira Alternativa no Trabalho

Um homem ficará aprisionado em um quarto com a porta destrancada e que abre para dentro a não ser que lhe ocorra puxar em vez de empurrar.
— *Ludwig Wittgenstein*

Vivemos em uma época em que os muros estão sendo derrubados. Estamos presenciando o aumento da economia sem fronteiras. Com a tecnologia estamos vendo o fim dos muros artificiais que aprisionam a mente humana. Mas os muros mais desafiadores permanecem: aqueles que existem entre as pessoas. Esses muros são, em sua maior parte, invisíveis, mas constituem obstáculos à confiança, à comunicação e à criatividade. Nos ambientes de trabalho de hoje é simplesmente impossível pagar o preço de tais muros. Imagine o custo incalculável para as pessoas e organizações quando as vendas e o marketing não estão alinhados, quando há desconfiança entre a força de trabalho e a gestão ou quando as pessoas sentem que não podem ser abertas e honestas, resultando em problemas relacionados a políticas do escritório, maledicências e microgestões.

A chave para derrubar esses muros é a força interior para pensar em "nós" e não em "mim". Quando ouvimos para compreender, quando acreditamos profundamente na Terceira Alternativa — que realmente existe algo melhor à espera de ser criado —, maravilhas podem acontecer. Elas podem acontecer em sua organização. Elas podem acontecer em qualquer relacionamento.

Todo mundo sabe que o ambiente de trabalho está cheio de muros. Há muros entre equipes, departamentos, divisões e funções. Há muros entre as pessoas criativas e as pessoas da contabilidade. Há muros entre os executivos e os funcionários. Há muros entre a organização e seus clientes. É natural querer defender nossos muros, e é por isso que existem conflitos no ambiente de trabalho. A mentalidade defensiva de Duas Alternativas é o problema.

Uma organização está cheia de conflitos porque há um trabalho a ser feito, e é bom que todos os seres humanos criativos, atenciosos, talentosos e excepcionais dentro da organização tenham ideias diferentes sobre como realizar esse trabalho. Essas ideias são contraditórias, desconcertantes, estranhas e inconsistentes; também podem ser úteis, ou até mesmo brilhantes.

Algumas organizações toleram conflitos melhor que outras; algumas são avessas a conflitos; algumas são francamente ofensivas. Mas a maioria tenta "gerenciar" os conflitos. Gerentes fazem cursos sobre como evitar, controlar e resolver conflitos, pois vivemos segundo a premissa de que as tensões devem ser, sempre que possível, evitadas; controladas se forem inevitáveis e resolvidas rapidamente, de modo que a harmonia possa reinar novamente. Livros sobre resolução de conflitos os tratam como uma tempestade passageira que você deve superar com a menor quantidade de dano possível.

Mas o problema dos conflitos no local de trabalho não é a sua existência, mas seguirmos o paradigma errado em relação a eles. A resposta de Duas Alternativas para o conflito é "lutar ou fugir", enquanto a resposta sinérgica é o acolhimento, o prazer, o envolvimento, a descoberta. Por exemplo:

- Um funcionário comenta com o chefe sobre "algo estúpido" que a empresa vem fazendo. O que um chefe típico ouve chama-se "queixa". O que um chefe sinérgico ouve chama-se "ideia".
- Uma integrante da equipe diz a um gerente de projeto: "Suponha que fizéssemos isso de um modo um pouco diferente." O que o típico gerente de projeto pensa é: "Ela está tentando me dizer como fazer o meu trabalho." O que o gerente de projeto sinérgico pensa é: "Preciso ouvi-la."

- Um funcionário diz ao líder de sua equipe: "Simplesmente não consigo trabalhar com fulano de tal." O que o típico líder de equipe pensa é: "Aqui vamos nós outra vez com os conflitos de personalidade." O que o líder de equipe sinérgico pensa é: "Eis aqui um grito por socorro."
- Alguém que trabalha na matriz da empresa se apresenta e diz: "Estou aqui para ajudá-lo." Uma resposta mental típica? "Ótimo, eles estão achando que não consigo fazer este trabalho. Bem, vou dar uma lição a esse rapaz." A resposta mental sinérgica? "Ótimo, o que posso aprender com esta pessoa?"

Essas respostas típicas têm sua origem no paradigma que interpreta a diferença como uma ameaça. Geralmente, lutamos por nossas diferenças ou fugimos delas, pois temos um paradigma de defesa que nasce da insegurança. Observamos isso no diretor-executivo que suaviza as discordâncias durante as reuniões. Observamos isso na equipe de projeto que sai da sala indignada quando seus planos são questionados. Observamos isso, também, no petulante gerente de vendas que administra sua área com a filosofia "meu jeito ou nada feito".

Essas pessoas não conseguem perceber que o conflito é um sinal de vida. Os conflitos geralmente surgem quando as pessoas estão realmente *refletindo* sobre o seu trabalho. Quando falo sobre o "dom do conflito", as pessoas olham de soslaio para mim, mas o que quero dizer é que pessoas inteligentes *sempre* vão divergir umas das outras e, se elas se preocupam o suficiente para expressarem suas diferenças com paixão, isso é um dom que deveria ser levado avidamente em conta.

Um dos líderes empresariais mais eficazes que conheço costuma começar suas reuniões com uma pergunta provocativa: "E se pudéssemos mudar nosso catálogo amanhã?"; "E se o problema sobre o qual estamos trabalhando nem sequer existir?"; "Qual a única ação que, se fizéssemos melhor, mudaria tudo?"; "Em que nossa empresa pode estar pecando?"; "Há algo que não estou conseguindo admitir?". Seu propósito é provocar conflito — não para gerar fogo de palha, mas disputas com o vigor que energiza as mentes de sua equipe. Sua sala de reuniões se torna um Teatro Mágico. Pelo fato de sua equipe estar acostumada com isso, ela se torna muito boa em conflitos produtivos. "Não quero que as pessoas sentadas à minha volta acenem obedientemente enquanto falo", diz ele. "Quero ver cabeças indo e vindo, mas não para cima e para baixo. Quero ouvir as pessoas *pensando.* Quero ver faíscas." E, então, ele escuta intensamente. Ele consegue deixar a pessoa esgotada apenas ouvindo-a.

As Duas Alternativas: Lutar ou Fugir

Compare esse líder da Terceira Alternativa com os líderes de Duas Alternativas. Eles lutam ou fogem.

O primeiro exemplo é de um líder que luta. Um executivo renomado assumiu o cargo de diretor-executivo de uma das maiores empresas de mídia do mundo. Por motivos diversos, ele não costumava ouvir e marginalizava aqueles que não concordavam com ele. Os funcionários da empresa se sentiam humilhados, relatando que eram constantemente chamados de ignorantes. Aparentemente, ele era bom em envolver-se em disputas. Seu estilo era ficar na defensiva o tempo todo. Após seis meses, ele foi demitido. Todo mundo sabia que ele era inteligente, mas sua inteligência não compensava a falta de respeito e de empatia.

Agora, considere esse exemplo de um líder que foge. Ele é presidente de uma conhecida empresa de artigos domésticos. Um colega meu, que trabalhou ao lado desse presidente por algum tempo, diz o seguinte a seu respeito:

> *Quando ele chegou, fez grandes declarações a respeito do crescimento da empresa, mas depois de dez anos o preço das ações continuou o mesmo. Ele ainda insistiu em fazer pronunciamentos sobre sua visão para o futuro. Hoje em dia, ninguém mais o ouve. Não apenas por causa do fraco desempenho, mas também porque ele não escuta mais ninguém. Ele é, como se costuma dizer, "avesso ao conflito". Diante de desentendimentos, ele franze a testa. Não gosta de confrontos — "Não é meu estilo", é o que diz. Ele é uma grande pessoa e um amigo maravilhoso, mas ninguém pode fazer perguntas difíceis em sua presença. Todos se sentam ao seu redor e o ouvem pensar em voz alta sobre sua grande visão para o crescimento da empresa, principalmente as melhores e mais recentes noções estratégicas,*

retiradas do último livro de negócios que ele leu. Mas não há faíscas. Enquanto isso, fico quieto, não me atrevo a fazer a pergunta que está na minha cabeça: "Por que simplesmente não fazemos produtos melhores?"

Alguns teóricos de resolução de conflitos nos aconselham a separar a *questão* em conflito da *emoção* do conflito. Não acredito que isso seja possível. Na indústria de alimentos, a questão da qualidade do produto *não pode* ser dissociada das emoções do presidente. No caso desse homem, questionar a sua abordagem para os negócios é questionar a sua identidade e a sua autoestima. Ele não é suficientemente autoconsciente para ouvir com empatia os membros de sua equipe.

Conflitos motivados por questões pontuais também são, quase sempre, conflitos emocionais. Infelizmente, a maioria das empresas está tão presa ao raciocínio da Era Industrial que os funcionários ainda precisam ter muita coragem para questionar seus supervisores. Eles têm medo. Será que vão ser ignorados? Será que parecerão ignorantes? Será que, involuntariamente, farão com que o chefe se sinta ignorante? Será que serão agredidos, figurativa ou mesmo literalmente? Será que transformarão o chefe em um inimigo? Será que vão perder o emprego? Se o investimento emocional for muito arriscado, reinará um silêncio amedrontado. Muitas vezes, os líderes de negócios confundem os rostos sorridentes e de aprovação em torno deles com harmonia e consenso. Isso pode ser um erro fatal.

Todos os conflitos são carregados de emoção. O que você imagina ser um simples conflito sobre salário, por exemplo, está na verdade atrelado a medos e desejos profundos. Suponha que você seja mulher, supervisora, e um funcionário do sexo masculino venha até você para confessar-se descontente com sua remuneração. Você pode muito bem estar diante de uma pessoa em ponto de ebulição por conta de emoções conflitantes. O salário desse funcionário é um símbolo de sua autoestima, da posição que ele ocupa perante sua família e seus amigos. Esse encontro é muito difícil para ele — já foi preciso coragem apenas para estar aqui. Ele não quer causar problemas ou parecer fraco aos seus olhos; por outro lado, ele pode se sentir menosprezado, ou até mesmo irritado. Para complicar as coisas, provavelmente o ego masculino está envolvido. Você não verá toda essa história no rosto dele nem a ouvirá em suas palavras — só perceberá que *há* uma história.

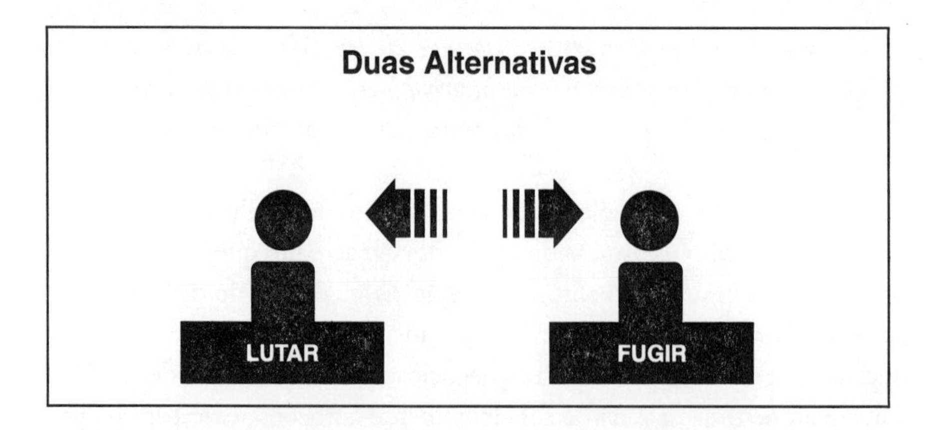

Se você for uma supervisora que pensa em termos de Duas Alternativas, terá apenas duas opções: lutar ou fugir. Se você escolher fugir, estará se rendendo e concedendo o que a outra parte deseja. Teóricos de conflitos chamam isso de "acomodação", o que, de modo geral, apenas cria mais problemas. Se você escolher fugir, estará sendo injusta com os outros funcionários, terá criado um precedente ruim e levantado certas expectativas desse funcionário com relação à próxima conversa sobre salário.

Ou você pode escolher lutar. Existem várias maneiras:

- Você pode depreciá-lo: "Você está recebendo o mesmo valor que todos os outros." Esta resposta o transforma em uma máquina: ele é uma unidade de trabalho, assim como todas as outras unidades de trabalho.
- Você pode bajulá-lo: "Você é um funcionário de muito valor e gostaríamos de poder fazer mais por você." Esta resposta pode reduzir um pouco a tensão, mas é o tipo de conversa hipócrita que na maioria dos idiomas pode ser descrita com um palavrão.
- Você pode competir com ele: "Nunca tive de pedir um aumento. Eles me foram dados porque trabalho bem em equipe." Nesta condescendente batalha de biografias você vai ganhar não pelo fato de a sua história ser mais arrebatadora, mas porque você tem mais poder.
- Você pode entrar em um acordo: "Não posso mudar o seu salário, mas posso deixá-lo sair meia hora mais cedo nas sextas-feiras." Neste tipo de disputa, ambos perdem. O empregador perde meia hora dos

serviços do funcionário e o funcionário nunca recebe aquilo que ele precisa. O acordo sempre é algo rígido e limitado. A suposição é que há um bolo enorme em cima da mesa e que, se você conseguir mais, fico com menos. O acordo é o resultado educado do raciocínio de escassez.

Se ele tiver uma reação emocional, você pode seguir o conselho típico e dizer: "Vamos nos ater apenas ao ponto principal", o que pouco ajuda a resolver a questão emocional. Por mais que você deseje isso, não é possível simplesmente "se ater ao ponto principal". Ah, você pode chegar a um *modus vivendi*, mas as emoções envolvidas não são passíveis de negociação. O dia do acerto de contas chegará.

A Terceira Alternativa: Sinergia

Se você for uma supervisora da Terceira Alternativa não vai fugir nem lutar. Você vai buscar algo melhor, uma solução que fornecerá ao seu funcionário enorme recompensa emocional e estabelecerá um novo e significativo valor para a empresa.

Um amigo meu explicou como um líder da Terceira Alternativa costumava tratar exatamente essa situação em sua vida:

Eu era novo no emprego e havia chegado com a esperança de ter um salário melhor. Conformei-me com algo muito menor do que pretendia, só para poder estar lá dentro. Mas depois de alguns meses ficou claro que minha família estava sofrendo. Não estávamos conseguindo nos sustentar por conta de algumas despesas médicas. Além disso, cada vez mais eu sentia que estava ganhando muito pouco para o trabalho que fazia. Assim, me arrisquei verdadeiramente e fui conversar com minha chefe sobre um aumento. Não a conhecia muito bem e ela não me conhecia. Eu ainda não tinha nenhum histórico naquela empresa.

Mas ela me convidou ao seu escritório e expliquei por que eu estava lá. Fiquei um tanto surpreso quando ela me disse: "Conte-me mais." Revelei-lhe a minha situação familiar. Ela apenas ouviu, e falei bas-

tante sobre o que vinha fazendo dentro da empresa. Ela me perguntou o que eu pensava sobre a empresa, seus clientes, seus produtos. Foi estranho. Tivemos uma conversa longa, que eu pensei que seria sobre o meu salário, mas, não, foi sobre mim mesmo — sobre como eu estava me saindo, o que pensava, o que havia aprendido nos meus poucos meses ali.

Então ela me perguntou sobre um determinado cliente com quem eu estava trabalhando. Ela queria saber quais eram as minhas ideias para expandir nossos negócios com esse cliente, e eu realmente tinha algumas opiniões, que compartilhei.

Alguns dias depois ela me chamou novamente ao seu escritório. Três ou quatro outras pessoas se juntaram a nós, e ela havia colocado em um quadro minhas ideias sobre aquele cliente. Conversamos bastante, e tivemos muitas outras discussões depois isso. Fiquei animado. Finalmente, eles me ofereceram um trabalho ampliado, com remuneração e responsabilidade maiores para um novo nível de prestação de serviços junto a esse importante cliente.

Para o meu amigo essas discussões foram apenas o começo de uma rápida ascensão naquela empresa; no fim, ele se tornou um parceiro da "chefona".

Raramente ouvi falar de um líder mais sensato que essa mulher. Ela demonstrou uma refinada capacidade para o raciocínio da Terceira Alternativa. Para ela, teria sido muito fácil lutar contra o meu amigo ou apenas acatar o pedido dele. Mas, não, ela sentiu a possibilidade de uma verdadeira situação de ganha/ganha. Em vez de acirrar as discussões em torno da situação já existente, ela conseguiu visualizar a perspectiva de uma situação muito maior. Ela suspeitou que, ao combinar as necessidades e as energias do meu amigo com as demandas do cliente, poderia produzir crescimento para todos. O resultado final foi toda uma nova linha de negócios e um colaborador que aumentou seu próprio valor junto à empresa ano após ano. Pelo que sei sobre a contribuição desse jovem para a companhia, ele foi, em última análise, responsável pela duplicação de seu tamanho.

Pense em como essa mulher conduziu sua equipe para uma Terceira Alternativa:

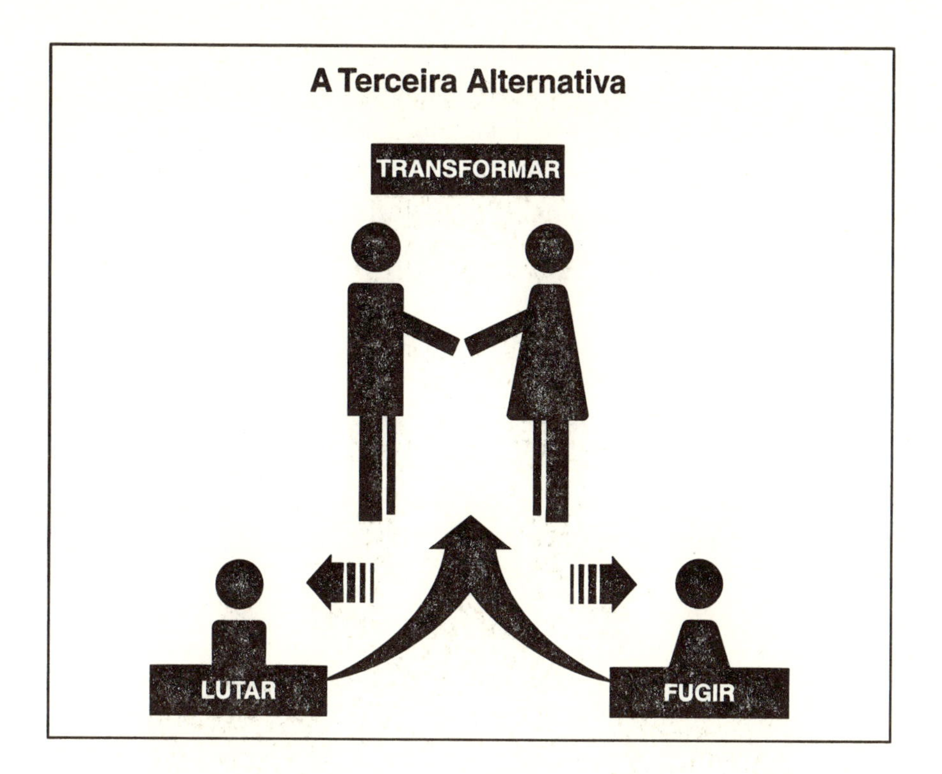

- Primeiro, ela usou o tempo para praticar a escuta empática. Ela queria entender o problema de seu jovem funcionário, assim como seus sentimentos. Aparentemente, ela queria saber por que o salário dele o incomodava. Mas, mais profundamente, queria entender quem era ele e o que poderia trazer para a empresa que pudesse representar uma recompensa para todos, não apenas para ele.
- Então, ela o procurou. Ela o trouxe de volta diversas vezes, explorou sua maneira de pensar e envolveu outras opiniões. Ela valorizou seus talentos e percepções singulares.
- Finalmente, o grupo chegou à sinergia: novos serviços, novos produtos, novas maneiras de satisfazer as necessidades de um cliente importante e, muito além disso, as necessidades de um novo segmento de clientes.

Tudo isso surgiu porque tal chefe tinha o *hábito* de buscar a Terceira Alternativa sempre que surgia oportunidade. Um funcionário faz uma queixa e ela vislumbra a chance de fortalecer seu negócio. Ela entende o conflito como um solo fértil, em vez de vê-lo como um campo de batalha.

A maioria dos estudiosos de resolução de conflitos encara o conflito como se fosse uma transação. Trata-se de dividir o bolo. Você pode absorver ou confrontar seu adversário. Você pode desistir do bolo ou lutar por ele, e há técnicas e truques para obter vantagem. Mas divida-o como você quiser — no fim, trata-se do mesmo bolo.

Por outro lado, a Terceira Alternativa tem por objetivo *transformar* a situação. Trata-se de preparar um novo bolo, que será maior e melhor — talvez exponencialmente maior e melhor. Enquanto a maior parte da resolução de conflitos é transacional, a Terceira Alternativa é transformadora.

Se eu me descobrir preso a um conflito no ambiente de trabalho, não devo cair automaticamente na mentalidade defensiva. Isso é fundamental, mas também é altamente contraintuitivo. A resposta natural e irracional a um desafio é lutar ou fugir. É o que os animais fazem instintivamente: eles têm apenas Duas Alternativas. Mas os seres humanos maduros podem escolher uma Terceira Alternativa.

Lembre-se do primeiro paradigma da sinergia: "Eu *me* vejo." Tenho o poder de me observar de fora e refletir sobre meus próprios pensamentos e sentimentos. Posso examinar meus próprios motivos: "Por que estou preso a isso? Estou sendo egocêntrico? Preciso de atenção ou de reafirmação? Sinto que minha posição está sendo ameaçada? Ou estou realmente preocupado com essa questão?" Se já estou seguro com relação à minha própria autoestima, se já me sinto confiante quanto à minha própria contribuição e capacidade, não preciso me defender de você. Posso me expressar tranquilamente.

Mas também preciso me lembrar do segundo paradigma da sinergia: "Eu vejo *você*." Isso significa que tenho profundo respeito por você. Valorizo suas ideias, sua experiência, sua perspectiva e seus sentimentos.

Assim, coloco em prática o terceiro paradigma de sinergia: "Eu procuro por você." Fico fascinado — e não ameaçado — pela distância entre nós. Nada dissipa a energia negativa que existe em um conflito mais rapidamente do que dizer: "Você vê as coisas de maneira diferente. Preciso ouvi-lo." E dizer isso de verdade.

Se você colocar esses paradigmas em prática, chegará inevitavelmente a uma Terceira Alternativa, que tornará o conflito irrelevante: "Vamos procurar algo melhor, que ainda não tenha ocorrido a nenhum de nós." Todo mundo ganha, todo mundo fica energizado. Em geral, você não vai nem se lembrar qual era o motivo da disputa.

Excesso de Confiança: O Grande Obstáculo para a Sinergia

A mentalidade de sinergia provoca um curto-circuito nos conflitos no ambiente de trabalho, e as faíscas de genialidade podem ser fascinantes. Mas não se produz sinergia com facilidade, e as forças que trabalham contra ela são enormes. O mais difícil obstáculo para a sinergia é o *orgulho*. É o grande isolante que impede a mistura criativa de energias humanas. Há toda uma série de comportamentos orgulhosos, da familiar "síndrome do NIA" ("Se **n**ão foi **i**nventado **a**qui, não deve valer nada") até o excesso de confiança que leva à queda de pessoas, organizações e nações.

Os antigos gregos ensinaram que o *excesso de confiança*, ou a arrogância extrema, era o pior dos crimes. Naqueles dias, um soldado que se gabava de sua própria força e humilhava seus inimigos era considerado culpado por excesso de confiança. O mesmo acontecia com um rei que abusasse de seus súditos para ganho pessoal. Os gregos acreditavam que o excesso de confiança provocaria a *nemesis*, a ruína inevitável. O excesso de confiança, segundo diziam, sempre levava à inevitável tragédia — e eles estavam certos. Hoje, vemos o colapso de algumas de nossas instituições mais confiáveis, ocasionado pela arrogância no mais alto nível. Na crise financeira de 2008, muitos líderes importantes foram considerados culpados de tudo, desde uma superconfiança cega à fraude absoluta.

O principal sintoma do excesso de confiança é a falta de conflito. Se ninguém se atreve a desafiá-lo, se você recebe pouca contribuição dos outros, se você se percebe falando mais do que ouvindo, se está ocupado demais para lidar com aqueles que discordam, então você está à beira da decadência. Um exemplo é o ex-diretor do Royal Bank da Escócia. Segundo relatos, esse homem "não admitia críticas. [...] A cada manhã, seu círculo imediato de colaboradores participava de uma reunião na qual, em certas ocasiões, os executivos poderiam ser seriamente repreendidos". Ele se referia às suas hostis aquisições como "assassinatos por misericórdia". O jornal *Times*, de Londres, classificou sua liderança de "arrogante". Assim, ele se isolava da verdade acerca da iminente crise bancária, pela qual suas relações comerciais agressivamente arriscadas foram consideradas parcialmente responsáveis. Em 2007, seu banco valia £ 75 bilhões; em 2009, valia £ 4,5 bilhões, e havia sofrido "o maior prejuízo da história do setor bancário britânico".[55]

Observando outro exemplo, é provável que a mentalidade antissinérgica da Enron tenha quebrado a empresa. Observadores veem nessa empresa o clássico modelo de uma cultura arrogante: "Essa foi uma companhia que se desfez propositalmente de pontos de vista alternativos e conflitantes da realidade para proteger o *status quo.* Em nome da preservação do sucesso e da obstinada busca pela grandeza, uma cultura inflexível e intolerante se desenvolveu, na qual novas ideias foram ignoradas, preocupações foram desconsideradas e o raciocínio crítico se transformou em justificativa para demitir pessoas."[56]

O "GET"

É claro que você não precisa ser um poderoso líder empresarial para sofrer do tipo de excesso de confiança que cria obstáculos à sinergia. Qualquer um pode agir assim. A maioria das divergências improdutivas que se estabelece nos ambientes de trabalho é fruto, em algum nível, do excesso de confiança. Greg Neal, um dos maiores executivos de vendas na indústria farmacêutica mundial e perspicaz observador, dissecou essa praga do orgulho em três elementos, que ele chama de "GET" (ilustrados no quadro a seguir). São instintos humanos naturais, que todos compartilhamos, e que, muitas vezes, nos impedem de chegar à Terceira Alternativa. Nós nos preocupamos com a possibilidade de perder a luta. Ficamos preocupados com nossa identidade ("Eu sou um perdedor?"). Ficamos preocupados com nosso território ("Quem vai ganhar o crédito?"). Neal diz: "O GET o afetará quando você estiver tentando chegar à sinergia." Ironicamente, se pu-

---

[55] Patrick Hosking, "Hubris to nemesis: how sir Fred Goodwin became the 'world's worst banker'" [Da arrogância à *nemesis*: Como Sir Fred Goodwin se tornou o "pior banqueiro do mundo"], *Times* (Londres), 20 de janeiro de 2009. Disponível em: http://business.timesonline.co.uk/tol/business/economics/article5549510.ece.

[56] Sydney Finkelstein, *Por que executivos inteligentes falham* (São Paulo: MBooks, 2007).

dermos chegar juntos à sinergia, haverá mais ganho, mais segurança e mais participação para todos. Mas é difícil ver além do GET.

	O "GET"
G	G é para GANHO: o meu ganho pessoal, o que já ganhei, o que mereço receber.
E	E é para EMOÇÃO: os meus sentimentos, as minhas inseguranças, os meus medos, a minha identidade.
T	T é para TERRITÓRIO: o meu território, o meu número de funcionários, o meu orçamento, o meu projeto, a minha experiência.

Um conflito clássico nos ambientes de trabalho é a eterna rivalidade entre os departamentos de vendas e de marketing. É "universal e eterno", dizem alguns, apenas parte "da ordem natural das coisas". A *Business Week* observa que "as pessoas de marketing rotineiramente depreciam as pessoas de vendas, classificando-as como gananciosas e egoístas. E as pessoas de vendas, bem, elas são um pouco mais rudes. Eles acham que as pessoas de marketing são covardes e ridículas".[57] E, ainda assim, as vendas e o marketing têm, essencialmente, a mesma missão: compreender, atingir e satisfazer os clientes. As empresas se esforçam para unir as duas funções por meio de sistemas de informação e processos compartilhados. Mas, como diz a *Business Week*: "O verdadeiro problema é a cultura, as personalidades e as atitudes." Benson Shapiro, professor de administração de Harvard, generaliza desta maneira: "O campo de forças está esquematizado para pessoas mais independentes e de espírito livre, com uma mentalidade de 'piloto de caça'. O marketing é mais 'conservador' e tem uma abordagem mais sofisticada e centralizada." E eles desprezam uns aos outros.[58]

---

[57] Christopher Kenton, "When sales meets marketing" [Quando as vendas se encontram com o marketing], *Business Week*, 19 de fevereiro de 2004. Disponível em: http://www.businessweek.com/smallbiz/content/feb2004/sb20040219_0464.htm.

[58] Benson P. Shapiro, "Want a happy customer? Coordinate sales and marketing" [Quer um cliente feliz? Coordene as vendas e o marketing], *Harvard Business School Working Knowledge*, 28 de outubro de 2002. Disponível em: http://hbswk.hbs.edu/item/3154.html.

Esse foi o problema que Greg Neal enfrentou como executivo de uma grande empresa farmacêutica: "Tínhamos uma organização de marketing poderosa e uma equipe de vendas muito eficaz e consciente. Mas havia uma grande lacuna entre elas — em todos os sentidos, desde a comunicação básica até a disputa pelo poder sobre a propriedade da marca. As pessoas do marketing acreditavam que suas pesquisas lhes tornavam especialistas em clientes, enquanto as pessoas de vendas viviam com os clientes dia e noite." A lacuna, na verdade, fazia a empresa perder participação no mercado.

Neal foi escolhido para acabar com essa lacuna. Os líderes da empresa pediram que ele criasse um novo departamento "para organizar tudo". Ele contratou uma equipe de integração, estabeleceu uma estratégia e se empolgou com a tarefa. Em pouco tempo percebeu como a lacuna era verdadeiramente extensa e complicada: "Estávamos muito isolados. A equipe de marketing do setor cardiovascular não falava com os departamentos de medicações respiratórias, neurológicas ou para osteoporose." Ele também percebeu o quanto era indesejado. "Dei de cara com o GET — tudo era muito emocional, muito territorial. Eu entrava nas salas, observava alguns slides em PowerPoint muito bem-produzidos e fazia-se um profundo silêncio. Não era o silêncio da apreciação."

Depois de alguns meses de pouco progresso Neal lentamente percebeu que seu ponto de partida não estava correto. As pessoas com quem ele trabalhava não estavam emocionalmente preparadas para a sinergia: "O que deveria ter acontecido? Os executivos de vendas deveriam ter se unido aos executivos de marketing. Eles poderiam ter procurado e conversado com os setores, solicitando opiniões sobre o problema — 'O que poderíamos fazer para diminuir essa lacuna, facilitar o seu trabalho, comunicar-nos melhor?' Poderiam recolher opiniões de todos. Em vez de fazer isso, eles impuseram uma solução: a minha equipe de integração."

Mas não era tarde demais para reverter a situação. Ele parou de fazer apresentações e começou a ouvir: "Precisávamos de adesão em todas as áreas, aproveitando todas as chances e a paciência que a organização estava disposta a suportar. A ideia era dar-lhes voz no processo e ver o que aconteceria. Passamos muito tempo recebendo adesões." Ele dedicou nove meses a essa "prova de fogo".

Um importante lançamento de produto estava sendo elaborado na área de produtos respiratórios. A empresa de Neal nunca tinha atuado nesse mercado antes, e era preciso que tudo corresse bem. Um pré-lançamento no mercado de lipídios tinha ido mal por causa da "grande lacuna" entre as vendas e o marketing. Os planos de marketing nacional haviam sido executados de maneira muito desigual nas regiões de vendas: "Tínhamos bolsões de execução extraordinária, outros bolsões de sucesso moderado, outros de pouquíssimo sucesso" — uma verdadeira frustração para o pessoal de marketing.

Na preparação do novo plano de lançamento a equipe de integração de Neal ouviu cuidadosamente cada região de vendas: "A contribuição estava lá. As sinergias estavam lá. Decidimos juntos o que seria considerado sucesso — vamos chamá-lo de atividade econômica, utilização de recursos, números relativos à participação de mercado. Estávamos mais preparados do que nunca, mais unificados, e cruzei meus dedos na esperança de que fizéssemos um bom lançamento."

Foi o lançamento de maior sucesso na história da empresa — e em um mercado do qual ela nunca havia participado. Competindo com empresas com décadas de experiência, ela conseguiu obter razoável participação de mercado: "Superamos nossos objetivos em 30%. As variações entre as regiões foram muito menores que antes. A taxa de adoção do produto foi muito maior do que sugeria nosso histórico." Hoje, o portfólio de produtos respiratórios da empresa vale centenas de milhões de dólares.

O sucesso de Greg Neal aconteceu porque ele mergulhou de cabeça no GET, a mentalidade defensiva que isolava a empresa em uma camisa de força. Ele injetou respeito e empatia nos diversos feudos da empresa, e propôs uma pergunta constante: "O que podemos fazer juntos para tornar o seu trabalho mais fácil?" Como alguém que pensa de acodo com a Terceira Alternativa, ele não tinha solução alguma preconcebida em mente, apenas a determinação de superar o GET e fazer a sinergia acontecer.[59]

---

[59] Entrevista com Greg Neal, 7 de outubro de 2010.

Quando se Torna Algo Pessoal

O ambiente de trabalho de hoje em dia é intensamente desafiador. Somos pressionados a fazer mais com menos, competir globalmente e atender às expectativas sempre crescentes e com prazos cada vez menores. Em um ambiente em rápido movimento, o atrito se estabelece e, às vezes, se torna pessoal. Omissões, mau humor, sarcasmo, contendas acaloradas — e, ocasionalmente, até mesmo a violência — podem explodir em uma atmosfera tão sobrecarregada.

Dezenas de livros e sites lhe dirão como "resolver" um conflito de personalidades no trabalho (esse é um problema comum). Todos dizem praticamente a mesma coisa. Se você for um gerente, tente separar os inimigos ou fazer uma mediação entre ambos, ou enviá-los de volta para a escola. Se você estiver envolvido no conflito, mantenha a calma, separe o problema da pessoa, tente ver a situação com certo distanciamento. Nenhum desses é um mau conselho. Mas não buscam a transformação. Eles são transacionais. Lidam com a negociação de uma questão, quando o verdadeiro problema é o relacionamento.

Se você tem uma mentalidade de sinergia é porque está buscando *transformar* os relacionamentos. Você tem noção de seu próprio valor e considera profundamente o valor da outra pessoa. Encontre um lugar reservado, sente-se ao lado dessa pessoa e diga: "Você vê as coisas de maneira diferente. Preciso ouvir você." E então ouça.

É possível que você tenha de ouvir algumas coisas que o ofenderão. Talvez sinta seu próprio rosto ruborizar-se à medida que a outra pessoa se expressa. Mas deixe que isso aconteça. Não ceda à tentação de defender-se — sua chance virá em seguida. Você está lá para entender, não para brigar.

Talvez você descubra que a questão em pauta não é a verdadeira questão. Provavelmente, aquilo que despertou o conflito é apenas a superfície de um problema profundamente afetado pelo GET. A identidade do funcionário, a segurança emocional ou o território é que está em jogo. Talvez seja realmente difícil esvaziar sua mente e se transferir para a mente da outra pessoa, entender como aquela pessoa se sente — e esse pode ser o maior teste para a sua capacidade de sinergia.

Alguma parte ou tudo o que você ouvir poderá ser descartável. Por outro lado, você pode aprender algumas coisas sobre si mesmo. Talvez você abra os olhos. Sem dúvida, compreenderá mais claramente uma perspectiva que não conseguia perceber antes. Nada disso conseguirá magoá-lo ou interferir em sua própria autoestima — não se você for uma pessoa verdadeiramente sinérgica — e, ainda, poderá ajudá-lo a ampliar seus pontos de vista.

Um amigo meu, um bem-sucedido consultor empresarial, conta esta história:

Eu já estava no negócio de consultoria havia vários anos e estava me tornando muito bom no que fazia. Um dos meus colegas (vou chamá-lo de Sid) era um homem mais velho, baixinho, careca, que gostava de se vestir com roupas espalhafatosas, enquanto nós éramos mais conservadores.

Imaginei que ele se ressentia da minha ascensão na empresa, pois nas reuniões sempre ria dissimuladamente das coisas que eu dizia. Embora não viesse a público para expor seu pensamento, seus comentários davam a entender que ele me cosiderava jovem e ingênuo, e acreditava que eu "tinha muito a aprender". Mas, a partir dos relatos de que eu dispunha sobre seu trabalho, alguns de seus clientes não estavam muito felizes com ele.

Bem, um dia eu acabaria me aborrecendo com Sid. Exaltei-me com ele e o chamei de ressentido, de velho estúpido, que perdera a noção das coisas. No dia seguinte, recebi uma carta dele discordando do que eu tinha dito. Tentei rir daquilo tudo. Por quase dois anos Sid e eu evitamos um ao outro.

Então, um dia, fomos designados para viajar a Washington e trabalhar juntos para um cliente. Eu estava me sentindo desconfortável, mas éramos os únicos com os conhecimentos necessários para fazer aquele trabalho específico. Sentei-me ao lado dele por quatro horas em uma viagem de avião. Ele me lançou um olhar de desprezo. Não sabendo como lidar com isso, eu apenas lhe disse: "Não conversamos há um longo tempo, Sid. Fale-me sobre você." E, aos poucos, ele começou a falar.

Algumas horas depois toda a minha perspectiva havia sido alterada — não apenas sobre Sid, mas sobre todo o ramo de consultoria. Ao longo dos anos, ele se tornara um praticante da "análise de causas básicas", a ciência de encontrar e corrigir as causas mais profundas dos problemas de negócios. Ele tinha enorme conhecimento sobre essa área e expressou sua frustração por conta do fato de que nenhum de seus colegas a levava tão a sério quanto ele.

Quando, anos antes, ele havia me dito que eu tinha muito a aprender, ele estava certo. Eu tinha muito a aprender. Nos três dias seguintes, enquanto prestávamos consultoria ao nosso cliente, ele também me orientou em um campo que eu conhecia pouco e que mudou radicalmente minhas ideias sobre como realizar o meu trabalho.

Todas as noites, após o trabalho, corríamos ao redor do hotel, e Sid me confessou as decepções que enfrentou em nossa empresa, contando como o seu conhecimento especializado não havia sido valorizado. Ele explicou por que alguns clientes cancelaram os contratos por sua causa — ele tinha o irritante hábito de dizer-lhes a verdade. Ele também me disse o quanto o meu rompante o havia magoado, e fiquei triste ao saber disso.

Também fiquei sabendo sobre a sua vida, sobre uma infância difícil e um divórcio complicado. Descobri o quanto ele havia trabalhado para se tornar uma pessoa culta, não apenas com relação a negócios, mas também no que diz respeito a arte e literatura. Percebi a disciplina que ele aplicava a tudo que fazia, incluindo golfe, esqui e pesca com mosca.

Esses três dias em Washington apenas ouvindo Sid foram um marco para mim. Minha própria prática de consultoria foi transformada pelos discernimentos que obtive sobre resolução de problemas, e me tornei muito mais eficaz em meu trabalho. Logicamente, não adotei tudo o que Sid me ensinou — eu o considerava muito rude com os clientes. Mas até isso era interessante. O mais importante é que ganhei um amigo querido e um conselheiro, cuja influência em minha vida tem sido profunda.

Os enormes muros entre Sid e meu amigo caíram porque um deles estava disposto a sentar e ouvir a história do outro. O processo levou dias, mas os resultados desse investimento foram a transformação de uma prática de negócios e uma amizade perene. Nos anos seguintes, eles elaboraram juntos soluções criativas para todos os tipos de problemas complicados de clientes.

Quando nos sentimos tratados de forma injusta, é muito fácil ficarmos preocupados com a injustiça. Muitas vezes, negamos qualquer responsabilidade sobre o conflito: é tudo culpa da outra pessoa. Esse conflito pode nos corroer, tornando-nos mais defensivos e ressentidos, e o ciclo de conflitos se intensifica até o nosso trabalho começar a sofrer as consequências.

Podemos escolher um caminho diferente. Podemos optar por realmente ouvir as necessidades e as preocupações da pessoa com quem estamos em conflito. Se nós realmente procurarmos compreender, sem hipocrisia e dissimulação, ficaremos surpresos com o conhecimento e a compreensão que fluem de outro ser humano, do mesmo modo que ocorreu com meu amigo e Sid. Ele nem sequer achou necessário conversar para estabelecer empatia. Na verdade, às vezes as palavras atrapalham.

No entanto, há pessoas que não aceitarão a empatia dos outros. Elas podem se tornar emocionalmente ou, até mesmo, fisicamente ofensivas e, claro, ninguém deve tolerar abusos. Mas a maioria dos conflitos entre personalidades no trabalho não chega a esse nível. Normalmente, os muros são erguidos em função de situações como menosprezo, questões territoriais e choques de personalidade — todos eles elementos do GET.

Nos livros mais recentes sobre gestão de conflitos no ambiente de trabalho você observará centenas de referências à mediação, à negociação e ao acordo — mas nenhuma referência à sinergia. Todos esses livros tratam da abordagem transacional, das técnicas superficiais para se superar um conflito e restaurar o equilíbrio. Mas eles falam muito pouco sobre a transformação das relações.

O perigo da abordagem transacional para o conflito é a persistência dos danos emocionais. As pessoas podem resolver a questão, cumprimentar-se e voltar ao trabalho, mas se não houver alguma mudança estrutural na relação os sentimentos submersos continuarão a despertar contrariedades.

A abordagem transacional para o conflito tem tudo a ver com o "eu": "Como eu faço para obter o que quero com o menor prejuízo possível?" A abordagem transformacional do conflito se baseia totalmente em "nós": "Como nós poderemos criar algo incrível juntos?"

Você pode fazer isso sozinho. Se estiver envolvido em alguma discussão, pare de discutir e comece a ouvir. Se sentir a necessidade premente de estar "certo", evite fazê-lo por algum tempo e apenas ouça. E se você for pego na armadilha das Duas Alternativas, pergunte à outra pessoa: "Você está disposto a procurar uma alternativa que seja melhor do que aquilo em que qualquer um de nós já pensou antes?"

Além do Ganha/ganha: Sinergia em Vendas e Negociações

O vendedor tradicional está desaparecendo gradualmente. Há muitas razões para isso. Um fator importante é a internet, que acaba com os intermediários em bilhões de transações que costumavam ser realizadas cara a cara.[60] No entanto, os vendedores estão desaparecendo até mesmo no mundo dos negócios, em que o contato pessoal entre o vendedor e o comprador sempre foi a norma. Acredito que a principal razão disso é que a antiga noção de "vendedor" está se tornando obsoleta.

Por quê? Porque a atividade de vendedor nunca foi realmente além da mentalidade de Duas Alternativas: "nós contra eles". É claro, existem muitas exceções, mas a motivação clássica que está por trás do profissional de vendas são "os números": a receita deve imperar sobre todo o resto. Por favor, não me entenda mal. Os lucros são essenciais, e se não houver margem de lucros, a missão da empresa também não poderá ser cumprida. Mas se o vendedor estiver concentrado apenas nos números e não em servir o cliente, em última instância ele falhará em ambas as tarefas. O princípio é claro e inabalável: a chave para a vida não é o acúmulo, mas a contribuição — não acumular bens materiais, mas servir aos outros.

O tipo mais primitivo de venda ou negociação é regatear, o jogo de soma zero de ganha/perde ou perde/ganha. Ele consiste em cada lado tentando obter vantagem sobre o outro. Esses vendedores se gabam de ser "caçadores" e "irem à luta". Além disso, há muitas variedades de "vendas consultivas", em que os vendedores tentam criar um resultado de ganha/ganha que satisfaça ambos os lados. A venda de ganha/ganha é, definitivamente, uma melhoria com relação ao regateio.

Considero a mentalidade de ganha/ganha fundamental não apenas para os negócios, mas para todos os relacionamentos da vida. É a chave para se

---

[60] James Ledbetter, "The death of a salesman: of lots of them, actually" [A morte do caixeiro-viajante: Na verdade, de muitos deles], *Slate*, 21 de setembro de 2010.

adentrar o coração de qualquer ser humano. Sem uma mentalidade de ganha/ganha não há crédito, não há confiança, não se avança junto. Acredito que a maioria das pessoas de negócios entende isso, e tem sido gratificante para mim, ao longo dos anos, ver como o conceito do raciocínio de ganha/ganha se espalhou ao redor do mundo. Estou tentando fazer a minha parte para que isso aconteça.[61]

Ganha/perde	Ganha/ganha
Perde/ganha	Perde/perde

Ganha / Ganha

A mentalidade de ganha/ganha. Ganha/perde significa que o meu lado consegue o que quer. Perde/ganha significa que o seu lado consegue o que quer. Perde/perde significa que nenhum de nós consegue o que quer — essa é a mentalidade do acordo. Ganha/ganha é a mentalidade da Terceira Alternativa. Não é do seu jeito nem do meu; é uma maneira melhor.

Ainda assim, uma das razões pelas quais a profissão de vendedor tem perdido espaço é que o raciocínio de ganha/ganha não é tão difundido ou tão aprofundado quanto deveria ser. O professor Horacio Falcão acredita que o paradigma ganha/perde ainda é a "configuração padrão" para a maioria: "O ganha/ganha, muitas vezes, é considerado fraco, e isso é um grande equívoco. O ganha/ganha pode parecer ingênuo, porque algumas

[61] Stephen R. Covey. *Os 7 hábitos das pessoas altamente eficazes* (Rio de Janeiro: Best*Seller*, 2005). Ver Hábito 4.

pessoas podem classificá-lo erroneamente ou identificá-lo por engano como 'fraco'. No entanto, o ganha/ganha pretende ser algo positivo, e não ingênuo, e essa é uma distinção muito importante."[62]

Ao mesmo tempo, o raciocínio de ganha/ganha não é o fim, mas o início de qualquer relação produtiva. Da mesma maneira, no mundo dos negócios, o raciocínio de ganha/ganha é o começo, e não o fim da sinergia. Uma negociação de ganha/ganha não é necessariamente a melhor negociação. O ganha/ganha significa que ambas as partes não perderam nada, que estão satisfeitas e se sentem bem com o resultado, e não há nada de errado nisso. Mas mentes sinérgicas podem fazer muito melhor. Não há limites para o valor que elas podem criar juntas.

Nos velhos tempos de regateio as pessoas compravam automóveis de vendedores em quem raramente confiavam, e só lhes restava torcer para não serem enganadas. O estereótipo do duvidoso vendedor de automóveis era uma lenda antiga. Com o tempo, a maioria dos vendedores de automóveis ficou muito mais sofisticada e transparente, procurando oferecer, sinceramente, boas ofertas aos clientes.

E há aquele sinérgico raro que está constantemente buscando Terceiras Alternativas para oferecer valor aos seus clientes. Quase todas as pessoas que possuem carros sabem que é inevitável perder dinheiro com eles. O valor de um automóvel diminui progressivamente até que, depois de alguns anos, o investimento do proprietário se reduz a zero. Essa é a grande frustração de se possuir um automóvel. Percebendo isso, um negociante de carros que conheço encontrou uma maneira surpreendente de ajudar seus clientes a preservarem o investimento realizado. Todos os anos a maioria dos clientes compra carros novos com ele por apenas algumas centenas de dólares a mais. Ele, então, os ajuda a vender o carro durante o ano seguinte praticamente pelo mesmo preço que pagaram. Como resultado, seus clientes sempre dirigem um carro novo e perdem pouco ou nenhum dinheiro na transação — ano após ano! Ele faz pesquisas para ter certeza de que oferece aos clientes apenas os carros com os maiores valores de reven-

---

[62] Horacio Falcão, "Negotiating to win" [Negociando para ganhar], *INSEAD Knowledge*, 16 de abril de 2010. Disponível em: http://knowledge.insead.edu/strategy-value-negotiation-100419.cfm?vid=404.

da. Embora ele obtenha apenas um pequeno lucro em cada veículo, seu grande volume de vendas faz dele um sucesso estrondoso. "Prefiro vender 150 carros por mês por US$ 500 do que 25 por US$ 1.800", diz ele. Pelo fato de todos os seus carros serem novos e raramente precisarem de conserto, ele não tem departamento de serviços e, portanto, nenhum custo indireto, exceto por um pequeno show room. E tem uma clientela extremamente fiel.

A Terceira Alternativa desse vendedor de automóveis elimina a necessidade de um demorado processo de vendas e de negociação. Ele simplesmente não tem de fazer essas coisas. Ele inclusive precisa recusar negócios por ser tão popular. Em sua determinação de fazer com que seus clientes não percam dinheiro, ele poupa muito tempo e estresse, e o negócio simplesmente flui até ele.

Os consumidores eram obrigados a fazer negócios com os vendedores, pois somente por intermédio deles conseguiam obter os produtos, os serviços ou as informações que queriam. Com bastante frequência, os consumidores antipatizavam com os vendedores e seus jogos mentais. Hoje, eles podem conseguir a maior parte do que querem pela internet e, por isso, mesmo um vendedor com mentalidade de ganha/ganha tornou-se desnecessário. Ainda assim, a única coisa que não se consegue obter pela internet é a *sinergia*, a ajuda que vem de um ser humano criativo como esse negociante de automóveis — uma pessoa que realmente defende os interesses do cliente.

Meu amigo Mahan Khalsa, extremamente competente no mundo da negociação, diz: "Vender significa fazer alguma coisa *por* alguém, em vez de *para* ou *com* alguém. As vendas se tornaram uma relação baseada no medo. Os clientes temem que lhes serão 'vendidas' diversas mercadorias, e os vendedores temem o fracasso." Ninguém gosta de ser "vendido".

Acredito que esse conceito de vendas está morrendo. Ele tende a ser substituído pelo conceito de parceria sinérgica. Em nossa empresa temos "parceiros dos clientes", cujo trabalho é buscar sinergia com nossos clientes, para ajudá-los a criar Terceiras Alternativas que lhes ofereçam vantagens competitivas. Sua tarefa é ajudar nossos clientes a obter sucesso.

Mahan afirma: "Você *deve* ajudar seu cliente a obter sucesso. Isso é uma grande mudança de mentalidade." A parceria sinérgica é uma mudança de paradigma para a maioria de nós. Não basta fazer com que os consumidores comprem. É preciso reduzir os custos dele, aumentar as suas receitas, alavancar seu capital, ajudá-lo a construir sua qualidade produtiva e fidelizar seus próprios clientes, ou aprimorar seu desempenho. Você o ajuda a atingir seus próprios e nobres objetivos.

Tornando-se um Negociador da Terceira Alternativa

Observando a Mim Mesmo

Para adotar a mentalidade da Terceira Alternativa devemos, primeiro, nos observar de maneira diferente. Não estamos mais querendo "empurrar" o produto (como regateadores). Já não ligamos mais para o cliente e dizemos: "Estou com um lançamento maravilhoso aqui — quer dar uma olhada?" Em vez disso, somos sinérgicos. Estamos constantemente procurando novas maneiras de ajudar os clientes a obter sucesso no trabalho que eles estão tentando realizar.

De modo geral, diz-se que é importante negociar a partir de uma posição de força. Normalmente, isso significa estar em alguma situação de poder em relação à outra parte. Para mim, isso significa algo completamente diferente. Independentemente do poder que eu exerça sobre a outra parte, só poderei negociar a partir de uma posição de força quando tiver a integridade, a honestidade e a mentalidade de ganha/ganha ao meu lado. Aquele que negocia usando o poder para derrotar a outra parte pode conquistar um vitória temporária, mas essa pessoa, ou empresa, não é digna da confiança do mercado. Para ser um negociador da Terceira Alternativa preciso, primeiro, me observar como uma pessoa com a mentalidade de ganha/ganha. Não aceitarei nada menos do que uma vitória para você e uma vitória para mim. Não quero que nenhum de nós perca alguma coisa.

Meu filho David foi, por algum tempo, diretor de vendas da nossa empresa. Um dia, uma grande corporação nos procurou para fechar negócio conosco. Os membros da equipe de vendas de David ficaram bastante animados — era uma das maiores empresas do mundo, e estava oferecendo uma vultosa quantia para contratar nossos serviços.

Porém, ao observar atentamente os termos da negociação, David percebeu que a empresa sofreria tantos descontos que praticamente não teria lucro algum. Ele não quis fechar negócio, mas a equipe de vendas o pressionou nesse sentido: "Pense em tê-los como clientes! Esse é apenas um valor promocional — eles nos darão mais e mais trabalho e, certamente, conseguiremos estabelecer melhores condições no futuro."

Há muito tempo a mentalidade de ganha/ganha havia sido incutida em David — não seria um bom negócio se o cliente ganhasse à nossa custa, independentemente do volume de negócios e da vaga promessa de algo melhor no futuro. Então, ele foi até a sede da empresa e tentou, sem sucesso, chegar a uma Terceira Alternativa.

"Todo mundo conhece o jogo", disse David. "Eles são uma grande empresa. O papel de seus negociadores é subjugar seus fornecedores, e eles estão acostumados a fazer valer a sua vontade. Eles querem retornar aos seus chefes e dizer: 'Veja o que fiz por você.' Mas não estávamos dispostos a jogar esse jogo. Se não for uma negociação de ganha/ganha, não há negociação."

No fim, nunca ficamos sabendo se a empresa ficou impressionada com a nossa firmeza ou se queria realmente os nossos serviços, mas, no fim, ela concordou com os nossos termos. Foi uma vitória para ambos, e conseguimos estabelecer um relacionamento saudável e criativo.

A base da negociação sinérgica é a mentalidade de ganha/ganha, e o ponto de partida sou eu. Mas essa mentalidade é apenas o começo. Tenho de estar disposto a ir adiante, para, ao seu lado, criar algo que surpreenda a ambos.

Alguns anos atrás, queríamos investigar as razões pelas quais as empresas não conseguiam cumprir com sucesso seus objetivos mais importantes. Então, pensamos que seria interessante encomendar uma pesquisa. Convocamos as melhores empresas do ramo e pedimos que nos apresentassem suas propostas. Educadamente, elas nos fizeram propostas que acabaram nos assustando. Fizemos o que os vendedores clássicos chamam de "recuo". "O quê?", dissemos, exaltados. Nunca pensamos que uma pesquisa custasse tanto.

Em seguida, conhecemos Pete. Ele era representante de uma importante empresa de pesquisa. Em vez de nos apresentar uma proposta, ele nos fez uma simples pergunta: "Por que vocês querem fazer essa pesquisa? O que pretendem fazer?" Conversamos a respeito do nosso projeto. Explicamos que estávamos há muitos anos nesse ramo de negócios, treinando indivíduos para se tornarem mais eficazes, e muitos desses indivíduos agora queriam que ajudássemos as suas organizações a se tornarem mais eficazes. Falamos sobre nossa necessidade de informação, sobre as frustrações de nossos clientes e sobre nossa estratégia para ajudá-los.

Pete ouviu isso tudo. Ele nos deu uma dúzia de sugestões, e nenhuma delas envolvia grandes despesas de dinheiro. Algumas sugestões não lhe dariam nenhum retorno financeiro, como nos apresentar a pessoas que poderíamos entrevistar sobre aquele assunto. Ele explicou como poderíamos poupar dinheiro se realizássemos uma pesquisa cruzando os próprios dados que dispúnhamos. Ele falou honestamente sobre os problemas que sua própria empresa enfrentava ao executar certas estratégias.

Pete estava fazendo muitas das coisas que os negociadores profissionais não recomendam fazer. Ele estava fazendo concessões, abrindo mão de remuneração ao nos mostrar como realizar uma pesquisa por nossa própria conta, em vez de realizá-la com a sua empresa. Suas sugestões significavam informação, em troca de nada. Ele foi totalmente transparente em relação aos seus custos e suas margens de lucro. Levamos um bom tempo para que ele nos apresentasse uma proposta concreta.

Pete estava sendo inocente e improdutivo? Na minha opinião, nem um pouco. Pelo fato de ele mostrar-se fascinado com o problema — e não apenas interessado em realizar uma venda —, tornou-se um parceiro de confiança no nosso projeto. Ele sugeriu maneiras novas e engenhosas de abordar o problema. Ele nos conectou com pessoas que poderiam nos orientar sobre as mais recentes técnicas de planejamento de pesquisa. Ele ajudou a reformular em nossa mente o conceito de pesquisa: por que fazê-la, como fazê-la, quais as suas limitações. E começou a ser remunerado por isso. Finalmente, encomendamos uma grande pesquisa à empresa de Pete, mas foi apenas a primeira. Quando nós mesmos passamos a conduzir as pesquisas, ele e seus associados nos ofereceram a inestimável ajuda de especialistas no planejamento de nossos produtos. Ao longo dos anos, temos trabalhado com Pete, que tem nos prestado inúmeros serviços, e pensamos nele como um recurso-chave.

Com o tempo, parceiros como Pete se tornam mais valiosos. Eles se consideram sinergistas, e não "empurradores" de produtos. Mas, pelo fato de a maioria dos vendedores profissionais não conseguir estabelecer tal sinergia, seu valor tem decaído bastante. Os consumidores se tornaram impacientes com vendedores que não conseguem criar sinergia, tenham eles a mentalidade de ganha/ganha ou não.

Observando Você

Optar por uma negociação da Terceira Alternativa exige que você veja a outra parte como uma pessoa, não como um lado de uma guerra ou de um jogo de caça. É muito fácil resvalar para a mentalidade "nós contra eles". O professor Grande Lum adverte: "É importante não demonizar as pessoas que classificamos como negociadores difíceis. [...] Talvez elas não confiem na sua organização. Talvez alguém as tenha enganado em negociações anteriores. Talvez elas simplesmente não conheçam outra maneira de negociar. No fim, todos nós somos defensores de nossos próprios interesses, e cada um de nós acredita que o que estamos fazendo vai gerar o melhor resultado."[63]

Os velhos vendedores estereotipados criaram histórias heroicas de como lutaram árduas batalhas contra inimigos cruéis e acabaram vencendo. Isso os fez se sentir e parecer melhores aos seus próprios olhos. Mas era uma ilusão. Esse raciocínio de Duas Alternativas ("Nós contra eles") impediu-os de *observarem* seus clientes potenciais como pessoas. Como resultado, eles tratavam os clientes potenciais como adversários. As vendas convencionais e o treinamento de negociação estão repletos de truques e técnicas para obter vantagem nesse tipo de disputa. Há a técnica "bater-a-porta-na-cara", isto é, apresentar inicialmente um custo elevado e, depois, voltar atrás, enquanto a negociação prossegue. Há a técnica "pé-na-porta": conseguir uma pequena concessão da outra parte e, então, gradualmente, ir aumentando o tamanho das concessões. Há a técnica "subestimar", em que o custo inicial parece ótimo, mas pequenas coisas são adicionadas no último instante, para fazê-lo aumentar. Esta técnica assemelha-se ao método "roer-a-corda", no qual o cliente potencial investe muito tempo no negócio e depois é surpreendido com um novo requisito, momentos antes de fechar o acordo. O senso comum diz que os clientes não se recusarão a pagar por despesas de última hora, por causa do esforço que já empregaram.

Submetido a esse tipo de jogo, os consumidores desenvolveram suas próprias técnicas defensivas. Como afirma Mahan Khalsa: "práticas disfuncionais de compras surgiram para combater as práticas disfuncionais de vendas."[64] Há a técnica de "pechinchar", em que o consumidor gradualmente barganha o preço do vendedor, dizendo coisas como: "Estamos quase lá."; "Você está chegando perto, está chegando mais perto...". E há a "recusa": "O que você está pensando? Você está louco? Não consigo imaginar ninguém pagando esse preço." Os consumidores podem usar o "roer-a-corda" tão bem quanto os vendedores. E, naturalmente, os vendedores descobriram as contramedidas — há a técnica da "recusa reversa", e suponho que exista também uma "recusa reversa tripla".

---

[63] Grande Lum, *The negotiation fieldbook: simple strategies to help negotiate everything* [O livro de ouro da negociação: estratégias simples para ajudar a negociar sobre qualquer coisa] (Nova York: McGraw-Hill Professional, 2004), p. 90.

[64] Mahan Khalsa, *Faça bem feito ou não faça* (São Paulo: Novo Século, 2012).

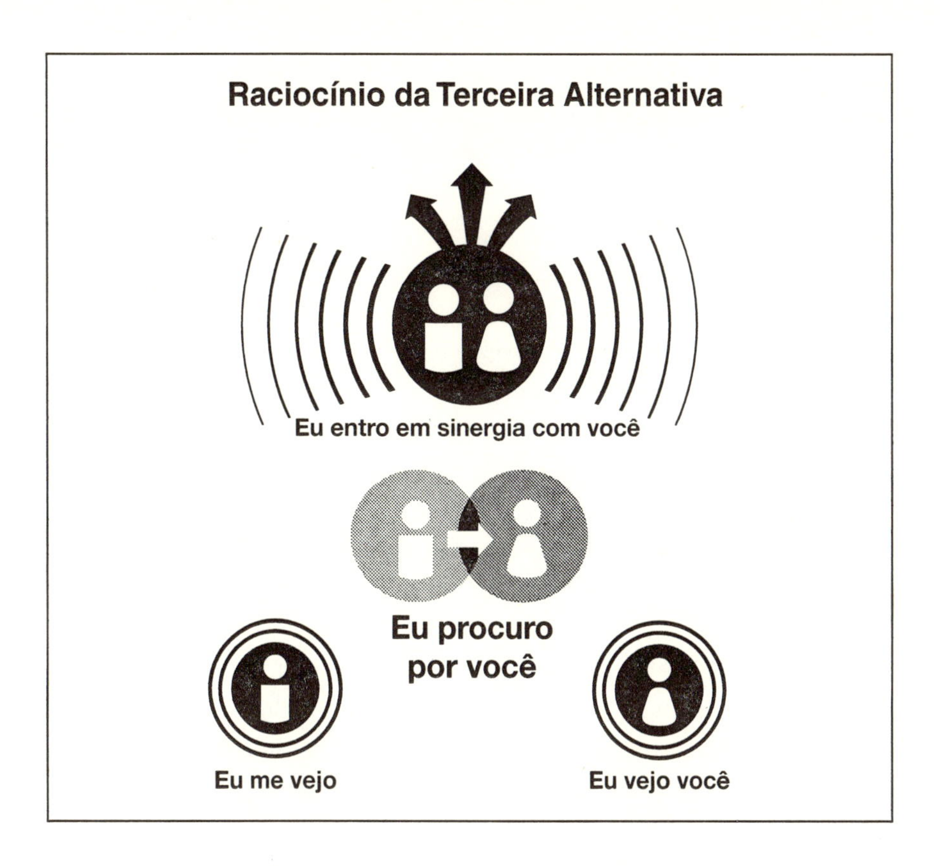

Além dessa tosca coreografia, os negociadores mais sofisticados usam métodos mais elevados. Eles analisam as pressões sobre a outra parte, sua tolerância ao risco, a psicologia dos prazos, o período de tempo entre as concessões. Eles calculam concessões cada vez menores, amarrando uma corda entre cada uma delas. As regras: ser dissimulado, nunca falar diretamente, responder a perguntas de maneira indireta. Faça a outra parte trabalhar; isso aumenta a participação na negociação.

Cada um desses métodos convencionais mina a confiança. Todo mundo tenta devolver um pouco do que recebe, e nos perguntamos por que o processo de vendas é tão difícil, tão frustrante e consome tanto tempo. Mas isso não é o pior de tudo.

O campo sempre está aberto a mentiras. Recentemente, um amigo me contou que participou de um seminário intensivo sobre o processo de negociação. Ele disse que foi apresentada uma dramatização em que cada lado recebeu uma quantidade limitada de informações sobre o outro. A tarefa era usar tais dados para fazer uma negociação, e a equipe que fizesse a melhor negociação receberia um prêmio. A equipe do meu amigo foi derrotada, e depois ele perguntou ao líder do grupo vencedor como eles haviam procedido. "Mentimos", disse ele. "Dissemos que o nosso custo inicial era superior ao que realmente era."

Então, meu amigo queixou-se à organizadora. "Eles venceram mentindo", afirmou ele. A organizadora, uma experiente mulher de negócios, que vinha ensinando habilidades de negociação há décadas, virou-se para ele e respondeu: "Onde não há verdade, não há mentiras."

Eu acrescentaria que, onde não há verdade, não há esperança de sinergia. Esses jogos enganosos estão se tornando cada vez mais inúteis na era da internet, em que é possível obter com facilidade informações comparativas sobre custos, qualidade e serviços. A "recusa", a "pechincha" e técnicas correlatas são relíquias de um tempo remoto, quando era preciso muito trabalho para se verificar as informações. Hoje, se você me disser que o seu preço é o melhor que posso conseguir — bem, é melhor você estar certo disso, porque posso verificar a sua afirmação no meu smartphone enquanto ainda estou diante de você. Posso descobrir tudo sobre sua empresa, seus concorrentes, seu produto, seus níveis de serviço e, até mesmo, sobre a sua pessoa. Está tudo lá, e você não conseguirá esconder.

A era do jogo de negociações tortuosas acabou. Ninguém mais tem paciência para isso. Aqueles que tentam enganá-lo revelam, simplesmente, o desrespeito deles com relação a você. Aqueles que dizem que tudo na vida se baseia nesse tipo de jogo de negociação vivem sob a mentalidade de escassez. Se pretendo pensar de acordo com a Terceira Alternativa, devo ter a mentalidade de abundância — a de que, juntos, poderemos chegar a alternativas infinitas e empolgantes, nas quais sequer havíamos pensado antes. Preciso vê-lo como um ser humano confiável, respeitoso e a quem valorizo, e não como o alvo de um golpe.

Muitas vezes, falando diretamente e escutando para compreender, podemos dispensar a necessidade de negociação. Meu filho David conta a seguinte história:

Minha filha Madeleine se inscreveu em um importante programa nacional de escrita criativa, mas foi recusada porque o curso estava cheio.

Minha reação imediata da Terceira Alternativa: "Não, não está cheio." Liguei para a mulher que o organizava e conversei um pouco com ela sobre Madeleine e sobre o tipo de pessoa que ela era e como estava realmente esperando ser aceita naquele programa. Eu disse: "Conte-me mais sobre a situação. Só quero entender, não estou tentando ser agressivo ou manipulador, de maneira alguma." Então, apenas escutei e, nesse processo, construí uma relação com aquela mulher. Vinte minutos após desligar ela mandou uma carta de aceitação para a minha filha.

A regra de hoje é a comunicação do Bastão da Fala. Eu negocio com você ouvindo-o para compreendê-lo. Falo diretamente e me mantenho totalmente transparente.

Procurando por Você

Estabelecer uma negociação da Terceira Alternativa requer o paradigma "Eu procuro por você". Isso significa que é necessária uma profunda empatia.

Quase todos os treinamentos de vendas lidam com habilidades de escuta. Na maioria das vezes, no entanto, o foco está na escuta em busca de "sinais de compra", e não de compreensão. Um dos livros campeões de venda sobre a arte da negociação menciona a escuta apenas uma vez e somente como uma "concessão" ao consumidor, o que "não lhe custa nada". Esse tipo de escuta não requer empatia alguma.

Se você valoriza a relação com a outra parte em uma negociação, a ouvirá ativa, reflexiva e empaticamente. Você não a ouvirá superficialmente, apenas esperando uma chance para atacar. Demonstrará empatia, porque esse é o tipo de *pessoa* que você é, e não apenas porque isso é útil para alcançar seus próprios interesses.

Se você estiver se esforçando para ser um parceiro sinérgico e não apenas um vendedor, a escuta empática vai fazê-lo se colocar no lugar de seus clientes. Você vai ver o mundo a partir da perspectiva deles, refletir com eles sobre as suas incertezas, sentir sua dor, compreender sua visão. Sei o quanto é difícil, como representante de vendas, se desvencilhar mentalmente de seu produto ou de sua solução; mas, se você for sensato, sairá de seu próprio espaço mental e entrará no deles. Como aconselha Mahan Khalsa: "Encare qualquer conversa como uma descoberta do desconheci-

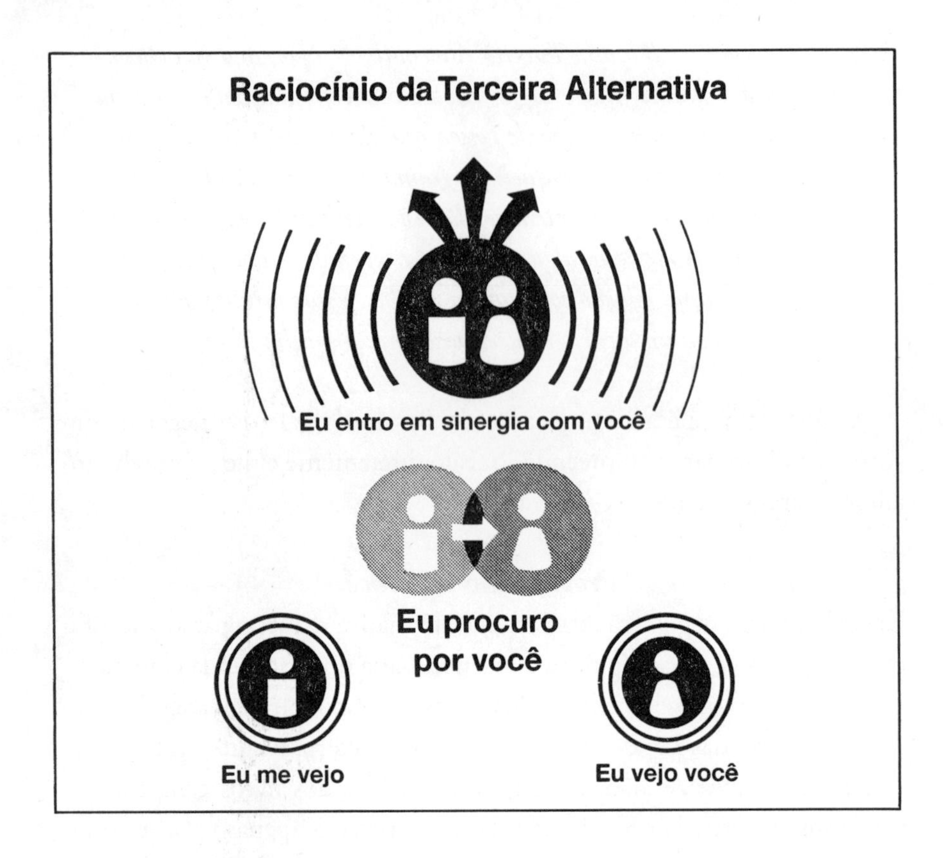

do. [...] Esclareça que não está encontrando a solução para o cliente. Ambos estão envolvidos em um processo de descoberta mútua."[65] Essa é uma percepção poderosa: trata-se de uma *descoberta* mútua de soluções, e não de uma *apresentação* de soluções. Nenhuma solução que você tenha em sua cartela de ofertas servirá exatamente àquele cliente. Mas, juntos, é possível que construam uma solução criativa que *vai* servir.

Se você estiver ouvindo com empatia, perceberá as frustrações dos seus clientes. Ouvirá expressões como: "Isto está nos matando"; "Estamos definhando"; "O que está nos impedindo de crescer é...". Você compartilhará a visão deles: "Se apenas pudéssemos..."; "Nosso objetivo maior é..."; "Consigo imaginar um dia em que...". Sua tarefa como praticante de sinergia é concentrar-se e sentir o peso de momentos como esses. Refletir e reafirmar as expressões de frustração e esperança. No fim,

---

[65] Mahan Khalsa, *Faça bem feito ou não faça* (São Paulo: Novo Século, 2012).

você lhes pedirá para transformarem tais expressões sutis em medidas duras. Da mesma maneira que um médico, você vai querer saber o quanto eles estão definhando. Em termos numéricos, vai querer saber o que essa visão significará para eles — qual seria o aumento da receita, qual o ganho na participação do mercado, como eles serão exatamente beneficiados ao alcançarem seus objetivos. Khalsa faz a seguinte observação sobre seus clientes: "Muitas vezes, eles não têm rigor intelectual ou emocional para descobrir qual a real consequência de seus problemas ou oportunidades. Chegar ao cerne da questão proporciona um valor agregado ao cliente."[66] Depois de descobrir quais são as mais profundas intenções de seus clientes e a contribuição que você pode fazer, é possível fixar adequadamente o preço de seus serviços. Você pode descobrir que o valor dos seus serviços supera em muito a tabela de preços que costuma utilizar. Talvez você solicite um percentual dos lucros. "Rasgue a sua tabela de preços fixos", aconselha Khalsa.

O vendedor que escuta é, evidentemente, o oposto do estereótipo do vendedor falante. A maioria dos profissionais de vendas fala demais, o que explica problemas como a inadequação ao cliente e os exageros. Até mesmo quando parecem estar ouvindo, eles estão falando — dentro de suas mentes.

Jim Usry, veterano executivo de vendas da indústria farmacêutica, diz que, anos atrás, o relacionamento entre os vendedores de medicamentos e os médicos evoluiu para uma forma de comunicação unilateral: "Enviávamos a mesma mensagem várias vezes seguidas, independentemente de o cliente estar interessado ou não. A estratégia das empresas de medicamentos naqueles dias era chamada de 'alcance e frequência' — mais representantes, ligando com mais frequência, para mais médicos. Chegamos ao ponto em que até oito representantes de uma empresa ligavam para um médico para oferecer um único produto, uma única mensagem e amostras de um mesmo medicamento." Apenas nos Estados Unidos, o número de representantes de vendas farmacêuticas cuja tarefa era ligar para os médicos chegou a 95 mil. "Era insustentável, ineficiente — insano."

Usry sabe que os médicos se ressentiam desse bombardeio: "O pobre médico tinha demandas crescentes em relação ao seu tempo. As organiza-

---

[66] Mahan Khalsa, *Faça bem feito ou não faça* (São Paulo: Novo Século, 2012).

ções de cuidados e serviços de saúde, os pacientes, o pessoal de escritório e as tarefas administrativas precisavam de atenção. Acrescente-se os representantes farmacêuticos à mistura e alguma coisa iria acontecer." Os médicos começaram a se revoltar: "Se eles me trouxerem algo novo, ouvirei. Mas não tenho tempo para ouvir a velha história de sempre; tenho pacientes para atender."[67] O dr. Jordan Asher, proeminente médico e executivo de cuidados de saúde do Sul dos Estados Unidos, representa a visão de muitos médicos: "A indústria farmacêutica não é muito diferente de uma empresa de fast-food. Ela é negociada publicamente, seu objetivo é fazer dinheiro para seus acionistas; a única diferença é que ela está no ramo de medicamentos. Toda a sua premissa é diferente da nossa. Seus representantes vão falar tudo o que puderem para concretizar uma venda."[68]

"Essa é a relação disfuncional", diz Usry. "Ninguém pergunta: 'Qual o lugar do paciente nesse panorama?'" Os muros entre os dois mundos eram — e ainda são — incrivelmente altos. Constantemente acusadas de tentar exercer influência junto aos médicos por meio de relações de amizade, subsídios, contratação de palestras e, inclusive, pagando almoços, as empresas farmacêuticas foram desistindo até mesmo desse tipo de contato.

Mas alguns pensadores mais sinérgicos romperam esse ciclo, encontrando Terceiras Alternativas, realmente ouvindo uns aos outros. Um exemplo é Jim Fuqua, um importante e altamente experiente representante de uma das principais empresas de medicamentos norte-americanas. "Divulgávamos e vendíamos produtos farmacêuticos há séculos", diz ele, "mas precisávamos nos reinventar para melhorar não só o nosso sucesso comercial, mas também as relações com os nossos clientes. Não havíamos conseguido demonstrar corretamente o nosso valor; ao contrário, só parecíamos um ótimo meio de acumular uma tonelada de dinheiro. Então, gastamos muito tempo para reestruturar o nosso modelo."

Entrando em Sinergia com Você

Ouvir é a base para uma sólida relação no ambiente de trabalho. Depois de desenvolver o hábito da empatia, é possível chegar à sinergia.

---

[67] Entrevista com Jim Usry, Nashville – TN, 3 de agosto de 2010.

[68] Entrevista com Jordan Asher, 15 de outubro de 2010.

Ironicamente, as empresas farmacêuticas estavam construindo muros entre si mesmas e seus clientes por meio do modelo de vendas "alcance e frequência". Quanto mais elas batiam nas portas, mais os clientes resistiam. Alguns hospitais, de fato, proibiram a entrada de vendedores de medicamentos em suas instalações. Mas quando pessoas como Jim Fuqua e seus associados começaram a ouvir os médicos em vez de falar com eles, as sinergias começaram a surgir. Usando a comunicação do Bastão da Fala com os médicos, Fuqua e seus companheiros perceberam o que eles realmente valorizariam nas empresas farmacêuticas, que era diferente do que estavam recebendo.

"Era a ciência. Era o que eles valorizavam. Eles queriam saber sobre as questões científicas acerca do uso adequado dos nossos produtos." Essa compreensão fez nascer uma abordagem da Terceira Alternativa para o cliente, um único e novo grupo de ciências da saúde composto de representantes de 24 empresas de primeira linha, que se reuniram com os médicos mais influentes do país. Fuqua coordenou a equipe: "O trabalho deles foi o de compreender as preocupações dos principais inovadores e certificar-se de recolher as melhores informações científicas, sem nenhum viés promocional."

Houve resistência dentro da empresa. Alguns líderes de vendas consideravam o grupo de ciências da saúde um desperdício de esforço: "O que eles estão vendendo? Onde estão os lucros?" Mas Fuqua defendeu a abordagem: "Sabíamos qual era a maneira mais eficaz de trabalhar com os médicos — fornecer-lhes algo de que eles necessitavam, em vez de anunciar um produto. Eles não precisam de mais amostras, mais folhetos ou mais bugingangas. Sabíamos que se chegássemos aos maiores inovadores eles influenciariam suas redes de médicos, e as vendas aumentariam."

Enquanto ouviam, tomaram conhecimento de outras questões que preocupavam profundamente os médicos. "O comprometimento dos pacientes é um grande problema. Os médicos dizem aos seus pacientes o que eles precisam fazer, mas eles não seguem as recomendações", afirma Usry. "Eles querem comer demais, fumar demais, não querem se exercitar — 'Me dê apenas uma pílula que melhore o meu estado'." A empresa começou a se concentrar em como melhorar o comprometimento dos pacientes: "Tomemos uma doença — o diabetes, por exemplo. É uma enfermidade muito

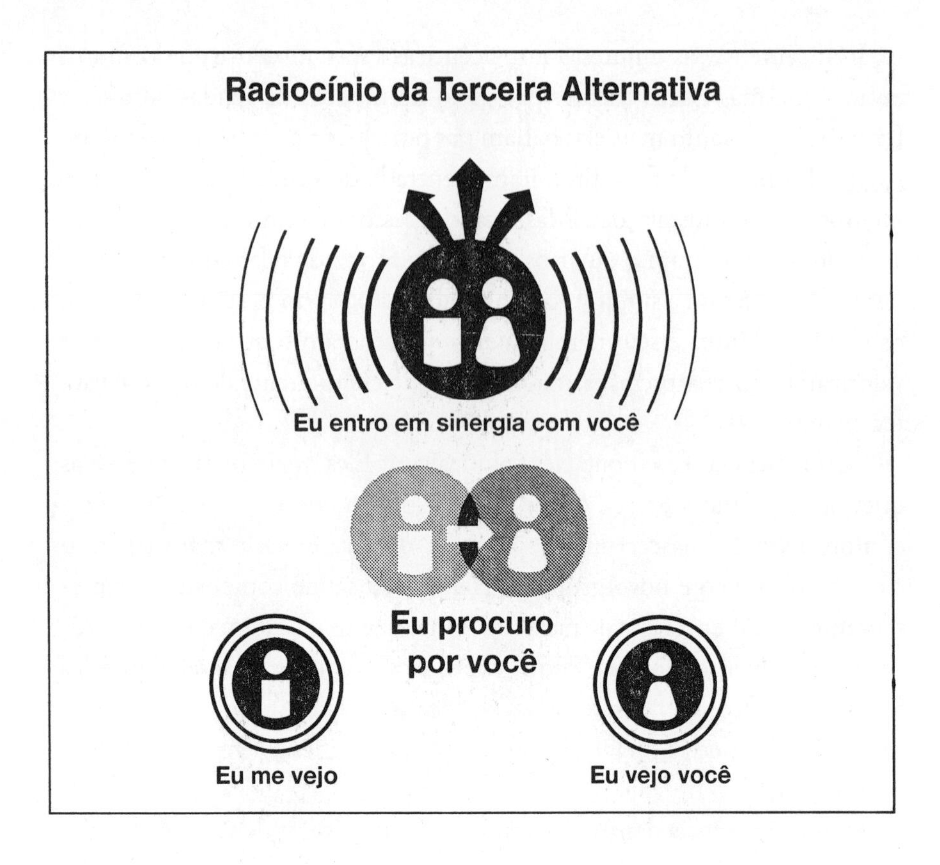

dispendiosa, o fardo da doença é enorme. Se conseguíssemos fazer com que os doentes se comprometessem, esse fardo diminuiria. Agora estamos falando de um interesse comum: fazer com que o paciente se comprometa com o tratamento. Bem, sou uma pessoa da indústria farmacêutica, quero que o meu produto seja prescrito pelo médico e, portanto, me beneficio disso; o médico fica satisfeito, e o paciente se sente melhor. Todo o sistema médico se beneficia porque os custos são muito menores."

Acontece que algumas das habilidades dos grandes profissionais de vendas também podem ser úteis aos médicos, de modo que eles possam incentivar seus pacientes a cooperarem. Os médicos podem "vender" o tratamento. Eles podem sondar as razões pelas quais o paciente não está se comprometendo e, depois, ouvir empaticamente para chegar às causas subjacentes. ("Você não tem tempo para fazer exercícios? Parece que tempo é um problema. Se eu pudesse lhe mostrar um programa de exercícios que não tomará muito tempo, você estaria disposto a tentar?") Eles podem fazer o acompanhamento com mais cuidado, como um vendedor faria. E, assim, nasce outra Terceira Alternativa: treinar os médicos na arte de vendas.

Outra questão que preocupa profundamente os principais prestadores de cuidados de saúde é a disparidade no atendimento. "Um exemplo perfeito é o Sudeste dos Estados Unidos", diz Fuqua. Medidas enérgicas são necessárias: "No Alabama, tem-se aproximadamente o número correto de médicos *per capita*, mas todos estão instalados nas mesmas quatro cidades. Não há quase ninguém na zona oeste do Alabama, onde constatamos grandes problemas de obesidade e doenças cardiovasculares, com 75% de prevalência. Exatamente onde o problema é pior, não temos cuidados de saúde." Então, Fuqua e suas redes começaram a se concentrar em reduzir tais disparidades: "Tínhamos produtos para esses problemas, de modo que trabalhamos para identificar algumas oportunidades estratégicas com pessoas que estavam tentando levar melhores cuidados de saúde para essas áreas. Não se pode fazer isso com um monte de representantes ligando para os médicos; não há para quem ligar. Nesse caso, o que se precisa fazer é dar um passo atrás, gastar algum tempo ouvindo a associação médica, os agentes públicos de saúde e as universidades, e ver como uma empresa do nosso tamanho pode ajudá-los."[69]

Ao passarem de "comerciantes ambulantes de medicamentos" a recursos valorosos, capazes de resolver os principais problemas de saúde, Usry, Fuqua e outros como eles estão descobrindo Terceiras Alternativas que funcionam para pacientes, médicos e suas próprias empresas — e, nesse processo, desfrutam de grande empolgação e satisfação.

Se eu tiver a mentalidade típica de negociação, só enxergarei Duas Alternativas: eu ganho ou você ganha; para mim, tudo na vida é feito de concessões e vitórias. É uma visão de soma zero do mundo. Por outro lado, se eu tiver uma mentalidade da Terceira Alternativa, vislumbrarei infinitas maneiras pelas quais você e eu poderíamos agregar valor. As transações de soma zero terminam em acordos, em ganha/perde ou perde/ganha. Por outro lado, as Terceiras Alternativas transformam o mundo. As pessoas

[69] Entrevista com Jim Fuqua, 18 de outubro de 2010.

mudam, se tornam mais abertas emocional e racionalmente, ouvem e aprendem, veem as coisas de maneiras diferentes, novas e mais expansivas. A transformação das pessoas é o grande milagre da Terceira Alternativa.

O objetivo da parceria sinérgica, como propõem Deepak Malhotra e Max Bazerman, estudiosos de Harvard, "não é simplesmente ajudar a chegar a acordos que ambas as partes *considerem* como 'ganha/ganha'; o objetivo é ajudar a maximizar o valor".[70] Todos no mundo dos negócios estão à procura do "grande diferencial", aquela coisa singular que os fará se destacarem no mercado. Gostaria de sugerir que o maior de todos os diferenciais — a única coisa que o tornará verdadeiramente único — é aprender a entrar em sinergia.

Sinergia Versus *Negociação Tradicional*

Se você trabalha sob a premissa do paradigma da sinergia estará pronto para encontrar, rotineiramente, Terceiras Alternativas no processo de negociação. As quatro etapas para se chegar a uma Terceira Alternativa contrastam drasticamente com as fases de negociação tradicionais.

Seja você o consumidor ou o vendedor, a negociação tradicional geralmente começa com um dos lados pedindo mais do que acha que pode receber. O eufemismo para isso é "sonhar alto". O consumidor quer obter o maior valor, pelo menor preço possível, e o vendedor quer obter o preço mais alto. Todos entendem que o movimento inicial é apenas uma maneira de descobrir o quanto a outra parte é irracional. Geralmente, há uma boa dose de recusa envolvida.

Nós, no entanto, somos sinérgicos. Para nós, essa etapa é um jogo infantil e uma perda de tempo. Em vez disso, comece fazendo a pergunta da Terceira Alternativa: "Estamos todos dispostos a fazer uma negociação que seja melhor do que qualquer um de nós já imaginou?" Em algumas situações precisaremos, talvez, ganhar o direito de fazer essa pergunta, estabelecendo um elo de confiança com as outras partes. Mas se tivermos construído uma boa reputação, não teremos nada a perder ao formular tal pergunta.

---

[70] Deepak Malhotra e Max H. Bazerman, *O gênio da negociação* (Rio de Janeiro: Rocco, 2009).

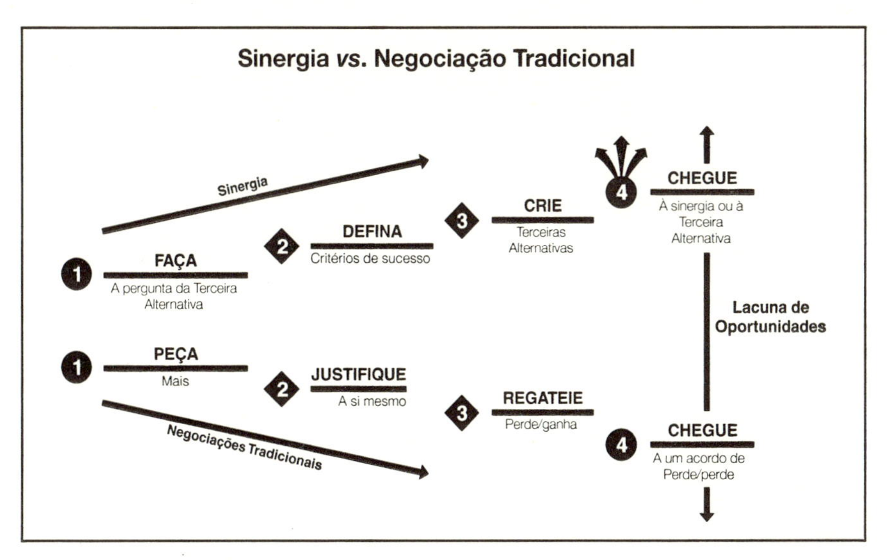

Sinergia *versus* Negociação Tradicional. A negociação tradicional é um jogo de leitura da mente, regateio e autojustificação. Ela enfraquece as relações e, geralmente, leva ao acordo, um perde/perde por definição. A sinergia fortalece as relações e leva ao ganha/ganha. Entre essas duas abordagens há uma ampla lacuna de oportunidades que não deveriam ser desperdiçadas em um mundo competitivo.

Na negociação tradicional, a próxima etapa após o movimento inicial é justificar tal movimento. Ninguém quer ceder muito com tanta facilidade e, então, ambas as partes racionalizam suas posições, trazendo à tona fatos, números e histórias incríveis para mostrar por que elas "sonharam alto". Mas se a outra parte estiver disposta a chegar a uma Terceira Alternativa, basta se reunir e definir os critérios de sucesso e o trabalho a ser feito. O que seria um resultado de ganha/ganha para todos nós? Então poderemos entrar em uma espécie de parceria para criar tal resultado.

O negociador tradicional se esforçou para se justificar e agora está pronto para a etapa seguinte. O eufemismo para essa etapa é "descubra os limites", mas, na verdade, trata-se apenas de regatear. Ambas as partes estão tentando obter o máximo do negócio, pelo menor custo que puderem, a fim de descobrir o quanto conseguem pressionar uma à outra até alguma delas desistir. Para nós, sinérgicos, regatear é desnecessário. A esta altura todas as partes estão profundamente empenhadas na criação de modelos para uma solução — Terceiras Alternativas. Esse trabalho é emocionante, criativo e enérgico, em parte porque ninguém sabe quais serão seus resultados.

A última etapa do cansativo processo tradicional é, finalmente, estabelecer um acordo, uma "última e excelente oferta", como se diz, que seja acatada por todos. Embora as partes se cumprimentem e sigam em frente mais ou menos satisfeitas, ninguém se sente realizado com o resultado. Afinal de contas, todos perdem algo em um acordo. Enquanto isso, nós, sinergistas, chegamos a uma Terceira Alternativa. É uma solução revigorante, bonita e imprevisível para o trabalho a ser realizado. Todos ganham — ela é mais benéfica do que pensávamos, nosso relacionamento se fortalece e podemos prosseguir, criando um futuro juntos.

A diferença entre essas duas abordagens é uma grande lacuna de oportunidades, que continua aumentando com o tempo; em um mundo competitivo, não podemos nos dar o luxo de pairarmos sobre essa lacuna. Enquanto os negociadores tradicionais desperdiçam suas energias tentando ler as mentes e manipular os outros apenas para acabarem entrando em um acordo qualquer, os que pensam de acordo com a Terceira Alternativa investem suas energias na transformação da relação, tendo as oportunidades futuras em mente.

O Poder Inovador da Sinergia

O mais extenso projeto de pesquisa já realizado em empresas de sucesso aponta o poder da inovação como o segredo da fórmula do sucesso empresarial sustentável. O Projeto Evergreen reuniu estudiosos de Harvard, Colúmbia, MIT, Dartmouth, da Wharton School e de muitas outras universidades ao longo de um período de dez anos. Sua tarefa: identificar o que diferencia as grandes e duradouras empresas, das medíocres.

Não surpreendentemente, eles descobriram que grandes empresas inovam de maneiras amplas, e não se mostram tímidas acerca do assunto: "Elas estão focadas nas grandes oportunidades, em uma ideia completamente nova para um produto ou em um avanço tecnológico que tenha potencial para transformar a sua indústria. [...] Para a maioria das empresas acostumadas a aumentos de dois dígitos no crescimento e nos lucros, melhorias modestas não são suficientes. Seu foco está voltado para a inovação de sucesso, para a ideia que surpreendará seus concorrentes."[71]

De onde vem a ideia "completamente nova" ou o avanço tecnológico? Especialistas em inovação dirão que a origem é a sinergia. Meu bom amigo, o professor Clayton Christensen, talvez o maior estudioso mundial desse tema, diz que a ideia de sucesso é sempre perturbadora.[72] Ela tende a aparecer "pelas beiradas", onde haja uma rica interação de diversos pontos de vista e estranhas conexões. Ela *não* vem do pensamento tradicional e homogêneo, que prevalece na maioria dos escritórios corporativos.

Trata-se de um paradoxo. Sabemos que grandes empresas podem ser altamente inovadoras, mas também sabemos que grandes inovações costumam aparecer por meio de distúrbios não convencionais e imprevistos no mercado. Então, como essas organizações bem-sucedidas, por definição parte do "mundo corporativo" relativamente inercial, se apoderam das grandes inovações?

Procurando-as fora de si mesmas! Elas entendem como funciona a sinergia e a cultivam ativamente. Muitas delas alimentam constantemente a Terceira Alternativa. Em contrapartida, as empresas medíocres desconfiam profundamente do pensamento inovador. Elas odeiam conflitos. Elas vivem em um universo de Duas Alternativas, no qual tudo se resume a "nós contra eles". Eles culpam as forças externas por sua falta de progresso e consideram as tecnologias transformadoras como ameaças. O especialista em criatividade Edward de Bono descreve essa psicologia peculiar: "As organizações que estão em apuros e precisam desesperadamente de novas ideias são as últimas a procurá-las. Tais companhias se convenceram de que não há nada de errado com o seu pensamento, mas que o 'mundo ao seu redor' está lhes fazendo passar por grandes dificuldades — portanto, não há por que reestruturar seu pensamento. [...] Certa vez, uma empresa mui-

---

[71] William F. Joyce, Nitin Nohria e Bruce Roberson, *O que (realmente!) funciona* (Rio de Janeiro: Campus, 2003).

[72] Ver seus livros *O dilema da inovação* (São Paulo: M.Books, 2012) e *The innovator's solution* [A solução do inovador] (Cambridge: Harvard Business Press, 2003).

to conhecida me disse que estava com tantos problemas sérios que não tinha tempo para a criatividade!! Talvez tenha sido esse tipo de atitude que a tenha levado a tais problemas."[73]

Enquanto isso, aqueles que pensam de acordo com a Terceira Alternativa amam os conflitos. Eles saúdam as percepções diversas, diferentes, novas e ricas que vêm de fora, enquanto mantêm o bem-sucedido negócio atual. Eles desenvolvem uma personalidade dividida, que alimenta tanto o presente quanto o futuro.

A cultura de uma organização da Terceira Alternativa é diferente da cultura de empresas sem criatividade. Os cientistas falam das "forças emergentes" existentes em um formigueiro, que podem ajudá-lo a prosperar nos lugares mais inóspitos, como sob uma fundação de concreto ou em uma rachadura no asfalto. O que eles chamam de "emergência" são as propriedades sutis de cada formiga se unindo e resolvendo o problema da sobrevivência. Gosto de comparar uma cultura da Terceira Alternativa com um recife de corais. Se você for mergulhar no Caribe ou no mar da Austrália, observará essas estruturas ornamentais ricas em peixes, algas, moluscos e plantas marinhas de todos os tipos e cores. A superfície do recife parece viva, balançando com a corrente marítima como se fosse um jardim ao vento, enquanto as partes mais profundas se transformam em pedra calcária. Os biólogos dizem que novas espécies de corais surgem nas "zonas limítrofes", onde há mais biodiversidade, mais interação com o que eles chamam de "centros de alta riqueza de espécies".[74] O mesmo vale para as organizações. Aqueles que valorizam as diferenças e buscam focos de diversidade de pensamento prosperarão, enquanto os que adotam a mentalidade defensiva se tornarão calcificados e se extinguirão. O melhor local para encontrar sinergia é "nas zonas limítrofes", onde pessoas com forças e pontos de vista divergentes se agrupam.

---

[73] Edward de Bono, "Criativity only for the successful?" [Criatividade apenas para os bem-sucedidos?], 12 de novembro de 2001. Disponível em: http://www.edwdebono.com/msg09i.htm.

[74] Ann F. Budd e John M. Pandolfi, "Evolutionary novelty is concentrated at the edge of coral species distributions" [A novidade evolutiva está concentrada nos limites das distribuições de espécies nos corais, *Science*, 10 de junho de 2010, p. 1.558.

Equipes da Terceira Alternativa

A verdadeira inovação depende da sinergia, e as sinergias exigem diversidade. Duas pessoas que veem as coisas exatamente da mesma maneira não podem entrar em sinergia. Nesse caso, um mais um é igual a dois. Mas duas pessoas que veem as coisas de maneira diferente *podem* entrar em sinergia e, para elas, um mais um pode ser igual a três, dez ou mil. Portanto, as empresas inovadoras se organizam deliberadamente em equipes de pessoas com forças muito divergentes. Uma equipe complementar é aquela em que os pontos fortes se tornam produtivos e os fracos, irrelevantes; os membros da equipe complementam, ou completam, uns aos outros. Somente uma equipe como essa é capaz de criar a Terceira Alternativa.

Eu trabalho com uma equipe complementar. Os pontos fortes dos membros da minha equipe compensam as minhas fraquezas. A tecnologia moderna é um dos meus pontos fracos, mas o conhecimento de meus associados sobre o assunto torna essa fraqueza irrelevante.

Não há limites para o tamanho ou a configuração de uma equipe complementar; ela pode conter duas pessoas ou o mundo inteiro. Mas essa equipe deve respeitar as diferenças em vez de repeli-las, e ser desprovida de excesso de confiança e territorialismo, grandes inimigos da sinergia.

Divergência Convergente

Equipes complementares revelam percepções divergentes. Elas reproduzem o ambiente de um recife de corais, onde conexões férteis podem ser realizadas e sinergias podem ser desenvolvidas. Como diz o escritor Steven Johnson: "Permita que a sua consciência se conecte com a consciência de outras pessoas. Você tem a metade de uma ideia, alguém tem a outra metade, e se vocês estiverem no ambiente certo, elas se transformarão em algo maior do que a soma das partes."[75]

Uma fantástica equipe complementar é o grupo Intellectual Ventures, fundado por Nathan Myhrvold, ex-diretor de tecnologia da Microsoft. Ele

---

[75] Steven Johnson, "Where good ideas come from" [De onde vêm as boas ideias], *TED.com*, julho de 2010. Disponível em: http://www.ted.com/talks/steven_johnson_where_good_ideas_come_from.html.

reúne profissionais com formações incrivelmente divergentes para resolver problemas importantes "por diversão e lucro", como ele diz. Um desses problemas é como transportar vacinas para pessoas de países em desenvolvimento e salvar milhões de vidas.

As vacinas devem ser mantidas em baixa temperatura o tempo todo; caso contrário, estragam e se tornam inúteis. Mesmo alguns minutos de exposição a temperaturas elevadas pode destruir toda uma remessa de vacinas; e, então, vidas são perdidas e milhões de dólares desperdiçados. Isso é simples de evitar em países desenvolvidos, que têm fornecimento estável de refrigeração e energia, mas nos países em desenvolvimento é um grande problema. Para resolver a questão Myhrvold reuniu em seu laboratório em Washington uma equipe bastante inusitada: especialistas em máquinas de venda automática, máquinas de café e armas automáticas. Sua invenção parece uma grande garrafa térmica; dentro, há uma outra garrafa, onde as vacinas são acondicionadas e, entre as garrafas, há um reservatório de nitrogênio líquido frio. Para que a vacina se mantenha em baixa temperatura a garrafa não pode ser aberta; assim, um gatilho ejeta um frasco de vacina, da mesma maneira que uma máquina de venda automática ejeta uma lata de refrigerante. Para manter o lacre e impedir a entrada de ar quente, a garrafa funciona como um tambor de balas de um rifle de ataque AK-47. Essa engenhoca de baixo custo pode manter as vacinas em baixa temperatura durante seis meses, sem nenhuma fonte de energia sequer — e salvar milhões de pessoas de doenças debilitantes.

Enquanto isso, o raciocínio de Duas Alternativas continua se disseminando. Políticos, empresários, economistas e engenheiros discutem sobre como fornecer aos países em desenvolvimento energia elétrica e refrigeração com algum nível de estabilidade. Para eles, a luta é entre o socialismo e o capitalismo, as corporações e os populistas, a energia renovável e os combustíveis fósseis. Essas lutas territoriais podem ser interessantes, mas enquanto os poderosos debatem, as pessoas adoecem e morrem por falta de vacinas viáveis. Myhrvold diz: "Talvez um recipiente melhor para acondicionar as vacinas seja apenas um paliativo para o real problema da pobreza e do subdesenvolvimento, mas isso pode fazer uma enorme diferença para milhões de crianças, aliviando o fardo da doença por gerações inteiras, que de outra maneira cairiam doentes enquanto esperam que as rodas do progresso movimentem sua sociedade."[76] A Terceira Alternativa de Myhrvold é o produto de uma equipe complementar que entrou em sinergia para resolver um problema desafiador. Se você consegue imaginar uma sala com pessoas conectando máquinas automáticas de refrigerante, potes de café e rifles AK-47, é possível ter uma imagem do Teatro Mágico de Nathan Myhrvold. Ninguém, nem mesmo o brilhante líder da equipe, poderia surgir com essa solução sozinho.

Adoro esta observação feita pelo romancista Amy Tan: "A criatividade é a sinergia somada ao que mais importa."[77] Sem dúvida, isso se aplica à equipe da Intellectual Ventures.

Formando Equipes Sem Fronteiras

Uma das grandes vantagens do nosso século de alta tecnologia é que as equipes complementares não têm fronteiras. Os grupos conseguem criar sinergias que seriam inimagináveis apenas alguns anos atrás. Podemos conversar, conhecer e refletir com qualquer um, em qualquer lugar, sempre que quisermos. Os únicos muros que permencem em nosso caminho são culturais, e algumas grandes organizações estão trabalhando arduamente para demolir até mesmo esses.

Um exemplo maravilhoso é a LEGO, fabricante de brinquedos dinamarquesa, considerada por muitos a empresa mais confiável do mundo. A LEGO considera seus milhões de consumidores parte ativa de uma equipe complementar.

Como você reagiria se os consumidores começassem a invadir secretamente os computadores de sua empresa? Chamaria a polícia, certo? Quando isso aconteceu com a LEGO, ela reagiu com consternação, como qualquer um faria. Mas, então, a empresa se perguntou: "Por que os consumidores estão fazendo isso?" E, por ser a LEGO, os executivos ficaram fascinados com a questão, e resolveram experimentar a comunicação do Bastão da Fala com os responsáveis.

---

[76] Nathan Myhrvold, "On delivering vaccines" [Distribuindo vacinas], *Seedmagazine.com*, 30 de dezembro de 2010. Disponível em: http://seedmagazine.com/content/article/on_delivering_vaccines/.

[77] Tan, "Creativity" [Criatividade], Ted.com.

Ao conversar com os hackers, a LEGO descobriu que eles eram fãs dos seus produtos e que gostariam de contribuir com suas próprias criações. Os hackers haviam invadido os computadores para que pudessem acessar o sistema de estoque da empresa e encomendar peças individuais que, normalmente, vinham embaladas com outras peças. Tormod Askildsen, diretor de desenvolvimento comunitário da LEGO, lembra-se do seguinte:

> *Nossos advogados estavam prontos para ir atrás desses consumidores e dizer: "Vocês não podem fazer isso." Mas também percebemos que havia muito talento e habilidades extraordinárias do lado de lá, na comunidade. Sim, eles estão mexendo em nosso produto, mas fazendo melhorias. Então, basicamente, permitimos que os consumidores invadissem nosso sistema, o que é incrível. Se você confia em seus consumidores, então eles podem fazer algo que seja realmente um benefício. A marca LEGO não é nossa. É dos consumidores. Detemos a marca, sim, mas a marca vive na mente dos consumidores.*[78]

Então, a LEGO desenvolveu um software para viabilizar aos fãs a criação de novos projetos de brinquedos e para incentivá-los a compartilhar seus projetos com outros consumidores. Como resposta foram recebidas centenas de milhares de ideias para novos produtos, que a LEGO não precisa mais desenvolver. "Essa é a plataforma da LEGO no século XXI", diz Askildsen. "É dessa maneira que poderemos ser relevantes. Poderemos realmente fazer uma linha de produtos que será totalmente desenhada pelos consumidores, e colocá-la à venda."

Na concepção daqueles que pensam em apenas Duas Alternativas, a LEGO não tinha outra escolha a não ser interromper aquilo que era, claramente, uma violação ilegal de seus sistemas internos, ou então sofrer as consequências. O raciocínio bidimensional e legalista teria eliminado essa enorme oportunidade de negócios em um piscar de olhos. Mas o raciocínio da Terceira Alternativa foi o vencedor quando a LEGO descobriu uma maneira inteiramente nova de fazer negócios: os clientes projetariam os

---

[78] *The world's most trusted company* [A empresa mais confiável do mundo], vídeo da FranklinCovey, 2008.

produtos, enquanto a empresa forneceria as matérias-primas. Essa sinergia pura teria sido impossível se a LEGO não tivesse uma cultura da Terceira Alternativa. A mentalidade corporativa tradicional faz o que pode para acabar com esse tipo de ação. Mas, como diz o jornalista britânico Charles Leadbeater, "as organizações inteligentes adotarão novos modelos, misturando o 'fechado' e o 'aberto' de modo engenhoso". Ele descreve uma organização inteligente, que conheceu na China:

> *Em um dos 2.500 arranha-céus construídos em Xangai nos últimos dez anos encontrei-me com o líder da Shanda Games Ltd., que tem 250 milhões de assinantes. Ele emprega apenas 500 pessoas. Ele não presta serviços a esses clientes; ele lhes dá uma plataforma, regras, ferramentas e, em seguida, organiza a ação. Mas, na verdade, o conteúdo é criado pelos próprios usuários. Ele cria uma fidelização entre os usuários e a empresa.*
>
> *Se você for uma empresa de jogos e tiver 1 milhão de jogadores, é preciso que apenas 1% deles se transforme em cocriadores, e você terá uma mão de obra de desenvolvimento de 10 mil pessoas.*

Assim como a LEGO e a Shanda, as grandes organizações procuram avidamente por sinergias com as áreas de pensamento inovador entre seus próprios consumidores. O mundo todo é o seu Teatro Mágico. Leadbeater vai além, fazendo perguntas provocadoras. "E se 1% de todos os estudantes fosse cocriador da educação? E se 1% dos pacientes fosse cocriador dos serviços hospitalares? Vamos transformar os usuários em produtores e os consumidores em criadores?"[79]

Fusão por Meio da Terceira Alternativa

Empresas se fundem por muitas razões: aumento de escala, acesso a novos mercados, diversificação e assim por diante. Acredito que a formação de uma equipe sinérgica e complementar é, de longe, o motivo mais impor-

---

[79] "Charles Leadbeater on innovation" [Charles Leadbeater fala sobre inovação], *TED.com*, julho de 2007. Disponível em: http://www.ted.com/talks/charles_leadbeater_on_innovation.html.

tante para se fazer uma fusão ou adquirir outra empresa. É uma oportunidade inestimável para criar uma empresa da Terceira Alternativa, para tornar o todo maior do que a soma de suas partes.

No entanto, poucas fusões chegam, realmente, à sinergia. Um estudo de referência, feito pela KPMG, mostrou que "83% das fusões e aquisições corporativas não conseguem aumentar o valor para os acionistas".[80] Na verdade, com mais frequência do que o inverso — em 60% dos casos —, a maioria dos assim chamados meganegócios derruba o valor para os acionistas.[81] "A falsa promessa de sinergias estratégicas", diz Jeffrey Rayport, o criador do marketing viral, "criou um rastro de lágrimas em Wall Street."[82]

Por que isso acontece? Porque, muitas vezes, as fusões são motivadas não pela sinergia, mas pela arrogância. Outro grande estudo descobriu que "a arrogância dos diretores-executivos se associava plenamente" à grande maioria das fusões, "conforme se poderia depreender dos elogios e das compensações da mídia" — em outras palavras, *status* e dinheiro para os principais líderes.[83] Um exemplo clássico é o inchaço histórico da Saatchi & Saatchi, a lendária agência de publicidade que em 1980 tentou se tornar "a empresa líder mundial de prestação de serviços profissionais". Esse objetivo levou-a a se fundir com dezenas de "negócios em relação aos quais não possuía nem competência nem paixão. [...] Como Maurice [Saatchi] costumava dizer: 'Não é o suficiente ser bem-sucedido, é preciso que os outros fracassem'". Mas a sua febre de fusão levou ao colapso de uma empresa que

---

[80] D. R. King *et al.*, "Meta-analyses of post-acquisition performance: indications of unidentified moderators" [Meta-análises de desempenho pós-aquisição: Indicações de moderadores não identificados], *Strategic Management Journal*, fevereiro de 2004, resumo; "KPMG identifies six key factors" [KPMG identifica seis fatores-chave], Riskworld.com, 29 de novembro de 1999. Disponível em: http://www.riskworld.com/pressrel/1999/PR99a214.htm.

[81] Anand Sanwal, "M & A's losing hand" [Perdendo a mão com a M & A], *Business Finance*, 18 de novembro de 2008.

[82] Jeffrey F. Rayport, "Idea fest" [Festival da ideia], *Fast Company*, 31 de dezembro de 2002. Disponível em: http://www.fastcompany.com/magazine/66/ideafest.html?page=0962C5.

[83] Patrick A. Gaughan, *Mergers, acquisitions, and corporate restructuring* [Fusões, aquisições e reestruturações societárias] (Nova York: Wiley, 2007), p. 159.

havia sido gigantesca. O próprio Maurice Saatchi confessou mais tarde: "Arrogância? Sim, acho que você tem razão."[84]

Quando as fusões acontecem, os líderes falam sobre as sinergias que serão obtidas; com muita frequência, porém, é apenas uma afirmação retórica — um disfarce para a arrogância velada. É por isso que muitos empresários são alérgicos à própria palavra "sinergia". Toda a empolgação sobre sinergia parece inautêntica quando se sabe que uma fusão pode fazer com que líderes executivos se tornem "verdadeira, titânica e estupendamente ricos", principalmente quando a maioria das empresas que participam da fusão apresenta um desempenho insuficiente, "enquanto os executivos se beneficiam de grandes e incomparáveis salários".[85] As fusões são realmente bem-sucedidas apenas quando produzem sinergia, e as sinergias não podem acontecer quando os empregados de duas diferentes culturas são desmoralizados e seus empregos ficam ameaçados. Em última análise, são eles que devem criar o negócio da Terceira Alternativa que nasce da fusão de duas empresas distintas. O mesmo estudo da KPMG, que citei, identificou a sinergia como o primeiro e mais difícil critério a atender quando se opta pela fusão. Devemos praticar a fusão apenas quando pudermos criar uma equipe complementar, quando pudermos ver claramente que nossos pontos fortes são oportunidades para a outra empresa e que os pontos fortes da outra empresa são oportunidades para nós.

"A sinergia é real", assegura-nos o dr. Peter Corning. "Seus efeitos são mensuráveis ou quantificáveis: por exemplo, aumento de escala, maior eficácia, redução de custos, rendimentos mais elevados."[86] Conforme Jeffrey Rayport aponta: "A sinergia é uma estratégia transformadora para os negócios. É a sinergia que pode criar negócios e indústrias inteiramente novos."[87]

---

[84] Sydney Finkelstein, *Por que executivos inteligentes falham* [São Paulo: M.Books, 2007).

[85] Gretchen Morgenson, "No wonder CEOs love those mergers" [Não é de se espantar que os diretores-executivos adorem essas fusões], *The New York Times*, 18 de julho de 2004.

[86] Peter A. Corning, "The synergism hypothesis" [A hipótese do sinergismo], 1998. Disponível em: http://www.complexsystems.org/publications/synhypo.html.

[87] "The new business conversation starts here" [As novas conversas de negócios começam aqui], *Fast Company*, 31 de dezembro de 2002. Disponível em: http://www.fastcompany.com/magazine/66/ideafest.html?page=0962C5.

E cria mesmo. Mais de um século atrás, Henry Royce e o honrado Charles Rolls se encontraram pela primeira vez no saguão do Hotel Midland, em Manchester, Inglaterra. É impossível imaginar dois homens mais diferentes. O grisalho e barbudo Royce, filho de um moleiro, era um mecânico experiente, conhecido por seu perfeccionismo na construção de guindastes a vapor para o Exército britânico. Com 2m de altura, Rolls era maior que Royce não apenas na altura, mas também no *status*. Com apenas 27 anos de idade, Rolls era filho de um barão, um dândi privilegiado e o primeiro estudante universitário inglês a possuir seu próprio carro. Na Inglaterra eduardiana, um enorme abismo social se interpunha entre esses dois homens. Mas ambos adoravam carros. Naqueles dias, o recém-criado automóvel era pouco mais do que uma cara curiosidade — e muito pouco confiável. Por três anos Royce vinha trabalhando em sua oficina com um modelo de carro francês e tinha certeza de que poderia fazer algo melhor. Sua filosofia era: "Esforce-se para atingir a perfeição em tudo que fizer. Pegue as melhores coisas que existem e faça com que fiquem ainda melhores. Quando elas não existirem, invente-as."

O carro manufaturado por Royce impressionou Rolls, que tinha dado início a um novo tipo de negócio: uma exibição de automóveis no refinado West End londrino. Ele também estava insatisfeito com os carros franceses de sua exposição. Assim, o jovem e rico patrocinador e o velho e calejado mecânico decidiram lançar a empresa de automóveis Rolls-Royce.

Essa era uma empresa da Terceira Alternativa, um casamento entre a manufatura de alta qualidade e um ostentoso senso de negócios. Enquanto Royce passava a trabalhar para construir um carro com a melhor engenharia do planeta, Rolls concebia um desenho cor de prata para a carroceria e uma campanha publicitária que atrairia todos os negócios da alta classe britânica. Em 1907, o primeiro Silver Ghost, assim chamado por conta de seu brilho e motor silencioso, saiu da fábrica.

Rolls assumiu um risco enorme e convidou a imprensa para acompanhar um teste de resistência do novo carro ao redor do país. Os repórteres se surpreenderam com o desempenho do carro. "O motor sob o capô poderia ser uma silenciosa máquina de costura", escreveu um deles. Dia após dia, ao longo de infinitos quilômetros percorridos pelas paisagens inglesas, eles ficaram na expectativa de que o carro quebrasse, mas isso nunca aconteceu. Finalmente, percorridos cerca de 24 mil quilômetros, eles deram o teste por encerrado e declararam que o Silver Ghost era "o melhor carro do mundo". A reputação da Rolls-Royce nasceu. Até hoje ela continua sendo considerada uma marca renomada na indústria automobilística.

A Rolls-Royce, que sobreviveu à ascensão e à queda de mais de 200 outros fabricantes de automóveis britânicos, ainda produz o Ghost. Em fevereiro de 2011 ela lançou o primeiro carro elétrico de luxo, o 102EX, autocarregável e sem fio. Segurado em US$ 57 milhões, o Silver Ghost original de 1907 é o carro mais valioso do mundo.

A fusão da ostensiva revendedora de Rolls e da imunda oficina de construção de guindastes de Royce era algo novo, um negócio da Terceira Alternativa. Os dois homens cresceram amando e respeitando um ao outro. Quando Rolls morreu, em um acidente de avião, Royce ficou emocionalmente abalado e nunca mais conseguiu pisar na fábrica. Mas seu legado persistiu. A fusão baseou-se na afeição pessoal, no profundo respeito para com as forças complementares e em uma visão compartilhada de excelência.

Nenhuma fusão pode ser realmente bem-sucedida sem esses elementos. Não se pode esperar por sinergia alguma. A fusão não é apenas uma questão de combinar os ativos das empresas. Quando se propõe uma fusão, pisa-se em solo sagrado — na subsistência, na identidade e nos sonhos de muitas pessoas. A comunicação do Bastão da Fala é essencial. Se você respeitar as pessoas, se as enxergar como mais do que meras descrições funcionais e procurar entender seus pontos fortes, descobrirá mais tesouros escondidos do que supunha. Descobrirá sinergias que não imaginava existir.

Habilidades da Terceira Alternativa

A equipe complementar rende mais em um ambiente onde a sinergia pode acontecer. Carl Rogers compreendeu isso: "Descobri que se eu puder ajudar a criar um clima marcado pela autenticidade, pela valorização e pela compreensão, coisas estimulantes acontecem. As pessoas e os grupos que desfrutam de um clima como esse deixam para trás a rigidez e caminham rumo à flexibilidade, [...] mudam da previsibilidade para uma criatividade imprevisível."[88]

---

[88] Carl Rogers, *Torna-se pessoa* (São Paulo: Martins Fontes, 2009).

Então, como se estabelece um clima como esse? Encontrar uma Terceira Alternativa requer que se faça a pergunta: "Será que estamos dispostos a procurar uma solução que seja melhor do que aquilo que qualquer um de nós imaginou antes?" Se a resposta for sim, nos tornamos criadores, e não simplesmente perpetuadores de velhas ideias. Mas é preciso mais do que apenas a determinação de ser criativo. De Bono afirma: "É praticamente inútil exortar a criatividade. Quando as técnicas e habilidades específicas são aplicadas, torna-se possível gerar novas ideias em qualquer campo." Essas técnicas e habilidades específicas são encontradas no Teatro Mágico. Lembre-se de que o princípio que rege o Teatro Mágico é a abundância, não a escassez. O pensamento deve prosperar, brotar e florescer. Se o Teatro Mágico não se parecer com uma selva de ideias quando você terminar, não houve sinergia. Qualquer prática que promova esse tipo de abundância pode levar à descoberta da Terceira Alternativa.

Prototipagem e Contratipagem

Deixe-me ajudá-lo a se concentrar em duas práticas-chave do Teatro Mágico:

- Faça modelos. Desenhe imagens em quadros-negros, esboce diagramas, construa maquetes, faça rascunhos. Mostre o que pensa em vez de contar; exiba para que todos possam ver o que você tem em mente. Essa prática é chamada de "prototipagem".
- Transforme ideias nas mentes dos outros. Subverta a sabedoria convencional, não importando o quanto isso pareça fora de propósito. Essa prática é chamada de "contratipagem".

Um *protótipo* é um modelo construído para testar uma ideia. Pode ser qualquer coisa, desde um simples esboço em um quadro até uma amostra totalmente funcional de um produto. Engenheiros eletrônicos constroem placas-mãe e engenheiros de software constroem wireframes para simular um produto final. Um escritor pode elaborar um rascunho detalhado com esboços de gráficos e tabelas muito antes de escrever qualquer texto e, em seguida, pedir que outras pessoas o revisem. Um empresário pode fazer experiências com uma configuração espacial diferente para a sua loja, apenas para testar um conceito.

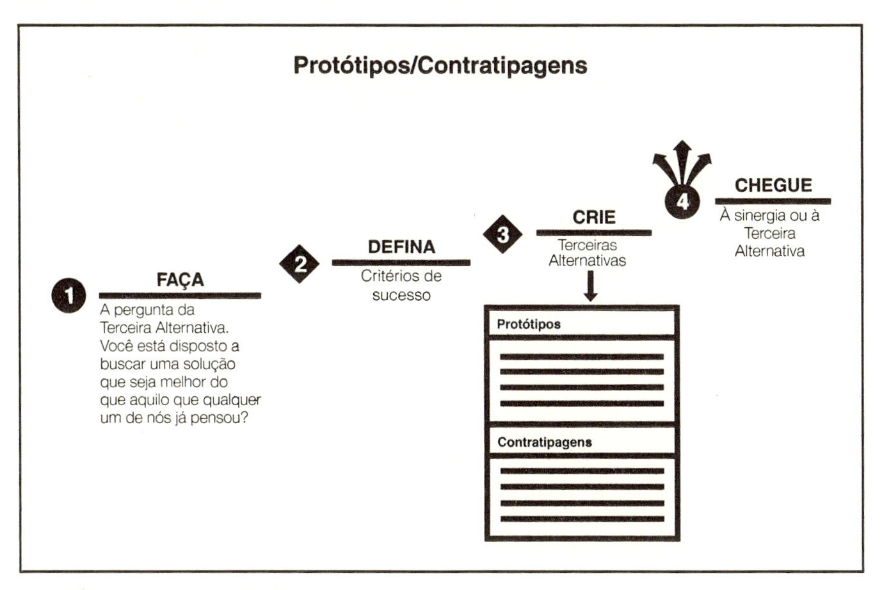

Protótipos/Contratipagens. Duas maneiras de criar Terceiras Alternativas. Um protótipo é um esboço, um modelo, uma maquete, um projeto rápido de solução. A contratipagem é idêntica, mas ela transforma as coisas, desafia suposições, subverte as abordagens convencionais. Use os dois para testar alternativas junto a outros públicos.

A vantagem de fazer uma prototipagem com uma equipe complementar é a possibilidade de obter forte percepção de todas as questões logo no começo, em vez de quando for tarde demais. A prototipagem *rápida* significa trabalhar com agilidade em uma série de protótipos, para que todos se sintam ouvidos e compreendidos antes de o debate começar. Ela exige a comunicação do Bastão da Fala. À medida que você explica o seu protótipo, o meu trabalho é ouvir o seu raciocínio, visualizar a imagem como você a propõe e compreender as percepções que você traz para a questão. Quando chegar minha vez de mostrar à equipe o meu protótipo, você fará o mesmo por mim.

É possível perceber por que é essencial ter um grupo diversificado de pensadores. O protótipo que apresento reflete a minha visão de mundo, a minha parcela da verdade. Se eu for uma pessoa sensata, vou querer ver muitos outros protótipos, que reflitam outras parcelas da verdade. Só então chegaremos juntos a soluções sólidas que respondam a todos os problemas que temos em mãos. Por exemplo, é comum que programadores de computador criem um rápido protótipo de um programa e convoquem um grupo diversificado de partes interessadas para revisá-lo imediatamente, levantando questões a partir daí. Um cliente pode considerá-lo difícil de usar; outro engenheiro pode apontar uma falha; um comerciante pode questionar a aplicabilidade do software. É melhor descobrir essas questões o mais cedo possível.

Uma *contratipagem* é um modelo que subverte as expectativas. Geralmente, as contratipagens são as soluções mais criativas de todas; ao virar uma suposição de cabeça para baixo, quase sempre descobrimos maneiras totalmente novas de resolver um problema. O propósito de uma contratipagem é provocar, desafiar, ver o que desperta nas mentes da equipe.

A mais simples das contratipagens desmonta a maneira usual de se agir. Por exemplo, uma contratipagem de uma locadora de veículos pode levar o carro até você, em vez de ficar esperando você ir buscá-lo. Uma contratipagem de uma companhia de energia elétrica pode pagar pelo excesso de eletricidade que você gasta em casa, em vez de lhe cobrar mais e mais em função de uma reduzida capacidade de geração. Ou você pode se cansar de surfar no mar e sob o sol, levar a sua prancha para as montanhas e surfar na neve, como no snowboard.

Adoro as envolventes contratipagens de Edward de Bono. Ele sugere, por exemplo, que as crianças poderiam formar "gangues positivas", obtendo a mesma satisfação de pertencer às usuais gangues negativas, mas beneficiando a sociedade. Eis aqui a contratipagem que ele propõe para lidar com a redução do valor dos imóveis:

> *Quando o mercado imobiliário está em baixa, os compradores tendem a esperar até que ele baixe ainda mais. Por que comprar agora, quando você pode conseguir um preço mais baixo em poucos meses? E, então, o mercado baixa ainda mais, porque algumas pessoas precisam vender e reduzir seus preços.*
>
> *Poderíamos criar um novo tipo de contrato. O vendedor vende ao preço de hoje, mas no contrato com o comprador estabelece que em um ano (ou dois), se o índice do preço da casa tiver baixado mais de 12%, então o vendedor reembolsará esses 12% ao comprador. Não há sentido*

em ficar esperando. Portanto, o mercado para de baixar e talvez você não tenha de reembolsar nada.[89]

As ideias de contratipagem têm crescido na economia do século XXI. Por exemplo, a Nike agora compra tênis, em vez de apenas vendê-los. Eles até trituram tênis velhos e reciclam a borracha para aplicar em pistas de corrida, no material para revestir quadras de basquete e na espuma que favorece a elasticidade nas quadras de tênis. A Walkers, fabricante de batatas chips do Reino Unido, eliminou o uso de água na limpeza desses legumes. As batatas limpam a si mesmas, por meio de um processo em que se extrai sua umidade natural. Contratipagem é o que há.

A contratipagem evita o "pensamento de grupo", aquela síndrome fatal de equipes cujos membros pensam de maneira muito semelhante. Quanto mais todos compartilharem a mesma visão, mais você vai precisar de contratipagens como antídotos para ideias fracas e irrefletidas que possam ser adotadas apenas para se chegar a um consenso. Em um exemplo famoso de contratipagem, George Romney, que assumiu a direção da combatente American Motors Company (AMC) na década de 1950, percebeu que os automóveis americanos estavam ficando maiores a cada ano — e consumindo cada vez mais combustível. Ele rompeu o pensamento de grupo dos fabricantes de automóveis dos Estados Unidos, que assumiam que seus consumidores queriam dirigir imensos "dinossauros beberrões de gasolina" e propôs uma contratipagem, com a ideia do "carro compacto". Sua empresa produziu o pequeno Rambler, que bateu recordes de vendas em 1958. Essa contratipagem mostrou à indústria que muitos de seus consumidores só queriam ir de um lugar para o outro e que não se importavam com o tamanho dos automóveis. Todas as empresas começaram a fazer seus próprios carros compactos e em 1977 a maioria dos automóveis produzidos nos Estados Unidos tinha encolhido para o tamanho do Rambler ou para tamanhos até menores.

---

[89] Edward de Bono, "Positive gangs" [Gangues positivas], 2 de março de 2009. Disponível em: http://sixthinkinghats.blogspot.com/2009/03/edward-de-bonos-weekly-message-positive.html. "Property market" [Mercado imobiliário], 4 de novembro de 2008. Disponível em: http://www.makinginnovationhappen.blogspot.com.

Todos os membros de uma equipe deveriam propor contratipagens livremente. Esse papel é mais do que o de um advogado do diabo, que desafia ideias e levanta objeções. Um contratipista subverte o pensamento do grupo, vira um protótipo de cabeça para baixo e sugere o oposto: "Vamos comprar tênis, em vez de apenas vendê-los" ou "Quanto aos automóveis, talvez *menos* seja o novo *mais*".

A prototipagem e a contratipagem são maneiras rápidas e eficientes para que equipes complementares cheguem a uma Terceira Alternativa. A meta é a solução emocionante que transcende todos os nossos protótipos e resolve o problema de um modo milagroso. Podemos chegar à prevenção da malária com uma arma de laser para eletrocutar mosquitos. Se quisermos manter as vacinas em baixa temperatura, podemos chegar à criação de um recipiente duplo Dewar que dispara frascos como uma AK-47 — algo absurdo, nunca antes previsto — e ficar satisfeitos com esse resultado!

Misturando Protótipos

Geralmente, a Terceira Alternativa surge a partir da combinação de elementos de vários protótipos. À medida que você passa pelo processo de prototipagem, perceberá nos modelos das outras pessoas grandes ideias nas quais nunca pensou. Por exemplo: na década de 1990 muitas empresas de produtos eletrônicos de consumo estavam se esforçando para lançar no mercado um disco ótico que pudesse reproduzir vídeos digitalmente. Todas elas se lembravam da custosa guerra entre os formatos de vídeo VHS e Betamax; por quase dez anos a indústria irritou os consumidores, hesitando (à clássica maneira de Duas Alternativas) ao decidir em qual dos padrões investir. Temendo outra medição de forças, os líderes da indústria se reuniram e formaram uma equipe complementar chamada Technical Working Group [Grupo de Trabalho Técnico], ou "TWIG" [GALHO], para chegar a um formato padrão de vídeo digital. Presidido por Alan Bell, dos laboratórios IBM, o TWIG revisou inúmeros conceitos. Engenheiros altamente competitivos de empresas como Toshiba, Sony, Phillips, Apple e IBM tiveram chance de apresentar os seus protótipos e aprender uns com os outros. No fim, o TWIG privilegiou a

Toshiba e seu disco de superdensidade de dois lados, com a enorme capacidade de dez gigabytes. Mas os engenheiros também ficaram impressionados com um conceito da Sony e da Phillips, chamado de "Modulação EF", que eliminava o problema dos pulos e da aderência causado por poeira, arranhões ou impressões digitais.

O produto final foi lançado por um consórcio de empresas em 1996. Chamado de "disco digital versátil", ou DVD, ele combinou as melhores características de vários protótipos e foi uma solução muito melhor do que aquilo que qualquer uma das empresas poderia ter criado por si mesma. O DVD se tornou descontroladamente popular; no ano de pico, em 2007, 1,7 bilhão de DVDs foram distribuídos, gerando uma receita de US$ 24 bilhões.[90]

A solução mais sólida surge, geralmente, quando se reúne o maior número possível de mentes, o mais cedo possível. O processo de prototipagem viabiliza isso.

Encontrando Protótipos na Natureza

Em recifes de corais, florestas tropicais, desertos — em todos os lugares para que se olhe —, constatamos que o mundo natural produz milagrosas sinergias. Há uma abundância de exemplos instrutivos, como descreve, lindamente, o escritor William Powers :

> *Os processos industriais humanos conseguem produzir a fibra de Kevlar, mas é preciso uma temperatura de milhares de graus para fabricá-la, e a fibra sobrevive graças ao ácido sulfúrico. Em contrapartida, uma aranha fabrica a sua teia — que, por grama, é várias vezes mais forte do que o aço — à temperatura ambiente, em água. Os seres humanos fabricam cerâmica em temperaturas igualmente elevadas, mas o haliote, molusco típico de mares temperados, constrói a sua concha lançando uma pequena camada de proteína na água do mar e precipitando o cálcio ao seu redor. A concha do haliote é autorregenerável, pois as rachaduras em seu interior realmente fortalecem suas extremidades para*

---

[90] Jim H. Taylor *et al. DVD demystified* [O DVD desmistificado] (Nova York: McGraw-Hill Professional, 2006).

que tais rachaduras não aumentem, ao contrário, digamos, de um pa-ra-brisa de automóvel.[91]

Se eu fosse fabricante de coletes de fibra de Kevlar, poderia querer contratar um aracnologista, um especialista em aranhas. Se eu fosse construtor, poderia querer integrar um biólogo marinho à equipe. Imagine um colete à prova de impacto feito de teia de aranha, ou uma janela que se autorregenera como uma concha de haliote. Repleta de possibilidades, a natureza está apenas esperando que façamos as conexões.

Um dia, em 1941, por exemplo, um engenheiro elétrico suíço chamado George de Mestral voltou para casa de uma temporada de caça acompanhado por seu cão. Tanto ele como o cão estavam cobertos de carrapichos. Ao recolher os irritantes carrapichos do pelo do cão, ele se perguntou por que eles eram tão aderentes. Colocando o carrapicho sob o microscópio, ele observou minúsculos ganchos anexados aos pelos e, de repente, percebeu que estava diante de um fixador natural, que poderia substituir botões e zíperes. O resultado da ida de De Mestral ao bosque foi a invenção do velcro. Anos mais tarde, quando o velcro já era um produto de enorme sucesso, De Mestral brincou com os fabricantes: "Se algum de seus funcionários pedir duas semanas de férias para ir caçar, digam sim."

Ivy Ross foi nomeada chefe de projeto de produto da fabricante de brinquedos Mattel, em Los Angeles, após uma fase ruim da empresa. Muitos sentiam que a Mattel havia perdido a sua criatividade. Enquanto Ross pensava em maneiras de inspirar um novo espírito inventivo na Mattel, ela deparou com um artigo sobre o ornitorrinco da Austrália. Um dos animais mais incomuns da natureza, o ornitorrinco parece um castor, mas tem bico e pés semelhantes aos de um pato. Produz veneno como um réptil e põe ovos como um pássaro. Ross decidiu construir uma equipe de desenvolvimento de produto tomando o ornitorrinco como modelo, com pessoas de diversas formações e funções. Ela reuniu em seu Teatro Mágico um ator da Disney, funcionários da contabilidade e responsáveis pela criação de embalagens, um psicólogo, um neurocientista, um pesquisador de música e ar-

---

[91] William Powers, *Twelve by twelve* [Doze por doze] (Novato, CA: New World Library, 2010), p. 74-75.

quitetos. Ela enviou a equipe para parques, apenas para observar as crianças brincando. Então, os "ornitorrincos", como eram chamados, logo ficaram muito ocupados. Em um mês eles conceberam 33 protótipos de novos brinquedos. Depois de mais algumas semanas, eles produziram o Ello, um engenhoso conjunto de peças de construção que levou à formação de um segmento de brinquedos para meninas inteiramente novo. A equipe complementar Ornitorrinco se tornou uma lenda da Mattel e deu origem a muitos outros grupos similares. Ivy Ross descreve o que acontece quando ela organiza uma equipe Ornitorrinco:

> *Logo no início, todos querem saber sobre prazos. Todos querem saber sobre as etapas do processo. Digo que a única coisa que sei é que, em 12 semanas, precisamos ter desenvolvido uma nova e inédita oportunidade para a Mattel, e que precisamos providenciar todas as coisas: o plano de negócios, os produtos, a embalagem. Como vamos chegar lá? Ainda não sei. É uma aventura. Meu trabalho é, então, deixar as coisas acontecerem de forma orgânica. A auto-organização consome tempo. "Meu Deus, estamos empenhados nisso há oito semanas e ainda não temos um produto." Eu lhes digo para relaxar, para não entrar em pânico, pois o caos faz parte do processo. Recomendo-lhes que visitem os lagos asfálticos de La Brea, passeiem pelo jardim zoológico e voltem com uma nova perspectiva. E, de repente, acontece. [...]*
>
> *Acontece o momento "Aha!". Alguém entra em um fluxo de pensamento, a ideia ganha corpo e as pessoas começam a olhar umas para as outras. De repente, elas sabem que estão diante de algo brilhante. E não é algo que apenas uma pessoa sente. Todo mundo sente. Quando isso acontece, mesmo que seja mais para o fim do jogo, as pessoas ficam tão animadas que fazem o que for preciso para somar forças. Todos trabalham o mais arduamente possível para fazer a ideia funcionar, porque eles estão investindo nela. Estamos realmente colaborando e construindo ideias em conjunto, em oposição ao antigo modelo, em que todos trabalham em nichos e competem uns com os outros. Essa é a verdadeira colaboração.*[92]

---

[92] David Womack, "An Interview with Ivy Ross" [Uma entrevista com Ivy Ross], *Business Week*, 19 de julho de 2005.

Naturalmente, o que Ross está descrevendo é o processo de sinergia. Ela reúne uma equipe com as diferentes forças do ornitorrinco. O resultado é uma explosão de criatividade.

Provocando Protótipos

Perguntas provocativas podem desbloquear a imaginação e estimular novas alternativas: "E se tivéssemos de resolver este problema utilizando apenas os produtos dos quais dispomos?" ou "E se tivéssemos de resolver este problema sem recurso algum?" ou "E se tivéssemos recursos ilimitados?". Por exemplo: Barry Nalebuff, estrategista da Escola de Administração de Yale, constrói protótipos conceituais perguntando-se: "O que Croesus faria?" Na mitologia grega, Croesus era um rei de riqueza insondável. Nalebuff diz que essa pergunta pode levar a soluções inventivas, mas, ainda assim, administráveis. Suponha que você queira assistir a um filme qualquer, a qualquer hora. Se você fosse multibilionário, como resolveria o problema? Eis aqui a resposta de Nalebuff:

> *Em sua época, Howard Hughes tinha um estilo parecido com o de Croesus: gastar dinheiro e encontrar soluções para os problemas. Imagine que estamos em 1966 e que você é Hughes. Às vezes, você tem um desejo incontrolável de assistir a velhos filmes de Humphrey Bogart. Infelizmente, o videoteipe ainda não havia sido inventado. O que você faz?*
>
> *Hughes comprou uma estação de televisão de Las Vegas e usou-a como seu videocassete particular. Sempre que queria, chamava o gerente geral da estação e indicava-lhe qual filme colocar naquela noite. Sabemos que a estação exibiu várias vezes* Casablanca *e* O falcão maltês.[93]

Ao fazer-se a pergunta Croesus, você não começa com uma solução prática — começa com a melhor solução que é possível imaginar. Você compraria sua própria estação de tevê. A partir daí, é possível moderar suas ambições e partir para um protótipo mais prático, de uma máquina ou de um serviço on-line, que lhe trariam o mesmo resultado.

---

[93] Barry Nalebuff e Ian Ayres, "Why not?" [Por que não?], *Forbes.com*, 27 de outubro de 2003.

Modelos de Negócios de Contratipagem

Toda empresa quer ser uma empresa da Terceira Alternativa — ou, pelo menos, *deveria* querer ser. Dezenas de estudos revelam que há algo de singular em toda empresa bem-sucedida. Nenhuma delas é idêntica, sendo semelhantes a uma dúzia de outras empresas. Elas se destacam por terem encontrado forte sinergia com seus clientes e funcionários. Quando se consulta a literatura sobre a fidelização do cliente e dos funcionários, percebemos que essas grandes empresas encontraram uma fórmula de contratipagem para conquistar níveis extraordinários de credibilidade e confiança.

Consciente ou inconscientemente, as empresas da Terceira Alternativa passam por uma fase de contratipagem, em que divergem da norma. Muitas vezes, seus modelos de negócios vão contra o que, superficialmente, parece indicar o bom-senso. Com frequência, elas subvertem a sabedoria convencional de modo cativante.

Pense na Disney, que gasta consideravelmente para encontrar, treinar e desenvolver as pessoas certas para compor as equipes de seus parques de alta categoria. Quem mais investe em funcionários como a Disney? Pense na Costco, uma atacadista que transporta apenas uma fração dos produtos transportados por outros supermercados, mas cujos clientes a seguem como um rebanho, tal qual crianças em uma caça ao tesouro. Pense na Singapore Airlines, em que até mesmo os passageiros dos ônibus desfrutam de um serviço personalizado sem comparação: descansos para os pés, telefone pessoal e uma taça de champanhe. As refeições chegam quentes da cozinha, conforme solicitadas pelo cliente, como em um restaurante gourmet. A Singapore faz tudo isso e consegue lucrar, em um momento em que muitas companhias aéreas abandonaram por completo os serviços ao cliente e, ainda assim, continuam perdendo dinheiro.[94]

Cada uma dessas empresas da Terceira Alternativa tem um modelo de negócios de contratipagem. Cada uma faz coisas que nenhuma outra pensaria em fazer. O que todas têm em comum é o fato de estarem preparadas para fugir do convencional e realmente tratar seus clientes como seres hu-

---

[94] Pervez K. Achmed *et al.*, *Learning through knowledge management* [Aprendizagem através da gestão do conhecimento] (Maryland Heights, MO: Butterworth-Heinemann, 2002), p. 283.

manos, e não como códigos de reserva ou meros números. Como diz Chew Choon Seng, diretor-executivo da Singapore Airlines: "Afinal de contas, esta ainda é uma indústria focada em pessoas. Desde o momento em que se conversa com um agente de viagem, até o embarque no avião e o recolhimento da bagagem, estamos lidando com pessoas."[95] Todos os dias eles se propõem responder esta variante da pergunta da Terceira Alternativa: "O que podemos fazer hoje pelo nosso público que seja melhor do que qualquer outra coisa que já tenha sido pensada?"

Um dos meus melhores amigos, um consultor que trabalha no Canadá, organizou um seminário sobre sinergia, próximo a Toronto. Cerca de 40 pessoas do ramo de negócios participaram do seminário — fabricantes, comerciantes, advogados, funcionários públicos, contadores, enfermeiros. Eram de todas as idades e pertenciam a todos os grupos étnicos, e bem mais da metade era formada por mulheres. Em certo momento do seminário meu amigo perguntou se alguém na sala se candidataria a servir de cobaia em um experimento de sinergia.

Um homem bem-vestido e de fala mansa, sentado na primeira fila, levantou a mão. Vamos chamá-lo de Rinaldo. Meu amigo perguntou-lhe qual era a situação dele.

"Sou dono de uma grande loja de ferragens", começou ele. Era possível distinguir um leve sotaque latino em sua voz. "Trabalhei muitos anos para construí-la, e tenho uma clientela maravilhosa. Tem sido um bom negócio, e eu gostaria de vê-lo crescer. Mas acho que está tudo acabado. Dois grandes centros de varejo serão construídos na minha cidade. Não um, mas dois! Minha loja está no meio do caminho entre ambos. Eles são enormes e poderosos. Certamente, não conseguirei competir com eles nos preços, e estou com medo de que meus clientes não tenham muita escolha a não ser me abandonar."

Meu amigo engoliu em seco e virou-se para o grupo do seminário, que estava em completo silêncio. Podia-se notar que todos haviam simpatizado com aquele homem.

---

[95] Siva Govindasamy, "Interview: Singapore CEO Chew Choon Seng" [Entrevista: Chew Choon Seng, diretor-executivo da Singapore], *FlightGlobal*, 21 de janeiro de 2010. Disponível em: http://www.flightglobal.com/articles/2010/01/21/337362/interview-singapore-ceo-mastigar-choon-seng.html.

"Certo", disse meu amigo. "Temos de salvar o Rinaldo. Vamos fazer experiências de contratipagem. O que Rinaldo pode fazer para manter seus clientes? Que ideia poderíamos sugerir que ainda não tenha sido proposta?" E o grupo começou a trabalhar avidamente. Usando canetas marcadoras e papel de *flip-chart*, concebeu contratipagens, novos modelos de negócio que virariam o mundo de pernas para o ar e fariam o estabelecimento de Rinaldo prosperar. Tudo isso em um tom alto e caótico — o delicioso tipo de caos que se observa quando as pessoas estão animadas.

Quando meu amigo anunciou o fim do prazo estipulado, era óbvio que as pessoas estavam ansiosas para compartilhar suas ideias. E as ideias fluíram. Havia centenas de sugestões, como:

- Por que esperar que os clientes venham até você? Vá até eles! Coloque um caminhão cheio de produtos na estrada e leve-o até os locais de obras.
- Você conta com funcionários experientes. Transforme sua loja em um centro de aprendizagem, onde as pessoas possam obter bons conselhos de verdadeiros especialistas sobre projetos de obras.
- Dê início a um serviço expresso. Se um cliente ligar ou enviar uma mensagem precisando de um equipamento, vá entregá-lo!.
- Se quero um prego, venda-me apenas um prego, para que eu não tenha de comprar um pacote inteiro.

As sugestões mais produtivas vieram das mulheres que estavam na sala. Muitas delas falaram sobre como as lojas de construção civil e de ferragens as intimidavam, e o quanto gostariam de uma loja que se adaptasse às suas necessidades e interesses. Rinaldo deveria contratar mulheres, treinar mulheres, descobrir de quais produtos as mulheres mais precisam para os projetos domésticos. "Contratipagem! Que tal uma loja de ferragens para mulheres?", uma delas sugeriu.

Meu amigo disse que foi a sessão de contratipagem mais produtiva que ele presenciou. As muitas profissões e perspectivas na sala forneceram uma rica mistura de ideias, e Rinaldo corou de satisfação. "Agora tenho esperanças", disse ele. Nos meses seguintes, ele reestruturou totalmente seu modelo de negócio para transformá-lo em uma contratipagem das grandes lojas de produtos para construção civil. Enquanto aquelas lojas vendiam produtos genéricos e seu pessoal destreinado oferecia um olhar vago, Rinaldo demonstrava experiência e atenção pessoal admiráveis, com um olhar especial para as consumidoras. Fosse qual fosse a ação dos grandes varejistas, Rinaldo reagia a isso.

De um lado da cidade estava a Grande Loja A e, do outro lado, a Grande Loja B. Elas lutavam pela participação de mercado em um clássico confronto de Duas Alternativas, embora não houvesse muita diferença entre as duas. Enquanto isso, Rinaldo, a Terceira Alternativa, ficava no meio, felizmente distinguindo-se de ambas e satisfazendo a sua crescente clientela com uma excepcional mistura de serviços e habilidades.

Essas organizações da Terceira Alternativa são marcadas por um profundo respeito e empatia por seus funcionários e pelas pessoas com quem fazem negócios. Elas estão sempre se fazendo a pergunta da contratipagem: "O que podemos fazer para subverter o convencional, para virar as coisas de pernas para o ar, não só para nos distinguir no mercado, mas também para fornecer um valor radicalmente excepcional às pessoas com quem convivemos?"

O que você acharia de um restaurante em que os clientes decidem quanto pagarão por uma refeição? Sob quaisquer padrões, a Panera Bread é um sucesso. Com milhares de padarias em estilo de cafés distribuídas em 40 estados norte-americanos, a Panera tem como missão "colocar um pão sob cada braço". Ela ocupa uma das posições mais altas dos Estados Unidos entre os restaurantes de comida leve quanto à fidelização de clientes. E, agora, a Panera quer retribuir.

"A Panera Cares é um novo tipo de café, [...] um café comunitário de responsabilidade partilhada." A empresa abriu vários desses restaurantes de contratipagem, em que os clientes pagam o que acreditam que devem pagar. O objetivo, diz o presidente da Panera, Ron Shaich, "é assegurar que todos os que precisam de uma refeição possam fazê-la. As pessoas são encorajadas a levar o que querem e a doar uma cota que considerem justa. Não há preços ou caixas registradoras, apenas níveis de doação sugeridos e urnas de doação". Alguns clientes doam mais que outros, alguns doam muito e alguns doam pouco. Alguns oferecem o próprio trabalho em troca da comida. Shaich descobriu que cerca de um terço dos clientes deixa mais do que a doação sugerida. Os cafés cobrem seus custos e são autossuficientes.[96]

Acredito que os cafés de contratipagem da Panera resultarão em um retorno infinitamente maior do que os valores que a empresa tem investido. A Panera está conquistando a boa vontade das pessoas de bem. Ela está transformando bairros onde, às vezes, as pessoas precisam de um refúgio para as tempestades da vida. Ela está dando às pessoas uma chance de ajudar a si próprias e umas às outras. A Panera está nos ensinando que há mais de uma maneira de lucrar no mundo dos negócios.

Encontrando Contratipagens no Mundo em Desenvolvimento

A perspicácia dos países emergentes está virando o mundo de pernas para o ar. As tecnologias ágeis, de baixo custo e baixo consumo de energia do mundo em desenvolvimento são surpreendentemente inovadoras e podem mudar drasticamente a economia global.

Em uma visita à Mongólia, meu amigo Clayton Christensen estava passeando em um mercado e deparou com alguns aparelhos de televisão econômicos, movidos a energia solar. Eles funcionavam muito bem, e o preço era baixo. Ele se perguntou se esse tipo de produto poderia atrapalhar os grandes e pesados investimentos e a infraestrutura da indústria de energia elétrica tradicional. "Estas tevês estão mais perto do que o povo espera. As pessoas não querem gigantescas redes de energia; elas querem aparelhos de televisão que funcionem."

Quase metade das casas na Índia não tem eletricidade. Sem energia elétrica, milhões de pessoas sofrem com o desemprego e a falta de oportunidades educacionais. Além disso, a escassez de energia elétrica prejudica, de fato, o meio ambiente; os milhões de fogareiros utilizados nas tarefas domésticas acabam poluindo a atmosfera. Grandes debates são travados

---

[96] "Panera Bread Foundation opens third Panera Cares community café in Portland, OR" [Panera Bread Foundation abre terceiro Café Comunitário em Portland, OR], *Marketwire*, 16 de janeiro de 2011; Bruce Horovitz, "Non-Pofit Panera Café" [Café Panera sem fins lucrativos], *USA Today*, 18 de maio de 2010; "Panera's pick-what-you-pay Café holds its own" [Café Panera escolha-quanto-pagar se destaca], Reuters, 28 de julho de 2010. Disponível em: http://blogs.reuters.com/shop-talk/2010/07/28/paneras-pick-what-you-pay-cafe-holds-its-own/.

ano após ano sobre como levar energia elétrica para o povo. As corporações lutam contra os ambientalistas, as cidades lutam contra os interesses rurais, os políticos lutam entre si. Tal como no resto do mundo, o raciocínio de Duas Alternativas pode bloquear qualquer progresso significativo.

Enquanto isso, um jovem engenheiro e pensador da Terceira Alternativa de Bangalore, chamado Harish Hande, fez a si mesmo a pergunta da contratipagem: como gerar eletricidade para as pessoas com custo quase zero e, ao mesmo tempo, salvar o meio ambiente? Que tal algo que seja melhor do que aquilo em que qualquer pessoa já tenha pensado?

Hoje, Hande encontrou uma maneira de levar uma eletricidade totalmente limpa e com custo praticamente nulo aos seus conterrâneos indianos. Sua empresa, a Selco India, já instalou 115 mil sistemas de energia solar de baixo custo. Seus clientes, sejam eles trabalhadores diaristas ou pequenas empresas, pagam algumas centenas de dólares por um sistema de 40 watts que consegue iluminar uma pequena casa. Poucos deles têm dinheiro e, então, Hande lhes arranja crédito. Como resultado, as crianças podem fazer seus deveres de casa sob uma luz brilhante e limpa, em vez da iluminação a querosene. As pequenas lojas têxteis que sofriam com as quedas de energia podem agora manter suas máquinas de costura funcionando durante todo o dia. As famílias podem cozinhar seus alimentos sobre fogões elétricos, em vez de utilizarem fogareiros fumacentos. Um jovem motorista de táxi pode carregar as baterias extras de seu táxi de três rodas e duplicar a sua renda. A iluminação pública proporciona segurança para as vilas mais remotas.

A Terceira Alternativa de Harish Hande tem transformado a vida de milhares de famílias no Sul da Índia. O mesmo está acontecendo na China, onde uma empresa chamada Chi Sage desenvolveu uma bomba reversível de aquecimento, que resfria ou aquece as casas utilizando qualquer fonte de água, incluindo poços, córregos ou lagos próximos, a baixo custo e sem impacto sobre o meio ambiente.[97]

Essas e outras inovações ambientalmente neutras e de baixo custo poderiam facilmente perturbar a economia dos países mais desenvolvidos, pensa o professor Vijay Govindarajan, de Dartmouth: "Podemos estar à beira

---

[97] "What American entrepreneurs can learn from their foreign countrerparts" [O que os empresários norte-americanos podem aprender com seus pares estrangeiros], *MIT Entrepreneurship Review*, 6 de dezembro de 2010.

de uma nova era, na qual as inovações acontecerão primeiro nos países em desenvolvimento. [...] A cereja do bolo da globalização é que tais inovações se estendem não só a outros mercados emergentes, mas, mais importante que isso, podem se expandir para o mundo desenvolvido."[98]

Vivemos em uma época em que pensadores da Terceira Alternativa estão se conectando ao redor do globo. Agora, são comuns as conexões entre, digamos, um engenheiro de energia solar da Índia, um patrocinador dos Estados Unidos e uma equipe de produção da China. Sinergias de negócios inéditas na história estão borbulhando em toda parte. Mas é preciso uma mudança de paradigma para participar dessa revolução. Temos de saber conviver em um mundo onde contratipagens podem surgir da noite para o dia e derrubar todas as convenções. Não podemos apenas reconhecer o raciocínio da Terceira Alternativa e colocá-lo em prática — temos de ser *bons* nisso.

A Idade da Sinergia

Em certo ponto, as empresas não existem mais. O velho limite entre o interior e o exterior se desintegrou à medida que a distinção entre o consumidor e o funcionário também se evapora. *Todos* são consumidores. A maré da tecnologia tem rompido as velhas barreiras de tempo e distância. O modelo da Era Industrial da fortaleza corporativa está se desgastando em uma era de transparência e flexibilidade. Não somos mais unidades em um organograma. Conectamo-nos como seres humanos ou não nos conectamos de modo algum.

Acredito, no entanto, que muitas pessoas ainda estão trancafiadas detrás dos muros remanescentes da prisão da Era Industrial. Eis aqui alguns dos comentários de nossa pesquisa Grandes Desafios:

- "Todos os dias sinto que me esforcei mais no trabalho, mas não recebo quase nada em troca."

---

[98] Vijay Govindarajan, "Reverse innovation at Davos" [Inovação reversa em Davos], *HBR Blogs*, 4 de fevereiro de 2011. Disponível em: http://blogs.hbr.org/govindarajan/2011/02/reverse-innovation-at-davos.html#.

- "Estou buscando sentido no trabalho que faço. Realizar um trabalho sem sentido é difícil e leva rapidamente ao esgotamento e à depressão."
- "Às vezes, não consigo saber para onde vou e qual é o propósito do meu trabalho."
- "Gosto do meu trabalho, mas não o amo; ele não 'alimenta' a minha alma. Neste ponto da minha carreira, passei tantos anos trabalhando que nem sei o que faria se não estivesse fazendo exatamente o que faço hoje."
- "É um problema o descompasso entre os meus valores e os valores do setor financeiro no qual trabalho."
- "Perceber essa falta de propósito me dá a sensação de que não estou fazendo diferença no mundo."
- "Os proprietários microgerenciam todos os aspectos do negócio."
- "Muitas vezes as pessoas tentam superar um conflito por meio do confronto, exacerbando inconscientemente o problema."
- "Os conflitos organizacionais aumentam o abandono do emprego e prejudicam a manutenção da consistência."
- "Alguns gerentes se recusam a admitir a culpa e sempre levam o crédito por aquilo que não fizeram. Eles repassam mais trabalho para os outros, em vez de fazê-lo por si mesmos."

Observe os sentimentos de falta de objetivo, isolamento e injustiça. As pessoas que não se sentem parte de algo bom, de algum esforço sinérgico que seja maior do que elas, enchem-se de dúvidas. Agora, os únicos muros remanescentes estão dentro de nós. São muros culturais, mentais: "Estou sozinho aqui. Não tenho propósito algum, sensação algum, de pertencimento. Não compartilho esses valores. Como acabei passando a minha vida nesta prisão?" Os muros interpessoais nos prendem dentro de nossos minúsculos territórios e de uma mentalidade culpada e defensiva: "Se você é diferente, você é uma ameaça. Se não vê as coisas do meu jeito, espere até eu derrotá-lo."

Como é libertador deixar para trás o raciocínio aprisionador de Duas Alternativas, aquela arrogante obsessão consigo mesmo. Isso parece muito arcaico em uma época de sinergia mundial.

Você já trabalhou com uma equipe verdadeiramente sinérgica? Quando percebeu que não poderia se dar o luxo de perder um único membro da equipe? Quando você pôde brilhar como indivíduo e, mesmo assim, sentir profunda ligação com o outro, como se fossem uma só pessoa? Quando vocês passaram a crescer juntos e suas capacidades combinadas se fortaleceram dia após dia? Quando vocês se surpreenderam com os resultados da Terceira Alternativa que estavam produzindo? Quando você se divertiu e se emocionou apenas por estar vivo e acompanhado? Tenho vivenciado isso muitas vezes, e sinto muito por aqueles que nunca passaram por essa experiência. Para mim, o vínculo de amor com os amigos que trabalham comigo é muito mais forte do que o reduzido alcance de uma posição ou outros ganhos pessoais.

"Nem o poder nem o dinheiro têm impacto sustentável sobre a felicidade — a felicidade dos indivíduos, das parcerias, dos relacionamentos ou das organizações", diz meu amigo Colin Hall, lendário líder empresarial sul-africano. As pessoas se engajam e ficam felizes no trabalho "somente quando há abundância de sinergia e o todo é maior que a soma das partes".[99]

---

[99] Colin Hall, "Mergers and acquisitions" [Fusões e aquisições], *Learning to lead*, novembro de 2004. Disponível em: http://www.ltl.co.za/public-library/mergers-and-acquisitions.

ENSINAR PARA APRENDER

A melhor maneira de aprender com este livro é ensiná-lo a alguém. Todo mundo sabe que o professor aprende muito mais do que o aluno. Então, encontre alguém — um colega de trabalho, um amigo, um familiar — e transmita-lhe as percepções que você adquiriu. Faça as perguntas provocativas da lista a seguir, ou formule as suas próprias.

- Por que "lutar" e "fugir" são os dois paradigmas dominantes de liderança na maioria das organizações? O que acontece quando um líder quer lutar? E quando um líder quer fugir?
- Descreva a liderança da Terceira Alternativa. De que modo ela difere do "lutar ou fugir"? Quais são os benefícios da liderança da Terceira Alternativa?
- Como os paradigmas da sinergia podem ajudá-lo a resolver um conflito no trabalho?
- Como o excesso de confiança impede que um líder ou uma organização chegue à sinergia?
- Quais são os perigos de uma abordagem transacional para o conflito? Quais são os benefícios de uma abordagem transformacional?
- Descreva as diferenças entre a negociação tradicional e a negociação da Terceira Alternativa. Quais são os paradigmas de um negociador da Terceira Alternativa? Como é possível chegar a uma parceria sinérgica com as outras partes em uma negociação?
- O que significa dizer que "a sinergia começa nas zonas limítrofes"? Como você aproveitaria as oportunidades desse conhecimento?
- Descreva uma equipe sinérgica ou complementar. Como ela se diferencia das equipes comuns? Por que a diversidade é tão importante em uma equipe desse tipo? O que podemos aprender com a história da LEGO sobre a mentalidade de uma equipe sinérgica?
-

- Explique como os processos de prototipagem e contratipagem funcionam. Por que tais processos são tão úteis para uma equipe sinérgica? O que podemos aprender com a história de Rinaldo ou com as outras histórias apresentadas neste capítulo sobre esses processos?
- Acredito que os cafés de contratipagem da Panera resultarão em um retorno infinitamente maior do que os valores que a empresa tem investido. Você concorda? Por que a Panera é um bom exemplo de contratipagem?
- Você já trabalhou com uma equipe verdadeiramente sinérgica? Como se sentiu? O que você poderia fazer para ajudar a transformar o seu próprio grupo de trabalho em uma equipe assim?

EXPERIMENTE

Você está diante de um problema importante ou de uma oportunidade no trabalho? Há uma decisão difícil a ser tomada? Inicie a prototipagem de Terceiras Alternativas. Peça a contribuição de outras pessoas. Use a ferramenta "Quatro Etapas para a Sinergia".

QUATRO ETAPAS PARA A SINERGIA

❶ Faça a Pergunta da Terceira Alternativa:

"Você está disposto a encontrar uma solução que seja melhor do que aquilo que qualquer um de nós já apresentou?" Se, sim, vá para a Etapa 2.

❷ Defina Critérios de Sucesso

Liste neste espaço as características de uma solução que agradaria a todos. O que é o sucesso? Qual o verdadeiro trabalho a ser feito? O que seria uma situação de "ganha/ganha" para todos os interessados?

❸ Crie Terceiras Alternativas

Neste espaço (ou em outros) crie modelos, desenhos, peça emprestadas ideias, transforme o seu modo de pensar. Trabalhe de maneira rápida e criativa. Suspenda todos os julgamentos até aquele momento emocionante em que você sabe que chegou à sinergia.

((❹)) Chegue à Sinergia

Descreva aqui a sua Terceira Alternativa e, se quiser, explique como pretende colocá-la em prática.

GUIA DO USUÁRIO PARA AS QUATRO ETAPAS DA FERRAMENTA DE SINERGIA

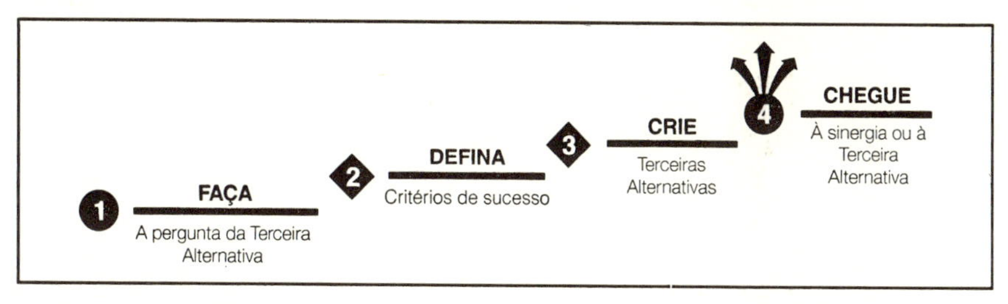

As Quatro Etapas para a Sinergia. Este processo ajuda a colocar o princípio de sinergia em prática. (1) Mostre disposição para encontrar uma Terceira Alternativa. (2) Defina o que é o sucesso para todos. (3) Teste soluções até (4) chegar à sinergia. Pratique a escuta empática ao longo do processo.

Como Chegar à Sinergia

❶ Faça a Pergunta da Terceira Alternativa

Em uma situação de conflito ou de criação, esta pergunta ajuda todos a abandonar posições rígidas ou ideias preconcebidas em prol do desenvolvimento de uma terceira posição.

❷ Defina os Critérios de Sucesso

Liste as características ou redija um parágrafo descrevendo qual seria um resultado bem-sucedido para todos. Responda estas perguntas conforme você avançar:

- Todos estão envolvidos em estabelecer os critérios? Estamos conseguindo obter o maior número possível de ideias, do maior número possível de pessoas?
- Quais resultados realmente queremos? Qual é a verdadeira tarefa a ser realizada?
- Quais resultados significariam "vitórias" para todos?
- Estamos abrindo mão de nossas demandas arraigadas do passado e buscando algo melhor?

❸ Crie uma Terceira Alternativa

Siga estas diretrizes:

- Participe do jogo. Não é "de verdade". Todo mundo sabe que é um jogo.
- Evite um fechamento, acordo prematuro ou consenso.
- Evite julgar as ideias dos outros — ou as suas próprias.
- Faça modelos. Desenhe imagens em quadros-negros, esboce diagramas, construa maquetes, faça rascunhos.
- Transforme as ideias nas mentes dos outros. Subverta a sabedoria convencional.
- Trabalhe rápido. Defina um limite de tempo para manter a energia e as ideias fluindo rapidamente.
- Alimente inúmeras ideias. Não é possível prever qual conclusão repentina pode conduzir a uma Terceira Alternativa.

❹ Chegue à Sinergia

Você reconhece a Terceira Alternativa pelo sentimento de empolgação e inspiração que toma conta do ambiente. O antigo conflito é abandonado. A nova alternativa preenche os critérios de sucesso. Atenção: não confunda acordo com sinergia. O acordo gera satisfação, mas não prazer. Um acordo significa que todos perdem alguma coisa; a sinergia significa que todos ganham.

A Terceira Alternativa em Casa

4

A Terceira Alternativa em Casa

Onde há alegria, há criação.
— *Os Upanishads*

A família pode ser a expressão máxima da sinergia. A ligação transformadora e íntima que pode acontecer em um casamento é milagrosa. E cada criança que vem ao mundo é uma Terceira Alternativa. O recém-nascido é a maior de todas as maravilhas da sinergia.

Meu avô, Stephen L. Richards, ensinou-me a analisar qualquer problema em qualquer nível — local, nacional, internacional; político, educacional, organizacional — do ponto de vista da família. Se funciona em casa, funcionará em qualquer lugar. Famílias endividadas não são tão diferentes das nações em débito. A confiança e a fidelidade funcionam do mesmo modo em casa e no mundo dos negócios: leva-se anos para construí-las, e segundos para destruí-las. Os problemas da sociedade começam em casa, assim como as soluções.

Como marido, pai e avô, fico muito entusiasmado com a minha família. Ela é a minha maior bênção e a minha maior alegria. Perder o respeito e a conexão íntima que tanto me satisfazem com qualquer um dos membros da minha família seria minha maior tragédia e minha maior tristeza.

As pessoas têm necessidades universais. Elas precisam se sentir seguras, apreciadas, respeitadas, incentivadas e amadas; essas necessidades podem ser perfeitamente preenchidas com laços entre filho e mãe, filha e pai, marido e mulher. Por isso, é trágico quando a família não consegue atender a tais necessidades.

Os entrevistados de nossa pesquisa relataram estes grandes desafios em suas vidas:

- "Estamos crescendo longe uns dos outros. Temos opiniões diferentes sobre o que é importante na vida."
- "Nunca é fácil se comunicar abertamente com aqueles que estão mais próximos de nós."
- "Minha esposa não fica feliz com o meu progresso."
- "Sou mãe solteira e sempre foi uma luta proporcionar um estilo de vida equilibrado e satisfatório para a minha família."
- "Fui casada por 31 anos e tenho dois filhos na faculdade. Estou passando por uma terrível síndrome do ninho vazio. Isso está afetando o meu casamento e a minha vida familiar. Sinto falta de ser mãe e me sentir necessária. [...] Isso é tudo."
- "A família é muito importante para mim — quando há algum problema em casa, todo o resto fica desequilibrado."

De todos os problemas mais difíceis da vida, os conflitos familiares são os mais comoventes. É uma grande ironia: em casa, podemos experimentar as sinergias mais sublimes ou os sofrimentos mais profundos. Acredito que nenhum sucesso na vida pode compensar o fracasso no lar.

Nenhuma perda é tão profunda e dolorosa quanto a perda de um membro da família. A maioria dos pais conhece a sensação perturbadora de perder um filho de vista, mesmo que momentaneamente, quando, em um supermercado ou em meio a uma multidão, a criança desaparece por um minuto ou dois. Prendemos a respiração por uma eternidade, procurando freneticamente até que ela reapareça.

Para alguns, essa dor intensa pode durar para sempre. Zainab Salbi, fundadora da Women for Women International, conta que, certa noite em Bagdá, quando era criança, despertou aterrorizada ao som de um míssil que parecia estar cada vez mais perto de onde ela estava. O míssil explodiu nas proximidades, e ela, ainda insegura, fez uma prece, agradecendo pelo fato de sua família ter sido poupada. Mais tarde sentiu-se envergonhada de sua oração, pois a bomba havia destruído a casa de uma família vizinha.

O pai e o filhinho, amigo de seu irmão, foram mortos, enquanto a mãe sobreviveu. "Na semana seguinte, a mãe apareceu na sala de aula do meu irmão e implorou que as crianças de 6 e 7 anos compartilhassem com ela qualquer foto que pudessem ter do seu filho, pois ela havia perdido tudo."[100]

No entanto, em nossa cultura, todos os dias as pessoas desprezam quase que casualmente a mais preciosa de todas as alegrias da vida: a família. Esposas e maridos que já foram apaixonados se afastam um do outro. Os Estados Unidos têm a maior taxa de divórcio do mundo, entre 40% e 50% de todos os primeiros matrimônios. A Rússia está em segundo lugar, com as nações do Norte da Europa logo atrás. Mesmo em países com baixos índices efetivos (geralmente, por conta da desaprovação cultural do divórcio), "a separação emocional" é muito comum.

Apenas nos Estados Unidos, o divórcio afeta anualmente mais de 1 milhão de crianças. Os dados mostram que os filhos de pais divorciados estão mais propensos a apresentar problemas de disciplina, distúrbios psicológicos, rendimento escolar acadêmico insuficiente e saúde mais frágil.[101]

Valorizando as Diferenças

Em muitos casos, o divórcio decorre de uma verdadeira traição — abuso físico ou infidelidade —, mas, muitas vezes, é o resultado da escalada debilitante do raciocínio de Duas Alternativas.

Uma mulher pode dizer: "Meu marido passa muito tempo assistindo a esportes, jogando videogame e praticando golfe, e depois chega em casa pensando que eu deveria cuidar das crianças e da casa, sem perceber que também trabalhei o dia inteiro. Ele é exatamente igual ao seu preguiçoso pai. Parou de fazer as pequenas coisas que me conquistaram logo no início, como pequenos atos de bondade ou perguntar como foi o meu dia. Ele só está interessado em sexo. Ainda assim, ele se pergunta por que resolvi experimentar outras coisas fora do casamento."

---

[100] Zainab Salbi, "Women, wartime, and the dream of peace" [Mulheres, guerra e o sonho da paz], *TED.com*, julho de 2010.

[101] Alison Clarke-Stewart e Cornelia Brentano, *Divorce: causes and consequences* [Divórcio. causas e consequências] (New Haven, CT: Yale University Press, 2007), p. 108.

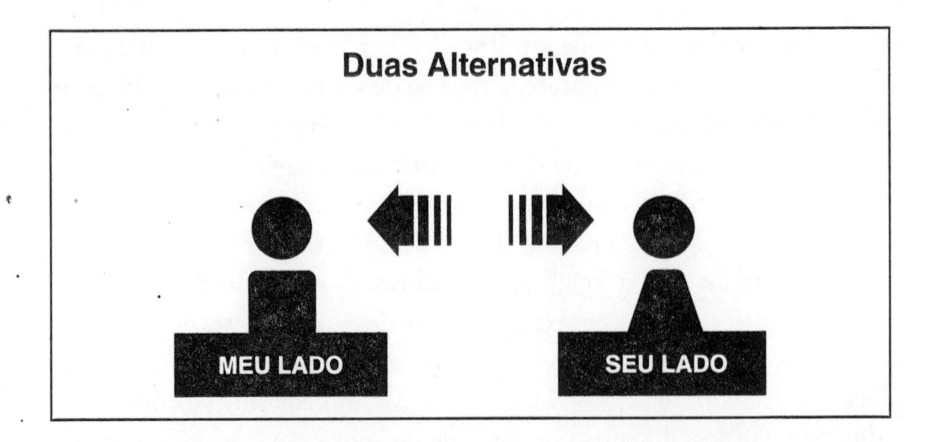

Um homem pode dizer: "Minha mulher só está comigo por causa do meu dinheiro, sem se dar conta do quanto me dedico ao trabalho. Ela está tão ocupada com as crianças que não tem mais tempo para mim. Nossa casa fica desorganizada e confusa, mas ela continua frequentando seu clube do livro. Além disso, parece que não consigo fazer nada direito. Minha esposa se comporta de modo frio e distante, e não me cumprimenta com o mesmo entusiasmo de antes quando volto para casa; na verdade, ela nem percebe se já voltei ou não. Queria que a mãe dela pelo menos nos deixasse em paz. Minha esposa não é mais tão bonita quanto costumava ser e não cuida mais de si mesma, enquanto as mulheres do escritório estão ficando cada vez melhores."

Com essa mentalidade — ou melhor, com essa *disposição emocional* —, o amor se transforma em profundo desrespeito. Alguns casamentos se transformam em grandes debates ofensivos. Os familiares se tornam totalmente bons ou totalmente maus, e é "o meu lado contra o seu". Os psicólogos se referem a esse fenômeno como "cisão". O terapeuta de casais Mark Sichel observa: "Nas famílias com dinâmica de casos limítrofes, a cisão faz surgir jogos repetitivos e mortais de partilha e conquista. [...] As crianças se envolvem com frequência em posições competitivas, estando sempre entre o 'bom filho' e a 'criança má'."[102] A casa, portanto, se torna um campo de batalha, em vez de o refúgio seguro e amoroso que todas as crianças merecem, e do qual precisam.

---

[102] Mark Sichel, *Healing from family rifts* [Livrando-se das divergências familiares] (Nova York: McGraw-Hill Professional, 2004), p. 83.

Algumas famílias são afetadas por maneiras menos ostensivas e mais sutis de abuso emocional, como brigas, picuinhas e maledicências, em um tipo de concorrência perversa para ver quem consegue fazer o outro sofrer mais: "Se você me amasse, limparia a garagem"; "Trabalho duro o dia todo, e que tipo de agradecimento recebo?"; "Eles são seus filhos também, sabia?". Os muros se erguem gradualmente, de modo quase imperceptível, até imperar o mais profundo silêncio. "Se você quiser destruir algo nesta vida", diz o romancista turco Elif Shafak, "tudo o que tem a fazer é cercá-lo com muros espessos. Ele vai secar por dentro."[103]

Uma advogada familiar com anos de experiência conta o caso de uma esposa que a procurou em seu escritório para exigir o divórcio. "Não aguento mais", disse ela. Seu marido era um excelente provedor e líder comunitário, mas contradizia tudo o que ela falava e anulava tudo o que ela fazia. Se ela pendurava um quadro na parede, ele retirava. Se ela quisesse comer fora, ele fazia questão de comer em casa mesmo. Se ela dissesse algo a uma amiga, ele se certificaria de desmenti-la. O ápice veio quando a mulher convidou os pais para jantar. Na mesa, a luz do sol estava atravessando a janela e refletindo bem no rosto de seu pai e, então, ela decidiu fechar a cortina. O marido se levantou prontamente e, em um movimento ríspido, abriu a cortina novamente. Durante anos ela havia vivido com esse homem irritante, mas já não aguentava mais. Ele menosprezara o seu mundo, até ela explodir em um ataque de claustrofobia emocional. Esse tipo de abuso emocional, essa afirmação de controle e poder, pode ser quase tão ruim quanto o abuso físico.

Muitas vezes, casamentos como esse terminam por motivos plausíveis, mas, com muito mais frequência, acabam porque as esposas e os maridos se decepcionam com as diferenças mútuas. Esse marido era um caso extremo de intolerância às diferenças, mas, em algum grau, a mesma síndrome afeta todos os casamentos infelizes. A "incompatibilidade" é citada, na maioria das vezes, como a razão para o divórcio. A expressão pode dar conta de uma série de problemas — financeiros, emocionais, sociais, sexuais

---

[103] Elif Shafak, "The politics of fiction" [A política da ficção], *TED.com*, 16 de julho de 2010. Disponível em: http://www.ted.com/talks/elif_shafak_the_politics_of_fiction.html.

—, mas se resume a lamentar as diferenças, em vez de valorizá-las: "Nunca nos olhamos nos olhos"; "Não consigo entender como funciona o raciocínio dela"; "Ele é totalmente irracional". Com o tempo, o desespero se instala e o divórcio parece ser a única esperança.

Inversamente, os grandes casamentos se solidificam apenas quando os parceiros valorizam as diferenças mútuas. Para eles, as culturas, as peculiaridades, os talentos, as forças, os reflexos e os instintos que o outro traz para o casamento se tornam fontes de prazer e criatividade. Ele é impaciente e é péssimo na contabilidade doméstica, mas sua espontaneidade o torna divertido. O jeito reservado dela por vezes o deixa frustrado, mas sua postura aristocrática o surpreende e o encanta. E, pelo fato de se amarem tanto, eles combinam alegria com dignidade.

Quando duas pessoas se casam, elas têm a oportunidade de criar uma Terceira Alternativa, uma cultura familiar única, que nunca existiu antes e nunca existirá novamente. Além de suas características individuais inatas, cada parceiro representa uma cultura social totalmente constituída, um conjunto de crenças, normas, valores, tradições e, até mesmo, uma linguagem própria. Um vem de uma cultura familiar em que os relacionamentos são profundos, mas um pouco distantes, na qual os conflitos são encobertos ou tratados com discrição, em particular. Outro vem de uma cultura familiar de relações expansivas e amorosas, em que os conflitos entram em erupção, como pequenos vulcões, e depois desaparecem e são esquecidos. Agora nasce uma nova cultura. A sinergia está na relação entre essas duas culturas preexistentes. Pode ser uma sinergia positiva ou negativa, dependendo da mentalidade dos parceiros. Se para eles as diferenças representarem ameaças, teremos um grande problema. Por outro lado, se eles se deliciarem com as diferenças, com a possibilidade de se conhecerem e explorarem o que há de novo e exótico em cada um deles, a união prosperará. Alguém disse, certa vez: "Casar com minha esposa foi como me mudar para um país estrangeiro. No início, me acostumar com seus estranhos hábitos foi interessante. Ela sentia o mesmo em relação a mim, mas agora sabemos que as descobertas nunca vão acabar. É a maior aventura de todas."

Um amigo meu era professor aposentado. Quando faleceu, sua esposa disse: "Passei 45 anos criticando-o por se esquecer de retirar o lixo ou lavar a própria louça. Agora eu gostaria de poder ver o seu sorriso ao chegar em casa à noite. Eu queria poder ouvir seus assobios no jardim. Eu adoraria ter mais um dia com ele para lhe dizer o quanto admirava sua habilidade como professor, não apenas para seus milhares de alunos, mas também para nossas filhas. Ele era um homem verdadeiramente talentoso." Muitas vezes, só percebemos o verdadeiro valor de algo ou alguém depois que o perdemos.

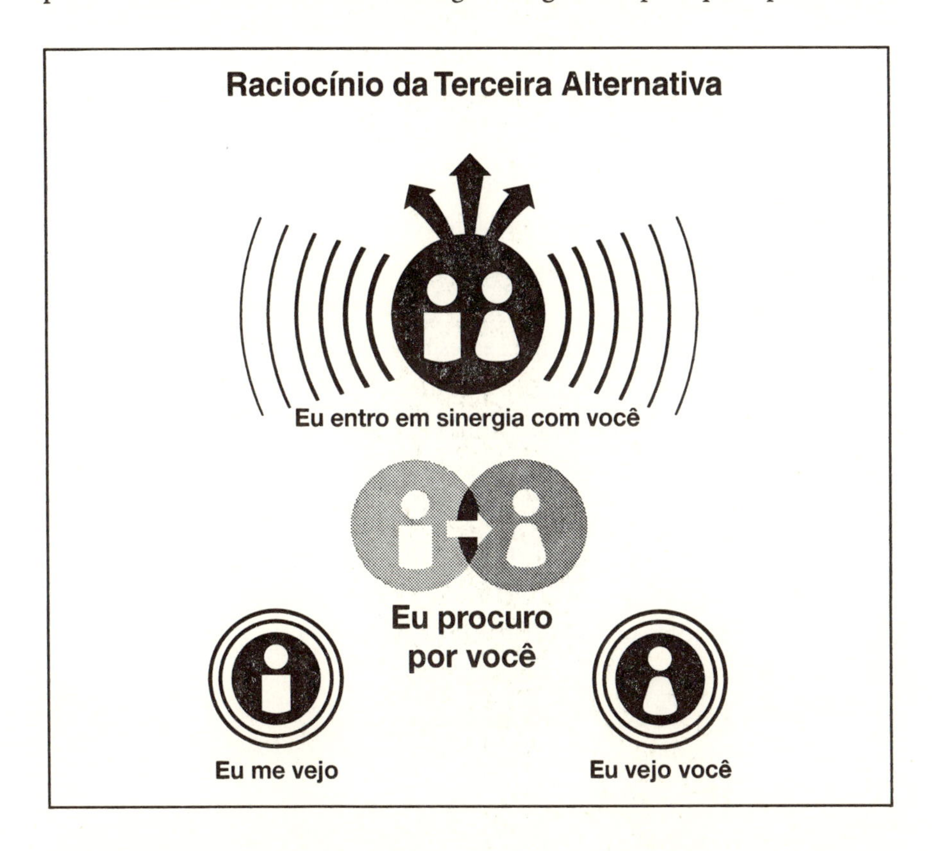

Mas, atenção: quando digo para "valorizar as diferenças" *não* quero dizer concordar com qualquer coisa ilegal ou repugnante. Ninguém deve tolerar, em absoluto, os vícios em álcool, drogas ou pornografia, ou sustentar um relacionamento emocional ou fisicamente abusivo sem contar com a ajuda de autoridades competentes. Acredito que se deva confrontar os comportamentos abusivos direta e urgentemente.

Mesmo assim, na ausência de comportamentos ilícitos, o conflito conjugal geralmente acontece porque duas culturas colidem em um confronto de valores, crenças e expectativas. As pessoas não se casam para brigar ou causar sofrimento umas às outras, mas metade de todos os casamentos fracassa porque não se consegue criar uma Terceira Alternativa produtiva que transcenda as duas culturas.

Recentemente, um amigo me contou o caso de sua irmã e seu cunhado. Eles haviam começado uma vida juntos, claramente apaixonados e dedicados um ao outro. Mudaram-se para uma cidade distante, que se tornou seu paraíso particular. Duas meninas e um menino vieram se integrar à família, e tudo parecia idílico. Mas, como se pôde perceber, o marido havia herdado um pouco dos traços sarcásticos de sua mãe, e a esposa havia crescido em um lar em que um certo nível de agressão física era considerado normal. Como resultado, ela era uma "agressora". Aos poucos, suas vidas foram caindo em um círculo vicioso de observações ferinas e tapas na cara. A transformação foi tão gradual que eles não perceberam o que estava acontecendo, até que um dia a família se desintegrou. A isso se seguiu um divórcio duro e difícil, deixando para trás três angustiados filhos pequenos.

Em contraste com esse ciclo destrutivo de sinergia negativa, as famílias mais bem-sucedidas estão imbuídas de sinergia positiva. Elas produzem não só Terceiras Alternativas para o conflito, mas também uma atitude da Terceira Alternativa. A sinergia é a expressão máxima de uma bela cultura familiar, criativa e divertida, repleta de um profundo respeito por cada pessoa e pelas infinitas peculiaridades de cada uma delas.[104]

Uma Família da Terceira Alternativa

Como faço para construir um casamento e uma família da Terceira Alternativa? Como superar uma relação desinteressante ou conflituosa e chegar à intimidade milagrosa e transformacional que, no fundo, realmente desejo?

Eu me vejo

Evidentemente, tudo começa comigo. Como diz meu amigo Brent Barlow, conselheiro familiar: "Se você quiser melhorar seu casamento, olhe-se no

---

[104] Devo a Kathleen McConkie Collinwood, uma advogada familiar e mediadora profundamente experiente, o fornecimento de dados e a ajuda na compreensão desses tópicos.

espelho." Acreditar que o problema está no meu parceiro ou no meu filho é que é o verdadeiro problema. Com essa afirmação, não quero dizer que a culpa pelo conflito seja necessariamente minha (embora possa ser). Quero dizer que as origens do problema estão na visão que tenho de mim mesmo. O poeta Rumi disse: "As pessoas do mundo não olham para si mesmas e, então, culpam umas às outras." Se me vejo como a vítima indefesa de um membro familiar irracional, insensível ou irritante, nego uma simples verdade humana: a de que sou livre para escolher a minha resposta a qualquer estímulo. Ninguém pode me *obrigar* a sentir ou a fazer qualquer coisa sem o meu consentimento. Aquilo que me acontece pode estar além das minhas influências, mas eu decido o que pensar, sentir ou fazer quanto a isso.

Muitas pessoas não conseguem captar esse princípio básico. Estas são as queixas mais previsíveis: "Ele me deixa louca"; "Ela me tira do sério"; "Odeio quando ele faz isso"; "Não tenho culpa se ela é uma pessoa com a qual é impossível conviver". Embora os outros possam me vitimizar, em última instância sou eu que escolho desempenhar ou não o papel de vítima. Se estou mentalmente preso ao paradigma "Eu sou bom, meu parceiro é mau" é porque me deixei influenciar pelo raciocínio de Duas Alternativas. Com base em sua larga experiência em tratar casamentos desgastados o dr. Steven Stosny afirma: "O problema com o papel de vítima é que, em vez de mantê-lo proativo, ele faz com que você se comporte de modo perpetuamente reativo com o seu parceiro ressentido, irritado ou ofensivo." Se me vejo como vítima, não farei nada, a não ser lamentar inutilmente a injustiça dessa situação. Não acreditarei em uma Terceira Alternativa.

Por outro lado, se me vejo como realmente sou, capaz de julgamentos e escolhas independentes, escolherei a minha própria resposta. Posso escolher responder a um comentário desagradável com uma observação gentil. Posso escolher sorrir, em vez de me sentir ofendido. Se confrontado com um cônjuge irritadiço cujo dia foi difícil, posso escolher ser atencioso e carinhoso, em vez de reclamar sobre o meu próprio dia, em uma triste disputa para ver quem termina sofrendo mais.

Acredito que esse discernimento básico poderia salvar a maioria das famílias problemáticas. Posso optar por romper o ciclo de ressentimento. Eu levo mais do que a minha cultura para o casamento — levo a *mim mesmo.* Não sou apenas "o meu lado" em um conflito — estou sempre à procura de uma Terceira Alternativa.

No fundo, quase todos os conflitos familiares são conflitos de identidade. Se a minha autoestima estiver ameaçada, respondo atacando a autoestima dos outros; tal resposta é uma maneira de compensar as minhas profundas vulnerabilidades. Nos casos de abuso emocional e físico, a maioria daqueles que abusam tem um senso de identidade bastante frágil. Os familiares se tornam agressivos quando se sentem "ignorados, insignificantes, acusados, responsabilizados, desvalorizados ou desrespeitados, rejeitados, impotentes, inadequados ou antipatizados".

Stosny descreve como essas tempestades familiares entram repentinamente em erupção. A mulher dirá: "Está frio aqui dentro." Subitamente irritado, o marido vai retrucar: "Como pode você dizer isso? Está fazendo 21 graus!" Ele interpreta o frio que a esposa está sentindo como um ataque ao seu caráter e à sua competência como marido: "Se ela está sentindo frio, deve ser culpa minha. Não consegui fazê-la feliz e protegê-la do desconforto." Para se resguardar, ele desvaloriza os sentimentos dela: ela não pode estar sentindo frio. "Agora ambos se sentem mutuamente desvalorizados, mesmo que ninguém esteja tentando desvalorizar ninguém."[105] As coisas tendem a piorar, à medida que eles continuam a se atacar emocionalmente: "Bem, *eu estou* com frio! Algo deve estar errado com você se não está sentindo!"; "Não há nada de errado comigo! Você é a única louca aqui!". E assim por diante.

Esse ciclo cruel é causado pelo que tenho chamado de "o verdadeiro roubo de identidade". A sua identidade autêntica de indivíduo único, inerentemente valioso e poderoso, foi roubada. Tal como acontece com muitos de nós, você é levado a acreditar que seu valor como ser humano advém da avaliação que as outras pessoas fazem a seu respeito. Esse condicionamento pode ser o resultado de uma cultura familiar comparativa: "Por que você não consegue ser tão inteligente quanto o seu irmão / tão atlético quanto sua irmã / tão trabalhador quanto o seu primo Leo?" Ou pode ser

[105] Hara Estroff Marano, "The key to end domestic violence" [A chave para acabar com a violência doméstica], *Psychology Today*, 18 de fevereiro de 2003.

o resultado de nossa sociedade competitiva, que força a adequação a estereótipos perversos e predeterminados: "Você é apenas aquele marido suburbano idiota, que aparece naquelas centenas de programas de tevê, o trapalhão típico que é incapaz de ser cordial". Você vê apenas um reflexo distorcido de si mesmo no espelho social. Assim, se torna hipersensível até mesmo aos insultos imaginários, e aqueles ao seu redor aprendem, como se costuma dizer, a pisar em ovos.

É uma metáfora apropriada: pelo fato de ter uma identidade oca, seu autorrespeito é tão frágil quanto uma casca de ovo. Você depende dos outros para afirmar seu senso de autoestima. Como resultado, ambos os cônjuges permanecem escravizados em sinergias negativas, que destroem o relacionamento, em vez de construí-lo. Na peça de Edward Albee, *Quem tem medo de Virginia Woolf?*, um intenso drama psicológico sobre um casamento em crise, a esposa resume com crueldade a falta de identidade própria do marido: "Fiquei observando você, e *você* não estava *lá.* [...] Juro que, se você existisse, me divorciaria de você."[106]

Recapturar uma identidade perdida não é fácil, mas é possível. E pode acontecer em um piscar de olhos. Quando eu dizia às pessoas que elas eram seres humanos independentes, com liberdade absoluta para escolher, às vezes elas davam pulos em suas cadeiras diante dessa descoberta repentina. "Passei todo esse tempo pensando que era o meu marido quem estava me fazendo infeliz", uma mulher poderia dizer, "mas ninguém pode me fazer infeliz, a não ser eu mesma!" Um homem poderia se levantar e dizer: "Estou escolhendo não ficar mais irritado nem envergonhado!" Outras pessoas podem magoá-lo — talvez até de propósito —, mas, como disse Eleanor Roosevelt: "Ninguém pode fazer com que você se sinta inferior sem o seu consentimento." Entre o estímulo e a resposta há um espaço, e dentro desse espaço está *você*, perfeitamente livre para decidir como vai responder. Nesse espaço, você finalmente verá a *si mesmo.* Lá, encontrará também seus valores mais profundos. Se você se permitir permanecer nesse espaço e refletir profundamente sobre isso, se conectará novamente à sua consciência, ao seu amor por sua família e aos princípios da vida. E tomará decisões adequadas.

---

[106] Edward Albee, *Quem tem medo de Virginia Woolf?* (São Paulo: Abril, 1977).

Estímulo/Resposta. Entre o estímulo e a resposta há um espaço. Nesse espaço você é totalmente livre para escolher sua resposta. Ninguém pode obrigá-lo a responder à raiva com raiva. Você pode optar por responder com compaixão.

Infelizmente, a maioria das pessoas simplesmente não está ciente desse espaço mental. Pelo fato de não entenderem sua própria liberdade, elas reagem de duas maneiras: expressam sua raiva ou a reprimem, na crença equivocada de que se ignorarem um problema ele desaparecerá. Todo mundo reconhece os sinais de repressão: lábios apertados, isolamento social, o tenso pisar em ovos. Nem a expressão nem a repressão da raiva são positivas. Preso entre essas Duas Alternativas, o que você pode fazer?

Há uma Terceira Alternativa: você pode escolher transcender tais sentimentos. Ofender-se é uma escolha sua. Não é algo que lhe é feito; é algo que você faz a si mesmo. Dentro desse espaço de decisão você tem o poder de optar por *não* se sentir ofendido. As outras pessoas não podem envergonhá-lo; é você mesmo quem se sente envergonhado. Não é possível controlar o comportamento dos outros, mas é possível controlar sua própria resposta a tal comportamento. Os especialistas concordam: "A alternativa muito mais saudável à repressão de suas emoções ou à externalização descontrolada é transformar esses sentimentos. [...] A capacidade de permanecer fiel aos seus valores mais profundos — e, assim, transformar grande parte do seu medo e de sua vergonha — está inteiramente dentro de você."[107] "Há uma alternativa muito melhor tanto para a 'repressão' quanto para a 'externalização'. A transformação. Substitua o ressentimento, a raiva e os impulsos ofensivos pela compaixão."[108]

Eu disse que você pode mudar sua mentalidade da escravidão para a liberdade em um piscar de olhos. Mas é preciso esforço para optar definitivamente por essa nova mentalidade. A velha programação mental que faz com que você reaja irrefletidamente continuará atormentando-o até que você reprograme seu cérebro. É necessária uma prática deliberada, consciente e contínua para se permitir ficar no espaço entre o estímulo e a resposta, refletir profundamente e escolher a compaixão.

Steven Stosny se especializou em ajudar os perpetradores de violência doméstica a transformarem seus impulsos. Primeiro, ele lhes apresenta o espaço entre o estímulo e a resposta. Naquele espaço, ele os conecta aos seus valores fundamentais: "Você quer ser amado, não é?" Claro. Depois, ele os faz pensar logicamente dentro daquele espaço. "Na história da humanidade, alguém já se sentiu mais digno de amor por magoar a pessoa que ama?", pergunta ele. Seus pacientes acabam compreendendo que a única maneira de se sentirem melhor com relação a si mesmos é escolher a compaixão, em vez da agressão.

Em seguida, Stosny ajuda a quebrar o ciclo de abusos por meio de treinamento e prática intensivos. Durante cerca de um mês os pacientes fazem 750 exercícios diferentes, projetados para reprogramarem o cérebro para a compaixão. Cada vez que encontram uma situação de conflito, eles visualizam o resultado que realmente querem e, então, respondem gentilmente. No fim, eles se desvencilham dos reflexos aprendidos no passado e constroem novos "músculos mentais", de modo que a compaixão se torne um hábito.

Agora, quando a esposa diz "Estou com frio", o marido responde racionalmente. O que ela diz não lhe parece mais um ataque — é apenas uma

---

[107] Patricia Love e Steven Stosny, *Não discuta a relação* (Rio de Janeiro: Nova Fronteira, 2007).

[108] Steven Stosny, *You don't have to take it anymore* [Você não precisa aguentar mais] (Nova York: Simon & Schuster, 2005), p. 63.

sensação dela. Ele agora tem o reflexo de ajudá-la, em vez de atacá-la. À medida que ele vai mostrando sua consideração, a confiança e o apreço que ela tem por ele crescem, e a relação se transforma. Eles, agora, estão em sinergia positiva.

Outra resposta positiva é o humor. "Como você pode estar sentindo *frio* quando você é tão *quente*?", brinca o marido, para, em seguida, aquecê-la em seus braços. O humor é sempre uma Terceira Alternativa, porque é uma surpresa, uma reviravolta inesperada que faz você rir. Muitas vezes, você ouvirá as pessoas rindo, extasiadas ao descobrirem uma Terceira Alternativa que realmente funciona. "Isso é muito bom", dirão elas. Segundo os especialistas, o humor é a maneira mais fácil de transformar a tensão; a "reação de ameaça" se distende e desaparece.[109]

---

[109] David Rock, "Your brain at work" [Seu cérebro trabalhando] Google Tech Talks, 12 de novembro de 2009. Disponível em: http://www.youtube.com/watch?v=XeJSXfXep4M.

Não precisamos passar por uma sessão de reabilitação de um mês de duração para quebrar nossos ciclos de conflitos, mas precisamos, sim, mudar nossas mentalidades e colocar em prática tais mudanças. No fim das contas, diz Stosny, "a raiva não é um problema de energia; é um problema de autovalorização".[110] Não se trata de quem vai sair ganhando em um relacionamento, o que, de qualquer maneira, seria uma competição sem sentido. Trata-se da minha própria identidade. No espaço entre a provocação e a raiva, decido quem sou e o tipo de pessoa que quero ser.

Tenho entre os meus conhecidos um casal que perdeu o filho em um acidente de automóvel, quando a mulher estava ao volante. Por um longo tempo, o luto e os sentimentos de culpa da esposa foram tão intensos que o marido passou a se sentir isolado dela. Embora ele tivesse sofrido profundamente a perda, reprimiu suas emoções como os homens costumam fazer, e lidou com elas trabalhando cada vez mais. Ela interpretou sua reação como sinal de insensibilidade. Eles continuaram a viver sob o mesmo teto, mas se ressentiam mutuamente e acabaram ficando bastante distantes um do outro. Esse equívoco foi se agravando até o limite máximo.

As coisas começaram a mudar quando, certa noite, após um longo período de silêncio em suas vidas, o marido estava passando pela porta do quarto e viu a esposa sentada na cama, ereta e imóvel. Visualizando novamente a garota com quem havia se casado e o quanto ela significava para ele, não conseguiu suportar a tristeza dela. Sem saber como confortá-la, tudo o que ele conseguiu fazer foi sentar-se ao lado dela. Ela desviou ligeiramente seu corpo do dele, mas ele não se mexeu, e por uma hora ou mais eles ficaram apenas sentados lado a lado, silenciosamente. No fim, ela murmurou: "Hora de dormir", e ambos foram se deitar. Essa cena se repetiu por várias noites. Sem precisar dizer nada, marido e mulher começaram a sentir um espírito de empatia crescente entre eles, e uma noite ela segurou a mão dele.

Hoje, muitos anos depois, eles estão tão próximos quanto um casal pode estar. O ponto de transição foi a noite em que o marido, movido pela

---

[110] Maria Colenso, "Rage: Q&A with Dr. Steven Stosny" [Raiva: perguntas & respostas com o dr. Steven Stosny], *Discovery Health*, s.d. Disponível em: http://health.discovery.com/tv/psych-week/articles/rage-q-a-stosny.html.

compaixão, decidiu não responder na mesma moeda quando sua esposa deu as costas para ele. O mais leve gesto em direção a uma Terceira Alternativa entre o *meu* luto e o *seu* luto — o nosso luto *compartilhado* — recolocou esse casamento nos trilhos. Curiosamente, eles agora falam sobre o que aprenderam um com o outro ao longo daquela provação. Ele descobriu que esconder a própria tristeza não só confundiu e irritou a esposa, mas também fez dele um deprimido crônico. Ele precisava reconhecer e expressar seus sentimentos. E ela aprendeu com ele que retornar ao trabalho a ajudaria a colaborar e a se sentir novamente parte da sociedade. Suas diferenças durante a fase de luto se transformaram em presentes que eles ofertaram um ao outro e, a partir de então, eles se fortaleceram como família.

As escolhas que você faz no espaço entre o estímulo e a resposta fazem toda a diferença para a relação entre você e seu cônjuge ou companheiro, seus pais, filhos e amigos.

Dentro desse espaço, tomamos decisões capazes de mudar nossas vidas. Muitos pais têm um interruptor interno com dupla polaridade; eles podem transitar entre um aparente autocontrole e uma explosão de raiva em um piscar de olhos, ensinando, assim, o medo e a insegurança aos filhos. Minha própria filosofia é uma Terceira Alternativa: divertir-se, mas com disciplina. Como todas as crianças, meus filhos detestavam fazer atividades e reclamavam como loucos quando eram solicitados a executar tarefas ou algo que considerassem difícil. Em vez de bater neles, sempre lhes dei "dois minutos para reclamar", nos quais eles poderiam lamentar e se queixar de tudo o que quisessem. Quando esse tempo acabava, voltávamos às atividades.

Certa vez, em umas férias, minha esposa e eu decidimos levar nossos filhos para uma caminhada até um lindo lago na serra. Seria um sacrifício chegar lá, pois se tratava de uma subida longa e íngreme em um dia quente de verão. Esta é a memória de minha filha Cynthia sobre isso:

Pensávamos que íamos morrer nessa caminhada até Coffin Lake. Meus pais queriam que conhecêssemos esse lugar lindo e que nos esforçássemos nessa tarefa. Tudo o que queríamos fazer era ficar na praia e, por isso, fomos contra aquela ideia imbecil [do meu pai]: "Isso é tão ridículo, não temos nada de bom para comer a não ser esses sanduíches horrorosos, está muito quente, estou suando." Muitos pais teriam gritado: "Calem a boca e parem de choramingar!". Meu pai, ao contrário, anunciou: "Dois minutos para reclamar." E demos vazão ao nosso protesto. "Ok, o tempo acabou" e, assim, fomos adiante. Ele simplesmente deixou que expressássemos nosso descontentamento e, de algum modo, isso funcionou. Dissemos todas as coisas más que queríamos; ele apenas sorriu ao ouvi-las, e funcionou! Isso mudou nossa perspectiva. Quando chegamos a Coffin Lake, ele era realmente lindo, e o apreciamos ainda mais após todo aquele esforço.

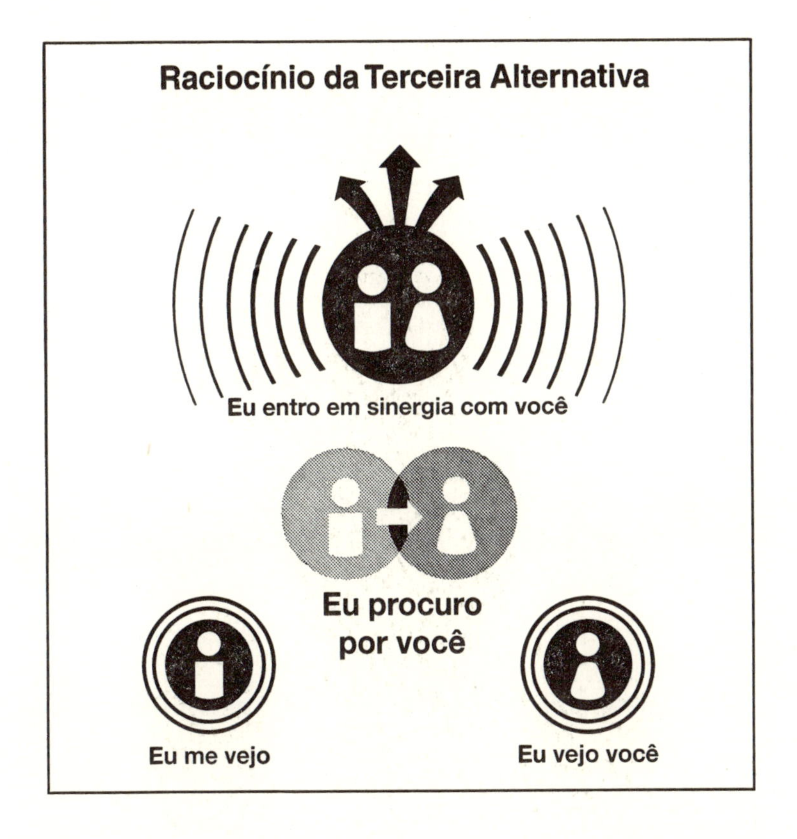

Enfim, se eu quiser ter um casamento feliz, devo ser o tipo de pessoa que gera sinergia positiva. Se eu quiser que meu filho adolescente seja mais agradável e cooperativo, devo ser um pai mais compreensivo, empático, presente e amoroso. Ao criar minha própria identidade, também determino o destino de minha família.

Eu Vejo Você

Dizer "Eu vejo você" significa dizer "Eu reconheço sua individualidade única". Muitas vezes, é difícil fazer isso dentro da família. Naturalmente, eu me caso ou me torno pai com minhas ideias sobre o que desejo para o meu casamento e para a minha paternidade. Tenho expectativas a respeito dos membros da família. Mas é um grande erro *impor* minhas ideias e expectativas a eles. Se eu os amo, tenho de vê-los, primeiro, como indivíduos e, em seguida, procurar entender as diferenças. Reduzir os entes queridos à minha ideia do que eles deveriam ser é transformá-los em coisas. E as pessoas não são coisas. Dostoiévski disse: "Amar alguém é vê-lo como Deus o concebeu", não como *eu* o concebo.

O amor não é apenas um sentimento por alguém; é, também, a vontade de ver esse alguém como uma pessoa em si mesma. Nas palavras de Iris Murdoch: "O amor é a difícil percepção de que alguém, além de nós mesmos, é real." Isso certamente significa que valorizamos as diferenças — não apenas as toleramos, mas as *celebramos*. Celebrar é alegrar-se com as diferenças entre nós, potencializar os dons únicos de cada um. Uma mãe que se enfurece com o tempo que seu filho passa diante do computador pode, em vez disso, se tornar amiga dele, aprendendo sobre videogames e participando dessa diversão. Um irmão teimoso e pragmático que considera uma tolice os valores artísticos de sua irmã pode encontrar ideias criativas para seu negócio acompanhando-a a uma exposição de arte de vanguarda. Um pai que odeia os fones de ouvido de sua filha pode usá-los e passar a entender o que a música predileta dela pode lhe ensinar sobre o seu mundo. Se celebrarmos os valores dos outros, provavelmente eles reagirão e também celebrarão aquilo que valorizamos.

É claro, devemos proteger nossos familiares de comportamentos prejudiciais ou arriscados, fazendo com que eles os evitem. Em algumas famílias, tais comportamentos fogem ao controle. Ninguém tem qualquer obrigação de respeitar, ou mesmo tolerar, o comportamento ilegal ou ofensivo: não vou sentir empatia pelo abuso de crianças ou pelo tráfico de drogas. Mas isso não significa que toda diferença é uma ameaça. Inúmeros familiares tornam-se inimigos uns dos outros ao rejeitarem exatamente aquelas qualidades que fazem os outros serem quem são. Quando um marido ou uma esposa encara as diferenças como uma ameaça, a energia que eles poderiam usar para complementar os pontos fortes e fracos um do outro torna-se perniciosa. Se os pais ou irmãos não valorizarem as diferenças mútuas, as sinergias negativas podem se tornar muito prejudiciais.

A grande psiquiatra Stella Chess viveu até os 93 anos de idade, o que foi uma bênção, pois ela viveu o suficiente para conduzir um inigualável estudo ao longo de 40 anos com um grupo de pessoas, que observou desde a primeira infância até a idade adulta. A partir de 1956, ela acompanhou as vidas de 238 recém-nascidos de origens diferentes, a fim de observar como os pais, com suas distintas abordagens com relação à criação dos filhos, afetariam o desenvolvimento das crianças. Após a primeira década do experimento, ela publicou um livro com o provocativo título *Your child is a person* [Seu filho é uma pessoa], argumentando que as crianças não são pequenos robôs à espera de serem programadas pelos pais.

Chess destacou que cada criança é única, e observou que se os pais aprenderem a apreciar essa singularidade os filhos têm grandes chances de prosperar. Seus estudos atestam o que um bem-sucedido pai me disse, certa vez, sobre a educação dos filhos: "Trate todos da mesma forma tratando-os de forma diferente", ou seja, respeitando suas diferenças. Chess também descobriu que algumas crianças e seus pais apresentam uma "adequação insuficiente", sugerindo que seus temperamentos, objetivos e valores não coincidem.

Esse foi o caso com "Norman", uma das crianças de seu estudo. Quando o menino começou a frequentar a escola, seus pais a procuraram com uma preocupação real. No começo da vida, Norman havia sido uma criança alegre e simpática; no entanto, no quarto de brinquedos, ele rapidamente abandonava uma atividade por outra. Chess diagnosticou um deficit de atenção, mas o problema não era grave. Ela disse aos pais que Norman se distraía com facilidade, mas poderia aprender bem em "ciclos curtos". "Nada a fazer!", resmungou o pai. "Para mim, o comportamento dele se chama irresponsabilidade, falta de caráter e de força de vontade. Ele tem de tomar jeito e isso é tudo."

Chess escreveu: "Tudo o que podíamos fazer era observar, nos sentindo impotentes e desencorajados. Ano após ano, os sintomas de Norman foram piorando, e seu padrão acadêmico despencou. Seu pai, um profissional bem-sucedido, muito persistente e irredutível, se tornou cada vez mais crítico e depreciativo." Convencido de que o filho era irresponsável e fracassaria na vida, o pai "plantou as sementes de uma profecia autorrealizável". Aos 22 anos, Norman era "essencialmente não funcional, dormia a maior parte do dia e tinha planos grandiloquentes para estabelecer-se profissionalmente como músico". Quando Chess encerrou o estudo, depois de 40 anos, ela escreveu que o curso da vida de Norman havia sido "verdadeira e inexoravelmente trágico".[111]

Hoje, sabemos que as crianças com leves problemas de atenção como os de Norman podem prosperar com o sólido apoio dos pais. Na verdade, sua energia e curiosidade podem agregar enorme valor a uma equipe formada por pessoas mais atenciosas ou passivas. Dentro do Teatro Mágico, onde a criatividade é um prêmio, Norman seria um grande trunfo. Se seu pai tivesse valorizado sua mente rápida e inventiva, ele poderia ter florescido e seu pai teria aprendido algo sobre o poder da espontaneidade. Norman, por sua vez, poderia ter respondido melhor aos ensinamentos de seu pai sobre como se concentrar e se dedicar a uma tarefa. Mas, ao contrário, o problema de Norman piorou. Embora os cientistas acreditem que a química do cérebro possa provocar o transtorno de deficit de atenção, eles sabem também que a "disfunção familiar" pode contribuir para isso.[112]

Conheço uma mulher com três filhos praticamente adultos. O mais velho é um desorientado, viciado em drogas; a filha é tão obcecada por seu peso que sofre de anorexia; o filho mais novo, soterrado no mundo escapista dos videogames, está indo mal na escola. Cada uma dessas crianças nasceu brilhante, saudável e talentosa. Mas a mãe, filha de um fazendeiro, vociferava contra elas e as intimidava desde a infância, reclamando do que ela percebia como falhas de caráter. Ela os critica constantemente por sua preguiça. "Eu acordava às 5 horas, todas as manhãs, para carregar feno e tirar leite das vacas", resmunga ela. "Qual é o problema com essas crianças?" Ela arma jogos manipulativos, como negar comida ou trancá-las em armários se voltarem tarde para casa. Exige, ainda, que os filhos se ajustem

---

[111] Stella Chess e Alexander Thomas, *Goodness of fit: clinical applications from infancy through adult life* [O ajuste perfeito: aplicações clínicas da infância até a vida adulta] (Londres: Psychology Press, 1999), p. 8, 100-8.

[112] Ver Eric J. Mash, *Child psychopathology* [Psicopatologia infantil] (Nova York: Guilford Press, 2003), p. 77.

à imagem do que ela acredita ser um bom filho, constantemente ameaçando-os de expulsão de casa caso eles não façam isso. Em outras palavras, ela quer que eles sejam *ela.* Agora que estão prestes a abandoná-la, duvido que eles olhem para trás.

Conheço também um pai que é músico de formação clássica. Embora não seja um homem rico, vive em um mundo refinado. Ele criou sua filha em uma atmosfera de música sinfônica, bons livros e muito diálogo. A filha, porém, gosta de pesca e de rock. Como ele se relaciona com ela? "Não consigo pensar em algo mais chato do que a pesca", diz ele, "mas não consigo pensar em algo mais interessante do que a minha filha." Então, ele a acompanha. Ele chega em casa malcheiroso, queimado de sol, cheio de picadas de mosquito, mas divertindo-se com ela por conta das brincadeiras compartilhadas. Ela prepara compilações de músicas de rock para ele ouvir. As gravações fazem-no estremecer, mas também abrem sua mente para novos ritmos e ideias musicais. E, um dia, ele ficou secretamente encantado ouvindo a filha dizer a um amigo o quanto ela também amava a música clássica. "Você nunca ouviu falar de Sibelius?", disse ela ao amigo. "É um compositor, não é uma banda de rock." Essa pequena e rara cultura familiar não é cindida, e sim unida pelas diferenças.

Toda criança é uma Terceira Alternativa, com seus próprios talentos. Quando as crianças são rotuladas por seus pais ou comparadas negativamente com outras, elas reduzem imediatamente seus sentimentos de autoestima e começam a "possuir" o seu rótulo. Já ouvi pais dizerem na presença de seus filhos: "Peter é o nosso preguiçoso" ou "Kim não sabe cantar", ou "Este é o nosso filho inteligente". Quando se olha para a criança que o pai está descrevendo, praticamente a vemos *assumir* esse rótulo. Em vez de comparar ou rotular nossos filhos, minha esposa e eu tentamos, deliberadamente, valorizá-los por suas personalidades e características únicas. Acredito que isso os deixou confortáveis e confiantes em suas singularidades. Muitas rivalidades entre irmãos podem ser evitadas quando um pai se recusa a comparar os filhos ou tomar partido entre eles. Do meu ponto de vista, cada um deles é igualmente precioso.

Quando meu neto Covey já estava morando no exterior há alguns anos, ele escreveu uma carta aos pais (Maria, minha filha, é a mãe dele), explicando que estava fazendo um autoinventário e queria que eles elaborassem uma lista dos seus pontos fortes e fracos. Ele argumentou que, uma vez que o haviam criado e que, provavelmente, o conheciam melhor, suas percepções iriam ajudá-lo a identificar áreas em que ele poderia melhorar. Eles escreveram de volta, mas só reconheceram seus pontos fortes. "Se existirem pontos fracos", escreveu a mãe dele, "eles estão entre você e Deus. Ele vai fazê-lo saber como se tornar a pessoa que pretende ser." Pessoalmente, acredito que os seres humanos são plenamente conscientes de suas fraquezas, mas nem tanto de seus pontos fortes. Jonathan Swift também acreditava nisso: "Nos homens, assim como nos solos, existe, às vezes, um veio de ouro que o próprio dono desconhece."[113] Quando a criança é definida de acordo com seu *potencial* e não segundo alguma característica limitada, esse tratamento a inspira, em vez de transformá-la em mais um estereótipo.

Fico impressionado com a sensível sabedoria do grande violoncelista Pablo Casals, que ministrou aulas de música a inúmeras crianças durante sua longa vida:

> *O que ensinamos às nossas crianças? Nós lhes ensinamos que dois e dois são quatro e que Paris é a capital da França. Quando também lhes ensinaremos o que elas são?*
>
> *Devemos dizer a cada uma delas: você sabe quem você é? Você é uma maravilha. Você é única. Em todos os anos, nunca houve outra criança igual a você. Suas pernas, seus braços, seus hábeis dedos, a maneira como você se movimenta.*
>
> *Você pode se tornar um Shakespeare, um Michelangelo, um Beethoven. Você é capaz de fazer qualquer coisa. Sim, você é uma maravilha. E quando crescer, será que conseguirá fazer mal a outro ser humano que, assim como você, também é uma maravilha?*
>
> *Você deve trabalhar, todos nós devemos trabalhar, para fazer com que o mundo seja digno de suas crianças.*[114]

---

[113] Jonathan Swift, "A teatrise on good manners and good breeding" [Um tratado sobre boas maneiras e a boa educação]. In *The English Essayists* [Os ensaístas ingleses], ed. Robert Cochrane (Edimburgo: W. P. Nimmo, 1887), Google e-book, p. 196.

[114] Pablo Casals, *Joys and sorrows* [Alegrias e tristezas] (Nova York: Simon & Schuster, 1974), p. 296.

"Não somos nem um pouco parecidos"; "Somos muito diferentes"; "Não temos nada em comum". Muitas vezes, essas queixas estão por trás do abominável divórcio por "incompatibilidade". Pais e filhos cuja relação é hostil se referem uns aos outros da mesma maneira. No entanto, são os interesses divergentes, os talentos singulares e as personalidades peculiares que tornam a vida e o amor fascinantes e atraentes. O que está faltando nesses relacionamentos é a mentalidade do meu amigo músico: realmente *ver* o ser amado como um tesouro único e suas diferenças como benefícios.

O verdadeiro oposto de "incompatível" é "compassivo". Ambas as palavras têm suas origens no conceito de "sentir em conjunto". Como diz Steven Stosny, a compaixão "sensibiliza-o para a individualidade e a vulnerabilidade de seus entes queridos. Ela faz você ver que sua esposa é uma pessoa diferente de você, com um conjunto diferenciado de experiências, um temperamento diferente, idiossincrasias diferentes e, em alguns aspectos, valores diferentes".[115]

Muitas esposas e maridos querem adorar as imagens de si mesmos uns nos outros. Muitos pais querem clones de si mesmos, em vez de filhos. Clonar-se em seus filhos confere aos pais uma posição social e uma falsa sensação de segurança. Quando seus filhos pensam como você, agem como você, falam como você e, até mesmo, se vestem como você, parece que sua identidade está sendo validada.

Mas equivalência não é singularidade, e uniformidade não é unidade. A família é a equipe complementar ideal, na qual a unidade é alcançada por pessoas que têm diferentes dons, que estão unidas pelo amor mútuo e apreciam profundamente seus papéis, percepções e capacidades contrastantes.

Este é o melhor conselho que posso dar aos meus filhos já casados: não tentem melhorar seus cônjuges, tentem fazê-los felizes. Temos uma tendência a querer que nossos cônjuges fiquem mais parecidos conosco, como se o nosso caminho fosse o melhor de todos. Aprendi, em meu próprio casamento, que isso nunca funciona, além de ser uma maneira de desprezar os talentos singulares que as pessoas trazem para o casamento. Em vez de tentar transformá-las cada vez mais em sua própria imagem, aprecie as suas diferenças, cresça com elas e empenhe seus esforços para tentar fazê-las felizes.

---

[115] Stosny, *You don't have to take it anymore* [Você não precisa aguentar mais] (Nova York: Simon & Schuster, 2005), p. 208.

Eu Procuro por Você

"As brigas familiares são amargas", disse F. Scott Fitzgerald, "como cortes na pele que não cicatrizam." A maneira de acabar com as disputas em sua própria família é procurar por seus entes queridos e praticar a comunicação do Bastão da Fala com eles. Apesar de as brigas envolverem mais de uma pessoa, basta apenas uma delas para dar início ao processo de melhoria. Esse é o pré-requisito absoluto para encontrar soluções da Terceira Alternativa para os problemas.

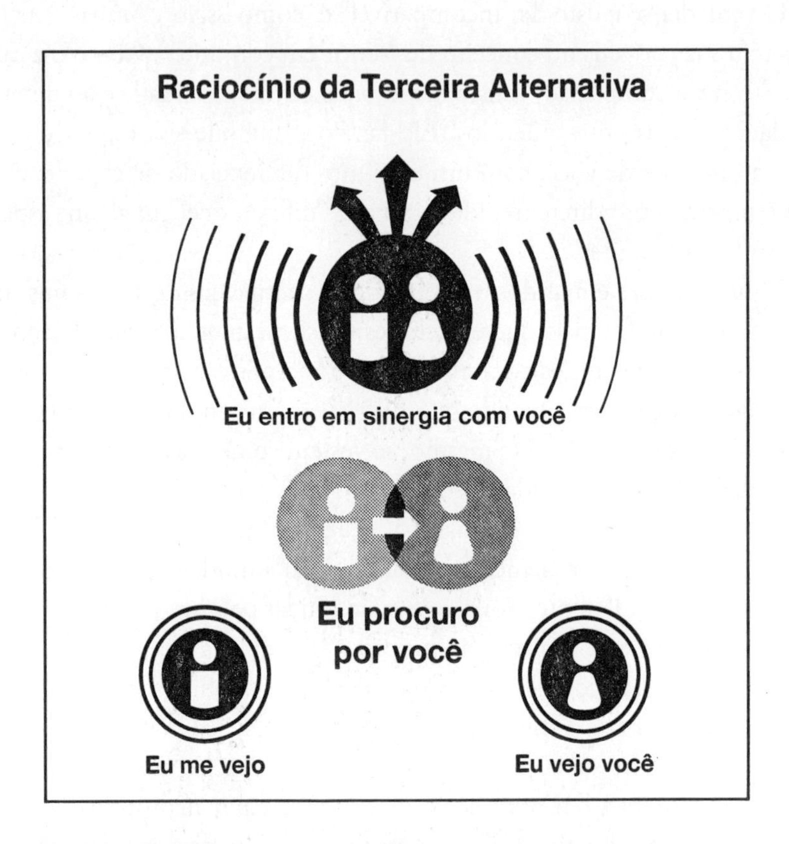

Funciona assim. Vou até você e digo: "Você está com o Bastão da Fala." Isso significa que não posso dizer nada a não ser para reiterar sua posição. Posso fazer uma pergunta para ter certeza de que estou entendendo o seu ponto de vista, mas não posso dar a minha opinião, não posso concordar nem discordar. Tudo o que posso fazer é comunicar com minhas próprias palavras o seu ponto de vista até que você se sinta compreendido. Então, você passa o Bastão da Fala para mim. Agora é a minha vez; você fica em silêncio e ouve com empatia até que eu me sinta compreendido. Então, passo o Bastão de volta para você.

A comunicação do Bastão da Fala transforma a energia defensiva e negativa em energia criativa e positiva. Eis o porquê: quando você ouve atentamente os outros até que eles se sintam compreendidos, está comunicando o quanto eles significam para você. Você os está legitimando. É tão terapêutico, tão restaurador da saúde, que eles não podem brigar com você, e se mostram cada vez mais disponíveis.

A comunicação do Bastão da Fala é demorada, mas garanto que vai poupar muito tempo e estresse em sua vida familiar. Pessoas que vêm se mantendo teimosamente afastadas por anos se abrem umas para as outras Animosidades profundas se dissolvem em lágrimas, familiares se abraçam novamente.

Infelizmente, a comunicação do Bastão da Fala é rara.

Certa vez ouvi um homem se referir à própria esposa como uma "máquina de contradizer". Ela é impaciente, disse ele, e não importa o que as pessoas digam, ela vai afirmar o contrário: "Se minha filha disser que ninguém gosta dela, minha esposa vai dizer: 'Isso é ridiculo, todo mundo gosta de você.'" Esse padrão pode parecer inócuo, mas sufoca a comunicação: a criança aprende que seus sentimentos são "ridículos" e que ninguém está interessado em ouvi-la. A menina vai dizer: "Não vou mais à escola." A mãe vai responder: "Você está louca? É óbvio que você vai à escola." Essa resposta reduz o "ar psicológico" da filha e, no fim, ela vai revidar, começando sua própria contraofensiva.

Se, assim como essa mãe, você formula suas respostas enquanto sua filha está falando, você não está ouvindo. Ela conseguirá ser realmente livre e aberta com você, se contra-argumentar tudo o que ela disser? Se ela é incapaz de enfrentar a escola, algum dia você se disporá a perceber seu verdadeiro sofrimento ou a entender por que ela sofre tanto?

De modo geral, pais bem-intencionados sentem que sua função é corrigir os problemas de seus filhos. É instintivo. Essa mãe simplesmente nega a existência do problema — trata-se de uma estratégia. Pais mais sensíveis respondem com conselhos. Quando a criança diz: "Estou com um problema", eles falam: "Bem, você deveria considerar esses outros pontos." Mas a *verdadeira* função dos pais é educar as crianças para que elas possam propor suas próprias Terceiras Alternativas. Quando seu filho diz: "Estou com um problema", esse é o sinal de que provavelmente ele está preso em uma situação de Duas Alternativas. O namorado está pressionando sua filha. Seu filho não está conseguindo as notas mínimas na escola. Os amigos se envolveram com drogas. O pai sensato responde destas formas: "Conte-me mais"; "Você está enfrentando uma fase realmente difícil"; "Você não sabe muito bem o que pensar".

Há vários inconvenientes em distribuir conselhos, não importando o quanto eles sejam bons. Você priva a criança de uma oportunidade de crescimento, da chance de expressar — e dividir com você — todos os seus complexos sentimentos acerca do problema. Você provoca um curto-circuito em sua capacidade e iniciativa. Você rouba a chance dela de chegar à sua própria Terceira Alternativa. Você a torna mais dependente de você, e a dependência traz consigo o desamparo e o ressentimento.

Você poderia dizer: "Fique longe daqueles viciados. Não quero você envolvida com eles." Um bom conselho, mas se você reduzir a questão a uma resposta tão simples como essa será que isso acalmará a turbulência que ela está sentindo? Eles são os amigos dela, as pessoas com quem ela tem ligações e por quem nutre afeto. Será que ela pode simplesmente virar as costas para eles? Ela deveria tentar ajudá-los? Ou deveria romper a amizade? Antes de distribuir conselhos, você pode ouvir tudo com empatia, percebendo que ela vai descobrir a maior parte de suas *próprias* respostas. E, juntos, talvez vocês possam chegar a uma Terceira Alternativa que deixará sua filha a salvo e também será útil para os amigos dela. O grande psicólogo infantil Haim Ginott escreveu:

> *O princípio da sabedoria é escutar. Uma escuta empática torna possível que os pais ouçam os sentimentos que as palavras tentam transmitir, ouçam o que as crianças estão sentindo e vivenciando. [...] Os pais precisam ter mente e coração abertos, pois isso irá ajudá-los a escutar todos os tipos de verdades, sejam elas agradáveis ou não. Mas muitos pais têm medo de ouvir, pois podem não gostar do que ouvem.*[116]

Você pode querer resolver os problemas dos seus filhos por eles, e eles podem querer que você faça isso. Mas, se agir assim, privará a si mesmo e aos seus filhos da oportunidade de trabalharem juntos para chegarem à sinergia. Quando os pais veem os problemas de seus filhos como oportunidades para fortalecer o relacionamento, em vez de tomá-los como aborrecimentos negativos e desgastantes, dos quais querem se livrar logo, isso muda completamente a natureza das interações entre eles. Os pais ficam mais dispostos, e até mesmo animados, com a possibilidade de compreenderem e ajudarem profundamente seus filhos. Quando um filho vem até você com um problema, em vez de pensar "Ah, não! Não tenho tempo para isso!", o seu paradigma deve ser: "Eis aqui uma grande oportunidade para que eu realmente ajude meu filho e invista em nosso relacionamento." Fortes laços de amor e confiança são estabelecidos à medida que os filhos sentem que os pais dão valor às suas questões e a eles mesmos como indivíduos. Embora tenha havido muitos lapsos, me sinto gratificado por ter tentado acompanhar o crescimento de meus próprios filhos e compreender os seus problemas. Meus esforços, tais como foram, resultaram em muitos dividendos. Esta é uma recordação da minha filha Jenny:

---

[116] Haim Ginott, *Entre pais e filhos* (Rio de Janeiro: Campus, 2004).

No meu processo de crescimento, nunca tive motivos para me rebelar, porque meus pais sempre fizeram com que eu me sentisse compreendida. Eles realmente me ouviam. Observando os meus amigos, eu percebia que até mesmo uma coisa simples, como a hora de dormir, poderia causar muitos problemas, porque os pais deles diziam: "Esta é a regra, sem discussão." E parava por aí. Mas meus pais discutiam isso comigo, perguntavam a minha opinião e ouviam o que eu tinha a dizer. Eu não me sentia na defensiva. Qualquer desejo de revidar era dissipado pelo sentimento de ser compreendida. Agora, com meus próprios filhos, se me disponho a realmente ouvir e entender, as crianças se mostram muito mais propensas a me ouvir.

Uma vez, quando eu era adolescente, minha família estava planejando passar um fim de semana no Sundance Resort. Eu não queria ir, pois já tinha alguma outra coisa para fazer com meus amigos. Meu pai disse: "Não, vamos todos para Sundance hoje à noite, e essa é a minha decisão." Como muitos adolescentes fazem, fiquei louca de raiva, me enfiei na cama e jurei que nunca iria perdoá-lo. Ele nem tinha me ouvido e não se importava com o que eu sentia. Então, poucos segundos depois, ouvi uma batida na porta. Era o meu pai. Ele disse: "Me desculpe, não ouvi você. Diga-me porque você quer ficar em casa." Depois de me ouvir, ele disse: "Entendo perfeitamente", e encontramos uma maneira de eu ficar em casa e, até mesmo, de levar meus amigos para Sundance no outro fim de semana.

Pedir desculpas e escutar podem, realmente, resolver o problema, se isso for sincero. Tenho sorte, porque me senti ouvida durante toda a minha vida. Honestamente, nunca precisei bater portas e ficar com raiva de meus pais enquanto eles gritavam: "Vai ser da nossa forma ou nada feito!" Pelo fato de eu me sentir valorizada, sempre me mostrei muito disponível ao que eles tinham a dizer.

Agora, como mãe, tento me lembrar: "Não venha com as suas respostas. Basta parar e ouvir o que eles têm a dizer."

Se você acabar se envolvendo em uma briga com um ente querido, pode escolher a resposta compassiva e empática. Um especialista diz: "Se você tocar no ponto fraco de um familiar, ou se um familiar, no calor do momento, disser alguma coisa para irritá-lo ou chateá-lo, trate isso como uma falha de comunicação — um convite para descobrir por que vocês estão em desacordo."[117] Eu gosto dessa abordagem. Você tem o poder de decidir se quer se sentir ofendido ou entender a história que a pessoa que você ama está contando para si mesma. Um momento de tensão pode levar não à ruptura, mas a um fortalecimento do vínculo, caso vocês o utilizem como uma abertura para a sinergia.

Pode acontecer uma crise entre você e sua filha. Quando você diz: "Quero que desista daqueles seus amigos viciados", ela pode responder: "Não, não vou desistir. Eles são meus amigos, eles são os únicos que se preocupam comigo." Todos os seus instintos lhe dizem para revidar: "Se eles querem que você use drogas, não são seus amigos. E, certamente, eles não são os únicos que se importam com você. *Eu* me importo com você muito mais do que eles!" Mas se você for um pai sensato, desistirá de distribuir conselhos e impor soluções. Você reconhecerá, sim, que ela atacou injustamente sua identidade de pai amoroso, e ficará magoado. Mas se você pensar de acordo com a Terceira Alternativa, aproveitará essa chance para buscar algo melhor do que aquilo que qualquer um de vocês já imaginou. Primeiro, você vai convidá-la a lhe contar a sua história, e ouvirá com genuína empatia. Acalme-se e diga: "Certo, me ajude a entender o que está acontecendo." É um convite neutro.

Ela responde então: "Você só se importa com você mesmo. Você simplesmente não quer ter uma filha viciada. Isso vai fazer mal à sua imagem."

Puxa! É claro que isso é totalmente injusto com você. Mas lembre-se: você não está interessado em justiça — está interessado no bem-estar da sua filha. Coloque-se no lugar dela e abstenha-se temporariamente de suas próprias mágoas e ansiedades. É com a história dela que você está preocupado agora, não com a sua. Você diz: "Isso tem sido difícil para você."

Depois de um tempo, ela responde: "Eu me sinto sozinha. Você tem o seu trabalho. Na escola, todos têm alguma coisa. Não tenho nada. Ria e Matt são os únicos com quem posso falar."

---

[117] Mark Sichel, *Healing from family rifts* [Livrando-se das divergências familiares] (Nova York: McGraw-Hill Professional, 2004), p. 166.

Mil respostas aparecerão em sua mente: "Você não está sozinha, garota. Estarei sempre aqui, ao seu lado. Você é muito mais importante para mim que o meu trabalho. E há muitas coisas boas acontecendo na sua vida. Você é inteligente, é bonita, tem talento. Ria e Matt são influências muito ruins." E assim por diante, *ad infinitum*. Mas você não diz nada disso. Você não está com o Bastão da Fala nesse momento. Inversamente, você expressa o raciocínio dela, não o seu: "Então, você realmente depende da Ria e do Matt."

"Tento me enturmar", diz ela. "Tentei fazer amigos, mas ninguém me quer por perto, a não ser eles. E eles são bons para mim. Eles me amam. Conversamos o tempo todo. Sei que eles estão criando problema para si mesmos com as drogas e tudo mais."

Você diz: "Você está muito preocupada com eles."

Ela diz: "Eles me ofereceram um pouco na noite passada. Eles ficaram falando o quanto era legal, como a droga faz você se sentir. Mas já vi como eles ficam quando o efeito passa. É péssimo assistir a isso."

Você diz: "Deve ser difícil ver seus amigos sofrerem."

Ela diz: "Sim, não consigo me imaginar fazendo isso comigo mesma."

E assim por diante. Como ouvinte empático, você descobriu coisas profundamente importantes sobre sua filha. Já ficou sabendo sobre sua solidão, sua luta para ser aceita, sua dedicação a alguns jovens que a acolheram e que também estão lutando para serem aceitos. Você também descobriu que ela está confusa a respeito das drogas; ela tem noção dos riscos e reconhece que seus amigos estão em uma situação preocupante. Você aprendeu que o que *pensava* que era o problema, *não é*. Ela não está se encaminhando para o vício. Ela não está se rebelando contra você. Apesar dos comentários ferinos que fez, que foram apenas um movimento defensivo da parte dela, isso tudo não tem propriamente a ver com você.

Considere o que está acontecendo no coração e na cabeça de sua filha. Se demonstrar disposição para ouvir, isso possibilitará que ela compartilhe suas dolorosas percepções. Gradualmente, você se tornará seu amigo, em vez de se isolar como um inimigo em uma história de "nós contra você". A história mudou. Você agora é "um de nós".

Observe que você não concordou com o que ela disse ou discordou dela. Você não tolerou o uso de drogas por parte de seus amigos, ou sua intenção de oferecê-las à sua filha. Você não se rendeu à imagem que ela tem de si mesma: de uma pessoa indesejada e carente de afeto. Você simplesmente ouviu, de modo que pudesse entender a história. Nesse ponto, sua função é ver o que ela vê, sentir o que ela sente e dizer: "Você vê as coisas de maneira diferente. Preciso ouvir você."

Agora você está se preparando para chegar à Terceira Alternativa. Por definição, você não sabe no que ela resultará. Há sempre um risco ao se buscar a Terceira Alternativa; você não tem garantia alguma de que alcançará algo melhor. É impossível saber onde você e sua filha chegarão nessa jornada de sentimentos. Mas se você deixar de ouvir empaticamente, garanto que muros espessos serão erguidos entre vocês dois, muros de incompreensão e sofrimento. Derrubar esses muros pode ser realmente difícil.

Ao contrário, quanto mais você ouvir a história dela, menores serão as barreiras emocionais entre você e sua filha. "As histórias nos levam além desses muros", diz Elif Shafak. Se os muros são feitos de concreto, "as histórias são a água corrente" que corrói os muros.[118] Como um riacho, a história encontra o seu próprio curso e isso poderá conduzi-lo a um destino inesperado. Quanto mais você seguir a correnteza da história, maiores as suas perspectivas de chegar à Terceira Alternativa.

Em nossa cultura corretiva e pragmática de resolução de problemas perdemos inúmeras perspectivas, pois não temos paciência para as histórias dos outros, a complexa história de luta, sofrimento, perda e triunfo que é única para cada um de nós. Pensamos que já sabemos tudo. Dizem os especialistas: "Uma das maiores dificuldades na construção de relacionamentos é que nem sempre podemos observar clara ou completamente o coração, a mente e a experiência da outra pessoa. Isso é especialmente problemático no casamento, em que, com base em anos (ou, às vezes, apenas meses) de experiência, pensamos conhecer totalmente o nosso parceiro."[119] Como resultado, ignoramos e evitamos as histórias alheias, não dando ouvidos para elas. Em vez de ouvir uns aos outros, nos isolamos e afastamos nossos filhos dos conflitos. O resultado é um "deficit de empatia".

---

[118] Elif Shafak, "The politics of fiction" [As políticas da ficção], 16 de julho de 2010, *TED.com*.
[119] H. Wallace Goddard e James P. Marshall, *The marriage garden: cultivating your relationship so it grows and flourishes* [O jardim do casamento: Cultivando sua relação para que ela cresça e floresça] (Nova York: Wiley, 2010), p. 80.

Algumas culturas resolvem melhor essa questão. Por milênios o povo xhosa, da África do Sul, tem resolvido conflitos incentivando as pessoas a contarem suas histórias em uma reunião aberta, chamada *xotla*. O objetivo da *xotla*, que pode durar dias, é dar chance para que todos sejam ouvidos, "até que as partes tenham literalmente esgotado seus sentimentos negativos". Esse povo desconhece a guerra.[120] Do mesmo modo, as culturas aborígines do Canadá usam histórias para aliviar a tensão e ensinar as crianças a resolverem conflitos. Quando há uma briga, a família ou a comunidade se reúne em um "círculo de conversa", para que a empatia possa fluir. Um participante de um seminário sobre reconstrução familiar realizado nas Primeiras Nações explica como isso funciona:

> *Não costumamos pensar em "castigar" uma criança que não está fazendo o que queremos que ela faça. Para muitos de nós, isolar uma criança de sua comunidade parece ser o oposto daquilo que queremos que ela aprenda. Talvez a criança precise ser trazida ainda mais para dentro da intimidade de sua comunidade e ouvir o que os seus amigos estão tentando fazer. Então, ela poderá perceber o quanto é necessária para ajudar o grupo.*

À medida que ouvem as histórias de como os outros resolveram seus problemas, as crianças aprendem empatia, junto com "os valores morais e as expectativas de comportamento na comunidade". Mais do que as ordens diretas ou o castigo, as histórias podem "falar ao espírito da criança"[121].

Meu filho Sean me contou o quanto sua experiência de buscar se aproximar de seu próprio filho transformou o relacionamento deles.

---

[120] William L. Ury, "Conflict resolution among the bushmen: lessons in dispute systems design" [Resolução de conflitos entre os colonos: lições sobre concepções de sistemas para reduzir os conflitos], *Negotiation Journal*, outubro de 1995, p. 379-89.

[121] Jessica Ball e Onowa McIvor, "Learning about teaching as if communities mattered" [Aprendendo sobre o ensino como se as comunidades tivessem importância], documento apresentado na Conferência Mundial em Educação dos Povos Indígenas, Hamilton, NZ, 27 de novembro de 2005. Disponível em: http://www.ecdip.org/docs/pdf/WIPCE-20FNPP%20Learning%20Points.pdf.

Na faculdade, consegui realizar meu velho sonho de me tornar zagueiro do time de futebol. Depois de ser o capitão da minha equipe por dois anos, vi meu sonho acabar mais cedo do que esperava quando rompi os ligamentos do joelho. Anos mais tarde, já casado e trabalhando, fiquei muito entusiasmado em saber que meu primeiro filho seria um menino. Como seria divertido treiná-lo para ser um grande zagueiro! Então, eu o treinei e o orientei da primeira à oitava série, temporada após temporada, e ele se tornou um zagueiro excepcional. Como se pode imaginar, fiquei extremamente orgulhoso, e sempre dizia ao vê-lo jogar: "Sim, este é o meu menino."

Então, um dia, nas férias de verão entre a oitava e a nona série, Michael Sean me disse que não pretendia jogar futebol no ano seguinte. Fiquei chocado. "Você está louco? Você sabe o quanto você é bom? Você sabe quanto tempo passei treinando você?" Ele respondeu simplesmente que não queria jogar. A ideia era muito ameaçadora para mim e me abalou profundamente. Obviamente, grande parte de minha segurança emocional dependia de ele se tornar um grande jogador de futebol. Durante dias, fiquei tentando convencê-lo, mas não obtive muito sucesso.

Ironicamente, na época, eu trabalhava como desenvolvedor de produtos e estava elaborando um seminário sobre como se tornar um ouvinte melhor. Um dia, me dei conta de que ainda não havia realmente ouvido o meu filho. Acho que eu estava com medo de que, de fato, ele não fosse mais jogar. Ao me preparar para realmente ouvir, precisei enfrentar friamente os meus motivos. Eu estava tentando criar um jogador de futebol ou um filho? Eu estava fazendo isso para ele ou por mim? À medida que refletia, fui percebendo que precisava criar um filho, e que, no panorama geral das coisas, o futebol realmente não importava muito.

Logo, a minha chance apareceu. "Quer dizer, então, Michael Sean, que você não tem vontade de jogar futebol no próximo ano."

"Não", respondeu ele.

Fiquei quieto.

"Não gostei muito no ano passado", disse ele.

"Então, no ano passado não foi muito bom para você?"

"Nem um pouco."

Simplesmente balancei a cabeça, aceitando sua declaração.

"Eu odiei jogar futebol no ano passado, pai. Levei uma surra no campo. Quer dizer, olhe para mim. Tenho a metade do tamanho de todos os outros."

"Você apanhou no ano passado?" A essa altura Michael Sean poderia dizer que eu realmente me importava, e não tinha nenhuma outra preocupação a não ser querer entendê-lo. Então, ele realmente se abriu.

"Sim, todo mundo é muito maior que eu. Eu ainda não acabei de crescer, pai, mas não cresci nada neste verão. Você era grande quando era jovem, então você não consegue entender."

"Você acha que eu não entendo."

E assim por diante. À medida que eu ouvia, aprendi muitas coisas novas sobre meu filho. Ele se sentia pequeno. Ele se sentia inseguro e vulnerável. Tínhamos acabado de nos mudar para uma nova área e ele não conhecia muitas pessoas. Ele havia sido massacrado no ano anterior e se sentiu pressionado a atender às expectativas que eu nutria a seu respeito.

Depois de alguns minutos, enquanto eu realmente tentava entendê-lo, ele perguntou: "Então, pai, o que você acha que devo fazer?"

Eu disse: "Qualquer que seja a sua opção, para mim está tudo bem. Sério. Se você quiser jogar, ótimo. Se não, ótimo também. Você decide. Vou apoiá-lo de qualquer maneira."

Alguns dias depois, ele veio até mim e disse: "Pai, eu quero jogar futebol no próximo ano." Fiquei feliz em ouvir isso, mas não era grande coisa para mim. Eu teria ficado muito bem se ele tivesse escolhido não jogar. A boa notícia foi que meu filho e eu nos aproximamos naquele dia e, desde então, permanecemos próximos. Descobri que quando se trata de relacionamentos, rápido é devagar e devagar é rápido. Gastar 30 minutos realmente tentando entender resolveu uma questão que poderia ter se arrastado por meses ou causar muito atrito entre nós. Realmente, a empatia é a maneira mais rápida de comunicação.

A compreensão profunda da história de outra pessoa inspira, inevitavelmente, compaixão. Quando conseguimos ver verdadeiramente através das lágrimas, quando finalmente sentimos o que se passa no coração de um ente querido, nos transformamos. Nossos paradigmas mudam radicalmente. Um adolescente atrevido se torna um jovem solitário e em apuros. Um marido silencioso e recluso se torna um homem que sempre teve de lutar contra a inadequação, a depressão e a mágoa interior. Conseguimos acessar o coração de um pai idoso e ranzinza que se lamenta por oportunidades há muito tempo perdidas e se desespera por causa da vida que se esvai. O coração de cada um é sensível, e quando atingimos essa sensibilidade, chegamos a um lugar sagrado.

Na história "O juízo final", do escritor tcheco Karel Capek, a alma de um assassino cruel é conduzida aos tribunais do céu. Três juízes entediados julgam o caso. Eles convocam uma testemunha para depor, "um extraordinário cavalheiro, imponente, barbudo e vestido com uma túnica azul, repleta de estrelas de ouro". Acontece que essa é a única testemunha necessária, porque ele é "o Deus Onisciente". O réu é orientado a não interromper a testemunha, porque "Ele sabe tudo, então não adianta negar nada". A testemunha atesta que o réu cometeu atrocidades, mas diz mais. Quando era criança, ele amava sua mãe profundamente, mas não foi capaz de demonstrar esse amor. Aos 6 anos, ele perdeu seu único brinquedo, uma preciosa bola de gude colorida, e chorou por causa disso. Aos 7, roubou uma rosa para ofertá-la a uma menina, que cresceu e o rejeitou para se casar com um homem rico. Sem-teto na juventude, ele dividia sua comida com outros vagabundos. "Ele foi generoso e, muitas vezes, prestativo. Ele foi gentil com as mulheres, gentil com os animais, e cumpria sua palavra."

No entanto, como esperado, os juízes condenam o réu à prisão perpétua. Em determinado momento, o réu pergunta a Deus: "Por que Você mesmo não conduz o julgamento?" Deus responde: "Porque eu sei tudo. Se o juízes soubessem tudo, absolutamente tudo, eles também não poderiam julgar: eles entenderiam tudo, e seus corações sofreriam. [...] Sei tudo sobre você. Tudo. E é por isso que não posso julgá-lo."[122]

Para mim, essa história ilustra que quanto mais entendo você, mais me sensibilizo a seu respeito e minha tendência a julgar o seu valor como ser humano é menor. Quanto menos eu entendo, maior a probabilidade de percebê-lo como uma "coisa" a ser julgada, manipulada e ignorada.

---

[122] Karel Capek, "The final judgment" [O julgamento final], in *Tales from Two Pockets* [Contos de dois bolsos], trad. Norma Comrada (North Haven, CT: Catbird Press, 1994), p. 155-59.

Começando com você mesmo, é possível criar uma cultura familiar de empatia apenas convidando as outras pessoas — seus filhos, seus pais idosos, seu parceiro — a contarem suas histórias, especialmente em uma situação conturbada. Exercite seus músculos da empatia. Pergunte-lhes sobre os conflitos que enfrentaram, os mal-entendidos com os quais depararam. Ouça os relatos de suas dificuldades. Ao desenvolver um vínculo de empatia com os outros, você vai perceber que eles responderão na mesma moeda. A empatia é contagiosa.

Meu irmão John, que tem bastante experiência em aconselhamento e orientação familiar, me contou esta história sobre uma família aparentemente ideal, mas que sofria de um profundo deficit de empatia:

Era uma família de pessoas produtivas, pais inteligentes, filhos maravilhosos. Os pais solicitaram uma consulta, pois estavam perdendo totalmente o controle sobre os filhos adolescentes.

Então, pedimos inicialmente que os pais se retirassem para uma sala reservada e começamos a conversar apenas com os filhos. No início, eles não estavam dispostos a falar, embora fossem jovens brilhantes e articulados. Em pouco tempo eles se abriram e nos disseram que seus pais simplesmente não os ouviam. Não havia respeito nem empatia. Praticar a comunicação do Bastão que Fala não é apenas ouvir. É também demonstrar profundo respeito. Então, aqui estávamos procurando estabelecer empatia com eles. Eles haviam recebido ordens sobre o que fazer durante toda a vida, mas nunca tinham conseguido expressar suas próprias vontades. Eles começaram a reprimir seus ressentimentos mais profundos. Eles nunca tinham sido ouvidos, nunca haviam lhes dado a oportunidade de criar sinergia, de florescer.

Ouvimos os adolescentes o dia inteiro. Em seguida, pedimos que os pais entrassem e distribuímos a todos eles um exercício. "Coloque em um pedaço de papel qualquer palavra que lhe venha à mente quando você pensa na palavra amigos."

Em seguida, comparamos as listas. Não havia palavra alguma repetida. Era noite e dia. Quando a mãe percebeu o sentido desse exercício, finalmente entendeu. Ela retirou uma régua de uma gaveta e deu a seus filhos. "A partir de agora, se vocês tiverem algo a dizer, peguem esta ré-

gua. Isto significa 'Eu quero falar e tenho algo a dizer.'" Então, a mãe ouviu. A cultura mudou.

Todas as tardes de domingo, eles disseram, faremos um passeio de bicicleta, apenas para nos familiarizarmos. Apenas para conhecermos uns aos outros.[123]

Os sábios islâmicos dizem que "o conhecimento que não o leva além de si mesmo é muito pior do que a ignorância".[124] Quanto mais eu estiver disposto a conhecer os seus sentimentos, maior o poder que você e eu teremos para superar juntos as nossas divergências e chegarmos a um terceiro lugar, que é muito melhor do que aquele em que estamos agora.

Eu Entro em Sinergia com Você

A família em si é uma Terceira Alternativa. Ela começa como o casamento literal de dois seres humanos únicos e duas culturas. Se regido pelos paradigmas do respeito e da empatia por si mesmo e pelo parceiro, o resultado é uma terceira cultura, um relacionamento novo e infinitamente frutífero, no qual podemos encontrar nossas mais profundas alegrias e nossas mais profundas satisfações.

Criamos uma família da Terceira Alternativa ao adotarmos, deliberadamente, a mentalidade de sinergia: não a minha maneira, não a sua maneira, mas a *nossa* maneira — uma maneira maior e melhor. Treinamos a adoção dessa mentalidade procurando persistentemente pela Terceira Alternativa em todas as nossas interações importantes. Como criar filhos, gerenciar as finanças, equilibrar carreiras, fazer escolhas religiosas, promover a intimidade — essas são questões importantes, que precisam ser tratadas com sinergia.

Muitas vezes, lida-se com essas questões não apenas sem sinergia, mas também sem respeito nem empatia, como nos seguintes diálogos:

- "Não entendo por que estamos sempre endividados. Ganhamos tanto dinheiro"; "Ah, me deixe em paz."

---

[123] Entrevista com John Covey, 18 de fevereiro de 2011.

[124] Elef Shafak, "Politics of fiction", [Políticas da ficção] *TED.com*, 16 de julho de 2010. Disponível em: http://ww.ted.com/talks/elif_shafak_the_politics_of-fiction.html.

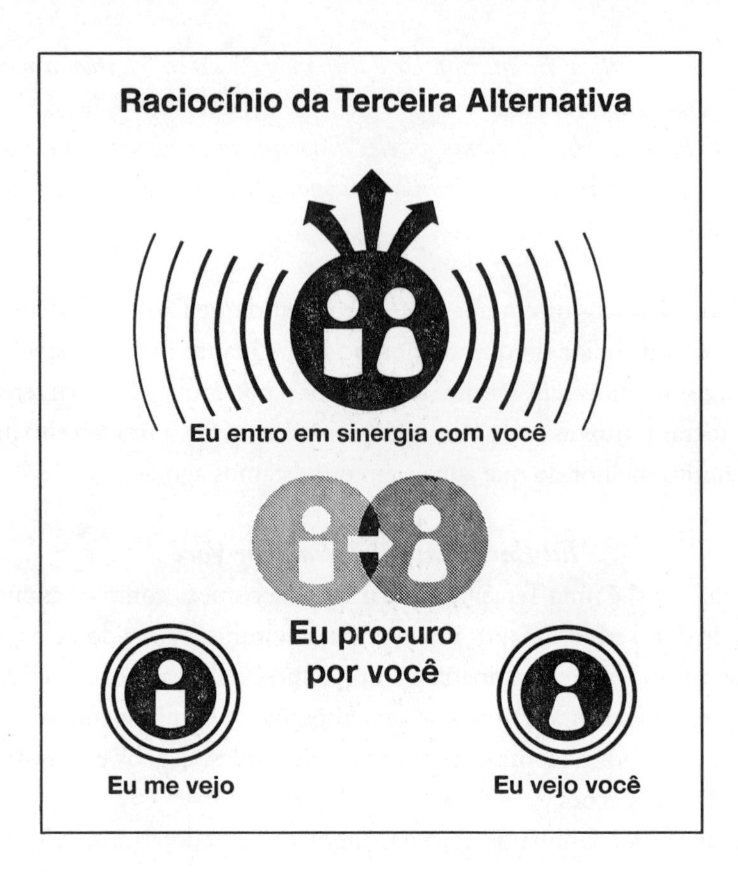

- "Eu gostaria que você não fosse tão duro com as crianças"; "Como eles vão aprender se não tiverem disciplina?"
- "Você nunca está em casa"; "Eu me acabo de trabalhar para sustentar esta família, e tudo que você faz é reclamar."

A maior parte dos nossos conflitos não envolve questões tão difíceis. Digamos que estamos de férias e quero ir à praia, enquanto você quer jogar golfe. Esse tipo de situação geralmente não necessita de sinergia; podemos fazer ambas as coisas, nos separar durante a tarde, ou escolher apenas uma das opções. Não é tão difícil.

Anos atrás, quando meu filho Josh estava prestes a fazer 13 anos, eu o levei para jogar golfe um sábado à tarde. Eu pretendia jogar apenas nove buracos com ele e, depois, voltar para casa para ouvir uma importante transmissão de rádio. Eu não sabia que ele esperava que fôssemos jogar todos os 18 buracos; ele ficou muito triste quando eu disse que teríamos de parar e ir para casa. Ele adorava jogar golfe, e nós estávamos passando um precioso tempo juntos, ainda que curto. De repente, eu tinha um verdadeiro dilema em minhas mãos — decepcionar meu filho e perder a oportunidade de ficar um tempo com ele, ou perder uma transmissão que era importante para o meu trabalho. Mas há sempre uma Terceira Alternativa: eu tinha um pequeno rádio no meu carro. Conectei um fone de ouvido e fiz as duas coisas. Josh e eu tivemos uma ótima tarde juntos e consegui apreender a essência da transmissão.

É possível encontrar Terceiras Alternativas desse tipo todo dia. Pequenos conflitos só precisam de um pouco de criatividade e instinto para se buscar uma Terceira Alternativa. Mesmo assim, se estivermos envolvidos em um conflito crônico acerca de questões mais sérias, uma pequena divergência pode resultar em uma batalha. Nesse caso, a questão não é a praia contra o golfe, é a natureza de nosso relacionamento. Devemos escolher viver em sinergia positiva ou negativa?

Se você quiser partir para a sinergia positiva, os paradigmas "Eu me vejo", "Eu vejo você" e "Eu procuro por você" são de extrema importância. Se eu não tiver uma personalidade respeitosa e empática, nem posso cogitar chegar a uma Terceira Alternativa com você. De outro modo, as tentativas de sinergia serão apenas jogos mentais. A sinergia vem de dentro para fora, e se eu começar a jogar com você, você perceberá.

Embora a empatia seja essencial, ela não é suficiente, por si só, para resolver definitivamente os desafios mais difíceis. Como diz o filósofo J. D. Trout: "A empatia é um ponto de partida. Infelizmente, muitos se deixam paralisar antes do fim."[125] Em si mesma, a empatia pode ser transformadora, mas, a menos que procuremos uma Terceira Alternativa, o problema permanece. As brigas familiares fazem com que algumas pessoas fiquem literalmente exaustas. Outras simplesmente não acreditam que uma Terceira Alternativa seja possível. Elas podem compreender perfeitamente por que suas esposas ou maridos, filhos ou pais, se comportam daquela manei-

---

[125] J. D. Trout, *The empathy gap: building bridges to the good life and the good society* [A lacuna da empatia: construindo pontes para uma vida boa e uma sociedade boa] (Nova York: Penguin, 2009), s.p.

ra, e até mesmo sentir empatia por eles, mas perderam a esperança de que algo vá mudar algum dia. Há, ainda, aqueles que acreditam na sinergia e sabem que outras famílias podem alcançá-la, mas não acreditam possuir as habilidades ou a aptidão para colocá-la em prática em seus próprios lares. Eles duvidam de si mesmos.

Os casais podem viver juntos por décadas nesse estado de "divórcio emocional", brigando continuamente por conta das mesmas questões, pois nenhum deles tem coragem de perguntar ao outro: "Você está disposto a buscar algo melhor do que aquilo que temos?"

Mas se fizermos isso podemos entrar no que alguns especialistas chamam de "Terceiro Espaço". Em vez de forçá-lo a concordar com a minha opinião ou a abdicar do seu ponto de vista, procuramos um lugar novo, que incorpore o melhor de ambas as percepções. No Terceiro Espaço "fazemos uma mudança fundamental nas percepções dualistas e exclusivas da realidade, adotando uma atitude mental que integre, com os aspectos complementares de diversos valores, comportamentos e crenças em um todo novo". Simplificando, deixamos de pensar em termos de "meu jeito contra o seu jeito" e começamos a pensar em termos de "o nosso jeito", um jeito que aproveite o que há de melhor em nós. No Terceiro Espaço "o lugar onde estamos é o lugar aonde nunca fomos".[126]

Como vimos na interação empática a respeito das drogas entre um pai e sua filha, a história não termina aí. Conforme a filha fala, eles passam, gradualmente, para um Terceiro Espaço, um Teatro Mágico onde as alternativas podem ser testadas. Lembre-se de que a filha acaba de revelar o quanto é terrível assistir aos angustiantes excessos de seus amigos com as drogas.

Você diz: "Deve ser difícil ver seus amigos sofrerem."

Ela responde: "Eu acho que isso os assusta, mas eles não sabem como parar. Não há ninguém com quem eles possam conversar. Eles não conseguem falar com os pais, [...] não da maneira que eu consigo."

Agora você está pensando consigo mesmo: "Assim já é melhor. A empatia tem os seus benefícios." Mas ela ainda tem o Bastão da Fala e, então,

---

[126] Isaura Barrera, Robert M. Corso e Dianne Macpherson, *Skilled dialogue: strategies for responding to cultural diversity in early childhood* [Diálogos habilidosos: estratégias para responder à diversidade cultural na primeira infância] (Baltimore: P.H. Brookes, 2003), s.p.

você diz: "Seria muito importante que Ria e Matt conseguissem obter alguma ajuda."

Ela continua pensando alto. "Os pais deles iriam matá-los se soubessem. Os professores falam bastante sobre drogas na escola, mas ninguém escuta mais. Os orientadores educacionais são bons, mas estão sempre ocupados. Com quem eles poderiam falar?"

"O que você acha?", você pergunta.

Até o momento, tudo que você fez foi espelhar a confusão interior dela e, agora, ela está se encaminhando para o Teatro Mágico — com a sua ajuda. Já existem muitas alternativas possíveis, e nenhuma delas se refere ao envolvimento de sua filha com as drogas. Ao contrário, parece que ela fez sua própria escolha e pretende encontrar uma maneira de ajudar seus amigos a escapar.

Há alguns anos, um jovem chamado Gerardo González enfrentou os mesmos problemas. Quando menino, seus pais o levaram de Cuba para a Flórida, e ele cresceu em uma cultura de refugiados, onde não havia sequer a perspectiva de se cursar uma faculdade. Empregado em uma loja, ele se matriculou com um amigo em um curso de uma universidade pública e se encantou com a vida intelectual. Ele leu bons livros e começou a participar de debates. "Minha visão de mundo estava sendo completamente transformada pela educação e eu nunca me sentia satisfeito!", disse ele mais tarde.[127]

Gerardo queria mais, e logo seu sonho se realizou, ao ser admitido na University of Florida. Porém, uma vez lá, ele se viu cercado por um pesadelo que jamais esperaria encontrar: os outros estudantes, seus amigos e colegas de classe, ficavam descontrolavelmente bêbados nos fins de semana. Acidentes automobilísticos, intoxicação por álcool, agressões — todas as consequências assustadoras o angustiavam. É claro, a universidade fazia campanha contra o consumo excessivo de álcool e a polícia o combatia, mas nada parecia funcionar. Sem querer abandonar seus amigos nem ser

[127] Gerardo M. González, "The challenge of latino education: a personal story" [O desafio da educação latina: Uma história pessoal], Indiana University, 23 de outubro de 2008. Disponível em: http://education.indiana.edu/LinkClick.aspx?fileticket=8JJOYwMZ3wc;pc3D&tabid=6282.

conivente com seu comportamento autodestrutivo, Gerardo começou a pensar em uma Terceira Alternativa.

Percebendo que havia uma probabilidade maior de os jovens de sua idade ouvirem uns aos outros do que às autoridades, ele reuniu um grupo de estudantes para educar seus amigos e ajudá-los a colocar um ponto final nas bebedeiras. O grupo se autodenominou BACCHUS — Boosting Alcohol Consciousness Concerning the Health of University Students [Estimulando a Conscientização Sobre o Álcool para Cuidar da Saúde dos Estudantes Universitários]. Foi um sucesso estrondoso. Em pouco tempo células se espalharam para outras universidades afetadas pela praga do consumo excessivo de bebidas. Décadas mais tarde a Rede BACCHUS é "a maior organização estudantil ativa do ensino superior hoje em dia". Gerardo e seus amigos colocaram em prática uma abordagem inteiramente nova para ajudar os jovens a evitar comportamentos de risco, hoje chamada de movimento da "educação pelos pares" ou "apoio dos pares". Em suas muitas formas, a educação pelos pares se tornou uma ferramenta padrão dentro da maioria das escolas na luta contra o abuso de drogas e álcool[128]. É uma poderosa Terceira Alternativa à repressão, de um lado, e à negligência, de outro — e que funciona, talvez mais do que qualquer outra abordagem já testada[129]. Aliás, o hoje dr. Gerardo M. González é professor universitário e reitor de educação em uma das mais importantes universidades dos Estados Unidos.

Posso imaginar a parceria entre aquele pai e aquela filha resultando em algo como a participação em um programa de apoio de pares, como uma maneira de ajudar os amigos dela. Para a filha, teria de ser uma autêntica Terceira Alternativa, que evitasse tanto o rompimento da amizade quanto o compartilhamento das atividades destrutivas de seus amigos. Talvez existam muitas outras alternativas viáveis da Terceira Alternativa para esse falso dilema. Elas podem não funcionar, mas o próprio processo de passar pela sinergia já é suficientemente recompensador. O vínculo entre pais

---

[128] "The BACCHUS network organizational history" [A história organizacional da rede BACCHUS]. Disponível em: http://www.bacchusgamma.org/history.asp.

[129] Judith A. Tindall *et al.*, *Peer programs: an in-depth look* [Programas de pares: Um olhar aprofundado] (Oxford: Taylor & Francis, 2008), p. 55.

e filhos se fortalecerá com o respeito e a empatia mútuos. No Teatro Mágico a relação é transformada à medida que ambos trabalham juntos para encontrar soluções criativas para um problema real. Considere as outras opções dos pais: dar ordens, aconselhar, suplicar, passar um sermão, subornar, prender o filho em seu quarto, castigá-lo com o silêncio, "dar uma surra e obter nomes". Será que alguma dessas alternativas seria tão transformadora?

A Crise Familiar e a Terceira Alternativa

Talvez a sinergia seja mais necessária em momentos de crise familiar. Os mais árduos problemas que enfrentamos podem ser transformados nas mais propícias oportunidades para fortalecermos o relacionamento familiar. O nascimento de uma criança, a perda de um emprego, o abuso de substâncias, um acidente ou uma doença debilitante — episódios como esses, que mudam a vida, podem destruir ou renovar uma família, dependendo da mentalidade. Não estou falando sobre ter uma atitude positiva. Estou falando sobre adotar um paradigma de criação, e não de destruição.

Por exemplo: uma demissão pode somar o estresse financeiro a mais uma crise de identidade; é um duro golpe para a autoestima ver-se, subitamente, indesejado. A violência doméstica aumenta quando as taxas de desemprego sobem. A maioria das pessoas desempregadas que fica em casa se mostra deprimida quase o dia inteiro, e "as drogas e o álcool fornecem o combustível para uma situação, por si só, explosiva".[130] A instabilidade dessas sinergias pode destruir uma família.

Mas se você adotar o paradigma de criação, *verá a si mesmo* e perceberá que *tem mais talento, inteligência, capacidade e criatividade para oferecer do que o seu antigo emprego exigia, ou até mesmo permitia, que você oferecesse.* Perder esse emprego lhe dá a chance de contribuir com o melhor que você tem a oferecer. Se você *vir os outros*, começará a entender as necessidades

[130] Alan Schwartz, "Recession and marriage, what is the impact?" [Recessão e casamento, qual é o impacto?], *MentalHealth.net*, 14 de janeiro de 2010. Disponível em: http://www.mentalhelp.net/poc/view_doc.php?type=doc&id=35065&cn=51.

deles e como poderá usar a sua criatividade para satisfazê-las. Se você *os procurar* e ouvi-los com empatia, em breve descobrirá como poderá criar uma vida muito melhor para eles — e eles retribuirão sua atitude. Não há escassez de trabalho no mundo — apenas uma escassez do raciocínio da Terceira Alternativa.

Conheço um homem mais velho que perdeu o emprego em um momento particularmente ruim, quando sua esposa acabara de ser diagnosticada com uma doença crônica. Sem renda, a situação familiar se tornou rapidamente desoladora. Mas ele trabalhara no ramo de móveis e havia observado, ao longo dos anos, que muitos consumidores olhavam as vitrines, entravam nas lojas, mas saíam sem comprar nada. Ele marcou uma entrevista com o proprietário de uma grande cadeia varejista de móveis e disse: "Cerca de 4 mil pessoas deixam suas lojas todos os dias sem fazer uma compra sequer. Com base em sua receita média, qual a quantidade de dinheiro que está escapando porta afora?" O proprietário calculou algo em torno de milhões por ano. "Se eu conseguisse fazer com que apenas 20% dessas pessoas se tornassem compradoras, o que isso significaria para você?" O proprietário entendeu a mensagem e contratou aquele homem imediatamente. Agora ele tinha de descobrir como cumprir sua promessa. Então, sua esposa entra em cena. Embora não fosse capaz de se ater a um emprego convencional, ela possuía uma sólida formação em gestão de negócios. Por meio do pensamento da Terceira Alternativa eles projetaram em conjunto uma série de ideias criativas, que atraíram ainda mais clientes do que o prometido.

A família é um portfólio de forças. Quando os problemas financeiros aparecem, a família pode se converter em seu mais valioso recurso sinérgico. Por milhares de anos as famílias têm reunido seus esforços para obter sucesso. Em nossa era especializada, isso pode ser mais difícil. Mas considere esse caso de um marido e uma esposa que perderam juntos seus empregos. A esposa era contadora fiscal; o marido, vendedor de alimentos semiprontos. Eles tinham três filhos adolescentes para sustentar. Em vez de ficar em pé em filas de desempregados ou se desesperarem, eles decidiram, como uma família, criar algo em conjunto. Os filhos eram ágeis e fortes, a mulher entendia de finanças e o marido era um vendedor nato. Eles viviam em uma região com grande quantidade de novos empreendimentos imobiliários e, então, abriram uma firma de construção de cercas. O marido vendia, a mulher gerenciava o negócio e os filhos instalavam as cercas. Foi um sucesso absoluto.

Evidentemente, você não é obrigado a abrir um negócio com a sua família. Ainda assim, embora as famílias não devam hesitar em receber a ajuda exterior de que precisam em tempos difíceis, os desafios que enfrentam em conjunto podem ser uma enorme oportunidade para fortalecerem seus vínculos, capacitarem-se e criarem um novo futuro para si mesmas. Para muitos, a primeira alternativa é consumir-se na procura por outro emprego inseguro, um nicho no qual se encaixar. A segunda alternativa, mais uma vez para muitos, é desistir e se acomodar na posição de vítima permanente. A promessa da Terceira Alternativa é projetar o seu próprio trabalho, algo que você goste de fazer e que atenderia a uma necessidade real do mundo, e depois comercializá-lo. Pense na resiliência de uma família como essa, abençoada com uma mentalidade da Terceira Alternativa.

Outro grande desafio é o nascimento de uma criança. Tudo em um casamento — comunicação, finanças, prioridades, intimidade — se transforma com essa mudança sísmica nos relacionamentos. O número de tarefas domésticas é multiplicado por seis. De maneira drástica, os pais passam a ter menos tempo para si mesmos e menos ainda um para ao outro.[131] Infelizmente, um novo bebê pode levar à separação e ao divórcio emocional.

Mas uma criança é um milagre, uma Terceira Alternativa maravilhosa, que nos transforma. Uma criança pode fortalecer os laços do matrimônio, se ao menos um dos parceiros estiver disposto a adotar uma nova mentalidade da Terceira Alternativa. Muitas mulheres ficam divididas entre seus papéis como mãe, esposa e trabalhadora. Uma mulher que pensa de acordo com a Terceira Alternativa tentaria conceber maneiras criativas de desempenhar seus papéis importantes, sem se sentir sobrecarregada. Você pode se perguntar: "Qual é a coisa mais importante que eu poderia fazer esta semana em meu papel como esposa?" Você pode reservar apenas duas horas a sós com seu marido; para um homem que está se sentindo um pouco

---

[131] Beth A. LePoire, *Family communication: nurturing and control in a changing world* [Comunicação familiar: Cuidar e controlar em um mundo em mudança] (Thousand Oaks, CA: SAGE Publications, 2005), p. 116.

deslocado, essas duas horas trarão dividendos que irão muito além do seu investimento de tempo e substituirão os momentos em que você realmente não conseguirá estar com ele. Como pai, você pode fazer o mesmo em relação ao seu filho: qual é o valor de passar cerca de uma hora sozinho com o seu bebê? Pode ser inestimável para a sua esposa, para o seu filho e para você. Nesse tempo sozinho com o seu filho você se torna um *pai*. Um dos meus filhos gosta de dizer: "Há uma grande diferença entre ter um filho e ser pai."

Para muitos pais solteiros a vida pode significar um dilema atrás do outro. Você estará sempre preso aos papéis de pai e trabalhador. Seu filho fica doente exatamente no dia em que você não pode ficar em casa. A escola do seu filho fecha por causa da neve e não há babá alguma disponível. Você quer ver seu filho disputando uma partida na escola, mas seu chefe precisa de você naquele momento. Felizmente, hoje em dia, muitos locais de trabalho são flexíveis, mas você não pode ficar faltando eternamente ao trabalho. O que fazer?

Se você for um pai solteiro, o raciocínio da Terceira Alternativa poderá salvá-lo. Você sabe que esses conflitos acontecerão, então, *com antecedência*, você elabora Terceiras Alternativas para faltar à partida ou faltar ao trabalho. Marque uma reunião com seu chefe e explique o conflito de papéis que você enfrenta. Pratique a escuta empática com o seu supervisor: como ele percebe a situação? Talvez haja aceitação e disposição de trabalhar com você. Se não houver, não fique na defensiva. Quanto mais você ouvir, mais propenso ele ficará a ouvi-lo.

Em seguida, entre no modo de Teatro Mágico. Traga soluções, e não apenas problemas. Alguém pode substituí-lo em caso de emergência? Você pode levar o seu filho para o trabalho? Além dessas ideias óbvias, você pode ser muito criativo e aproveitar a oportunidade para redefinir o seu papel no trabalho. Que questões do trabalho você poderia resolver se fosse autorizado a trabalhar em casa? Você pode até mesmo ser mais rentável dessa forma, já que acarretará menos despesas para o empregador. Uma jovem mãe solteira conseguiu um cargo júnior em um banco. A carga horária inflexível se tornou um verdadeiro problema para ela e, então, ela propôs algo novo. Ela percebeu que o banco precisava gerenciar muitas propriedades hipotecadas. Ela se ofereceu para limpar e manter essas propriedades por um valor inferior ao que o banco estava pagando para um serviço profissional já contratado. Eles gostaram da ideia; ela poderia executar o trabalho de acordo com sua própria agenda, e até mesmo levar seu filho com ela (o nome disso é "ganha/ganha"). No fim, ela transformou essa Terceira Alternativa em um negócio próprio, contratando outras pessoas para realizarem o trabalho e obtendo excelente retorno financeiro!

Você não precisa *ter* uma crise para estar *em* crise. As famílias são frágeis, e as pressões exercidas sobre elas são persistentes e poderosas. Se não valorizarmos as diferenças entre nós, essas diferenças podem nos separar.

Conheço uma família na qual as grandes diferenças poderiam ter representado uma força desagregadora. Em sua juventude, o marido se destacou nos esportes, sendo escalado para todas as equipes da cidade. Seu desempenho como jogador era lendário. Ele também tinha talentos matemáticos e uma boa cabeça para os negócios. Mas ele se casou com uma mulher sem interesse algum por essas duas coisas. Ela amava dança, teatro, a vida artística. Ele era um típico representante da classe trabalhadora; os pais dela eram ricos. Ele era alto, robusto e rude; ela era pequena, dramática, elegante. Não é possível imaginar um casal menos compatível do que esse.

Mas certamente *é possível* imaginar uma vida de conflitos reais. Como os seus interesses não coincidiam, era de se esperar que eles se tornassem cada vez mais distantes com o tempo, a esposa indo à ópera sozinha, enquanto o marido ficaria em casa, colado às transmissões esportivas na tevê. Mas não foi o que aconteceu. Essa era uma verdadeira família da Terceira Alternativa. Essas duas pessoas foram sensatas o suficiente para *celebrarem* suas diferenças.

A esposa fez com que os filhos participassem de um grupo de teatro comunitário local. O grupo estava em decadência, apresentando espetáculos em um antigo restaurante, situado em uma melancólica galeria de lojas. Com dívidas acumuladas de milhares de dólares, o grupo estava prestes a acabar. A esposa levou o marido para assistir a uma pequena peça da qual seus filhos participavam entusiasticamente, e isso amoleceu o coração dele; claramente, sua esposa e seus filhos amavam aquele lugar em ruínas. Ao olhar em volta, ele constatou inúmeras coisas que precisavam ser feitas. Ele gostava de trabalhos manuais e, então, se ofereceu para ajudar a construir os cenários. Com sua mente de negócios, ele se envolveu na arrecadação de fundos, e logo se viu na posição de administrador do teatro e, em seguida, na de gerente-geral.

O pai nunca havia tido dotes artísticos, mas quanto mais ele via seus filhos e vizinhos iluminando o palco todas as noites, mais se tornava fascinado por todos os aspectos do teatro. Sua esposa se tornou a diretora de criação. Em breve, o casal estava recrutando amigos para fazerem figurinos ou cenários, apresentarem shows de música e subirem ao palco. Para o marido, qualidade era a palavra de ordem; todos os envolvidos logo descobriram que ele era tão perfeccionista em relação ao teatro quanto havia sido na área esportiva em sua juventude.

A jovem família floresceu com o teatro. Cada um dos filhos acrescentou uma força a mais à companhia. Um deles era ótimo ator; outro, se profissionalizou como dançarino. A filha adolescente, que estava planejando se tornar veterinária, mudou de ideia ao demonstrar grande talento para a análise de negócios. Ela se debruçou sobre os números e provou que era possível aumentar a venda de ingressos naquela temporada e poupar dinheiro nas despesas administrativas. Ela se tornou uma verdadeira profissional em produção e gestão teatral.

O entusiasmo em relação ao pequeno grupo de teatro aumentou ainda mais. No fim, ficou claro que eles estavam ficando maiores do que o pequeno espaço da galeria, e começaram a fazer planos para se mudarem para um novo e maravilhoso prédio. Com suas habilidades de negócios, o marido ajudou a organizar um grande esforço comunitário para levantar os recursos necessários. Depois de 15 anos de trabalho coletivo, essa pequena família comemorou com toda a cidade a abertura de um teatro magnífico — um monumento permanente à sua dedicação e à sinergia alcançada como família.

Unidos por suas diferenças, os membros dessa família ilustram o que pretendo dizer com uma cultura da Terceira Alternativa em casa. Todos são importantes, todos contribuem, ninguém é deixado de fora. Essa fusão de duas culturas, a do marido e a da esposa, em uma terceira cultura sem precedentes, significa, claramente, mais do que a soma das partes.

Se Isso Não Funcionar

A realidade é que muitas famílias optam por se dividir. Então, o que fazer quando seus esforços para criar e construir algo em conjunto não funcionam?

O divórcio não significa necessariamente o fim da sinergia em uma família. As pessoas se divorciam por muitas razões, mas elas não precisam ser inimigas, permanecendo em um universo recriminatório de Duas Alternativas. Ao adotar uma mentalidade de respeito e empatia, um ex-cônjuge pode transformar a vida dos filhos e a natureza do relacionamento existente. Basta que apenas uma pessoa quebre o ciclo do ressentimento, mesmo que o outro cônjuge não responda. Lembre-se: podemos optar por não deixar que os outros nos ofendam.

Um dia, meu amigo Larry Boyle, que é juiz federal, teve oportunidade de observar outra juíza bastante conhecida chegando à Terceira Alternativa no mais difícil de todos os processos judiciais: a luta para ver quem ficava com as crianças depois de um divórcio. Até mesmo os casos de assassinato de maior repercussão na imprensa podem ser menos imprevisíveis do que um caso de custódia de uma criança em uma vara de família. Naquele dia seriam decididos os destinos de uma menina de 7 anos de idade e de um menino de 5 anos. "Os pais se sentaram em mesas separadas, e sequer olhavam um para o outro. Enquanto os advogados falavam, a esposa limpava delicadamente os olhos com um lenço de papel e o marido olhava para a frente, com os braços cruzados." Então, a juíza entrou e tomou seu lugar.

O advogado da esposa foi o primeiro a se pronunciar, anunciando que iria apresentar provas de que o marido passava a maior parte de seu tempo pescando e caçando com seus amigos, jogando boliche e ausente de casa até tarde da noite. O advogado do marido mostraria que a esposa estava tendo um caso com um colega de trabalho. Ambos queriam a guarda exclusiva dos filhos.

Retirando seus óculos de leitura, a juíza fez uma breve pausa e falou calmamente:

Hoje ouvirei os depoimentos por várias horas. Depois, vou decidir em quem acreditar. Eu poderia concluir que o pai é um boêmio inútil. Por outro lado, poderia achar que a mãe está tendo um caso ilegítimo. Então, vou tomar uma decisão, e esse é o risco que vocês assumem ao fazer com que eu tenha de decidir algo que vocês, como pais, deveriam decidir, não com base em seus próprios interesses egoístas, mas para o bem das crianças.

Como vocês sabem, eu não amo os seus filhos. Eu me importo com o bem-estar deles, mas não os amo como vocês os amam. Mas tomarei uma decisão que afetará a vida dessas duas crianças pequenas. É bem possível que seja a decisão errada.

Sugiro que os pais amadureçam e coloquem os interesses das crianças à frente dos seus. Vou interromper este julgamento por 30 minutos. Durante este tempo, reúnam-se com os seus advogados e conversem sobre o que realmente é melhor para as crianças. Façam planos para o futuro de seus filhos. Se vocês conseguirem colocar de lado o orgulho e o ego, deverão ser capazes de fazer o que é melhor para eles.

Se não fizerem isso, colocarão o futuro deles em minhas mãos, as mãos de uma completa estranha, que nem sequer os conhece. Vejo vocês em 30 minutos.

Várias semanas depois Larry soube o que aconteceu. O marido e a mulher conversaram por horas naquela manhã, às vezes com seus advogados, mas principalmente entre si, ouvindo um ao outro e se desculpando. Eles encararam a realidade e constataram o que haviam feito ao declararem guerra um ao outro. O marido não era realmente um beberrão e a mulher não estava tendo um caso; essas eram acusações rudes e infantis de pessoas com uma mentalidade de ataque. Desanimada, ela havia passado algum tempo conversando com seu supervisor sobre seus problemas, mas não mais do que isso. E ele era imaturo, mas não um pai ruim.

Apesar de terem se separado e optado por não se reconciliarem, uma vez que começaram a se concentrar nos filhos, decidiram optar pela guarda parental conjunta. O marido concordou que sua esposa estava em melhores condições de manter a guarda e a mulher concordou que ele poderia levar as crianças a qualquer momento. Eles continuariam sendo uma família, da maneira que fosse possível.[132]

---

[132] Larry M. Boyle, "A peacemaker in family court" [Uma pacificadora na vara de família], manuscrito não publicado, sob o poder do autor, publicado com permissão.

"Eu assisti a uma verdadeira pacificadora em ação", diz Larry Boyle. Em vez de ouvir um dia inteiro de acusações infantis e tentar tomar uma decisão com base no pior tipo de raciocínio de Duas Alternativas, aquela juíza da vara de família foi a catalisadora de uma Terceira Alternativa. A juíza sabia que sua função não era disponibilizar um foro para a rivalidade dos pais, mas criar o melhor futuro possível para uma menina e um menino. Felizmente, os pais perceberam que essa também era a função deles.

Evidentemente, não é necessário um catalisador de toga para que homens e mulheres divorciados escolham uma relação sinérgica, em vez de uma destrutiva. Essa escolha é *deles*. Eles não precisam continuar sendo vítimas um do outro. As leis de sinergia são tão verdadeiras para eles como para qualquer um: respeito por si próprio e pelo cônjuge, empatia um pelo outro e determinação de chegar à Terceira Alternativa em todas as questões com que se confrontam, seja sobre a família, os bens materiais ou o seu relacionamento.

Quando o ex-cônjuge não reage, é preciso muita coragem e força de vontade para adotar uma mentalidade da Terceira Alternativa. Mas isso é possível, e a paz interior que resulta daí não tem preço.

Tempos atrás, eu estava ministrando uma palestra em um encontro profissional e testemunhei algo incrível. Eu acabara de falar sobre alguns dos princípios relacionados com a responsável por sua própria vida, quando um cavalheiro da plateia se levantou e disse o seguinte (estou parafraseando): "Na semana passada, minha mulher me deixou. Foi totalmente inesperado. Senti uma mistura de dor, raiva, traição e constrangimento. Mas ao ouvir isso hoje decidi não ficar mais com raiva. Vou escolher ser feliz e não me sentir mais magoado ou envergonhado."

Fiquei muito tocado pelo senso de humildade e de coragem daquele homem, e por seu desejo de ser a força criativa de sua vida, em vez de ser a vítima das circunstâncias ou do relacionamento com sua esposa. Tenho certeza de que ele estava em meio a um turbilhão de emoções, sentindo que o mundo havia desabado sobre ele. Mas se conscientizou de que ainda poderia escolher a sua resposta diante de seus devastadores desafios pessoais. Ele percebeu que poderia agir, em vez de se sentir manipulado.

Eu o elogiei por sua decisão e afirmei que ele poderia escolher deixar a raiva passar, perdoar e criar uma nova vida. É muito difícil fazer isso em situações dolorosas como a dele. O público o aplaudiu. Eu o aplaudi. Eu nunca tinha visto nada parecido. Não sei o que vai acontecer com ele e com sua esposa. Mas sei que, se ele entender o paradigma de criação e começar a se ver como a força criativa de sua própria vida por conta de suas próprias escolhas, encontrará sentido e plenitude em sua vida. Ele acabará por encontrar a paz de espírito.

"A família é a primeira e mais importante instituição da sociedade — é o berço do compromisso, do amor, do caráter, das responsabilidades sociais e pessoais."[133] Estou totalmente de acordo com essa afirmação da Comissão sobre Famílias, habilitada pelo presidente dos Estados Unidos. Em nenhum outro aspecto da vida a sinergia é tão necessária e, ao mesmo tempo, tão malcompreendida.

Uma mulher que conheço faz uma pequena pausa ao voltar do trabalho. Antes de entrar em casa, pensa um minuto em sua família. Ela visualiza o tipo de mundo que pretende criar ao lado deles. Então, ela abre a porta e transforma isso em realidade.

---

[133] *Families first: final report of the National Commission on America's Urban Families* [Famílias primeiro: Relatório final da Comissão Nacional Sobre Famílias Urbanas dos EUA], Washington, D.C., janeiro de 1993.

ENSINAR PARA APRENDER

A melhor maneira de aprender com este livro é ensiná-lo a alguém. Todo mundo sabe que o professor aprende muito mais do que o aluno. Então, encontre alguém — um colega de trabalho, um amigo, um familiar — e transmita-lhe as percepções que você adquiriu. Faça as perguntas provocativas da lista a seguir, ou formule as suas próprias.

- Como o raciocínio de Duas Alternativas contribui para a alta taxa de divórcios atual?
- Qual é a melhor definição de "incompatibilidade"? Por que a compaixão é o oposto da incompatibilidade?
- "As famílias bem-sucedidas estão imbuídas de sinergia positiva." Por que a sinergia é fundamental em uma família bem-sucedida?
- "No fundo, quase todos os conflitos familiares são conflitos de identidade." Por que muitas vezes os familiares se agridem duramente por coisas que podem parecer triviais para as pessoas de fora? Como "o verdadeiro roubo de identidade" debilita as famílias?
- Por que é importante celebrar as diferenças entre os membros de sua família? Como isso pode ser feito?
- Quais são as etapas para transformar a raiva e o ressentimento em sinergia?
- Como saber se um familiar está preso a um problema de Duas Alternativas? Como você pode ajudá-lo a chegar a uma Terceira Alternativa?
- Qual é o valor de considerar um comentário ou uma atitude ofensivos como um convite para a escuta empática?
- Quais são as vantagens da empatia em uma situação de conflito familiar?
- Que etapas você pode seguir para criar uma cultura familiar de empatia?

- Que tipos de desafios em sua vida doméstica poderiam ser enfrentados com o raciocínio da Terceira Alternativa?
- Como você reconheceria o mérito de seus próprios familiares que praticam sinergia?

EXPERIMENTE

Você está envolvido em um conflito em casa ou com um amigo? Você precisa de soluções criativas para um desafio familiar? Inicie a prototipagem de Terceiras Alternativas. Peça a contribuição de outras pessoas. Use a ferramenta "Quatro Etapas para a Sinergia".

QUATRO ETAPAS PARA A SINERGIA

❶ Faça a Pergunta da Terceira Alternativa:

"Você está disposto a encontrar uma solução que seja melhor do que aquilo que qualquer um de nós já apresentou?" Se, sim, vá para a Etapa 2.

❷ Defina Critérios de Sucesso

Liste neste espaço as características de uma solução que agradaria a todos. O que é o sucesso? Qual o verdadeiro trabalho a ser feito? O que seria uma situação de "ganha/ganha" para todos os interessados?

❸ Crie Terceiras Alternativas

Neste espaço (ou em outros) crie modelos, desenhos, peça ideias emprestadas, transforme o seu modo de pensar. Trabalhe de maneira rápida e criativa. Suspenda todos os julgamentos até aquele momento emocionante em que você sabe que chegou à sinergia.

❹ Chegue à Sinergia

Descreva aqui a sua Terceira Alternativa e, se quiser, explique como pretende colocá-la em prática.

GUIA DO USUÁRIO PARA AS QUATRO ETAPAS DA FERRAMENTA DE SINERGIA

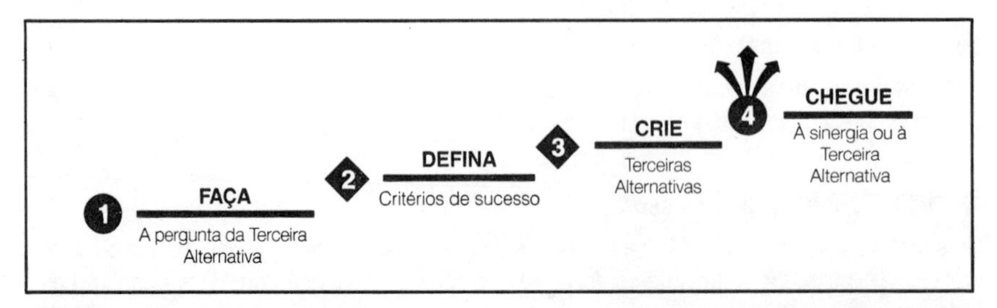

As Quatro Etapas para a Sinergia. Este processo ajuda a colocar o princípio de sinergia em prática. (1) Mostre disposição para encontrar uma Terceira Alternativa. (2) Defina o que é o sucesso para todos. (3) Teste soluções até (4) chegar à sinergia. Pratique a escuta empática ao longo do processo.

Como Chegar à Sinergia

❶ Faça a Pergunta da Terceira Alternativa

Em uma situação de conflito ou de criação, esta pergunta ajuda todos a abandonar posições rígidas ou ideias preconcebidas em prol do desenvolvimento de uma terceira posição.

❷ Defina os Critérios de Sucesso

Liste as características ou redija um parágrafo descrevendo qual seria um resultado bem-sucedido para todos. Responda estas perguntas conforme você avançar:

- Todos estão envolvidos em estabelecer os critérios? Estamos conseguindo obter o maior número possível de ideias, do maior número possível de pessoas?
- Quais resultados realmente queremos? Qual é a verdadeira tarefa a ser realizada?
- Quais resultados significariam "vitórias" para todos?
- Estamos abrindo mão de nossas demandas arraigadas do passado e buscando algo melhor?

❸ Crie uma Terceira Alternativa

Siga estas diretrizes:

- Participe do jogo. Não é "de verdade". Todo mundo sabe que é um jogo.
- Evite um fechamento, acordo prematuro ou consenso.
- Evite julgar as ideias dos outros — ou as suas próprias.
- Faça modelos. Desenhe imagens em quadros-negros, esboce diagramas, construa maquetes, faça rascunhos.
- Transforme as ideias nas mentes dos outros. Subverta a sabedoria convencional.
- Trabalhe rápido. Defina um limite de tempo para manter a energia e as ideias fluindo rapidamente.
- Alimente inúmeras ideias. Não é possível prever qual conclusão repentina pode conduzir a uma Terceira Alternativa.

((❹)) Chegue à Sinergia

Você reconhece a Terceira Alternativa pelo sentimento de empolgação e inspiração que toma conta do ambiente. O antigo conflito é abandonado. A nova alternativa preenche os critérios de sucesso. Atenção: não confunda acordo com sinergia. O acordo gera satisfação, mas não prazer. Um acordo significa que todos perdem alguma coisa; a sinergia significa que todos ganham.

A Terceira Alternativa na Escola

5

A Terceira Alternativa na Escola

Libertem o potencial da criança e vocês transformarão tanto a criança quanto o mundo.

— *Maria Montessori*

Em todos os países que visito, olho nos olhos das crianças e vejo os mesmos lampejos de luz e os mesmos sorrisos. Qualquer um que resolva olhar poderá perceber a infinita promessa em cada rosto único. Tudo o que frustrar o cumprimento dessa promessa será uma perda devastadora para a sociedade.

Confiamos às nossas escolas grande parte do cumprimento de tal promessa. No mundo inteiro há pais e professores que lutam juntos, às vezes contra grandes obstáculos, oferecendo às crianças a melhor chance que podem. A maioria das pessoas concorda que educar não é apenas a resposta à contínua pobreza de todos os tipos — física, mental, espiritual —, mas também a chave para o nosso próprio futuro neste planeta.

Para mim, essa questão é, ao mesmo tempo, universal e pessoal. Já vi imagens panorâmicas da Terra à noite, com uma cadeia de luzes enfileiradas. Sei que aquelas luzes representam inúmeras famílias e crianças, sonhando com o seu futuro, e fico imaginando quantas delas se sentirão realizadas ou frustradas. Também tenho muitos netos, e sua felicidade futura é extremamente importante para mim.

Muitas pessoas compartilham as minhas preocupações. Em nossa pesquisa Grandes Desafios entrevistamos indivíduos de todos os continentes, pedindo que mencionassem o maior desafio a ser enfrentado por seus países. Além de "resolver a questão do desemprego", "proporcionar uma boa educação" foi a resposta mais recorrente. Quando questionados sobre os motivos, os entrevistados responderam:

- "A educação é o pilar fundamental, e é por meio dela que encontraremos a resposta para todas as outras dificuldades que enfrentamos."
- "Uma boa educação é o alicerce sobre o qual poderemos construir um futuro melhor, mais inovador. O mundo está progredindo com mais rapidez do que os indivíduos e, em comparação com outros países bem desenvolvidos, a quantidade de recursos investida na educação tem sido drasticamente reduzida."
- "Por meio da educação todos os outros problemas poderiam ser resolvidos. Nosso sistema de ensino não funciona. Os professores são preguiçosos, despreparados, e têm valores deturpados."
- "Precisamos de um modelo educacional que realmente prepare e proporcione oportunidades para os alunos."
- "A boa educação é a base para tudo. Pessoas com instrução têm sua própria mentalidade e não se deixam levar por falsos messias ou promessas vãs. Se tivermos uma boa educação, tudo mais virá — automagicamente!" (Embora esse seja, provavelmente, um erro de digitação, eu adoro essa palavra!)
- "Muitas crianças em países pobres e emergentes como o nosso têm muito pouco acesso à educação, especialmente as meninas. A educação pode resolver muitos dos outros problemas do mundo."
- "A boa educação é a base para prosperidade/empregabilidade/crescimento econômico."
- "Foi a educação de má qualidade que nos fez chegar aonde estamos hoje. Dei aulas em escolas públicas por dez anos. Precisamos mudar nossa estrutura antes que seja tarde demais."
- "A educação é a coisa mais importante. Com educação todos os outros esforços serão mais bem-sucedidos."

Incontestavelmente, um dos nossos maiores desafios é descobrir a melhor maneira de ajudar as crianças a aprender e a cumprir a promessa do futuro. Na China e na Índia a educação se destaca nas grandes cidades, mas é bastante deficitária no interior. A educação na Finlândia e na Coreia do Sul é de muito boa qualidade, em função de uma cultura solidária e homogênea. No Canadá, na Grã-Bretanha e nos Estados Unidos, no entanto, as manchetes são perturbadoras:

Toronto: "Johnny não sabe ler, mas está na faculdade."

Londres: "Britânicos que abandonam a escola não sabem ler nem escrever e apresentam problemas comportamentais."

Washington: "82% das escolas norte-americanas fracassam."[134]

Cada país enfrenta desafios diferentes, mas o mundo todo se confronta com a mesma pergunta: é possível garantir a todas as crianças uma educação excelente ou, pelo menos, decente?

O Grande Debate

Essa questão tem estimulado um grande debate com distintas nuances, mas que, de modo geral, se dividem em duas vertentes. De um lado, estão aqueles que acreditam que o atraso nas conquistas é causado pela falta de equidade: racismo, pobreza, famílias disfuncionais e ausência de vontade política para oferecer a todas as escolas os recursos adequados. Essas vozes tendem a vir dos sistemas de ensino. Do outro lado, estão aqueles que acreditam que o problema é o sistema de ensino em si mesmo, que é tacanho e medíocre, não conseguindo acompanhar o ritmo de um mundo em constante mutação. Esses tendem a pertencer à comunidade empresarial.

---

[134] "Johnny can't read, and he's in college" [Johnny não sabe ler, mas está na faculdade], *Globe and Mail* (Toronto), 26 de setembro de 2005; Andrew Hough, "Tesco director: British school leavers 'can't read or write and have attitude problems'" [Diretor do Tesco: Britânicos que abandonam as escolas 'não sabem ler nem escrever e apresentam problemas de comportamento]; *Telegraph* (Londres), 10 de março de 2010; Nick Anderson, "Most schools could face failing label under no child left behind, Duncan says" [A maioria das escolas poderia enfrentar a queda de qualidade sem nenhum abandono escolar, diz Duncan], *Washington Post*, 9 de março de 2011. Disponível em: http://www.washingtonpost.com/local/education/duncan-most-schools-could-face-failing-label/2011/03/09/AB7L2hP_story.html.

Os líderes empresariais não conseguem entender por que os educadores não os ouvem. Frustrados com o que lhes parece ser um pântano de mediocridade, eles afirmam que as escolas não serão bem-sucedidas a menos que adotem as "características que, há muito, fizeram do setor privado norte-americano um motor da prosperidade global — o dinamismo, a criatividade e o foco incansável em eficiência e resultados". Aos seus olhos, o sistema de ensino é um dinossauro cambaleante, que sente falta dos incentivos do mercado para prosperar. As escolas, dizem eles, precisam de concorrentes que as forcem à inovação e à melhoria de qualidade. Muitos defensores da "separação entre a escola e o Estado" alegam que o sistema todo deveria ser vendido e privatizado.

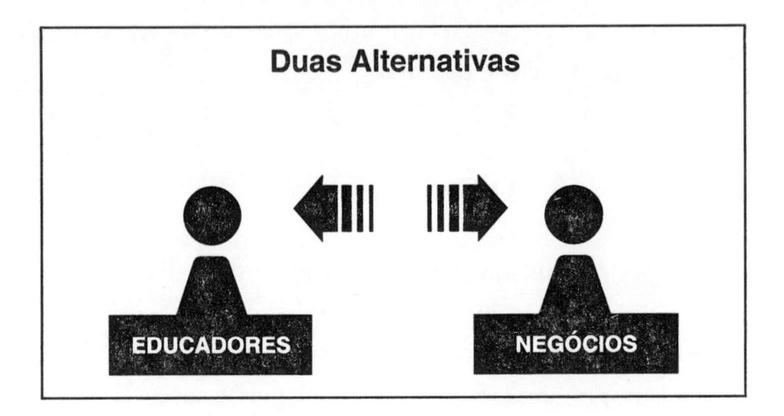

O que os líderes empresariais pensam ouvir dos educadores os irrita: "Paguem-nos mais ou seus filhos sofrerão. Vocês são mesquinhos, e por isso os resultados de ensino têm decaído tanto. Obviamente, vocês não valorizam os seus filhos, ou então nos dariam um suporte financeiro adequado. Apenas nos deixem em paz para trabalharmos nossas poucas horas e aproveitarmos nossos longos meses de férias, e cuidem das suas vidas." Muitos empresários se ressentem do sistema de ensino pelo fato de ele consumir muito dinheiro e trazer cada vez menos retorno.

Evidentemente, os educadores adotam um paradigma totalmente distinto. Eles acreditam que os negócios diferem radicalmente da educação; portanto, os líderes empresariais não têm nada a fazer nas escolas. O ensino deve estar isento da mácula da motivação do lucro; trata-se de uma vocação, não de um trabalho. Um sistema privatizado trará, rapidamente, grandes desigualdades, com as famílias ricas podendo pagar as melhores escolas e as famílias pobres recebendo as migalhas. Uma enorme "lacuna de aproveitamento" separa as minorias, que lutam contra as suas dificuldades, das crianças mais privilegiadas. As escolas particulares podem aceitar quem quiserem e quando quiserem, mas as escolas públicas têm a obrigação de aceitar qualquer um que entre por suas portas. Um recém-chegado pode apresentar um distúrbio de aprendizagem ou se comunicar apenas em uma língua estrangeira. Ele pode ser proveniente de um lar disfuncional, ou mesmo da prisão. Independentemente disso, as escolas públicas têm a responsabilidade moral de cuidar dele. "Ao contrário das empresas, não temos a opção de dispensar os que apresentam desempenho insuficiente apenas para que o balanço anual pareça mais interessante."

O que os professores pensam ouvir dos líderes empresariais os alarma: "Queremos que vocês eduquem nossos funcionários com recursos públicos para capacitá-los a produzir dispositivos, dirigir caminhões ou trabalhar com planilhas — e nem isso vocês conseguem fazer direito. Estamos interessados somente em unidades de trabalhadores produzidos em massa, que façam o que lhes é mandado. Além disso, tudo o que essas 'unidades intercambiáveis' precisam aprender é ler e entender um pouco de matemática. Instalações magníficas, educação artística, um currículo que promova o 'bem-estar' — tudo isso são frivolidades caras e desnecessárias." Não é de admirar que tantos educadores considerem o ramo de negócios opressivo e desumano.

Nas palavras da Câmara de Comércio dos Estados Unidos:

> *Falando francamente, acreditamos que nosso sistema de educação precisa ser reinventado. Depois de décadas de inação política e reformas ineficazes, nossas escolas produzem, sistematicamente, alunos despreparados para os rigores dos locais de trabalho modernos. A falta de preparação é impressionante. Cerca de um em cada três alunos da oitava série lê fluentemente. A maioria das universidades forma pouco mais de dois terços de seus alunos no tempo previsto.*[135]

---

[135] Câmara de Comércio dos EUA, *Leaders and laggards: a state-by-state report card on educational innovation* [Líderes e retardatários: Um relatório estado por estado sobre as inovações educacionais], 9 de novembro de 2009.

Os homens de negócios perdem o controle diante desses resultados, enquanto os educadores se sentem subjugados, perseguidos e carentes de recursos. Assim, apontam-se os dedos em ambas as direções.

É claro que nenhum dos pontos de vista é justo com o outro. Nenhum dos lados está ouvindo o outro, ambos revelam seu raciocínio de Duas Alternativas. Eles caricaturam um ao outro como inimigos e estabelecem apenas mais um falso dilema, uma escolha entre "nós ou eles". Qualquer parcela da verdade que transpareça entre seus argumentos não contribui para mudança alguma.

Nossas crianças e jovens estão aprisionados nesse choque de culturas, e administram isso da melhor maneira possível. Muitos se desesperam, bem poucos conseguem ter uma boa experiência escolar, mas a maioria vai em frente e sai do sistema com habilidades mínimas. Embora haja ilhas de brilhantismo, ninguém acredita que o sistema público de ensino habilite sistematicamente o desenvolvimento do potencial de todas as crianças.

Educação da Era Industrial

Na minha opinião, os dois lados desse grande debate dividem a responsabilidade pelos frequentes efeitos desumanizantes do sistema de ensino. Um século atrás, as indústrias emergentes exigiram que as escolas públicas produzissem um "produto" útil para elas, como observamos neste artigo de 1927: "Um estudo imparcial do produto do sistema educacional nos leva à forçosa conclusão de que ele está ficando muito aquém do que os negócios modernos exigem."[136] Em resposta, muitas escolas se transformaram em fábricas e as crianças se tornaram "produtos", em vez de pessoas.

Sempre houve e sempre haverá homens e mulheres inspirados, professores no mais nobre sentido da palavra — pessoas que acreditam e se comprometem com o despertar do potencial daqueles a quem orientam. A eles devemos nossa mais profunda gratidão. No entanto, muitos docentes aquiesceram de maneira incômoda à mentalidade da Era Industrial e agora

---

[136] "The school executive" [O executivo escolar], *American Educational Digest* 47 (1927), p. 205.

ajudam a perpetuá-la. O modelo industrial fica evidente: desde a confiança excessiva nos resultados dos testes até a negligência da criança como um todo. Ironicamente, apesar de as escolas públicas terem adotado, em muitos aspectos, o modelo industrial e a mentalidade de negócios, a comunidade empresarial está mais insatisfeita do que nunca; suas queixas continuam as mesmas desde 1927.

Esse raciocínio da Era Industrial, que trata crianças como mercadorias, é a raiz do nosso desafio educacional.

Na Era Industrial, as pessoas eram tratadas como coisas; necessárias, mas intercambiáveis. Era possível promover a rotatividade entre as "unidades de trabalho" e, simplesmente, substituí-las quando estivessem desgastadas. Se tudo de que se necessita é um corpo jovem para executar um trabalho, realmente não há porque se preocupar com uma mente, um coração ou um espírito. O modelo controlador de educação da Era Industiral bloqueia a libertação do potencial humano e simplesmente não funciona em uma economia da Era do Conhecimento.

Conheço uma mulher que passou boa parte de sua vida adulta na prisão, por causa de seu vício em álcool e drogas. Filha de um alto funcionário do sistema de ensino, ela foi, em dado momento, uma promissora estudante universitária. Ela lutou bravamente por muitos anos para superar seus debilitantes problemas. Um dia, confidenciou que a prisão era muito parecida com uma escola: as mesmas classes, a mesma programação, a mesma organização e as mesmas filas constantes. O que mais a fazia lembrar da escola era a vigilância onipresente, saber que alguém a estava observando em todos os momentos.

Em 1785 o filósofo Jeremy Bentham propôs um novo tipo de prisão chamada "panóptico", uma construção engenhosa que possibilitaria aos guardas vigiarem todos os prisioneiros ao mesmo tempo. O filósofo contemporâneo Michel Foucault considerava o panóptico um símbolo da moderna "sociedade da vigilância", em que vivemos constantemente observados. Preste atenção em uma sala de aula ou em um "cubículo" de nossas grandes corporações e você perceberá o que Foucault quis dizer: tanto as escolas quanto as empresas se assemelham ao panóptico. Ele argumenta que, à medida que a vigilância aumenta, o respeito por nossa individualidade diminui. As recompensas e as punições se baseiam em nossa capacidade de nos calarmos e obedecermos a instruções, e não em como contribuímos com nossos talentos originais. Quando orientamos as pessoas a serem *lideradas* em vez de *liderarem*, a sociedade perde e as oportunidades diminuem.

A mentalidade aprisionante da Era Industrial nos é incutida durante os anos de formação escolar, mas influencia inteiramente a nossa vida e a nossa sociedade. Ela pode gerar uma compreensão bastante equivocada da vida: passamos a acreditar que somos formigas operárias passivas, dispersas em uma imensa colônia. Muitos de nós, em nossa infância, esperam que nos seja dito o que fazer; adultos, pretendemos conseguir um emprego qualquer; e, idosos, desejamos nos aposentar para nos dedicarmos a um lazer sem sentido. Somos treinados a adotar uma sutil vitimização. Se falhamos ao não nos ajustarmos à escola, somos apenas cifras ou objetos. Se perdemos um emprego, perdemos nossa identidade. No fim, corremos o risco de nos condicionarmos à dependência: faremos de tudo para encontrar alguém que cuide de nós ou alguém a quem responsabilizar, caso a primeira opção não seja possível.

Os pais têm seus próprios desafios no que diz respeito à educação na Era Industrial; alguns a reforçam, alguns a condenam, outros a defendem no contexto do próprio sistema. Por um lado, vemos crianças cujas vidas são tão superprogramadas que elas nunca aprendem a decidir por si mesmas como viver. Seus pais as forçam a acumular conquistas, sem ajudá-las a discernir entre o que é vencer uma competição e fazer uma contribuição significativa na vida. Por outro lado, vemos crianças sofrendo distúrbio de deficit de atenção dos pais, que simplesmente não se importam, já que seus pais não se importam também. Então, elas desistem. No fim, esse grupo representa cerca de um terço de todos os alunos. A grande zona intermediária fica paralisada, esperando pelo melhor. Poucos pais são suficientemente inteligentes para perceber que seus filhos estão sendo preparados para uma vida de dependência.

Enquanto a educação significar treinar crianças para se tornarem dependentes, para serem boas seguidoras, nunca tornaremos possível o cumprimento da promessa que toda criança traz ao mundo. E enquanto os grandes envolvidos nesse debate continuarem podando os galhos da debilitada árvore da educação, disputando qual a melhor maneira de manter vivo o modelo industrial, a raiz cancerosa continuará crescendo sem ser notada.

O Trabalho a Ser Feito

Alguns anos atrás, quando me encontrei com o presidente dos Estados Unidos, ele me perguntou qual era nosso maior desafio educacional. Respondi algo mais ou menos assim: "A criação de parcerias entre professores, pais e comunidade *de modo a despertar o potencial de todas as crianças para que liderem suas próprias vidas, em vez de serem lideradas.*"

Essa seria uma mudança transformacional na educação, e não uma mudança transacional. Entre os que pensam de acordo com as Duas Alternativas, o grande debate gira interminavelmente em torno da questão transacional de como "fabricar o produto" da melhor maneira possível: por meio da eterna reestruturação do sistema público ou por meio da eficiência do mercado? Por meio de um currículo técnico ou humanista? Por intermédio da formação on-line ou por meio da tradicional sala de aula? Utilizando mais ou menos testes de verificação do conhecimento?

A questão, entretanto, está bem distante do "fabricar um produto". As crianças não são matérias-primas para serem embaladas como se fossem produtos para o mercado. Cada criança traz talentos diferenciados ao mundo e o poder de escolher como usar esses talentos. A função da educação é ajudar todas as crianças a obter sucesso na maximização desse potencial.

Meu bom amigo, o professor Clayton Christensen, da Escola de Administração de Harvard, deu aulas durante toda a vida e acredita que as escolas vêm fazendo um trabalho ruim há muito tempo. Ele gosta de pensar nos alunos como se fossem empreiteiros independentes, que contratam a escola para fazer um determinado trabalho para eles. Que trabalho é esse?

> *É muito importante entender para que tipo de trabalho as pessoas contratam as escolas. Por que os alunos não se sentem motivados? Taxas de abandono, absenteísmo nas escolas urbanas e suburbanas, alunos com olhares desafiadores ou entediados — reconhecemos os sinais. Que trabalho eles querem que a escola faça?*
>
> *Os alunos e seus professores querem se sentir bem-sucedidos todos os dias! Esse é o trabalho que eles esperam ver realizado. Bem, eles poderiam contratar uma escola ou uma gangue para fazer isso. Ou poderiam*

alugar um carro para passear e parecerem bem-sucedidos. As escolas estão competindo contra todas as outras maneiras pelas quais um jovem pode se sentir bem-sucedido.

Nossas escolas são planejadas para fazer com que a maioria dos alunos se sinta fracassada. Quando se tiver consciência disso, podemos começar a pensar de uma maneira muito diferente, de modo a ajudar os alunos a se sentirem bem-sucedidos.[137]

Se a escola não fizer o trabalho de ajudar os jovens a se sentirem bem-sucedidos todos os dias, eles vão encontrar outras fontes de sucesso. E se forem obrigados a se submeter, vão fazer o que qualquer consumidor insatisfeito faz: se resignar ressentidamente ou descobrir um modo de burlar o sistema. Eles o substituirão por alguma outra forma de sucesso, talvez o familiar refrão da adolescência: "Não importa, eu não ligo, não faz a menor diferença", frases que arrancam desesperadamente o último farrapo de uma identidade despedaçada, a última defesa contra o fracasso.

Educação da Terceira Alternativa

A Terceira Alternativa na educação diz respeito a aprender a se tornar um líder.

Deixem-me dizer, rapidamente, que não defino "líder" como um daqueles poucos que conquistam grandes posições de liderança. Estamos muito acostumados a pensar em líderes como pessoas que detêm cargos de diretor-executivo ou presidente. Essa visão de liderança é um produto da Era Industrial e há muito tempo já ultrapassamos esse tipo de raciocínio hierárquico. Estou me referindo à capacidade de liderar sua própria vida, de ser um líder entre os seus amigos, de ser um líder em sua própria família — de ser a força ativa e criativa de seu próprio mundo.

Os verdadeiros líderes definem e alcançam o sucesso permanente desenvolvendo suas personalidades e competências e agindo com base em

---

[137] Sue Dathe-Douglass, "Entrevista com Clayton Christensen", *FranklinCovey Facilitator Academy*, março de 2011.

princípios; eles não esperam que os outros definam o sucesso em seu lugar. Pelo fato de se verem como talentos únicos, não competem com ninguém, a não ser com eles mesmos. Em termos econômicos, são fornecedores exclusivos e, assim, podem leiloar seus talentos até obter a melhor oferta. Esses líderes criam seus próprios futuros. Dependendo do tempo e das circunstâncias, podem ficar aquém de um determinado objetivo, mas nunca *fracassam* realmente.

Para uma criança que foi educada para se transformar nesse tipo de líder, o sucesso vem de dentro para fora, não de fora para dentro. O que vem de fora é apenas um tipo secundário e menos importante de sucesso, recompensas como boas notas e notoriedade acadêmica a curto prazo, e muito dinheiro ou um título imponente mais à frente. As pessoas lutam por esses sucessos fugazes. Mas é do interior que vem o sucesso primário: sentir-se bem consigo mesmo; descobrir no que você é bom; as recompensas resultantes do respeito pelos outros e por si mesmo; a profunda satisfação de fazer uma contribuição única e criativa, por prestar um serviço honesto e virtuoso. Tais recompensas mais valiosas estão disponíveis para todos. Ninguém precisa competir para consegui-las, embora o sucesso secundário seja, muitas vezes, uma consequência natural.

Algumas crianças encontram seu próprio caminho até essa Terceira Alternativa por que possuem, naturalmente, esse tipo de força interior primária. Ory Okolloh, advogada e executiva da Google, fez o seu caminho desde um conturbado passado no Quênia até a faculdade de direito de Harvard, a fim de ajudar a liderar a reforma política na África. Ela explica como decidiu romper a prisão mental do paradigma educacional em sua cultura:

> *Meus pais nunca conseguiram economizar, pois sustentavam os irmãos, os primos e seus pais. Vivíamos em risco permanente. No Quênia existe um exame de admissão para se entrar no ensino médio, [...] a escola dos meus sonhos. Perdi a vaga por um ponto. Fiquei muito decepcionada.*
>
> *Meu pai disse: "Vamos tentar falar com a diretora. É apenas um ponto. Talvez eles deixem você entrar se ainda houver vagas." Fomos até o escola e, pelo fato de não sermos ninguém, não termos privilégio algum e meu pai não ter o sobrenome certo, ele foi tratado como lixo. Escutei as palavras da diretora, dizendo-lhe: "Quem você pensa que é? Você deve estar brincando se acha que pode conseguir uma vaga."*
>
> *Eu frequentava a escola com outras meninas, filhas de políticos; elas tinham feito exames de admissão infinitamente piores do que o meu e conseguiram vagas. E não há nada pior do que ver seu pai ser humilhado na sua frente. Saímos e eu jurei a mim mesma: "Nunca, nunca precisarei implorar por nada na minha vida." Chamaram-me duas semanas depois e disseram: "Ah, agora você pode vir", e respondi que eles podiam ficar com a vaga.*[138]

Okolloh poderia ter se submetido ao sistema. Mas, ao contrário, ela o tomou para si e o fez trabalhar para ela. Ela é uma líder no sentido primário,

---

[138] "Ory Okolloh on becoming an activist" [Ory Okolloh — Tornando-se uma ativista], *TED.com*, junho de 2007. Disponível em: http://www.ted.com/ index.php/talks/ory_okolloh_on_becoming_an_activist.html.

porque se recusa a permitir que seu sucesso seja definido por uma sociedade com mentalidade de escassez. Com o objetivo de ajudar os outros a escapar das prisões mentais em todo o mundo, ela se tornou uma pioneira na compilação colaborativa de notícias, tão essencial ao movimento pela democracia nos países emergentes da África e do Oriente Médio. Ela divulga informações sobre as zonas de conflito nas redes sociais e na mídia, a fim de que os feridos e as pessoas torturadas possam obter ajuda rapidamente.

A meu ver, é inquestionável que o objetivo mais importante da educação é criar Ory Okollohs, líderes com personalidade para transformar o mundo em torno de si mesmos. E não importa o tamanho desse mundo, seja ele uma única família, um bairro, uma cidade, uma nação ou o planeta como um todo.

Mike Fritz, diretor da Joseph Welsh Elementary School, em Red Deer (Alberta, Canadá), me contou que um de seus filhos aprendeu a ser o líder de sua própria vida. Mike adotou o modelo de liderança *The Leader in Me* [O líder em mim] em sua escola e tem ensinado seus alunos a serem os líderes de suas próprias vidas, capacitando-os com papéis de liderança na escola, adotando um vocabulário comum de liderança, realizando eventos sobre liderança e muito mais. A superintendente de Mike costuma pedir a cada um dos diretores escolares de seu distrito que façam uma apresentação duas vezes ao ano para o conselho de educação e os secretários-gerais sobre o trabalho que realizam em suas escolas. Mike tinha por hábito solicitar que os outros membros de sua equipe fizessem isso. Mas, agora, ele estava dirigindo uma escola de liderança, e decidiu pedir aos alunos para fazê-lo.

Muitos deles se voluntariaram, incluindo Riley, um aluno da terceira série que sofria de perturbações do espectro do autismo. Riley havia acabado de aprender o 8º Hábito: Encontre a Sua Voz, e disse a Mike que era assim que ele queria encontrar a sua voz. A equipe deu apoio incondicional para que as crianças fizessem a apresentação, e ficou orgulhosa de que Riley quisesse participar.

Assim, chegou o grande dia, e Mike, Riley e as outras crianças se dirigiram ao escritório da superintendente para a apresentação. Por conta própria, Riley preparara um grande cartaz de um cérebro com manchas azuis, vermelhas e pretas. Quando ele levantou o cartaz, explicou que era autista e que seu cérebro era diferente dos cérebros das outras pessoas. O vermelho significava a raiva; o preto, a frustração; e o azul, a calma. Riley destacou que havia muitas outras crianças como ele, e que o distrito precisava se conscientizar delas e de suas necessidades especiais. No fim, Riley foi aplaudido de pé, e muitos dos membros do conselho irromperam em lágrimas.

No dia seguinte, Mike achou interessante Riley aparecer na escola usando camisa de colarinho e gravata. Na verdade, nas semanas seguintes, Riley passou a usar gravata todos os dias para ir à escola. Finalmente, Mike se encontrou com a mãe de Riley e perguntou, curioso: "O que há com Riley? Ele está usando gravata todos os dias há várias semanas." Sua mãe explicou: "Antes de vir para esta escola, ele costumava acordar e dizer: 'Não quero ir para a escola hoje, mãe. Sou burro, e não quero me sentir burro'. Mas desde que chegou aqui, ele floresceu. Todos os dias lhe dizem que ele é um líder e que é talentoso. Depois de se apresentar para a superintendente, Riley ficou tão orgulhoso de si mesmo que chegou em casa e me disse: 'Mãe, a partir de agora vou usar uma gravata, porque as pessoas importantes usam gravatas!"

Essa história aconteceu um ano antes de eu escrever este livro, e Riley ainda se voluntaria para muitas tarefas de liderança, faz planos de entrar na faculdade e ainda usa gravata de tempos em tempos.

O principal objetivo da educação — fazer de Riley um líder — está sendo cumprido.[139] Evidentemente, a educação também tem objetivos secundários, como aprimorar o raciocínio, transmitir noções básicas de cidadania e difundir as habilidades das quais precisamos para construir uma economia próspera. Eu, particularmente, gosto de uma meta sugerida por Clayton Christensen: "Cultivar a compreensão de que as pessoas veem as coisas de maneira diferente — e que tais diferenças merecem respeito, em vez de perseguição."[140] Mas ajudar cada criança a se tornar um líder é o inspirador e poderoso objetivo principal da educação. É o principal porque o sucesso dos objetivos secundários depende disso. Todos nós conhe-

---

[139] Para assistir a um vídeo comovente sobre Riley, acesse: http://www.The3rdAlternative.com.

[140] Clayton M. Christensen *et al.*, *Inovação na sala de aula: como a inovação de ruptura muda a forma de aprender* (Porto Alegre: Artmed, 2008).

cemos pessoas altamente qualificadas que não têm caráter e podem ser realmente destrutivas.

Certa vez tive um talentoso e elegante sócio, com vários cursos superiores. Ele também tinha uma bela família. Professor universitário e secretário estadual de educação em ciências humanas, ele começou a trabalhar por conta própria e, com sua mente ágil, fez fortuna para sua empresa. Mas seus sucessos secundários não se baseavam no sucesso primário. O excesso de confiança e o álcool podem ser uma combinação desastrosa; nesse caso, nem o casamento nem o negócio sobreviveram.

Como ilustra a experiência trágica do meu amigo, se o sucesso primário for o objetivo, não só a mente, mas o coração e o espírito de cada criança também devem ser educados. No fundo, todos nós sabemos disso. A maioria dos pais sabe. E se é isso que desejamos construir, as pessoas que pensam de modo semelhante devem ser as responsáveis por fazê-lo.

"Se Puede"

A eterna queixa no grande debate da educação é que uma sociedade disfuncional não pode sonhar com excelentes escolas. Logicamente, há várias escolas que mal sobrevivem em bairros problemáticos, cheios de criminalidade e doenças. Em outras, as coisas parecem bem, por fora, mas os alunos lutam com dificuldades lá dentro; muitos se tornam viciados em drogas, computador, videogames e outros meios de escapar da banalidade de nossa sociedade. Todas essas desculpas são verdadeiras — mas, ainda assim, não passam de desculpas.

Escolas excelentes podem surgir, e surgem, até mesmo sob as condições mais adversas. Uma das pessoas a fazer essa observação é uma notável pensadora da Terceira Alternativa, chamada Wendy Kopp, fundadora do Teach for America, uma organização que recruta alguns dos mais brilhantes estudantes universitários para dar aulas em escolas desfavorecidas por um determinado período de tempo. Sua descoberta a surpreendeu: "Não é necessário corrigir a sociedade e tampouco as famílias para corrigir a educação. O caminho é justamente para o sentido inverso. [...] Os pais das classes mais baixas não têm acesso às oportunidades educacionais que poderiam romper o ciclo da pobreza. Ensinar com sucesso em escolas com contextos adversos é, definitivamente, um ato de liderança das pessoas apaixonadamente dedicadas."[141]

Richard Esparza é um líder apaixonado e dedicado. Quando Esparza se tornou diretor da Granger High School, em Yakima Valley, Washington, a situação não era muito promissora. A maioria dos alunos era formada por filhos de trabalhadores agrícolas, eles próprios sem formação escolar alguma. Havia poucas chances de os alunos se libertarem da pobreza. As estatísticas eram sombrias:

- Apenas 20% atingiam as médias estaduais de leitura.
- Apenas 11% atingiam as médias estaduais de escrita.
- Apenas 4% atingiam as médias estaduais de matemática.

Esparza pertencia às mesmas origens, mas tinha consciência de que não era um "burro como uma parede" e incapaz de aprender, coisas que eram ditas sobre ele e outros jovens como ele. Ele provou isso a si mesmo quando se formou na faculdade e voltou à escola para dar aulas, com uma missão em mente: certificar-se de que as outras crianças pudessem se ver como realmente eram. Para o novo diretor, seu papel era o de transformar as expectativas. Seus critérios de sucesso eram claros e mensuráveis: "Espero que todos os alunos possam obter sucesso e acredito que conseguirão obtê-lo, e espero que o corpo docente também acredite nisso. Meu objetivo é eliminar o preconceito — não há razão alguma para isso. Todos os nossos alunos são capazes."

Logicamente, os obstáculos ao cumprimento de sua meta foram enormes. Por dois anos ele diz não ter feito "nada além de lutar". Nove em cada dez estudantes pertenciam a grupos minoritários. Não eram apenas os pais e os alunos que se mostravam descrentes — os professores também. As gangues imperavam, as pichações cobriam as paredes, policiais escoltavam os espectadores aos jogos de basquete. Obviamente, Esparza teve de ajudar os alunos a mudarem suas mentalidades sobre a definição de sucesso. Ele teve de ajudar cada um a encontrar o líder dentro de si mesmo.

---

[141] Citado em George F. Will, "'Teach for America' transforming education" ["Teach for America" transforma a educação], *Washington Post*, 26 de fevereiro de 2011.

Mas ele não sabia como proceder, e não havia modelos externos para orientá-lo. Como transformar uma escola de ensino médio com baixo desempenho em uma escola excelente? "Se eu tivesse um sistema no qual me basear", diz Esparza, "as coisas teriam sido mais simples." Obrigado a improvisar, ele transformou a Granger High School em um Teatro Mágico de investigação e experimentação.

Seu primeiro estratagema foi sumir com as pichações. Símbolo do poder das gangues, aquela marca tinha de desaparecer. Além de pedir aos zeladores para cobrirem quaisquer pichações com tinta dentro de 24 horas, ele levava suas próprias latas de spray em seu carro e as usava constantemente. Cerca de dois anos depois de implementada tal rotina os "artistas" se desestimularam e a escola conseguiu se manter limpa. Ao mesmo tempo, ele proibiu estritamente todos os vestuários e as insígnias das gangues.

Em todas as escolas o apoio e o envolvimento dos pais são fundamentais para o sucesso. Porém, na escola Granger, menos de 10% dos pais se preocupavam em aparecer nas reuniões com professores. "Se eles não vêm até nós", anunciou Esparza, "nós iremos até eles." Ele estabeleceu que os professores deveriam visitar as famílias de cada aluno para falar abertamente sobre o progresso da criança. O objetivo era convencer as famílias a participar da vida escolar e frequentar as reuniões com o corpo docente.

Alguns dos professores não queriam fazer essas visitas domiciliares, e Esparza então lhes respondeu com o seguinte discurso: "Você é um grande professor, mas temos uma diferença de filosofia. Eu ficaria feliz em poder lhe dar uma carta de recomendação para que você pudesse procurar um emprego em outra escola." E alguns deles foram embora. (Isso me faz lembrar de professores japoneses que andam de bicicleta para cima e para baixo pelas ruas para visitar os alunos em suas casas. Às vezes, eles trabalham até tarde da noite fazendo isso, apenas para mesclar o poder da escola com o poder do lar. É um excelente modelo.)

Alguns anos de dedicação a esse esforço acabaram sendo recompensados. No fim, 100% dos pais passaram a frequentar as reuniões da Granger High School. As reuniões não são conduzidas pelos professores, mas pelos próprios alunos, que analisam o progresso de sua aprendizagem, os requisitos para graduação, as notas, os níveis de leitura e os planos para quando saírem do ensino médio. O objetivo das reuniões é certificar-se de que todos — alunos, pais, professores — estejam na mesma sintonia, dispondo das mesmas informações. "As pessoas costumam me perguntar como a nossa escola consegue atrair 100% dos pais para participarem das reuniões", diz Esparza. "A resposta: um pai de cada vez."[142]

Esparza também acreditou na "personalização" da educação, para assegurar que cada aluno tivesse um plano de sucesso individual e um orientador educacional. A ideia era que cada aluno prestasse conta *todos os dias* a um consultor-professor a respeito de seu progresso pessoal. Mas um único professor não conseguiria se encontrar pessoalmente com 150 alunos por dia e, então, eles dividiram o corpo discente em grupos de 20, designando um professor como consultor de cada grupo. O professor se reunia com os alunos quatro dias por semana para acompanhar o progresso individual. Mais uma vez, um professor disse que não queria fazer isso, porque "não era assistente social", de modo que Esparza respondeu-lhe com "o discurso".

Os grupos de consultoria se mostraram transformadores, de acordo com Paul Chartrand, sucessor de Esparza:

> *Todos os alunos tinham voz e um adulto para orientá-los. O aluno sempre soube que tinha alguém a quem recorrer, alguém em quem poderia confiar. Alguém que os levaria em consideração e os saudaria, dando-lhes um "Oi" amistoso. [...] A personalização é a chave. Cada um desses alunos sabe que deverá prestar conta de seus atos. Quando os alunos deixam de aparecer na escola, os consultores ligam para suas casas ou vão até lá, descobrem o que está acontecendo e sugerem como podemos ajudar.*[143]

---

[142] "A second set of parents: advisory groups and student achievement at Granger High" [Uma segunda leva de pais: Grupos de consultoria e desempenho dos alunos na Granger High], LearningFirst.org, fevereiro de 2008. Disponível em: http://www.learningfirst.org/second-set-parents-advisory-groups-and-student-achievement-granger-high.

[143] Claus von Zastrow, "Talking things personally: Principal Paul Chartrand speaks about his schools turnaround" [Conversando pessoalmente: o diretor Paul Chartrand fala sobre a rotatividade em sua escola], LearningFirst.org, 31 de agosto de 2009. Disponível em: http://www.learningfirst.org/visionaries/PaulChartrand.

Esparza utilizava todos os dispositivos nos quais poderia pensar para motivar os alunos. Embora soubesse que o dinheiro não é o único motivador da excelência, ele guardava uma mala recheada de dinheiro falso: US$ 420 mil em notas fotocopiadas de US$ 20, aproximadamente a quantia que um aluno perderá ao longo de sua vida profissional se não se formar no ensino médio. Em várias "reuniões do grupo de honra", Esparza tinha por hábito colocar o dinheiro simbólico diante do púlpito, ao lado de um cartaz escrito à mão, mencionando as "três estradas da vida": a estrada de grandes conquistas para aqueles com notas altas, a estrada intermediária e a estrada inferior. Ele confrontava os estudantes com a realidade: "A educação é sua única chance, a menos que vocês conheçam alguém que seja dono de um iate clube." Então, ele presenteava cada aluno do grupo de honra com um certificado e uma camiseta em que se lia a frase "Sem notas boas não há glória", e os dispensava para pegarem um sorvete na cantina.[144]

Um grande problema era o absenteísmo; os alunos da Granger estavam acostumados a cabular aulas. Esparza refletiu profundamente sobre o tema e elaborou um quadro de avaliação, afixado no salão principal da escola para assinalar a quantidade de tempo que cada aluno ausente "devia" à escola. Para recuperar o crédito, os alunos tinham de "amortizar a dívida", dessa vez com um tutor, antes ou depois do horário escolar. Ao longo de dois anos, o absenteísmo caiu em um terço.

Acima de tudo, Esparza estava determinado a garantir o sucesso acadêmico de cada estudante em particular e, portanto, estabeleceu uma impetuosa "regra do não falhar". Os consultores iam ao encontro dos alunos com dificuldades, orientando-os todos os dias em suas áreas mais fracas. Os alunos foram incentivados a fazer e refazer os testes e questionários até obterem um grau C, ou melhor. Ninguém tinha permissão para resvalar para o fracasso.

Quando Richard Esparza assumiu a escola Granger, as taxas de graduação giravam em torno de 30%. Após cinco anos, esse número havia subido para 90%. As notas de leitura dos alunos triplicaram, passando de 20% para 60% da média estadual. Os índices de aproveitamento em matemáti-

---

[144] Linda Shaw, "WASL is inspiration, frustration" [O WASL é inspiração, frustração] *Seattle Times*, 8 de maio de 2006.

ca e redação subiram na mesma proporção. Alunos que entravam na Granger incapazes de ler saíam prontos para a faculdade. Um aluno chamado Pedro ingressou na nona série da escola Granger com um nível de leitura inferior ao da quinta série. Mas, diz ele, "a escola não parou de me estimular. No meu último ano, tive aulas nas turmas avançadas de história e ganhei uma bolsa de estudos da reitoria da Central Washington University". A história de Pedro agora é comum na escola.

A lição de Wendy Kopp, de que os pais em situação de pobreza terão de "dar um salto" para romper o ciclo em nome de seus filhos, acabou por se mostrar verdadeira. Até hoje, 100% dos pais comparecem às reuniões entre alunos e professores na escola Granger. E o diretor Chartrand afirma que há pilhas de fichas de inscrição de pais de comunidades vizinhas, eles mesmos, em sua maioria, pobres e com baixo nível de escolaridade, implorando por uma chance para que seus filhos estudem na Granger. Outro efeito secundário interessante da transformação da Granger High School foi uma queda significativa na taxa de criminalidade, à medida que todos começaram a ter mais orgulho da própria comunidade.

Embora Esparza tenha orgulho do que foi alcançado, ele nunca ficou completamente satisfeito. "Para mim, chegar lá significa 100% de nossas crianças chegando lá. Mas sei que isso exige um pouco mais de tempo. Sou um idealista no coração, [...] mas um realista na mente." Na placa de seu carro, está escrito *Se Puede* — "Isso *pode* ser feito".[145]

Richard Esparza é um exemplo impressionante de educador da Terceira Alternativa. Ele poderia ter se tornado apenas outro burocrata convencional, sentado em seu escritório com uma atitude de negação, culpando a sociedade, o país, o sindicato dos professores ou o Legislativo por seu fracasso em fazer a diferença. Ou poderia ter desistido e se juntado ao coro de críticos que dizem que todo o sistema deveria ser sucateado.

Ele escolheu, ao contrário, uma Terceira Alternativa. Optou por mudar a história no local em que *ele* estava, sem esperar que o grande debate so-

---

[145] Entrevista com Richard Esparza, 20 de novembro de 2007; Karin Chenoweth, "Granger High School: se puede (it can be done)", [Granger High School: *se puede* (pode ser feito)], in *The power to change: high school that help all students achieve* [O poder de mudar: Escolas de ensino médio que ajudam todos os alunos a ser bem-sucedidos] (Washington, DC: The Education Trust, novembro de 2005), p. 17-23.

cioeconômico e político sobre a educação se resolvesse automaticamente. Ele escolheu ver cada aluno como um talento diferenciado para o mundo, em vez de tomá-lo apenas como outro fracasso estatístico. Ele apagou a distorcida imagem de sucesso oferecida pelas gangues e a substituiu por uma nova imagem de sucesso primário: os frutos do trabalho árduo, da persistência e da realização. Ele levou esperança a famílias desesperançadas. Os resultados falam por si, já que nove entre dez alunos da Granger se formam e seguem para a faculdade ou para cursos profissionalizantes.

Embora Esparza entendesse como ninguém as deficiências do sistema educacional, ele provou que o sistema, em si, não é o problema da educação. O problema é a mentalidade que diz: "Eu não consigo fazer isso. É muito difícil. O sistema/o sindicato/a comunidade/o mundo está contra mim. Nunca vai haver dinheiro ou recursos suficientes. Ninguém vai cooperar. Ninguém se importa mesmo." Esse paradigma reativo e desanimador se torna uma profecia autorrealizável.

Ainda assim, Esparza e sua equipe mostraram a um mundo cínico que grandes realizações são possíveis *dentro* do próprio sistema. Nenhum sistema que pudermos conceber funcionará se nossos paradigmas estiverem errados. A verdadeira questão é se vamos ou não adotar o paradigma da sinergia, a inspiração que nos faz perguntar: "Estamos dispostos a buscar algo que seja melhor do que aquilo que já julgaram possível? *Se puede!*"

"O Líder em Mim"

Em 1999 a escola especializada A.B. Combs Elementary School, pertencente ao sistema público do condado de Wake, situada em Raleigh, Carolina do Norte, estava enfrentando dificuldades. (Uma escola especializada recebe estudantes que estão fora dos limites distritais usuais, concentrando-se em algum tema ou conjunto de habilidades específicas.) A escola tinha capacidade para mais de 800 alunos, mas apenas 350 estavam matriculados. A Combs detinha os piores resultados do distrito em termos de avaliação: apenas dois terços dos alunos passavam de ano nos exames finais, em qualquer uma das séries. O moral dos professores andava baixo. A escola não tinha uma missão e uma visão unificadas. As instalações estavam malconservadas. Os pais se mostravam insatisfeitos. Além disso, as condições socioeconômicas da escola eram desafiadoras. Falavam-se 29 línguas diferentes na escola, e mais de 50% dos estudantes usufruíam do almoço gratuito e racionado. A diretora Muriel Summers estava diante de um enorme desafio.

Naquele ano, Summers esteve presente em uma de minhas apresentações em Washington. Eu estava dando uma palestra sobre *Os 7 hábitos das pessoas altamente eficazes*, um conjunto de princípios universais, atemporais e evidentes, comuns a todas as sociedades, organizações, famílias e pessoas estáveis e prósperas. Durante uma pausa na apresenção ela veio até mim, se apresentou, me olhou diretamente nos olhos e perguntou: "Dr. Covey, você acha que esses hábitos podem ser ensinados a crianças pequenas?" Eu respondi: "De que idade?" Ela disse: "Cinco anos." Refleti rapidamente e devolvi: "Não vejo por que não. Me informe se algum dia você os experimentar em sua escola."

Para ser franco, ela não pensou muito sobre esse tema por um longo tempo. E, então, vieram as más notícias: a administração do distrito a convocou para lhe dizer que o programa especializado da escola Combs seria desativado. Summers pediu mais um tempo e outra chance. "O superintendente estava sentado em uma daquelas cadeiras de couro que só os superintendentes parecem ter. Ele se mostrou condescendente e me disse para retornar em uma semana com uma proposta para atrair mais alunos." Ela chorou durante todo o percurso de volta para casa mas, depois de se reunir com sua equipe, percebeu que essa ameaça poderia, na verdade, se transformar em uma grande oportunidade. "Decidimos enviar uma proposta para criar uma escola como nenhuma outra nos Estados Unidos — a escola ideal —, e tínhamos uma semana."

Summers rapidamente convocou uma reunião com todos os participantes da escola — crianças, pais, professores, líderes comunitários e empresariais — e lhes fez uma versão da pergunta da Terceira Alternativa: "Se vocês pudessem criar a escola ideal, como ela seria?" Sem qualquer ideia preconcebida, ela estava, essencialmente, perguntando: "A que solução poderíamos chegar que seja melhor do que aquilo em que qualquer um de nós já pensou antes?"

Foi uma semana de prototipagem expressa. A pressão do tempo pode ter ajudado, pois as ideias brotaram rapidamente, de todas as direções.

As crianças queriam professores "que nos amem, que saibam quem somos, que sejam agradáveis conosco, que nos perdoem quando cometermos erros, que conheçam nossas esperanças e nossos sonhos". Os professores idealizavam crianças respeitosas e empenhadas em fazer a diferença em suas vidas, ansiosas por aprender e que fossem gentis umas com as outras. Os pais valorizavam a responsabilidade, a resolução de problemas, o estabelecimento de metas e a autossuficiência.

A contribuição dos líderes empresariais foi um tanto inesperada. Eles poderiam ter dito que gostariam de habilidades de trabalho concretas, mas na verdade pediram "honestidade e integridade, trabalho em equipe e habilidades interpessoais, além de forte ética profissional". As habilidades tecnológicas ficaram bem abaixo na lista de prioridades.

Curiosamente, ninguém mencionou excelentes aptidões básicas ou notas mais altas nos exames, algo que Summers estava empenhada em melhorar de qualquer maneira. Mas o que lhe chamou a atenção foi um tema que veio à tona em todas as discussões: a *liderança*. Todas as partes interessadas atribuíram grande importância às características de líderes eficazes, tais como autossuficiência, responsabilidade, capacidade de resolver problemas, aptidão para o trabalho em equipe, integridade. Sob tudo isso ela podia ouvir um chamado para fazer a diferença, para trazer de volta a esperança e a promessa para as crianças. Era um clamor pela liderança. "É isso!", disse. "Vamos usar a liderança como nosso tema."

Mais tarde Summers recordou: "Pesquisamos na internet e não encontrei ninguém que estivesse fazendo da liderança a base de sua escola. Nós seríamos únicos. Na segunda-feira seguinte, às 15 horas, eu estava diante do conselho de educação, anunciando que gostaríamos de nos tornar a primeira escola fundamental no país focada na liderança. Nunca me esquecerei da expressão no rosto do superintendente. Rapidamente, ele assinalou que eu não receberia quaisquer recursos financeiros ou humanos adicionais, mas deu a 'sua bênção' para seguirmos adiante e fazermos a diferença."

A recém-energizada A.B. Combs Elementary adotou uma missão: "Desenvolver líderes globais, uma criança de cada vez." Muriel Summers sabia que se tratava de uma missão ambiciosa, e que não seria facilmente alcançada. Não bastaria parar a aula e falar sobre liderança por alguns minutos a cada mês; a missão teria de permear tudo.

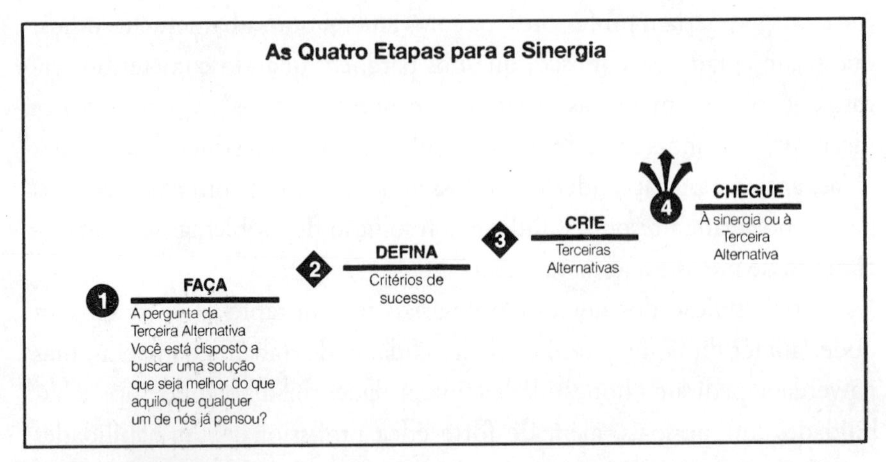

Quatro Etapas para a Sinergia. Na A.B. Combs School uma Terceira Alternativa teve de ser encontrada, ou a escola iria fechar as portas. Todo mundo ajudou a definir os critérios de sucesso, criou protótipos para uma nova missão e comemorou a Terceira Alternativa: "Uma escola de liderança."

Uma coisa é ter uma missão, outra é saber o que fazer todos os dias para cumpri-la. Summers e sua equipe leram e estudaram tudo o que podiam encontrar sobre o tema da liderança. Eles ficaram fascinados com a literatura sobre gestão de qualidade e decidiram adotar a abordagem da "melhoria contínua", a fim de medir o progresso de cada aluno. Cada aluno deveria definir metas mensuráveis de aprendizagem e acompanhá-las sob o espírito do "seis sigma", um processo de prestação de contas utilizado pelas empresas para tentar melhorar a qualidade de suas operações.

Mas, e quanto aos atributos de liderança e as características como iniciativa, visão de negócios, tomada de decisões, resolução de problemas, construção de relacionamentos — todas elas tão cruciais para um líder eficaz? Os professores precisavam seguir algum modelo para incutir tais atributos na vida dos alunos. Então Summers se lembrou da minha apresentação sobre os Sete Hábitos, e vislumbrou ali um modelo básico para inspirar as crianças a internalizarem as qualidades dos líderes eficazes. "Incorporamos os Sete Hábitos em todas as áreas do currículo", diz ela. A abordagem é "de dentro para fora", isto é, os professores e administradores aprendem e vivem de acordo com os hábitos e, depois, os incorporam aos seus ensinamentos diários. Não se trata de um currículo novo. Criativamente, os professores integram os princípios de eficácia a cada disciplina: leitura, matemática, arte, história, ciência e estudos sociais. A partir do momento em que entram na escola até o toque da última campainha, as crianças são absorvidas pela crença dos líderes adultos de que elas são líderes de suas próprias vidas, têm talentos insubstituíveis e podem fazer a diferença. Todos os alunos aprendem o mantra: "Há um líder dentro de mim." Eles aprendem a ter a disciplina de um líder — a desenvolver iniciativa, a estabelecer metas e a colocar as prioridades em primeiro lugar ("Dever de casa e, depois, brincar"). Eles aprendem a filosofia do ganha/ganha ("Todos podem ganhar — não opte por perder!"). Todos os dias eles aprendem um pouco mais sobre empatia ("Ouça primeiro e, depois, fale") e sinergia ("Não fique lutando contra, pense em um caminho melhor"). Eles aprendem a "afinar o instrumento" — a equilibrar o trabalho e a diversão, o exercício e o estudo, os amigos e os familiares.

A escola reforça continuamente essas qualidades de liderança. Ao fazer isso, transforma-se em um permanente Teatro Mágico de ideias. Visitando a Combs é possível observar cartazes sobre os Sete Hábitos nas paredes e placas nos corredores, em que se lê: "Local Proativo", "Caminho do Ganha/ganha" e "Rua da Sinergia". As crianças cantam músicas cujo tema é os Sete Hábitos. Elas encenam peças sobre líderes. Bastões da Fala são encontrados por toda parte. Há fotos de grandes líderes e a descrição de suas histórias. As crianças entrevistam diferentes líderes comunitários, incluindo o governador, sobre o que é preciso para se tornar um líder.

Se um professor se converter em um modelo de liderança, os alunos rapidamente absorverão o exemplo. Quando um aluno de má reputação foi matriculado na Combs, ele recebeu os professores aos gritos: "Tire essa #*@!+ da minha cara!" Os professores responderam calmamente: "Não usamos esse tipo de linguagem aqui, usamos um outro tipo, mas, ainda assim, estamos felizes por ter você entre nós." Todos os dias os professores diziam àquele menino que o amavam, e ele continuava a praguejar. E em pouco tempo ele também já estava dizendo aos professores que os amava. Sua vida mudou. Ele ganhou um lugar no grupo de honra. Os alunos mais observadores ficaram impressionados com o fato de os professores terem optado por responder com gentileza e paciência, e também acolheram o problemático colega.

As crianças também aprendem a observar o papel de um líder: como cumprimentar, como conduzir uma reunião, como se posicionar e se pronunciar. A senha para entrar em sala de aula é saudar o professor e seus colegas; a senha para sair é demonstrar gratidão e reconhecimento ao professor. As crianças agradecem aos professores a devolução de suas provas. Eles dizem "Sim, senhora" e "Não, senhora". A construção de relacionamentos é um comportamento ensinado como parte da mentalidade de "ganha/ganha".

"Se esta é uma escola de liderança, a administração da escola não deveria ficar a cargo dos alunos?", Summers perguntou a si mesma. Com isso em mente, ela desenvolveu inúmeros papéis de liderança na escola. Na A.B. Combs é possível ser líder em música, artes ou ciência; líder em comunicação audiovisual; líder do comitê de recepção; líder em gerenciamento da merenda; líder no pátio escolar e assim por diante. As crianças se candidatam a tais cargos e os levam muito a sério. Há um intercâmbio constante de papéis, e todas as crianças têm oportunidade de ser líderes de algum tipo. Tanto quanto possível, Summers torna possível que as crianças administrem a escola. Assim, elas coordenam reuniões, transmitem avisos pela manhã e atuam como anfitriãs quando a escola recebe visitantes. Quando perguntei se poderíamos filmar as coisas fantásticas que estavam acontecendo em sua escola, Summers disse: "Claro! Vou designar os nossos alunos líderes em comunicação audiovisual para trabalhar com você."[146]

Talvez o resultado mais gratificante seja a disseminação da mentalidade de sinergia entre essas crianças. Elas sabem que podem escolher as próprias respostas. Elas sabem como superar conflitos e como se organizar para encontrar um caminho melhor, conforme ilustrado nesta história contada por Gayle Gonzalez e Eric Johnson, pais de três alunos da Combs:

Um novo aluno, claramente irritadiço, foi admitido na sala de aula de nossa filha. A maneira como a professora tratou esse aluno foi inspiradora. Certa tarde, quando o menino não estava presente, ela avaliou honestamente o caso com as outras crianças. Ela disse: "Os recentes acessos de

---

[146] Para assistir a esse interessante vídeo sobre a transformação da A.B. Combs School acesse The3rdAlternative.com.

raiva em nossa sala de aula não estão nos ajudando." Ela envolveu a turma na solução. As crianças entenderam que grande parte do problema era causada por aquele aluno novo. Por conta própria, elas formaram uma equipe de apoio e disseram que poderiam ajudar o menino ainda mais que a professora. O jovem reagiu bem e, pela primeira vez na vida, começou a fazer grandes progressos acadêmicos. Quando, mais tarde, ele saiu da escola, os alunos choraram. Eles haviam aprendido a amá-lo.

Essas crianças são pensadores da Terceira Alternativa. Em vez de combater o valentão ou evitá-lo, elas inventaram sua própria Terceira Alternativa para resolver o problema, de modo que todos pudessem sair ganhando. Claramente, os alunos da Combs sabem o que é o sucesso primário.

Bem, e quanto aos resultados acadêmicos?

No primeiro ano, o rendimento acadêmico da Combs Elementary passou dos mais baixos do distrito a 97% de notas médias, ou acima disso. As advertências disciplinares despencaram imediatamente. Houve um forte senso de engajamento e de colaboração dos professores. Pesquisas com os pais mostraram que 100% ficaram satisfeitos. À medida que as crianças aprenderam a conduzir suas próprias vidas e se responsabilizar por seus atos, tornou-se hábito fazerem o melhor possivel. Os índices têm variado ao longo dos anos, mas o quadro geral é extremamente positivo.

Uma questão vital na Combs (e na educação como um todo) é como ajudar cada um dos alunos a se superar. As escolas de pensamento divergem. Alguns dizem que a noção de excelência é culturalmente elitista; outros acreditam que, se os alunos não forem auxiliados a atingir um alto padrão de excelência (o que quer que isso signifique), a mediocridade continuará imperando. Mais uma vez, ambos os lados têm razão.

Mas Combs adotou uma Terceira Alternativa, que Muriel Summers chama de "uma enorme mudança de paradigma". Em vez de se focarem no padrão de desempenho em si, eles se preocupam em ensinar os princípios de liderança, que trazem como consequência um alto desempenho. A excelência acadêmica é, sinceramente, um objetivo secundário, um subproduto da ênfase no sucesso primário. O princípio é "ensinar o paradigma, e o comportamento virá como resultado", e isso funciona lindamente. Ela se lembra de que, no início, a equipe imaginou o quanto seria maravilhoso conseguir que 90% dos alunos obtivessem uma pontuação igual ou acima da média. "Então", diz ela, "chegamos a 95%. Houve um momento crucial, quando dissemos que não descansaríamos enquanto não chegássemos a 100%."

Quando a notícia sobre a notável reviravolta na A.B. Combs se espalhou, outros educadores ficaram ansiosos para conhecê-la de perto. Hoje em dia centenas de pessoas de todo o mundo frequentam duas vezes por ano os Dias de Liderança da escola, para aprender a implementar a mesma abordagem em suas instituições. Um dos visitantes, Jeff Janssen, do Championship Coaches Network, fez o seguinte comentário:

> *Soube imediatamente que a escola era especial quando entrei pela porta principal e um aluno do jardim de infância se aproximou de mim espontaneamente, olhou-me nos olhos, me deu um firme aperto de mão e disse, com uma voz clara e acolhedora: "Bom dia, senhor. Meu nome é Michael. Estamos muito felizes em recebê-lo aqui na nossa escola." Essa saudação calorosa, sincera e profissional foi seguida por outras, similares, de outros alunos, de todas as idades, enquanto eu caminhava em direção à sala da direção.*[147]

Ameaçada de fechamento pela falta de alunos, a Combs agora está superlotada. O número de alunos da escola aumentou de 350 para 860 e, normalmente, há uma lista de espera de mais de 500 crianças. Os preços dos imóveis naquela região dispararam, e alguns pais dirigem uma hora para levarem seus filhos à escola. Muriel recebe centenas de currículos para cada vaga de professor que se abre. (A propósito, os alunos do quinto ano da escola participam das entrevistas com os novos candidatos a professores.) Essa pequena "escola de liderança" tem sido reconhecida nos Estados Unidos, ganhando os seguintes prêmios:

- National Blue Ribbon School of Excellence.
- National Magnet School of Excellence, 2006.
- North Carolina Governor's Entrepreneurial Award and School of Excellence.

---

[147] Jeff Janssen, "Leadership lessons from the nation's best principal" [Lições de liderança da melhor diretora escolar do país], *Championship Coaches Network.* Disponível em: http://www.championshipcoachesnetwork.com/public/404.cfm.

- National Title "Best of the Best".
- # 1 National Magnet School of America.
- National School of Character, 2003.

Mais importante do que isso são as vidas que foram transformadas pela A.B. Combs. Eis aqui apenas uma amostra dos testemunhos:

- Nathan Baker, aluno com necessidades especiais: "Você aprende a se concentrar nas melhores coisas que consegue fazer. Não culpe os outros."
- Liliana, aluna: "No fim do ano passado fui me consultar com o orientador educacional para contar que fui abusada sexualmente por três anos. Mas eu posso escolher. Se continuar a conviver com isso, estou escolhendo não contar. Quero que minha vida seja melhor e preciso da sua ajuda."
- John Rapple Jr., cadete, Academia Militar de West Point: "Provavelmente, hoje estou aqui na West Point porque fui aluno da Combs."
- Pam Allman, professora: "Meu marido é policial e levou um tiro no meio dos olhos. Por causa das coisas que aprendi na Combs, conseguimos atravessar o momento mais difícil das nossas vidas."
- Preenegoe Shanker, estudante da Índia: "As coisas que aprendi na Combs me ajudaram a ganhar confiança para o resto da minha vida. Aprendi a me concentrar no meu círculo de influências e não no meu círculo de preocupações."

Muito tempo depois de todo esse movimento ter começado na Combs Elementary, Muriel Summers entrou em contato comigo, como havia prometido, para me contar o que estava acontecendo. Fiquei espantado. Eu sabia que essa história tinha de ser contada, por isso preparei um livro chamado *The leader in me* [O líder em mim], que descreve em detalhes o que aconteceu na A.B. Combs e em muitas outras escolas que seguiram o mesmo modelo. Toda a ideia do livro é considerar as crianças como líderes, em vez de tomá-las como pequenos receptáculos para a educação.

Um dia, ao visitar a A.B. Combs, meu filho Sean foi desafiado por Summers: "Recebo ligações diariamente de diretores de todos os lugares querendo implementar esse modelo de liderança em suas escolas. Não tenho tempo nem conhecimento suficientes para disseminar isso para o mundo. Estou tentando administrar uma escola, torná-la respeitada. É seu imperativo moral fazer algo em relação a isso!" Sean levou a sério a cobrança de Summers, estudou o modelo, o codificou e o sistematizou em um processo que qualquer escola poderia implementar. Desde o lançamento do livro e do processo, surgiram escolas do modelo *O líder em mim* por todas as partes: Guatemala, Japão, Filipinas, Austrália, Indonésia, Singapura, Tailândia, Índia, Brasil, Reino Unido e Estados Unidos. Enquanto escrevia este livro, já havia mais de 500 dessas escolas. Os resultados são transformacionais. Os alunos estão aumentando sua autoconfiança. Os professores estão mais engajados. O rendimento acadêmico está melhorando. Relatórios positivos continuam aparecendo. Os pais estão clamando por mais escolas. Depois de ler o livro, um professor da Columbia University se mudou de Nova York para a Carolina do Norte com sua família para que seus filhos pudessem estudar na Combs.

Fiquei admirado com os resultados transformacionais das escolas que seguem o modelo de liderança *O líder em mim* e passei a me perguntar por que ele funciona tão bem, quando tantas outras iniciativas reformistas não deram certo. Consigo perceber quatro razões. Em primeiro lugar, ele parte de um paradigma diferente. Em vez de ver as crianças através das lentes de uma curva de distribuição normal — algumas crianças são inteligentes e outras, menos inteligentes —, ele entende que toda criança é capaz, toda criança é um líder. Esse paradigma muda tudo.

Segundo, ele funciona de dentro para fora. Como Muriel poderá atestar, antes que pudesse colocá-lo em prática com os alunos, sua tarefa inicial foi melhorar o clima entre sua equipe e fazer com que os próprios professores estivessem na mesma sintonia. Não poderia haver mudanças nos alunos se a equipe não mudasse a si própria. Como diz o grande educador Roland S. Barth: "A natureza dos relacionamentos entre os adultos que circulam em uma escola depende mais de sua qualidade e de seu caráter, e das conquistas de seus alunos, do que de qualquer outro fator."[148] Esse modelo, como se pode perceber, serve tanto para os adultos quanto para as crianças. É de dentro para fora. Primeiro, os professores, então, os alunos e, depois, os pais.

---

[148] Roland S. Barth, "Sandboxes and honeybees" [Caixas de areia e abelhas domésticas]. In Louis B. Barnes *et al.*, *Teaching and the case method* [Educação e o método de caso], (Cambridge, MA: Harvard Business Press, 1994), p. 151.

Em terceiro lugar, ele usa uma linguagem simples e compartilhada. Quando todos — professores, estudantes e pais — começam a usar a mesma linguagem, percebe-se um efeito conjugado verdadeiramente surpreendente. Os Sete Hábitos criam essa linguagem comum. Faz uma grande diferença quando todos sabem, por exemplo, o que significa "colocar as prioridades em primeiro lugar", "buscar, primeiro, compreender" ou "ser proativo". Muitas vezes, as escolas do modelo *O líder em mim* surpreendem seus alunos usando a linguagem entre eles mesmos e com seus pais: "Preciso colocar as prioridades em primeiro lugar e fazer o meu dever de casa antes de ir brincar"; "Eu deveria ter pensado no ganha/ganha" ou "Pai, você está sendo reativo".

Finalmente, a implementação é onipresente, ou seja, em todos os lugares e o tempo todo. Em vez de "ensinar liderança todas as terças-feiras, às 13 horas", Muriel e sua equipe usam uma abordagem integrada e fazem com que o treinamento em liderança seja parte de tudo o que praticam. Assim, o modelo tem impacto em tudo — nas tradições, nos eventos, na organização, na cultura, nas metodologias de ensino e no currículo escolar. Mas, como dirão os professores: "Não se trata de fazer uma coisa a mais; trata-se de fazer o que você já está fazendo, de uma maneira melhor."[149]

Enquanto os grandes debatedores da educação continuam a acusar uns aos outros, reivindicando ruidosamente esta ou aquela reforma estrutural, culpando-se mutuamente por tudo, desde o nariz entupido de seus filhos até o colapso da civilização, pessoas como Muriel Summers e Richard Esparza estão transformando silenciosamente as vidas das crianças, pondo em evidência "o líder em mim". Eles representam uma verdadeira Terceira Alternativa para a arrogância existente em ambos os lados do grande debate. Eles não acusam ninguém; ao contrário, solicitam a contribuição e a participação de toda a comunidade. Os líderes empresariais locais farão o que estiver ao seu alcance para ajudar. Os pais se dedicam com vigor. Os professores se beneficiam da mesma forma que os alunos. Essas pessoas sinérgicas têm ido tão além do debate de Duas Alternativas que, por comparação, ele soa primitivo.

---

[149] Se você estiver interessado em aprender mais sobre o processo de *O líder em mim* e como implementá-lo em uma escola perto de você, acesse www.TheLeaderInMe.org.

Não muito tempo atrás fui convidado a dar uma palestra sobre educação para uma enorme plateia, em uma universidade da Pensilvânia. Vários jovens estudantes da A.B. Combs Elementary School me receberam. Antes de subir ao púlpito, eu lhes pedi que falassem sobre sua escola e sobre o que haviam aprendido. E, assim, eles ficaram diante de mais de mil pessoas, entre estudiosos, professores e gestores. Eles surpreenderam o público por sua coragem e confiança, e por conta de sua mensagem sobre como encontrar o líder dentro de si mesmos — foi uma experiência simplesmente incrível. Naquele momento, o grande debate pareceu insignificante e remoto.

Não sou contra a reestruturação do sistema educacional, mas tampouco apoio aqueles que pretendem descartar o sistema como um todo. Entretanto, ficaria muito satisfeito em constatar que esse debate chegou ao fim e que a colaboração teve início, em função do verdadeiro trabalho da educação: revelar o líder em cada jovem, libertar o infinito potencial de cada um para transformar sua própria vida, a vida de sua família e o mundo.

Considerando-se seu potencial, todas as crianças são como estrelas. Os cientistas dizem que a energia de cada átomo é 35 bilhões de vezes maior do que seu peso. Dentro de uma estrela, os átomos se fundem e liberam esse enorme poder na forma de luz e de calor. Da mesma maneira, a criança traz em si a infinita capacidade latente de refazer o futuro, não importando qual seja o cenário. É tão importante educar uma mãe quanto um vencedor do Prêmio Nobel, pois as contribuições de ambos repercutirão para sempre. Os educadores verdadeiramente bons abandonarão a Era Industrial, de controle sobre o espírito humano, e ajudarão a inaugurar uma nova era, de libertação.

A Universidade como Estabilizadora

As universidades e as faculdades também estão enfrentando a mesma crise de identidade da qual tenho falado, perguntando a si mesmas: "Qual é o sentido de uma universidade?" Alguns dizem que é preparar as pessoas para o mercado de trabalho. Para eles, as universidades atuais são torres de marfim repletas de intelectuais decadentes, que não prestam favor algum aos jovens, a não ser fazê-los perder o seu tempo por quatro anos com coisas irrelevantes e, em seguida, empurrá-los porta afora com "diplomas para lugar nenhum". Eles insistem que o verdadeiro trabalho a ser feito é a formação profissional; daí a grande proliferação de universidades com fins lucrativos que se concentram em formar profissionais especializados.

Essa mentalidade tacanha tem influenciado a maioria dos professores universitários. William Damon, professor de pedagogia, diz que se visitarmos uma típica turma universitária e perguntarmos ao professor por que os alunos devem assistir àquela aula, "teremos como resposta uma série de objetivos limitados e intermediários, como ir bem no curso, tirar boas notas e evitar o fracasso, ou, talvez — se os alunos tiverem sorte —, valorizar o aprendizado de uma aptidão específica em si mesma".[150]

Não é de admirar que o foco no sucesso secundário contamine as mentes da maioria dos estudantes universitários de hoje em dia. O notável professor de pedagogia Arthur Levine relata que, para os alunos, a faculdade é apenas mais um bem de consumo no mercado: "Perguntei a alguns alunos desta nova geração o que eles esperavam de suas faculdades. Eles me disseram que elas deveriam estabelecer com eles a mesma relação que uma empresa de utilidade pública, um supermercado ou um banco — a ênfase estava nas facilidades, no serviço, na qualidade e nos preços acessíveis."

Um empreendedor corporativo admitiu a Levine: "Estamos em uma indústria que vale centenas de bilhões de dólares e temos uma reputação de baixa produtividade, altos custos, má gestão e ausência total de tecnologia. Seguiremos o mesmo caminho dos serviços de saúde: o de uma indústria sem fins lucrativos malgerida, ultrapassada pelo setor com fins lucrativos."[151] (Evidentemente, a ascensão do ensino superior com fins lucrativos não representou propriamente uma solução para os problemas de custo e acessibilidade que os serviços de saúde com fins lucrativos também tentaram resolver.) Essa tendência alarma muitas pessoas no ensino superior. Aqueles que consideram a universidade o santuário do conhecimento não gostam nem um pouco disso. A queixa seguinte é típica:

---

[150] Susannah Tully, "Helping students find a sense of purpose" [Ajudando os estudantes a encontrarem um sentido], *Chroniclo of Higher Education*, 13 de março de 2009.

[151] Arthur E. Levine, "The soul of a new university" [A alma de uma nova universidade], *New York Times*, 13 de março de 2000.

Em apenas uma geração, a ética íntima do conhecimento — a de que, por assim dizer, a missão central das universidades é facilitar o progresso e transmitir o saber — tem sido amplamente desprezada em favor de valores expressos de satisfação imediata do mercado. Desapareceu o compromisso de se manter uma comunidade de cientistas, destacada do restante da sociedade.[152]

Eco do antigo conflito "estudantes contra a população local", a tensão atual entre o mercado e o conhecimento é mais um falso e lamentável dilema. Embora suas parcelas da verdade sejam pequenas, ambos os lados apresentam argumentos válidos, e ambos teriam muito a oferecer um ao outro se conseguissem abrir mão do raciocínio de Duas Alternativas. Ironicamente, quando trabalham juntos em sinergia, milagres acontecem — caso contrário, não teríamos a civilização sofisticada e de alta tecnologia da qual desfrutamos hoje, com suas incontáveis realizações artísticas e científicas.

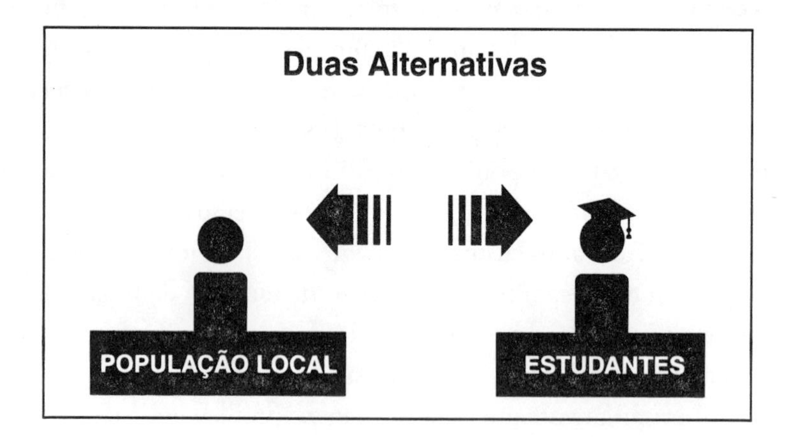

Ao mesmo tempo, acredito que nenhum dos dois lados desse debate tenha compreendido o verdadeiro trabalho a ser feito. Um dos lados acredita que se trata puramente de um negócio. O objetivo é ganhar dinheiro em primeiro e em último lugar, e a qualquer custo. Toda a nossa sabedoria acumulada nos diz que essa busca é espiritualmente vazia — ou pior ainda

[152] David L. Kirp, "The new university" [A nova universidade], *The Nation*, 17 de abril de 2000.

do que isso. O desastre financeiro mundial de 2008, muito mais prejudicial para a subsistência de milhões de pessoas do que quaisquer ataques terroristas que tenhamos vivenciado, foi consequência desse tipo de raciocínio e desse tipo de educação. Nas palavras do historiador Robert Butche:

> *As razões para a catástrofe mundial são amplamente conhecidas: quando um grande número de pessoas e organizações burlam o sistema, ele fracassa sob o peso da mentira, do roubo, da fraude e da ganância.*
>
> *O modo como nossos alunos de MBA são formados, a maneira pela qual eles aprendem a abordar os problemas, como refletem sobre as questões genéricas e como conduzem as questões específicas, criaram uma classe de gestores social e eticamente doente. O cerne do complexo problema do MBA não está nas pessoas ruins ou nas más intenções, mas nos maus resultados já anunciados pelos valores da vitória a qualquer custo, pelos objetivos de curto prazo e pela sedutora mentalidade do lucro a qualquer preço.*[153]

O que o outro lado do debate tem a oferecer, no entanto, não é necessariamente melhor. A academia há muito tempo se divorciou de seus ideais, e é um pouco tarde para reafirmá-los agora. Ela se preocupa demais com as efetivações de professores interinos e as políticas de autopromoção, e os alunos constituem um obstáculo a tudo isso. Certa vez alguém definiu uma universidade como uma escola que perdeu o interesse por seus alunos. Como sinaliza um perspicaz observador, a universidade de hoje é um local de "mal-estar espiritual privativo, com muitos professores vivenciando tanto a perda do idealismo quanto o fim do senso de comunidade". É um mundo de "desapontamento e frustração crescentes, induzindo a buscas isoladas e vidas desconectadas".[154]

Em ambos os lados, a ênfase excessiva no sucesso secundário distorce a real finalidade do ensino superior. Evidentemente, todos devem aprender

---

[153] Robert Butche, "The MBA mentality: enabler of catastrophe" [A mentalidade de MBA: Facilitadora da catástrofe], *Newsroom Magazine*, 8 abril de 2009. Disponível em: http://newsroom-magazine.com/2009/business-finance/mba-thinking-enabler-of-catastrophe/

[154] John Saltmarsh e Edward Zlotkowski, *Higher education and democracy: essays on service-learning and civic engagement* [Ensino superior e democracia: Ensaios sobre a aprendizagem de serviço comunitário e o engajamento cívico] (Filadélfia: Temple University Press, 2011), p. 21.

a ganhar a vida, mas a verdadeira missão da universidade é capacitar as pessoas a fazer as grandes contribuições de que são capazes. Aliás, quando as pessoas focam no sucesso primário, as recompensas secundárias muitas vezes fluem automaticamente.

Na condição de professor e administrador universitário há quase 30 anos, tenho dificuldades em lidar com tais pressões. Estou bem ciente da transformação gradual da universidade em uma "fábrica de diplomas", centrada na preparação para a carreira. Em casa, tentei criar meus filhos com a filosofia de que se vai à universidade, principalmente, para aprender a aprender, e apenas secundariamente para conseguir um emprego. Todos os meus nove filhos têm nível universitário em áreas tão variadas quanto história, inglês, relações internacionais, ciência política e estudos americanos. Seis desses nove possuem diplomas de pós-graduação. Aprecio muito que cada um deles tenha valorizado a formação universitária. Acima de tudo, isso lhes deu a capacidade de *pensar sobre o que pensam*, o que é crucial para se buscar Terceiras Alternativas na vida.

Em minha opinião, esse é o papel transformador da universidade: criar Terceiras Alternativas. Novos saberes nascem a partir da Terceira Alternativa. O avanço do conhecimento, como afirmou Thomas Kuhn, "depende de um processo de mudança revolucionária. Algumas revoluções são amplas, como as associadas aos nomes de Copérnico, Newton ou Darwin". Algumas são de menor alcance. Mas todas as revoluções do conhecimento exigem "que se assuma um tipo diferente de raciocínio", uma mentalidade de sinergia.

Assim, o verdadeiro "trabalho a ser feito" no ensino superior é idêntico ao da educação de base: desenvolver líderes que façam as contribuições diferenciadas que somente eles podem fazer.

Algum tempo atrás os administradores de uma grande universidade do Canadá me convidaram para prestar consultoria sobre sua orientação futura. Eles não sabiam qual caminho seguir. Estavam passando pelo tipo de crise de identidade que descrevi aqui: "Para que servimos? Estamos nesse negócio para despejar profissionais qualificados no mercado de trabalho? Ou devemos nos dedicar ao conhecimento puro e manter-nos olimpicamente isolados do 'mundo real'?"

Sugeri uma Terceira Alternativa, descrevendo-lhes o modo como o comandante de um grande navio controla o curso da embarcação. Ao lado do leme principal de todos os navios existe um pequenino leme secundário, chamado estabilizador. Conforme o estabilizador oscila para um lado, cria-se um vácuo na água, ao qual o leme maior se ajusta com facilidade. Manipulando o estabilizador, que é diminuto se comparado ao volume do navio, o comandante pode conduzir pelos mares um petroleiro que pese, digamos, meio milhão de toneladas, sem esforço algum.

Propus, então, àqueles líderes que estavam em busca de um novo propósito, que vislumbrassem a universidade como uma estabilizadora com potencial para fazer uma mudança revolucionária em sua comunidade e em todo o Canadá. Convidei-os a aprimorarem sua missão, transformando-se em algo maior do que si mesmos, maior do que seu território, maior até do que sua própria instituição.

Ajudar esse grupo a chegar a uma Terceira Alternativa foi um processo incrivelmente desafiador. Seus integrantes estavam mergulhados em politicagens e rivalidades, permeados de territorialismo, lutas internas, resistência interdepartamental, todos pensando apenas em si mesmos e em salvaguardar seus próprios espaços. Seus objetivos eram extremamente contraditórios. Havia tanto ciúme profissional entre eles que eu não tinha certeza se conseguiriam atingir os objetivos. Mas eles queriam uma orientação firme de minha parte e, então, foi o que tentei lhes ofertar: insisti que todas as pessoas ligadas à instituição deveriam estar profundamente envolvidas, que o Bastão que Fala deveria ser utilizado e que realmente se tentasse compreender as perspectivas de cada um. Gradualmente, à medida que saíam de si mesmos, de seus departamentos, de suas disciplinas e políticas internas, a missão da instituição como estabilizadora começou a tomar forma. Quando eles realmente compraram a ideia de deixar um legado significativo, a mesquinhez de suas almas se retraiu e a generosidade floresceu. Hoje, eles fazem parte de uma grande universidade, com um propósito claro e superorganizado, que orienta e influencia faculdades e universidades de todo o país, dispostas a segui-la como líder.

A universidade se torna estabilizadora ao se envolver integralmente com o "mundo real", ao prestar serviços à comunidade e, nesse processo, ao ajudar os estudantes a se tornarem, eles próprios, estabilizadores. Como fonte abundante da Terceira Alternativa, uma universidade pode transformar o mundo à sua volta. E algumas estão fazendo exatamente isso neste momento, como você verá a seguir.

Vamos nos Levantar e Assumir essa Tarefa!

A Stenden University, em Leeuwarden, Holanda, é uma universidade estabilizadora. Em vez de ficarem ansiosos acerca de sua identidade, os professores e os alunos da Stenden combinam a preparação para a carreira com o conhecimento e a prestação de serviços. Na verdade, é difícil dizer em que ponto acaba um domínio e começa o outro. O ex-presidente do conselho de administração, Robert Veenstra, diz: "Eu queria uma universidade focada na liderança. A liderança é, para mim, a maneira de se extrair o melhor das pessoas. Precisamos de líderes que sirvam como estabilizadores. É uma coisa que sempre me ocorre: 'Seja um estabilizador.' Precisamos de pessoas que se atrevam a lutar e que queiram agir pelo bem maior."

Para Veenstra esse é o verdadeiro trabalho da universidade: revelar o líder em cada pessoa. Com 11 mil estudantes na Holanda e vários *campi* no

Sul da Ásia, a Stenden se intitula, explicitamente, uma "universidade de liderança", definindo líderes como pessoas que "agem de acordo com princípios universais, assumem a responsabilidade por seus atos, valorizam as diferenças entre as pessoas, praticam a sinergia e se desenvolvem".

Como essa missão se traduz em realidade? Em 2003 a universidade ergueu um *campus* na costa da África do Sul, na bela cidade praiana de Port Alfred. A nova instituição treinaria pessoas para trabalharem na indústria de hotelaria: hotéis, restaurantes e turismo. Em virtude de seu clima e incrível litoral, Port Alfred é um destino de férias e o lugar de moradia de muitos aposentados abastados. Mas bem ao lado existe um mundo completamente diferente: NeMaTo, ou distrito Nelson Mandela, ainda afetado por altos índices de desemprego, analfabetismo e criminalidade. As pequenas lojas mal conseguem sobreviver. De forma ainda mais trágica, crianças povoam as ruas sem lugar para ir e nada para fazer, a não ser mendigar, "cheirar" gasolina e fumar maconha.

Robert Veenstra e seus companheiros sabiam que aquele lugar era perfeito para a universidade da Terceira Alternativa que tinham em mente. O novo *campus* passaria a se chamar Educational Institute for Service Studies (EISS, na sigla em inglês, ou Instituto de Educação para Estudos de Serviços). Esse nome tinha um duplo significado: os alunos seriam treinados na indústria de serviços em sala de aula e, ao mesmo tempo, prestariam serviços à comunidade carente. Não deveria haver fronteira alguma entre o trabalho dentro de classe e o trabalho de campo. Apropriadamente, o primeiro presidente da EISS foi Raymond Mhlaba, um herói do movimento de resistência ao apartheid e um dos companheiros de prisão de Nelson Mandela em Robben Island. Apesar de ter ocupado o cargo apenas por um curto período antes de sua morte, Mhlaba entendia os desafios de NeMaTo como ninguém.

Assim como todos os experimentos da Terceira Alternativa, o EISS "começou como uma grande aventura", nas palavras de Veenstra. "Os participantes não sabiam qual seria o resultado da iniciativa. Eles só sabiam que queriam levar o ensino superior e o desenvolvimento comunitário para uma das regiões mais pobres da África do Sul, e enxergaram um grande potencial em propiciar àqueles jovens uma vida melhor." O EISS pretendia que os alunos aprendessem não apenas uma *atividade* da prestação de serviços, mas também a *mentalidade* da prestação de serviços.

Sinergias milagrosas apareceram quando os integrantes do EISS e de NeMaTo se aproximaram para servirem uns aos outros. Já que a fabricação de pães fazia parte do currículo, a universidade fundou uma padaria em NeMaTo, não apenas para ensinar panificação aos estudantes, mas também para oferecer empregos às pessoas do distrito e ajudá-las a desenvolver um espírito de autossuficiência. O lema da padaria era "O progresso é o nosso estilo de vida!". Outros projetos abrangiam hortas comunitárias, um centro de atividades multiuso, um programa de prevenção de Aids e monitoramento na escola Enkuthazweni, voltada para pessoas com necessidades especiais, cujas equipes eram todas compostas por alunos.

Os alunos também tiveram aulas lado a lado com pequenos empresários locais, envolvidos no projeto do EISS para empreendedores, intitulado "Vamos nos levantar e assumir essa tarefa". Os estudantes orientaram os comerciantes no planejamento empresarial, na escrituração e no marketing, e os comerciantes contrataram os estudantes para trabalhar em suas lojas. Essa sinergia beneficiou a todos: os comerciantes aprenderam novas aptidões e os estudantes solidificaram seu domínio dos conteúdos. Uma jovem mulher chamada Joyce tentara oferecer seus serviços de costureira, mas não sabia como atrair clientes. Os alunos do EISS lhe ensinaram a preparar planilhas orçamentárias e o marketing básico, transformando seu pequeno empreendimento. Simphiwe Hlangane era dono de uma marcenaria, mas tinha poucos conhecimentos sobre negócios. Ele era tão bondoso que cobrava apenas o que o cliente poderia pagar, e chegava, inclusive, a oferecer gratuitamente os seus serviços. Seus parceiros do EISS lhe ensinaram contabilidade, marketing e visão empresarial.

Além desses auxílios institucionais, o EISS mobilizou os estudantes para melhorarem a vida de muitas crianças de rua de NeMaTo, como Xolani e Noncini. Aos 13 anos de idade, Xolani não frequentava a escola desde a segunda série. Sua mãe passava os dias no lixão da cidade, onde vivia consumindo álcool da pior qualidade; sua avó era muito idosa para cuidar dele. Xolani queria ir à escola, mas como havia perdido a ponta de seu dedo indicador achou que não poderia mais escrever e tinha vergonha de tentar. Noncini, adolescente, vivia parte do tempo com sua avó, mas passava quase todos os dias no lixão. Ela tentou ir à escola, mas logo desanimou e voltou correndo para o lixão. Em um de seus piores dias, ela perdeu a consciência por cheirar gasolina e foi estuprada por um grupo de rapazes.

Histórias como essas são bastante comuns em NeMaTo. Mas o EISS "adotou" Xolani e Noncini, e muitos outros como eles. Os estudantes selaram contratos de comportamento com esses jovens. Xolani concordou em abandonar o lixão e frequentar diariamente o Centro de Atividades, onde foi matriculado em um programa especial para crianças e jovens que abusavam de drogas. No início, seu contrato de comportamento era curto e simples: "Não vou beber álcool neste fim de semana." No fim, os estagiários do EISS começaram a orientar a mãe de Xolani em competências parentais e instruíram Xolani sobre cuidados estéticos e de higiene pessoal. Eles monitoraram rigorosamente sua frequência escolar. Do mesmo modo, Noncini obteve ajuda em sua escolarização e apoio para lidar com seu trauma sexual. Sua avó se tornou fundamental para a sua cura; com o treinamento, elas voltaram a ser uma família. Ao fazer com que os estudantes assumissem a liderança, o EISS resgatou crianças que de outra forma estariam para sempre perdidas para as drogas e o desalento.

Aumentando significativamente seu alcance, a universidade patrocina, agora, o Students in Free Enterprise, uma competição amistosa entre 42 mil estudantes, com a finalidade de estimular comunidades que passam por dificuldades em mais de 40 países emergentes. Eles fazem coisas como construir um centro de informática em uma aldeia remota e restaurar e abastecer uma escola para agricultores. Não são projetos extracurriculares, mas atividades centrais do currículo. Ao ajudarem as pequenas empresas e os agricultores a se tornarem mais autossuficientes, ao resgatarem crianças da morte em vida decorrente do vício, ao cultivarem dentro de si mesmos os valores de compaixão e prestação de serviços, esses jovens exercem um enorme efeito de estabilizadores, aonde quer que vão.

O EISS (atualmente conhecido como Stenden South Africa) torna possível que os alunos aprendam simultaneamente as habilidades e a ética da prestação de serviços. Os acadêmicos se enriquecem com a prática diária, à medida que os muros entre a sala de aula e a comunidade vêm abaixo. Educam-se a mente e o coração. Os estudantes descobrem o que significa fazer uma contribuição. Robert Veenstra admite que a Stenden é incomum no mundo do ensino superior e que há pessoas que duvidam de seu trabalho: "Encontro resistência o tempo todo. As pessoas simplesmente não sabem se esse trabalho comunitário e de liderança é uma boa ideia, ou então não querem fazê-lo", diz ele.[155]

Quanto a mim, considero que esse é o modelo educacional do futuro. Será uma vergonha se as universidades continuarem a se isolar da vida de seus estudantes e das comunidades às quais poderiam estar servindo. Será uma tragédia se, para a maioria dos estudantes, a experiência universitária estiver reduzida a sentar-se diante de uma tela de computador, não interagir com ninguém e realizar testes de múltipla escolha. Ao contrário, a Stenden é uma autêntica Terceira Alternativa, um caminho melhor do que o de uma universidade puramente acadêmica ou um curso profissionalizante pré-programado, voltado para o nobre objetivo de transformar pessoas em líderes.

O método inovador da Stenden para atingir esse objetivo é conhecido como aprendizagem do envolvimento, ou aprendizagem de serviços comunitários. O dr. Ernest Boyer, ex-comissário de educação dos Estados Unidos, era um líder visionário e defensor precoce desse tipo de sinergia entre a universidade e a comunidade. Ele escreveu:

> *A cultura do envolvimento significa conectar os vastos recursos da universidade com os nossos mais prementes problemas sociais, cívicos e éticos, com nossos filhos, nossas escolas, nossos professores e nossas cidades. [...] Em um nível mais profundo, é necessário não apenas maior número de programas, mas um objetivo mais amplo, uma missão mais ampla e maior clareza de orientação em relação à vida do país.*[156]

Esse objetivo mais amplo, agora, é motivar outras universidades a ajudar os alunos a aprender por meio da prestação de serviços. Todas as disciplinas podem ser abarcadas. Por exemplo: em uma determinada universidade, os estudantes de contabilidade adotam um abrigo para os sem-teto em

---

[155] As informações sobre a Stenden South Africa provêm de uma série de entrevistas realizadas em 2007 com o dr. Robert Veenstra.

[156] Citado em Saltmarsh e Zlotkowski, *Higher education and democray* [Ensino superior e democracia], p. 22.

uma grande cidade americana e realizam oficinas para os moradores sobre competências bancárias e orçamentárias. Se eles não aprenderem a economizar, terão poucas esperanças de, um dia, terem seus próprios lares. Como parte do treinamento, um banco local abre contas de poupança, exigindo um primeiro depósito de apenas US$1. Orientar as pessoas naquilo que elas mais precisam produz um impacto profundo sobre os estudantes. Um deles escreveu: "Honestamente, as pessoas aqui me ensinaram mais do que jamais imaginei ser possível. As realidades a que tenho sido exposto ao longo das últimas semanas afetaram minhas emoções como poucas coisas relacionadas à universidade." Em uma clássica inversão de papéis, enquanto ele instruía seus clientes sem-teto, eles lhe ensinavam a empatia e o valor de cada ser humano. Isso é o que quero dizer com aprendizagem sinérgica.

Em uma importante escola de direito os estudantes têm oportunidade de trabalhar de graça com uma clientela de baixa renda em um escritório de direito comunitário. Alguns representaram um imigrante, um padeiro mexicano chamado Rafael, injustamente demitido. Além de trabalhar no caso, o escritório de advocacia convocou outros estudantes de controle e finanças para ajudarem Rafael a abrir sua própria padaria. Esses alunos o auxiliaram a preparar um plano de negócios e a obter um pequeno empréstimo. Estudantes de letras se ofereceram para serem seus intérpretes. Até mesmo alguns ex-alunos se envolveram na supervisão dos contratos jurídicos e comerciais. Em pouco tempo ele não precisaria nem mesmo de seu antigo emprego de volta; estava pronto para se sustentar sozinho. Para ele, a questão jurídica não era tão importante, e é isso que uma autêntica Terceira Alternativa faz em relação às questões jurídicas, as simplifica. A verdadeira sinergia entre disciplinas derrubou os muros em todas as direções.[157]

Esse tipo de sinergia nos leva a redefinir o que entendemos por educação. Por muito tempo a educação significou despejar informações em mentes esvaziadas, para em seguida cobrá-las de volta em exames de verifi-

---

[157] Curtis L. Deberg, Lynn M. Pringle e Edward Zlotkowski, "Service-learning: the trim-tab of undergraduate accounting education reform" [Aprendizagem de serviços comunitários: A estabilização dos graduandos justificando a reforma da educação], s.d. Disponível em: www.csuchico.edu/sife/deberg/CHANGE4A.DOC.

cação do conhecimento. A isso dá-se o nome de modelo da "máquina de vendas automática" (o professor deposita moedas na máquina e então aparece uma barra de chocolate), um outro produto da Era Industrial. Esse modelo é muito limitado em comparação com o modelo de educação sinérgica, em que todos — professores, estudantes e a comunidade — contribuem com conhecimentos e os resultados são Terceiras Alternativas, que transformam nossa compreensão e nos trazem novos e frutíferos paradigmas. Um exemplo notável é o trabalho realizado pela University of Victoria com as Primeiras Nações do Canadá.

Os Dois Lados de uma Pena de Águia

No Canadá existem mais de 600 tribos indígenas, conhecidas hoje como Primeiras Nações. Muitos dos índios das Primeiras Nações querem fazer parte da cultura dominante, obter escolaridade e bons empregos, mas também desejam preservar suas antigas tradições. Durante anos as autoridades tentaram educá-los de acordo com a maneira ocidental e direcioná-los para fora de suas culturas nativas. Mas o ensino superior teve um péssimo desempenho entre os povos autóctones. Os professores relataram que os alunos simplesmente não participavam das aulas; ficavam olhando para o chão e falavam tão pouco e tão baixo que mal se conseguia ouvi-los. Apenas um número muito reduzido conseguiu obter o diploma universitário. Eles foram estereotipados como primitivos ou atrasados, incapazes de lidar com as complexas demandas da civilização moderna.

Esse dilema ajuda a explicar a assim chamada disparidade de rendimento em nossas escolas, sobre a qual tanto ouvimos falar. Estudantes pertencentes às minorias costumam obter resultados insatisfatórios nos testes de aptidões, embora sejam tão capazes de aprender quanto qualquer um. Mas imagine como você reagiria se alienígenas invadissem sua cidade, o forçassem a estudar nas escolas deles e testassem a sua desenvoltura na cultura e nos conhecimentos locais. Imagine também que esses alienígenas consideram válida apenas a própria cultura e afirmam que a cultura da qual você faz parte não tem valor algum. Será que a falta de empatia pode explicar parcialmente as disparidades de rendimento?

Aprisionados nesse conflito cultural, mas relutantes em desistir, membros do conselho tribal de Meadow Lake, Saskatchewan, aproximaram-se dos professores Jessica Ball e Alan Pence, da University of Victoria, para ajudá-los a desenvolver cursos de formação infantil para as jovens famílias de suas nove tribos. Eles estavam profundamente preocupados com o desemprego e o aumento do consumo abusivo de drogas e álcool entre os jovens das Primeiras Nações, e queriam auxiliar os pais a implementar novos padrões para a criação dos filhos.

Ao constatarem que a experiência das Primeiras Nações do Canadá com o sistema educacional não teria muito futuro, Ball e Pence, ambos especialistas em desenvolvimento infantil, decidiram, em primeiro lugar, ouvir as pessoas, em vez de simplesmente apresentar uma solução. Eles promoveram um encontro entre chefes tribais, pais e outros membros da comunidade para ouvir o que mais os preocupava. Essas pessoas finalmente tiveram a oportunidade de usar as suas vozes, algumas pela primeira vez. Todos os lados compartilharam seus pontos de vista, incluindo os professores, e por esse caminho chegaram juntos a um novo currículo, diferente de qualquer outro, voltado para a obtenção de um diploma universitário em assistência a crianças e jovens. Foi um currículo da Terceira Alternativa, que combinava a sabedoria *tanto* das "palavras dos anciãos" indígenas *quanto* das "palavras ocidentais" dos euro-americanos.[158] Os alunos aprendiam tradições e práticas de cuidados das tribos cree e diné, além dos conhecimentos científicos usuais. Quando descobriram que as suas próprias tradições estavam sendo respeitadas, os estudantes começaram a se manifestar de maneira mais confiante. Além disso, o currículo não foi estabelecido em definitivo; as diretrizes apresentadas pelos alunos passaram a fazer parte do curso. Um professor o apelidou de "currículo vivido" Por respeitar o fluxo de ideias da cultura das Primeiras Nações, os instrutores concordaram em não "predeterminar exatamente aonde a jornada do currículo produtivo levaria".[159]

---

[158] Alan R. Pence, "It takes a village [...] and new roads to get there" [É preciso uma cidade inteira [...] e estradas novas para chegar lá]. In *Developmental Health and the Wealth of Nations* [Desenvolvimento da saúde e a riqueza das nações], ed. D. P. Keating e C. Hertzman (Nova York: Guilford, 1999), p. 326.

[159] Jessica Ball, "A generative curriculum model and youth care training through First Nations-university partnerships" [Um modelo de currículo produtivo e treinamento em assistência à juventude nas primeiras nações — Parcerias universitárias], *Native Social Work Journal* 4, nº 1 (2003): p. 95.

Nesse cenário, os instrutores aprendem tanto quanto os alunos. Por exemplo: um castigo clássico para uma criança pirracenta é isolá-la, dar-lhe um "tempo" para se acalmar. Os crees fazem o oposto; eles levam a criança até um círculo familiar e deixam que ela "coloque para fora" suas frustrações. Sem rejeitar ideia alguma, a família explora essas possibilidades e as considera respeitosamente.

No início, tal experiência desorientou professores que estavam acostumados a "controlar o conteúdo programático". Outorgar a tomada de decisões às mãos dos alunos e da comunidade é uma contratipagem para a maioria das pessoas que trabalha com educação. Um instrutor disse: "Eu me senti como se estivesse dando as costas para a turma." Mas eles logo reconheceram que "todas as famílias têm pontos fortes e que grande parte dos mais importantes e úteis conhecimentos sobre a educação infantil pode ser encontrada na própria comunidade — de geração para geração, em redes e em tradições étnicas e culturais".[160]

Esses professores universitários estabeleceram um novo paradigma de ensino, em que os alunos se tornaram seus colegas. Tal paradigma se opõe à mentalidade de escassez, segundo a qual somente algumas pessoas detêm o conhecimento válido, e promove a mentalidade de abundância, que preconiza que todos têm algo valioso com que contribuir. É a empatia na sala de aula, e a empatia sempre traz consigo grandes dividendos, como um espaço bastante alargado de entendimento para todos. O grande mestre Carl Rogers sabia disso: "Colocar-se no lugar do aluno, ver o mundo através dos seus olhos: tal atitude é mais do que rara na sala de aula. Mas quando o professor reage de uma maneira que faz com que os alunos se sintam *compreendidos* — não julgados ou avaliados —, isso tem um impacto enorme."[161]

As sinergias do experimento de Meadow Lake renderam frutos impressionantes. Os índices de graduação na universidade subiram de 20%

---

[160] Alan Pence e Jessica Ball, "Two sides of an eagle's feather: co-constructing ECCD training curricula in university partnerships with Canadian First Nations Communities" [Dois lados de uma pena de águia: Construindo em conjunto os currículos ECCD de formação em parcerias universitárias com as comunidades das Primeiras Nações canadenses], s.d., p. 9-10. Disponível em: http://web.uvic.ca/fnpp/fnpp6.pdf.
[161] Carl Rogers, *Tornar-se pessoa* (São Paulo: Martins Fontes, 2009).

para 78%. Em vez de sofrer a usual fuga de cérebros de formandos, a comunidade conseguiu reter 95% deles, já que os alunos se sentiram muito mais ligados aos seus próprios valores tradicionais. Quatro em cada cinco pais responderam que suas competências parentais haviam aumentado dramaticamente.[162] O efeito estabilizador sobre a comunidade foi perceptível, pois as jovens famílias criaram seus filhos com mais confiança e autorrespeito. Um ancião da Flying Dust First Nation expressa sua gratidão:

Acompanhamos nos noticiários todas essas histórias de desastres e problemas, suicídios e inalação de gasolina entre nossos jovens, a má gestão financeira, o alcoolismo e a violência em nossas comunidades. Você começa a pensar: não temos nada de bom? Mas sabemos que há muita sabedoria resultante da experiência e muito amor nas Primeiras Nações. Precisamos de programas que despertem o amor e sejam elaborados tendo por base os pontos fortes de nosso povo.

Um membro do conselho tribal assegura: "Todos estão andando de cabeça erguida depois desse programa." Comentando sobre a mistura sinérgica de conhecimentos tradicionais e convencionais, outro ancião comparou o programa com "os dois lados de uma pena de águia: [...] ambos são necessários para que se possa voar".[163]

O que constatamos com esses exemplos é, definitivamente, uma forma mais elevada de ensino superior, uma Terceira Alternativa para o carreirismo autocentrado e o isolamento intelectual da universidade, ambos extremamente limitadores. Estudantes de locais como a Stenden South Africa e Meadow Lake aprendem a ser líderes não só com suas mentes, mas também com seus corações e mãos. Como afirmou o grande educador católico Peter Hans Kolvenbach: "Quando o coração é tocado pela experiência direta, a mente pode ser desafiada a mudar. O envolvimento pessoal com o

---

[162] "First Nations partnership program" [Programa de parceria com as Primeiras Nações]. Disponível em: http://www.fnpp.org/home.htm.

[163] Ball, "A genearative curriculum" [Um currículo produtivo], p. 93-4. Pence e Ball, "Two sides of an eagle's feather" [Os dois lados de uma pena de águia], p. 12.

sofrimento de inocentes, com a injustiça que os outros sofrem, é o estimulador [para a] investigação intelectual e a reflexão moral."[164]

Em uma placa na entrada da universidade na qual ministrei aulas está escrito o lema "O mundo é nosso *campus*". Quando passava por essa placa, a caminho do trabalho, eu costumava pensar: "Que conceito interessante!" Hoje, no entanto, acredito que isso precisa se tornar uma realidade concreta em todas as instituições de ensino superior. Temos a chance de revolucionar a educação e incutir em nossos jovens a importância da prestação de serviços para o mundo à sua volta como o segredo para a liderança bem-sucedida. Por meio da aprendizagem de serviços eles podem se tornar líderes prestativos, que valorizam o sucesso primário em detrimento do secundário. Podemos servir como estabilizadores para a próxima geração de líderes, e eles, por sua vez, podem servir como estabilizadores para uma mudança positiva no mundo.

[164] Peter Hans Kolvenbach, "The service of faith and the promotion of justice in American Jesuit higher education" [O serviço da fé e a promoção da justiça na educação superior jesuíta norte-americana], *Company Magazine*, 6 de outubro de 2000. Disponível em: http://www.company magazine.org/v184/asiseeit.htm.

ENSINAR PARA APRENDER

A melhor maneira de aprender com este livro é ensiná-lo a alguém. Todo mundo sabe que o professor aprende muito mais do que o aluno. Então, encontre alguém — um colega de trabalho, um amigo, um familiar — e transmita-lhe as percepções que você adquiriu. Faça as perguntas provocativas da lista a seguir, ou formule as suas próprias.

- Qual é o pensamento de Duas Alternativas por trás do grande debate sobre a educação? Quais são os perigos de se seguir um ou outro lado desse debate?
- De que maneira nossas escolas ainda estão aprisionadas a uma mentalidade da Era Industrial?
- Por que a visão das crianças como mercadorias está na raiz de nosso desafio educacional?
- A Terceira Alternativa na educação é se tornar um líder. Nem todos podem ser presidentes da nação ou diretores-executivos de companhias. De que modo todos podem se tornar líderes?
- Todos queremos que nossos filhos sejam bem-sucedidos, mas devemos ter clareza sobre o que o "sucesso" significa. Qual é a diferença entre os sucessos primário e secundário? Por que o sucesso primário geralmente leva ao secundário? De que maneira você está fixado na busca de sucessos secundários, em detrimento dos primários?
- Como Richard Esparza e Muriel Summers conseguiram transformar suas escolas a partir do próprio sistema, sem quaisquer recursos adicionais?
- A missão de Muriel Summers na A.B. Combs Elementary School é ajudar todos os alunos a desenvolverem "o líder em mim". O que ela quer dizer ao estabelecer essa missão?
- O objetivo da universidade é ser estabilizadora. O que é um estabilizador? De que maneira uma escola, uma faculdade ou uma univer-

sidade se torna estabilizadora para a comunidade à sua volta? Como você poderia pessoalmente se tornar um estabilizador dentro de seu círculo de influência?

- De que maneira a experiência de Meadow Lake é um exemplo de sinergia produtiva? Quais eram os "dois lados da pena de águia"?
- Se você está frequentando a escola atualmente, como o raciocínio da Terceira Alternativa pode ajudá-lo a enfrentar seus desafios como estudante?
- Que tipos de desafios na formação escolar de seus filhos podem ser superados com o raciocínio da Terceira Alternativa?
- Considere o questionamento feito pelos administradores de uma universidade canadense e aplique-o a si mesmo: "Para que sirvo? Sou apenas um conjunto de qualificações despejado no mercado de trabalho? Que contribuições devo fazer nos papéis mais importantes da minha vida?"

EXPERIMENTE

Escolha um problema educativo ou uma oportunidade em sua família, escola ou comunidade e inicie a prototipagem de Terceiras Alternativas. Peça a contribuição de outras pessoas. Use a ferramenta "Quatro Etapas para a Sinergia".

QUATRO ETAPAS PARA A SINERGIA

❶ Faça a Pergunta da Terceira Alternativa:

"Você está disposto a encontrar uma solução que seja melhor do que aquilo que qualquer um de nós já apresentou?" Se, sim, vá para a Etapa 2.

❷ Defina Critérios de Sucesso

Liste neste espaço as características de uma solução que agradaria a todos. O que é o sucesso? Qual o verdadeiro trabalho a ser feito? O que seria uma situação de "ganha/ganha" para todos os interessados?

❸ Crie Terceiras Alternativas

Neste espaço (ou em outros) crie modelos, desenhos, peça emprestadas ideias, transforme o seu modo de pensar. Trabalhe de maneira rápida e criativa. Suspenda todos os julgamentos até aquele momento emocionante em que você sabe que chegou à sinergia.

((❹)) Chegue à Sinergia

Descreva aqui a sua Terceira Alternativa e, se quiser, explique como pretende colocá-la em prática.

GUIA DO USUÁRIO PARA AS QUATRO ETAPAS DA FERRAMENTA DE SINERGIA

As Quatro Etapas para a Sinergia. Este processo ajuda a colocar o princípio de sinergia em prática. (1) Mostre disposição para encontrar uma Terceira Alternativa. (2) Defina o que é o sucesso para todos. (3) Teste soluções até (4) chegar à sinergia. Pratique a escuta empática ao longo do processo.

Como Chegar à Sinergia

❶ Faça a Pergunta da Terceira Alternativa

Em uma situação de conflito ou de criação, esta pergunta ajuda todos a abandonar posições rígidas ou ideias preconcebidas em prol do desenvolvimento de uma terceira posição.

❷ **Defina os Critérios de Sucesso**	❸ **Crie Terceiras Alternativas**
Liste as características ou redija um parágrafo descrevendo qual seria um resultado bem-sucedido para todos. Responda estas perguntas conforme você avançar: • Todos estão envolvidos em estabelecer os critérios? Estamos conseguindo obter o maior número possível de ideias, do maior número possível de pessoas? • Quais resultados realmente queremos? Qual é a verdadeira tarefa a ser realizada? • Quais resultados significariam "vitórias" para todos? • Estamos abrindo mão de nossas demandas arraigadas do passado e buscando algo melhor?	Siga estas diretrizes: • Participe do jogo. Não é "de verdade". Todo mundo sabe que é um jogo. • Evite um fechamento, acordo prematuro ou consenso. • Evite julgar as ideias dos outros — ou as suas próprias. • Faça modelos. Desenhe imagens em quadros-negros, esboce diagramas, construa maquetes, faça rascunhos. • Transforme as ideias nas mentes dos outros. Subverta a sabedoria convencional. • Trabalhe rápido. Defina um limite de tempo para manter a energia e as ideias fluindo rapidamente. • Alimente inúmeras ideias. Não é possível prever qual conclusão repentina pode conduzir a uma Terceira Alternativa.

((❹)) Chegue à Sinergia

Você reconhece a Terceira Alternativa pelo sentimento de empolgação e inspiração que toma conta do ambiente. O antigo conflito é abandonado. A nova alternativa preenche os critérios de sucesso. Atenção: não confunda acordo com sinergia. Um acordo gera satisfação, mas não prazer. Um acordo significa que todos perdem alguma coisa; a sinergia significa que todos ganham.

A Terceira Alternativa e a Lei

6

A Terceira Alternativa e a Lei

Stephen R. Covey e Larry M. Boyle[165]

Uma ação judicial bem-sucedida é aquela que pode ser realizada por um policial.

— *Robert Frost*

Na pequena cidade inglesa de Breedon-on-the-Hill a pantomima anual costumava reunir todos os moradores para uma noite de canções cômicas e figurinos teatrais. Levava semanas para ser preparada, e todo mundo adorava observar seus vizinhos se prestando ao ridículo. A tradição era realizar a pantomima no salão da escola, construído décadas antes, principalmente por meio de donativos dos próprios moradores.

Mas a tradição terminou abruptamente, quando uma nova diretora assumiu a escola, invocou novos códigos de segurança e sugeriu que a pantomima fosse encenada em outro lugar. A cidade rejeitou a proposta, e ela aumentou a taxa de uso do salão para £800, o que deixou todos espantados. Ninguém tinha condições de pagar toda aquela quantia. Então, eles

---

[165] Larry M. Boyle foi juiz do Supremo Tribunal de Idaho, um dos principais juízes magistrados dos Estados Unidos e juiz distrital estadual. Jurista profundamente experiente e altamente reconhecido, tendo sobressaído na arte e na habilidade da pacificação, ele considera o trabalho que desenvolve com os advogados e seus clientes não como um campo de batalha, mas como um "acampamento de paz no campo de batalha", onde a discussão se transforma na habilidade de escutar, de modo a se chegar ao entendimento. O juiz Boyle e eu estamos trabalhando juntos em um próximo livro sobre a sinergia e a lei, intitulado *Blessed are the peacemakers* [Bem-aventurados os pacificadores].

solicitaram que a Câmara Municipal lhes desse acesso gratuito ao salão, mas a Câmara indeferiu o pedido e, pela primeira vez em meio século, a pantomima não foi realizada em Breedon.

Em pouco tempo, a briga chegou aos tribunais. Os moradores protestaram contra a taxa e o recém-criado Escritório de Registros Criminais determinou que qualquer pessoa que entrasse na escola teria de ser revistada. Anos antes, os habitantes da cidade haviam investido £3 mil na construção do salão, e se sentiam no direito de usá-lo gratuitamente fora do horário escolar, sem serem investigados como criminosos.

As autoridades escolares argumentaram que as despesas para manter o salão haviam subido muito e que não teriam condições financeiras de sediar a pantomima por mais tempo; a solicitação dos moradores era "irracional e inviável". Elas não suportariam a "extenuante tarefa de preenchimento de formulários", procedimento necessário para cada morador que entrasse no salão.

Depois de sete anos e £6,7 milhões gastos em honorários, o processo seguiu o seu curso até o Supremo Tribunal da Inglaterra, em que o senhor presidente do tribunal finalmente tomou uma decisão — contra a população de Breedon. Ele também obrigou os moradores a arcarem com as astronômicas custas do processo. Muito antes disso, por conta da tensão nervosa, a diretora e o vigário da freguesia já haviam pedido para se afastarem de suas atividades. Velhos amigos deixaram de se falar. As relações entre o Poder Executivo do município e a Câmara Municipal foram irremediavelmente rompidas. E a pantomima, que já havia servido como fonte de diversão do vilarejo, acabou para sempre.[166]

Esse tipo de história é tão comum que a maioria de nós já não se importa. O caso de Breedon-on-the-Hill é apenas mais um dos conflitos nessa guerra desprezível e destrutiva que travamos uns contra os outros em nossos tribunais. O sistema processual adversarial é a formalização do raciocínio de Duas Alternativas.

---

[166] Robert Hardman, "A very uncivil war" [Uma guerra nada civil], *Daily Mail On-line*, 21 de junho de 2010. Disponível em: http://www.dailymail.co.uk/news/article-1288182/A-uncivil-war-How-spat-village-hall-divided-community-turned-neighbours-sworn-enemies.html#ixzz1HlBZYBdj; "Breedon-on-the-Hill villagers lose hall court appeal" [Moradores de Breedon-on-the-Hill perdem recurso no tribunal], *BBC News*, 18 de janeiro de 2011. Disponível em: http://news.bbc.co.uk/local/leicester/hi/people_and_places; shnewsid_9365000/9365108.stm.

Nossos tribunais estão abarrotados de processos que variam de coisas levianas e ilógicas até os destinados a moldar todo um país. Mesmo os inúmeros casos com algum mérito são tão onerosos em termos de dinheiro e relacionamentos partidos que, no fim, nenhuma das partes realmente ganha. Abraham Lincoln sempre aconselhava: "Desestimule o litígio. [...] O nomeado vencedor é, muitas vezes, um verdadeiro perdedor em termos de taxas, despesas e perda de tempo."

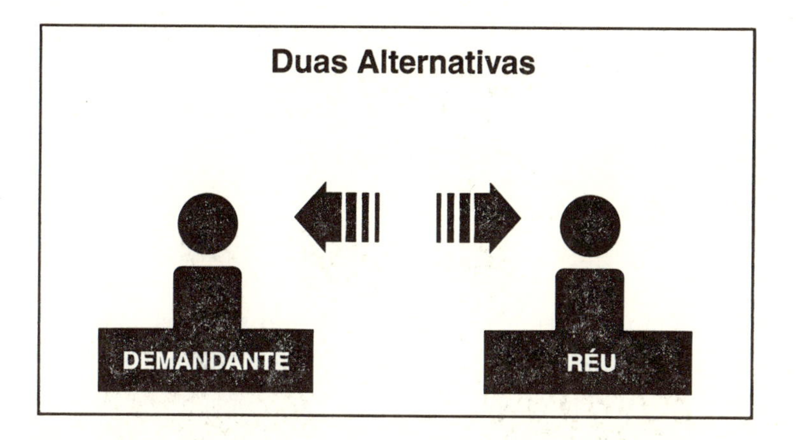

As histórias são intermináveis. Quando um jovem voluntário da Teach for America expulsou um adolescente de 12 anos de idade que estava se comportando mal em sala de aula, os pais processaram a escola em US$ 20 milhões. Em outro caso, um homem processou uma lavanderia em US$ 67 milhões por ter perdido suas calças. Ninguém sabe ao certo o valor anual das indenizações determinadas em julgamentos — o número seria estratosférico —, mas, apenas nos Estados Unidos, as horas faturáveis dos advogados somam US$ 71 bilhões. Atualmente, há mais de 1 milhão de advogados nos Estados Unidos, meio milhão no Brasil e 150 mil na Grã-Bretanha.

O Papel Incomparável do Pacificador

Honramos e respeitamos profundamente aqueles que se dedicam à nobre advocacia. É deles a *suprema* oportunidade de levar consolo, soluções criativas, paz e alívio para os indivíduos, em um mundo invadido por discórdias, contendas e problemas recorrentes. O Novo Testamento ensina: "Bem-aventurados os pacificadores, porque eles serão chamados filhos de Deus." Se já houve um tempo em que precisamos de pacificadores, este tempo é hoje, e os advogados estão excepcionalmente bem-posicionados para assumir esse papel. "Como um pacificador, o advogado tem uma oportunidade superior", disse Lincoln.

Uma das principais finalidades deste capítulo é ajudar aqueles que lidam com advogados e os que exercem o direito a entender essa grande oportunidade. Para os profissionais, Larry diz o seguinte:

Para começar, tenho de confessar uma inclinação e fazer uma revelação: gosto de advogados e tem sido um prazer trabalhar com eles por mais de 40 anos. Nos anos que precederam minha atuação nos Poderes Judiciários estadual e federal, meus parceiros e eu mantivemos uma bem-sucedida e gratificante prática privada, representando clientes que variavam desde indivíduos até empresas da Fortune 500. Entendo as demandas feitas aos advogados e as grandes pressões a que são submetidos em sua vida profissional. Ao longo de muitos anos adquiri grande respeito por advogados e pela advocacia. A grande maioria dos advogados é honesta e competente; são homens e mulheres decentes, que oferecem serviços de qualidade aos clientes, em tempo hábil e por um preço justo. Há uma natureza bastante positiva na advocacia. No entanto, existem sérios problemas com o processo jurídico, que afetam a saúde e a felicidade de todos os envolvidos. Este capítulo irá abordar, aberta e francamente, algumas dessas questões.

Estamos ambos convencidos de que a maioria dos advogados opta pelo exercício da advocacia com o mais nobre dos ideais, com amor pela justiça e pelo estado de direito, com vontade de prosperar financeiramente e proporcionar uma vida plena de oportunidades para si mesmos e suas famílias, além de um desejo sincero de servir à humanidade. Muitos obtêm sucesso ao criar uma prática ancorada nesses ideais e desfrutam de carreiras notáveis, socorrendo e apresentando soluções criativas para incontáveis beneficiários. No entanto, à medida que jovens advogados são sugados pelos turbilhões do escritório, da sociedade e das disputas com a parte adversária, muitos se desconectam de tais ideais. Eles separam sua vida profissional de sua vida privada e, muitas vezes, se sentem emocional, mental e espiritualmente vazios.[167]

No fim, muitos advogados não se veem como pacificadores. Patrick J. Schiltz, ex-professor de direito e ex-decano, e atualmente juiz federal em Minnesota, alerta aos formandos das faculdades de direito: "Tenho boas e más notícias. A má notícia é que a profissão que vocês estão prestes a abraçar é uma das mais infelizes e desventuradas na face da Terra — e, na opinião de muitos, uma das mais antiéticas. A boa notícia é que vocês podem abraçar tal profissão e, ainda assim, ser felizes, prósperos e éticos."

De acordo com Schiltz, os advogados parecem estar entre as pessoas mais deprimidas da América do Norte. Um determinado estudo encontrou índices elevados de hostilidade, ansiedade e paranoia entre estudantes de direito e advogados.

Schiltz também observa que os advogados parecem ser consumidores prodigiosos de álcool, citando uma pesquisa que afirma que um terço dos advogados de certo estado norte-americano sofre de problemas com bebidas ou abuso de drogas. Além disso, os estudos sugerem que as taxas de divórcio podem ser maiores entre advogados do que entre outros profissionais e que, supostamente, eles pensam em suicídio com mais frequência do que os não advogados.

Schiltz cita um estudo conduzido pelo RAND Institute for Civil Justice com advogados da Califórnia que constatou que "apenas metade afirma que, se tivesse de escolher de novo, escolheria a advocacia". Além disso, 40% dos advogados da Carolina do Norte relataram que não incentivariam seus filhos ou outras pessoas com as qualificações necessárias a se tornarem advogados.

Schiltz acrescenta: "Pessoas tão perturbadas como essas — indivíduos que sofrem depressão, ansiedade, alcoolismo, abuso de drogas, divórcio e, em último grau, suicídio — são, praticamente por definição, infelizes. Não deveria causar surpresa, portanto, que os advogados sejam verdadeiramen-

---

[167] "In the interests of justice: reforming the legal profession" [Pelo bem da justiça: Reformando a advocacia], *Stanford Law Review* 54 (Junho de 2002), p. 6.

te infelizes, nem que a fonte de sua infelicidade seja a única coisa que eles têm em comum: sua atividade como advogados."[168]

Por que a advocacia produz esse sofrimento silencioso em tantas pessoas? Acreditamos que o fenômeno seja resultado da mentalidade adversarial praticamente hereditária, que nada mais é do que o raciocínio de Duas Alternativas codificado e institucionalizado. Adicione ao sistema um cliente com forte personalidade, que goste de tomar decisões, e a pressão sobre o advogado pode ser intensa.

O sistema processual adversarial traz consigo uma história antiga e célebre. A maioria dos países, particularmente na Europa e os Estados Unidos, usa alguma variante desse sistema. Não restam dúvidas de que ele teve início nos dias de julgamento por combate, mas hoje trata-se de um sistema elaborado, em que os deveres e os direitos dos demandantes e dos réus estão cuidadosamente descritos. Quando usado corretamente, tal sistema serve bem à justiça, mas, como já afirmamos, aqueles que pensam de acordo com a Terceira Alternativa estão sempre procurando maneiras de transcender a justiça e a equidade, em prol da sinergia. Como assinala Schiltz, "[os advogados] estão participando de um jogo. E o dinheiro é a forma de marcar pontos nesse jogo".[169]

A ilustre ex-juíza Sandra Day O'Connor, do Supremo Tribunal dos Estados Unidos, expressa sua inquietação quanto à tendência de usar a lei como um meio de aumentar os conflitos, em vez de resolvê-los:

> *Tem-se dito que as leis de um país são a expressão dos ideais mais elevados de seu povo. Lamentavelmente, algumas vezes, a conduta dos advogados nos Estados Unidos tem sido uma expressão dos ideais mais baixos, [...] de um ambiente profissional em que a hostilidade, o egoísmo e uma mentalidade de vitória a qualquer custo prevalecem. Um advogado que*

---

[168] Patrick J. Schiltz, "On being a happy, healthy, and ethical member of an unhappy, unhealthy, and unethical profession" [Como ser um membro feliz, próspero e ético de uma profissão infeliz, desventurada e antiética], 52 Vand. L. Rev. (1999).

[169] Patrick J. Schiltz, id., p. 905. "On being a happy, healthy, and ethical member of an unhappy, unhealthy and unethical profession" ["Como ser um membro feliz, próspero e ético de uma profissão infeliz, desaventurada e antiética"'], 52 Vand. L. Rev. (1999).

abandonou recentemente a profissão explicou sua decisão nestes desoladores termos: "Estava cansado das dissimulações. Estava cansado das trapaças. Mas, acima de tudo, estava cansado do sofrimento que o meu trabalho causava em outras pessoas."

Costumamos nos referir às nossas interações com outros advogados como se fosse uma guerra — e, muitas vezes, agimos dessa maneira. Considere a linguagem que os advogados usam para descrever suas experiências cotidianas: "Ataquei cada um dos pontos fracos do argumento deles."

"As críticas dela foram bem no alvo."

"Eu acabei com o ponto de vista dele."

"Se usarmos essa estratégia, ela vai nos destruir."

"Eu derrubei *cada uma de suas afirmações."*

Os advogados estão insatisfeitos com suas carreiras não apenas por causa das longas horas e do trabalho árduo. [...] Mais do que isso, muitos advogados questionam se, no fim do dia, contribuíram com algo minimamente útil para a sociedade.[170]

Com bastante frequência o ponto final do raciocínio de Duas Alternativas é nos tribunais. O grande paradoxo é que os tribunais poderiam ser o melhor local possível para Terceiras Alternativas, e os advogados, os maiores praticantes da sinergia. O sistema processual adversarial incentiva as pessoas a pensar em termos de "ganha/perde", "minha maneira ou a sua maneira". Mas o caminho para a paz — essencialmente, e não apenas entre indivíduos, mas no mundo todo — é a *nossa* maneira, uma Terceira Alternativa.

---

[170] Sandra Day O'Connor, *The majesty of the law* [A majestade da lei] (Nova York: Random House Digital, 2004), p.226-29.

Uma Advocacia da Terceira Alternativa?

É possível transformar a advocacia — mesmo que o cliente seja poderoso e exigente — pelo raciocínio da Terceira Alternativa? Sim e, em certa medida, isso já está acontecendo. Um indício positivo é o crescimento vertiginoso da "resolução alternativa de litígios" (RAL) em muitas jurisdições, agências governamentais e corporações, em que as pessoas se reúnem com um mediador ou um árbitro, em vez de irem aos tribunais. Como diz o renomado mediador profissional Peter Adler: "A mediação, atualmente, está totalmente integrada à lei e interconectada ao sistema judicial."

A RAL pode ser uma ótima maneira de aliviar a tensão e o estresse causados pelos tribunais. Em contraste com uma ação judicial, uma abordagem de RAL para solução de conflitos pode produzir resultados muito melhores, mais rápidos e mais baratos, com muito menos desgastes para as partes. Entre as abordagens de RAL, a mediação é a mais parecida com a sinergia. De modo geral, os mediadores estão mais interessados em como resolver o problema do que em quem ganha ou quem perde. Eles também trabalham com afinco para preservar o relacionamento entre ambas as partes. Um mediador habilidoso pode transformar um divórcio difícil em um arranjo possível, a partir do qual as partes possam seguir com suas vidas e cooperar quanto à guarda dos filhos, à partilha de bens e assim por diante. Como admiramos e aplaudimos os esforços e o incomensurável impacto positivo dos mediadores!

O advogado e mediador Thomas Boyle, um dos primeiros defensores da RAL, deu a sua opinião a respeito da mediação: "Como um acampamento de paz em um campo de batalha, ela torna possível que as partes se foquem no objetivo comum da conciliação."[171]

Porém, sem os três paradigmas do raciocínio da Terceira Alternativa, a RAL pode resultar, muitas vezes, em um litígio disfarçado; por si só, a RAL tem pouca força contra paradigmas arraigados de desrespeito e defensividade. A RAL pretende alcançar soluções equilibradas, justas e equitativas, mas sem, necessariamente, chegar à sinergia. Refletindo sobre as limitações da RAL, Adler afirma: "Muitas vezes os valores e as técnicas compartilhados, que aparentemente nos unem, se revelam apenas ansiedades superficiais, mais do que um terreno comum real."[172]

A sinergia está totalmente relacionada a se alcançar um "terreno comum real" e requer uma mudança fundamental de paradigma. Trata-se de escapar das mentalidades de competição e acordo, e abraçar a mentalidade da Terceira Alternativa.

Nos inspiramos nas ações de Gandhi, que rompeu conscientemente com as limitações da Primeira e da Segunda Alternativas. Advogado formado em Londres, Gandhi era bastante versado no sistema processual adversarial. Depois de se associar a um escritório sul-africano, como se sabe, ele sofreu agressões constantes pelo fato de ser um indiano que trabalhava em uma estrutura de poder branca. Ele foi expulso de um trem por ousar se

---

[171] Thomas D. Boyle, "Mediation and the legal system: new tricks for an old dog" [Mediação e sistema legal: Novos truques para uma raposa velha], *Federal Bar Jornal* 58 (outubro de 1991), p. 514.

[172] Peter Adler, "The end of mediation" [O fim da mediação]. Disponível em: http://www.mediate.com/articles/adlerTheEnd.cfm. Acessado em 19 de julho de 2010.

sentar em um vagão de primeira classe, embora tivesse um bilhete que lhe dava o direito de ocupar aquele lugar. Hotéis se recusavam a acolhê-lo, restaurantes se recusavam a servi-lo.

Ele não era a única vítima; o estado sul-africano de Transvaal era o abrigo de muitas minorias oprimidas. Irritados com uma nova lei de registro de asiáticos, que exigia que os não brancos se registrassem perante o governo e tivessem suas impressões digitais colhidas, os indianos residentes em Transvaal realizaram uma grande reunião em 11 de setembro de 1906, para decidir como reagir. A multidão debatia se deveria se submeter ou revidar. Voz respeitada no meio da multidão, Gandhi enfrentou o dilema de como responder. Por mais irritado que estivesse com os maus-tratos que sofrera, ele percebeu que a violência seria respondida com mais violência. Ao mesmo tempo, ele não conseguiria viver sob um regime tirânico. De alguma maneira, ele encontrou sua resposta, uma Terceira Alternativa, diante da sinergia de dois princípios primordiais: a justiça e a tradição hindu da *ahimsa*, isto é, não fazer mal a qualquer criatura viva.

Discursando para a multidão, Gandhi propôs sua Terceira Alternativa: a resistência não violenta. Ele não desistiria dos direitos humanos e da dignidade ao contestar a lei injusta; isso seria uma violação de princípios. Mas não usaria a força para resistir e exortou os outros a aceitar serem detidos sem reagir.

Os indianos enfrentaram a violência com a não violência. Mais de 10 mil foram para a cadeia pacificamente, sem abrir mão de seus direitos, e essa demonstração maciça de protesto silencioso chamou a atenção de um mundo estarrecido. No fim, o próprio Gandhi foi preso e passou seu tempo confeccionando um par de sandálias, para ofertar ao governador de Transvaal, Jan Christiaan Smuts. Tal ato demonstrou a verdadeira singularidade da Terceira Alternativa de Gandhi. Ele não se limitou a resistir à injustiça; procurou se tornar amigo de seu adversário. Embora Smuts o tenha mandado três vezes à prisão, Gandhi nunca perdeu as esperanças de mudar o coração do governador, e finalmente conseguiu. A "Lei Negra", como era chamada, foi, enfim, revogada. Muitos anos depois Smuts participou da celebração do aniversário de Gandhi e disse: "Eu não sou digno de ocupar o mesmo lugar de tão grande homem."

De volta à sua terra natal, Gandhi defendeu a libertação da Índia do domínio britânico. Ele sentiu que a separação seria tão boa para os britânicos quanto para os indianos. "Se os britânicos se retirarem", escreveu ele, "se livrarão de um grande fardo, se calmamente refletirem sobre o significado da escravidão de todo um povo."[173] Ele insistiu em tratar os britânicos como amigos diletos, mesmo quando confrontado com os maus-tratos e as detenções, e aconselhou os outros a fazerem o mesmo. "Meus irmãos", disse ele aos seus compatriotas, "nós percorremos um longo caminho com os britânicos. Quando eles saírem, queremos que saiam como amigos. Se realmente quisermos mudar as coisas, há maneiras melhores do que saquear trens ou atacar alguém com uma espada. Quero mudar suas mentes, não matá-los."

O amplo movimento de resistência não violenta que levou à independência da Índia é lendário. O dado notável é que Gandhi, o líder, nunca manteve um escritório ou autoridade formal de qualquer tipo. Advogado de formação, ele escolhera assumir o papel de pacificador e não o de adversário. Foi apenas por meio da força dessa mentalidade da Terceira Alternativa que ele impulsionou a libertação de centenas de milhões de pessoas. Quando os britânicos saíram, em 1947, fizeram-no em paz e de maneira amistosa.

Esse é um segredo poderoso da mentalidade da Terceira Alternativa: trata-se de transformar inimigos em amigos. Gandhi nunca perdeu a fé que "até mesmo o coração humano mais endurecido é passível de conversão — de ser tocado pelos gestos genuínos de amor de um oponente"[174]. Com tais gestos, esse diminuto advogado indiano mudou o mundo.

Claro, a primeira mudança foi na própria mente e no coração de Gandhi. "Como seres humanos, nossa grandeza reside não tanto em sermos capazes de reconstruir o mundo", disse ele, "mas em sermos capazes de reconstruir a nós mesmos."

Juntamente com Abraham Lincoln, uma das pessoas que exerceu grande influência sobre a lei norte-americana foi Thurgood Marshall. Ele era

---

[173] Mohandas K. Gandhi, "My appeal to the British" [Meu apelo aos britânicos], *Harijan*, 24 de maio de 1942.

[174] Uma Majmudar, *Gandhi's pilgrimage of faith* [A romaria de fé de Gandhi] (Albany, NY: SUNY Press, 2005), p. 144-45.

conhecido por sua integridade e honra absolutas. Além disso, era um pensador da Terceira Alternativa. Ele tinha todos os motivos para se ofender e devolver os insultos que recebia. Mas escolheu o melhor caminho, sabendo que seu objetivo era a igualdade, não a discórdia e a discussão. Em resposta às críticas que lhe foram feitas por seus colegas afro-americanos pelo fato de ter almoçado com o advogado adversário, um segregacionista, Marshall simplesmente respondeu: "Nós dois somos advogados, nós dois somos civis. É muito importante manter uma relação civilizada com o seu adversário."

Na súmula final do histórico caso *Brown vs. Conselho Educacional* para apresentação à Suprema Corte dos Estados Unidos, dizia-se: "Marshall revisou as súmulas várias vezes, com a finalidade de remover pequenas observações 'sarcásticas' sobre os advogados brancos da outra parte, que defendiam a segregação. Era típico de Marshall manter a disputa no mais alto nível profissional."

Graças à sua Terceira Alternativa, Marshall conseguiu, de um lado, resistir aos ataques contenciosos e, de outro, evitar render-se ao *status quo*. Usando a história como um instrumento de avaliação, seu raciocínio e sua abordagem levaram a novas e monumentais proteções jurídicas para as minorias nos Estados Unidos.[175]

Os advogados que, antes de mais nada, se consideram pacificadores, comunicadores talentosos e experientes criadores da concórdia em vez da discórdia, avaliam cada caso como uma oportunidade de se chegar a uma Terceira Alternativa, um desafio muito maior e mais satisfatório do que tentar derrubar os opositores.

Os litigantes que estiverem dispostos a ver a si mesmos e a seus oponentes como seres humanos com limitações, mas ainda assim dignos de respeito, podem optar por uma compreensão mais profunda uns dos outros. Eles podem enfrentar a realidade de que nenhum problema é absoluto, de que todos nós detemos nossas parcelas da verdade e de que a indignação pode impedi-los de ver o desastre iminente — para todos os envolvidos, incluindo eles mesmos.

---

[175] Juan Williams, *Thurgood Marshall: An american revolutionary* [Thurgood Marshall: Um americano revolucionário] (Nova York: Three Rivers Press, 1998), p. 213, 215.

A Lei e o Bastão da Fala

Um processo judicial pode se tornar uma forma de guerra de "busca e destruição" cujo objetivo é procurar as fraquezas e destruir o oponente. Contrariamente, a primeira exigência de um pacificador é a empatia — a determinação de buscar e verdadeiramente compreender o oponente. Larry conta a seguinte história:

Lembro-me de que, em uma mediação, os advogados de ambas as partes me disseram: "Nossos clientes estão tão distantes que realmente não vemos possibilidade de solucionarmos o caso." Em meus 40 anos de advocacia nunca havia visto mandíbulas tão retesadas ou rostos tão sérios. A única coisa mais retesada do que as mandíbulas eram os fechos de suas carteiras.

Era uma história tragicamente familiar: dois colegas de trabalho, que haviam sido grandes amigos, eram agora inimigos obstinados, exigindo espantosas indenizações um do outro. Fiquei imaginando a quantidade de negócios que havia sido perdida, quantas oportunidades passaram ao largo, quanto dinheiro havia sido desperdiçado enquanto esses dois gastavam seu tempo e sua energia lutando entre si.

Raramente eu havia analisado um caso em que as duas partes se equivaliam plenamente, já que os dois lados se apoiavam em uma série de fatos e argumentos. Mas uma coisa ficou clara para mim: nenhuma das partes entendia realmente a posição da outra. Ambas estavam tão focadas em sua versão dos fatos que ficaram cegas para o argumento alheio. A certa altura eu me virei para os advogados e perguntei: "Vocês compreenderam a posição da outra parte?"

"Sim", respondeu um, confiante.

Mas o outro advogado hesitou e disse: "Compreendo o que foi questionado, mas, na verdade, não entendo os fundamentos dessa posição." Foi aí que, simbolicamente, eu lhes passei o Bastão da Fala.

Minha exigência seguinte foi uma guinada que eles nunca haviam experimentado antes. Expliquei que seria dada uma oportunidade para que os advogados falassem, mas em vez de fazerem comentários para sustentar sua própria posição eles teriam de defender a posição da outra parte até que ela ficasse satisfeita. Em essência, eles estariam defendendo o caso dos seus oponentes.

O advogado do réu precisou de três tentativas para defender a posição do demandante até que ele ficasse satisfeito. Em seguida, foi a vez do demandante; seu advogado precisou de duas tentativas.

Então aconteceu uma coisa muito interessante. O réu descruzou os braços, e sua expressão austera e grave havia desaparecido. Ele olhou para o demandante e disse: "Brad, essa é a sua posição?"

"Sim, é quase isso."

"Pensei que você..."

E os advogados se sentaram e observaram seus clientes travarem um diálogo que tinha sido impedido por dois anos, desde que um abriu um processo contra o outro. No fim, eles chegaram a um entendimento que pareceu interessante e benéfico para ambos. E o que é mais importante: o respeito mútuo, que havia evaporado, retornou.

Eu sabia que, se esse caso tivesse ido a julgamento, uma das partes ganharia tudo e a outra iria embora de mãos vazias, além de ter de arcar com as pesadas custas. É assim que o sistema funciona. Ambas as partes teriam de gastar uma fortuna no processo; levando isso em conta, significaria que o vencedor também seria um grande perdedor. Mas, em vez de brigar até o amargo fim, os dois lados chegaram a uma solução pacífica e voluntária, que nunca haviam imaginado antes. Isso aconteceu porque o espírito do Bastão da Fala possibilitou a reconciliação.

Não tenho palavras para expressar o quanto a comunicação empática nos procedimentos jurídicos pode ser revolucionária. Embora nosso sistema processual ocidental seja adversarial, isso não significa que precisamos usá-lo segundo um espírito adversarial. Não há razão alguma para que uma mentalidade de empatia e sinergia não possa substituir a mentalidade de "busca e destruição".

Muitos sistemas processuais confiam na mentalidade de empatia, em vez de apostarem na mentalidade adversarial. Muitos países resolvem disputas sem aquela mentalidade de ganha/perde. No Japão, o objetivo dos tribunais *chotei* não é a retribuição, mas a restauração da "paz e tranquilidade", o que, talvez, torne o Japão a sociedade menos litigiosa da Terra.

Os judeus, com sua antiga tradição de respeito pela lei, também valorizam profundamente a compaixão e a reconciliação. Os tribunais rabínicos não estão preocupados em "ganhar o caso". Para os advogados e juízes judeus, a figura bíblica de Aarão, irmão do legislador Moisés, é o exemplo a ser seguido. Como sumo sacerdote e juiz de Israel, Aarão "amava a paz, buscava a paz e fazia a paz entre os povos", colocando as relações humanas no centro da lei. O grande estudioso judeu Rabi Nathan descreve como Aarão realizava sua função:

> *Duas pessoas haviam brigado uma com a outra. Aarão sentou-se ao lado de uma delas. Ele lhe disse: "Meu filho, considere o que seu amigo fez, ele está consternado, rasgou as próprias vestes [de tristeza pela briga] e está dizendo: 'Sou um desgraçado, como vou levantar minha cabeça e olhar para o meu amigo? Fico constrangido em sua presença, porque fui injusto com ele.'" E ele [Aarão] ficava com essa pessoa até que ela espantasse o ciúme de seu coração.*
>
> *Logo depois, Aarão sentava-se ao lado da outra parte e lhe dizia: "Meu filho, considere o que seu amigo fez, ele está consternado, rasgou as próprias vestes [de tristeza pela briga] e está dizendo: 'Sou um desgraçado, como vou levantar minha cabeça e olhar para o meu amigo? Fico*

constrangido em sua presença, porque fui injusto com ele.'" E ele [Aarão] ficava com essa pessoa até que ela espantasse o ciúme de seu coração. E quando os dois oponentes se encontravam, eles se abraçavam e beijavam um ao outro.[176]

A tradição diz que Aarão procurava as pessoas que estavam brigando antes que a disputa chegasse aos tribunais. Ele nunca falava sobre o assunto em si — tudo dizia respeito a abrir o coração e preservar o relacionamento. "O que está acontecendo?", ele perguntava. "O que está deixando você irritado? Vocês dois tiveram a mesma experiência; vocês dois foram desrespeitados." Casais que se desentendiam iam ouvi-lo e os parceiros ouviam um ao outro e, em seguida, batizavam seus filhos com o nome dele. Para o grande sumo sacerdote Aarão o produto final não era uma decisão jurídica em que um lado prevalecia e o outro perdia, mas sim uma Terceira Alternativa pacífica e relacionamentos mais sólidos.[177]

Enquanto a mentalidade adversarial baseia-se na máxima "o vencedor leva tudo", a mentalidade do tribunal judaico é, tradicionalmente, fazer com que todos ganhem em uma disputa. Quando um trabalhador israelense usou uma arma fornecida por sua empresa para matar outro homem, a família da vítima processou o empregador, alegando que a empresa deveria ter conhecimento sobre o perturbado estado mental de seu empregado e previsto como ele usaria a arma. O caso foi à Suprema Corte de Israel. Ali o juiz Menachem Elon decidiu em favor da empresa. Mas quando se dirigiu à parte vencedora, ele disse: "Eis aqui uma viúva e órfãos. É preciso fazer o que for possível para ajudá-los, mesmo que isso não seja exigido pela lei. [...] É a prática de cada tribunal judaico obrigar os ricos a cumprirem suas obrigações, quando elas forem corretas e apropriadas." Em outras palavras, o tribunal disse à empresa: "A lei está do seu lado, mas,

---

[176] "Avot de Rabi Natan." In: "Mediaton" [Mediação], *Jewish Virtual Library.* Disponível em: http://www.jewishvirtuallibrary.org/jsource/judaica/ejud_0002_f0012_0_11960.html.
[177] Entrevista com o rabino Marc Gopin, da Universidade Hebraica de Jerusalém, 11 de janeiro de 2011.

além disso, é preciso fazer o que é certo e bom."[178] A solução ganha/ganha é o ideal ao qual advogados e juízes judeus aspiram, e é por isso que até os não judeus ao redor do mundo recorrem, muitas vezes, a tribunais judaicos para ajudá-los a resolver conflitos.

A lei islâmica também valoriza a reconciliação em detrimento da retribuição. Um importante instrumento da lei islâmica é o *sulh*, um conselho que ouve representantes de ambos os lados em uma disputa. Primeiro, os representantes solicitam uma trégua, uma maneira de dignificar a família da vítima. Só então é que eles falam; o *sulh* é orientado pela comunicação, trata-se de um lugar para se reunir e ouvir uns aos outros. O conselho pergunta: "O que vocês acham do que ele está dizendo? Como vocês responderiam?" Se houver progresso no entendimento, todos vão para casa, satisfeitos com o resultado. Esse processo funciona melhor do que um processo formal no tribunal, em que uma decisão normalmente não encerra a questão. Há um velho ditado muçulmano que diz: "Metade das pessoas é inimiga do juiz." Por outro lado, o *sulh* é mais prático, menos oneroso e termina com um acordo.[179]

Com a mentalidade adversarial realmente não há vencedores. Assim como nenhum país fica melhor depois de uma guerra prolongada, pouquíssimos processos judiciais trazem melhorias aos litigantes. Ambos os lados acabam exaustos, emocionalmente derrotados e em péssima situação financeira. Nos tribunais você entrega o seu destino a um foro independente, sem qualquer interesse emocional por você. Durante o julgamento tudo pode mudar drasticamente, em um piscar de olhos. Uma testemunha pode ser pouco convincente. Depoimentos podem ser excluídos das provas. Quando isso acontece, os resultados podem ser imprevisíveis. Coisas ruins podem acontecer quando as partes não conseguem encontrar soluções da Terceira Alternativa. Brian Boyle, filho de Larry, é um advogado

[178] O princípio é conhecido como *lifnimmishurat ha-din,* "além da letra da lei". Ver "Damages" [Prejuízos] e "Law and morality" [Lei e moralidade], *Jewish Virtual Library.* Disponível em: http://www.jewishvirtuallibrary.org/jsource/judaica/ejud_0002_0012_0_11960.html.

[179] Entrevista com Qadi Achmed Natour, presidente do Supremo Tribunal de Apelações Shari'a, em Jaffa, e professor de direito da Universidade de Haifa, concedida na Universidade Hebraica de Jerusalém, 4 de janeiro de 2011.

habilidoso e bem-sucedido. Ele descreve o efeito dos conflitos e litígios sobre os clientes:

> *Maior até do que o desgaste financeiro de ir aos tribunais são os desgastes emocional e psicológico. Os envolvidos ficam obcecados com o caso e isso os impede de serem produtivos em outras áreas de suas vidas. Para eles, em termos de velocidade, o tempo processual só perde para o tempo geológico. As pessoas não conseguem dormir por causa disso. Quando chegam a um escritório de advocacia, estão quase sempre tão emotivas e irritadas que tudo o que querem é vingança.*
>
> *Em casos de divórcio, por exemplo, há uma mulher ou um homem que está sofrendo muito. Com frequência, as questões financeiras são a quinta prioridade. O que a mulher realmente quer é que o juiz diga ao marido dela que ele é o grande idiota que ela acha que ele é, e o mesmo acontece do outro lado. Os processos judiciais subjugam as pessoas, fazendo com que elas desconsiderem todos os outros aspectos de suas vidas.*

Espera-se que o aumento da mediação direcione o sistema processual para a sinergia. Agora obrigatória em muitas áreas, a mediação é muito menos dispendiosa e causa menos sofrimento do que os processos judiciais, mas a mediação não conduzirá a Terceiras Alternativas até que a mentalidade adversarial seja substituída pela empatia.

O juiz William Sheffield, outro notável pacificador, tem sido chamado de "mediador de última instância" no estado da Califórnia. Quando ninguém mais consegue resolver um impasse, Sheffield é convocado. Sua primeira "resolução de impasse", como ele a denomina, é a escuta empática. Quando alguns mediadores se debruçam por apenas uma manhã em um caso a fim de sugerir uma proposta, encerrando seu expediente a tempo da hora do jantar, Sheffield arregaça as mangas e começa a conhecer cada uma das partes intimamente. Ele quer que todos falem até que se sintam inteiramente compreendidos. "É inviável fazer esse tipo de coisa em dez minutos", diz ele. "Eles têm de saber que você os entende para que possam confiar em você." Se não houver uma solução no horizonte, ele se dispõe a esperar por ela, ao contrário de muitos mediadores.

Seu objetivo é persuadir as partes a serem realistas: "Se vocês não procurarem a conciliação e o caso chegar aos tribunais, quais serão as suas chances?" Normalmente, cada lado de uma disputa judicial se deixa contaminar, de saída, pela mentalidade "Eu vou acabar com você". Seu trabalho é desiludi-los desse pensamento. "Tenho dito frequentemente: 'É melhor você ligar para aquele corretor de Maui e negociar com ele, porque desse caso não vai sair nada.'"

Qual é a segunda "resolução de impasse" de Sheffield? *Mais* escuta empática.

> *Se eu não conseguir obter progresso algum, pelo menos fico conhecendo as partes um pouco mais. Tive um cliente obstinado, um demandante paraplégico que plantava tomates em uma propriedade arrendada junto ao município. Ele alegou que o município não conseguia atender plenamente à sua deficiência, e nenhuma das partes se entendia. Depois de algum tempo fui até a sua plantação, sentei-me ao seu lado, comecei a comer tomates com ele e a provar todas as variedades que ele cultivava. Ele me contou tudo sobre sua vida e suas dificuldades, e sobre o tempo em que integrava a equipe olímpica de cadeirantes. Ficamos bastante próximos. Quanto mais ele se sentia compreendido, mais nos aproximávamos, e mais facilmente ele percebia que não estava sendo ignorado. Isso é muito importante. Muitas vezes, eles dizem: "O que quero é US$ 100 mil e um pedido de desculpas", mas, na maioria das vezes, o que realmente querem é se sentir importantes, se sentir compreendidos, e não menosprezados.*
>
> *É preciso dar-lhes tempo para realmente desabafar e sentir que você compreendeu. Então, você pode resolver o caso e evitar um ou dois anos a mais de litígio dispendioso. Dedique apenas um dia a ouvir e, muitas vezes, poderá apaziguar uma disputa que vem acontecendo há anos.*[180]

Ninguém, advogado ou litigante, tem de abordar uma disputa com uma mentalidade adversarial. O custo é muito grande e o benefício, duvidoso. Podemos optar por encarar a disputa como um mal-entendi-

---

[180] Entrevista com William Sheffeld, 21 de outubro de 2010.

do e abordá-la com um espírito de empatia e sinergia. E não precisamos da autorização do tribunal para fazermos isso. Stephen dá um exemplo.

Um dia, recebi um telefonema do presidente de uma empresa, me perguntando se eu poderia ajudá-lo a resolver um processo bastante custoso, envolvendo altos interesses. Eu conhecia bem o executivo. Ao longo dos anos havíamos conversado sobre a mentalidade da Terceira Alternativa e eu sentia que ele a compreendia. Ele era extremamente capaz, mas quando chegou a hora de realmente aplicar o que havíamos discutido ele não se sentia confiante. O processo no qual estava envolvido representava uma grande ameaça a ele e aos seus negócios, e ele queria que eu servisse de mediador. Mas eu lhe disse: "Você não precisa realmente de mim. Você pode fazer isso sozinho."

Então, ele ligou para o seu adversário na ação, que também era presidente de uma empresa, e perguntou se eles podiam se encontrar para discutir a situação. O outro presidente não aceitou o encontro, mas meu amigo explicou o que estava tentando fazer e por quê. "Escute", disse ele. "Não levarei o meu advogado. Você pode levar o seu, e se ele aconselhá-lo a não dizer nada, então não diga nada."

Nesses termos, o outro presidente concordou com o encontro. Mais tarde ele me descreveu o que aconteceu naquela reunião.

O homem apareceu com o advogado, e todos se sentaram em uma mesa de conferências. Meu amigo pegou um bloco e disse: "Primeiro, quero ver se entendi a sua posição com relação a esse processo."

Hesitante, o outro homem começou a falar. Ele expôs o problema a partir de sua perspectiva, que estava relacionada à disputa sobre o registro do produto.

Meu amigo apenas ouviu e fez anotações. Por fim, ele disse: "Deixe-me ver se entendi." Ele, então, reafirmou com a maior exatidão e inteireza possível o que o presidente tinha dito e perguntou: "Essa é a sua posição?"

O homem observou as anotações e disse: "Sim, sim, é isso, mas há dois pontos que você não compreendeu muito bem."

O advogado do homem interrompeu: "Sabe, acho que não precisamos entrar em todos os detalhes aqui."

Surpreendentemente, o homem virou-se para o advogado e disse: "Jeffrey, sei que lhe pedi para estar aqui, mas por que não tentamos isso sem você?" O advogado sentiu o impulso em direção a uma Terceira Alternativa. Assim, o outro presidente descreveu cuidadosamente os dois pontos restantes.

Meu amigo os anotou, os reafirmou e, então, perguntou: "Será que essa é uma compreensão completa e justa de sua posição?"

"Sim, é."

"Existe alguma coisa mais que eu precise entender?"

"Não, isso já é suficiente."

"Bom", disse meu amigo. "Agora você estaria disposto a me ouvir da maneira que o escutei?"

Houve uma pausa, mas, finalmente, o homem disse: "Vá em frente."

E um diálogo de mão dupla teve início. A partir desse novo entendimento, surgiu a humildade. Os muros caíram. Eles começaram a acreditar que uma Terceira Alternativa era possível.

Várias horas mais tarde os dois homens saíram do encontro com uma Terceira Alternativa, uma solução para o problema que salvou o relacionamento, evitou as custas do litígio e lançou as bases para uma maneira mais saudável de se trabalhar em conjunto no futuro. Toda a situação mudou.[181]

A Sinergia e a Lei

A resposta comum ao ser vítima de um dano é querer se vingar: "Eles não podem fazer isso comigo. Quem eles pensam que são? Vou processá-los!" Todos nós temos interesse pela justiça e pela equidade, e quando alguém nos provoca um dano, esperamos, com razão, que esse dano seja reparado. É por isso que temos advogados, juízes e tribunais.

Mas lembre-se de que, se tivermos uma mentalidade de sinergia, não ficaremos satisfeitos com a equidade — procuramos algo melhor do que ape-

---

[181] Para assistir a um vídeo de reconstituição dessa história de transformação acesse The3rdAlternative.com.

nas o justo. Queremos relações mais sólidas, não mais frágeis. Estamos mais interessados em reconciliação do que em retribuição. Estamos à procura de uma solução que vá além da simples vingança, uma solução que deixe todos os envolvidos em uma situação muito melhor do que a anterior.

Além disso, nós, sinérgicos, não estamos muito interessados em acordos. É uma ferramenta jurídica bastante utilizada, mas o acordo significa que todas as partes têm de desistir de alguma coisa; por que deveríamos fazer isso antes de explorarmos as Terceiras Alternativas? O acordo também pode ser moralmente perigoso, pois muitas vezes nos afastamos de princípios que defendemos. Ficamos impressionados com esta visão do grande escritor nigeriano Chinua Achebe: "Um dos testes mais verdadeiros de integridade é rejeitar veementemente um acordo."

Quando deparamos com um conflito, não queremos o "olho por olho", nem queremos solucioná-lo com algum acordo provisório. Esperamos ser mais imaginativos do que isso. Stephen compartilha o exemplo seguinte.

Depois de anos de trabalho e muitas economias um amigo meu finalmente terminou de construir a casa de seus sonhos. Ele havia contratado o melhor empreiteiro da cidade para desenvolver o que havia planejado. A casa, com seu teto altíssimo como o de uma catedral e molduras e trabalhos de marcenaria meticulosamente esculpidos, era uma obra de arte. O toque final ficou para o pintor.

Quando meu amigo entrou na casa naquela noite, após o pintor sair, quase teve um colapso. O trabalho de pintura foi catastrófico. Todas as paredes, todos os cômodos, todas as molduras haviam sido desfigurados com uma pintura falhada e desigual. Manchas cobriam portas e telhas. A pintura escorria pelas janelas em arco, algumas das quais feitas sob medida, verdadeiras obras de arte em si mesmas. Era como se uma criança tivesse entrado na casa com uma lata de spray.

Meu amigo discou dois números em seu telefone — o do empreiteiro e o de sua advogada. Felizmente, o empreiteiro o atendeu primeiro. Tratava-se de um homem enérgico e sério, conhecido por sua integridade e pela qualidade de seus serviços; caso contrário, meu amigo não o teria contratado. Quando o empreiteiro viu o resultado, ficou boquiaberto e telefonou imediatamente para o pintor, pedindo-lhe que retornasse à casa.

O que aconteceu depois surpreendeu meu amigo. Era tarde da noite, e ele esperava que o empreiteiro, cujo dia havia sido longo e cansativo, fosse repreender o pintor, demiti-lo e pedir seu dinheiro de volta, acrescido de perdas e danos. Ele, porém, recebeu o pintor à porta e o cumprimentou.

O pintor era um jovem recém-saído da adolescência, que sorriu e perguntou nervosamente se o empreiteiro havia apreciado seu trabalho. O empreiteiro apoiou o braço em torno dos ombros do pintor e o conduziu friamente pela casa, apontando para este e aquele problema e, em seguida, os três se sentaram para conversar. O empreiteiro fez algumas perguntas, e ficou claro que, ao apresentar sua proposta orçamentária, o pintor realmente exagerara em suas qualificações para fazer o trabalho. Embora tivesse feito alguns serviços menores anteriormente, aquela era a primeira casa que ele pintava.

O empreiteiro não parou por aí. Ele perguntou ao jovem sobre a sua família, qual escola ele havia frequentado, como tinha sido sua vida. Meu amigo se perguntava por que tudo isso era relevante, mas logo eles ficaram sabendo que o pintor havia tido dificuldades na escola e que havia abandonado os estudos, se casado muito jovem, tendo uma mulher e um bebê para sustentar. Obviamente, ele estava tentando ganhar a vida da única maneira que poderia imaginar.

Quando se levantou, o empreiteiro pediu desculpas ao meu amigo por não ter verificado as referências do pintor com mais cuidado antes de contratá-lo e, então, pediu ao rapaz para trazer seu equipamento de pintura de volta. Calmamente, ele disse: "Vou ensiná-lo a fazer esse tipo de trabalho direito."

Hesitante, meu amigo deu de ombros, despediu-se e foi embora. Nos dias seguintes, ele apareceu para ver como as coisas estavam caminhando. O empreiteiro estava lá com o pintor. Eles estavam conversando e rindo enquanto limpavam as janelas, lavavam as manchas, lixavam e repintavam as paredes. Pelo menos, sob a supervisão do empreiteiro, o produto final estava realmente bom. Nos meses que se seguiram, o jovem recebeu orientações do empreiteiro e tornou-se cada vez mais capaz, até que pudesse fazer o trabalho exatamente como havia sido especificado. Ele se tornou o pintor predileto do empreiteiro e acabaria recebendo mais ofertas de serviços do que conseguiria atender.

Com seu paradigma da Terceira Alternativa, o empreiteiro dessa pequena cidade provou que pessoas com mentalidade de sinergia são sempre surpreendentes. Em vez de despedir o pintor em um ímpeto de mau humor — ou, pior, arruiná-lo, fazendo-o pagar pelos danos —, ele escolheu ajudar o jovem a construir uma vida e, no processo, se tornar um valioso trunfo para o seu próprio negócio. Ele era verdadeiramente um construtor, e em mais de um sentido.

Quando a advogada apareceu, ela assegurou ao meu amigo que ele havia conduzido bem as coisas. Não seria aberta ação alguma, não haveria qualquer briga judicial ou desintegração de uma jovem família vulnerável. Nenhuma Primeira Alternativa Disputando com uma Segunda Alternativa. Nenhuma exigência de imparcialidade, justiça ou equidade.

Esse tipo de sinergia e pacificação é possível ao longo de todo o sistema judicial; no entanto, exigirá uma mudança de paradigma sísmica. Alguns já fizeram tal mudança. Algumas culturas integram em seus sistemas judiciais a perspectiva de uma Terceira Alternativa. Nos tribunais judeus *zabla*, por exemplo, cada parte escolhe um juiz e, em seguida, um terceiro juiz independente é designado especificamente para buscar uma Terceira Alternativa. Mas ninguém precisa mudar o sistema ocidental de jurisprudência; o que precisa ser mudada é a *mentalidade que está por trás dele*. Quando a mentalidade mudar, as práticas mudarão. Larry descreve o processo.

A pedido dos meus colegas do Tribunal Federal conduzi mediações judicialmente supervisionadas em casos pelos quais eles eram responsáveis. Em nosso distrito da federação realizamos regularmente conferências para propor soluções uns para os outros. Tento introduzir sessões de Bastão que Fala nas conferências e nas Câmaras sempre que possível. Mover as partes de uma situação de oposição para a empatia e a compreensão é um processo metódico.

Depois que todas as partes de uma disputa se sentem ouvidas, peço a cada uma sua lista de critérios de sucesso — e de fracasso. Desenho uma linha vertical em uma folha de papel e digo: "Se você tivesse que ficar satisfeito, a coluna da esquerda seria uma lista de razões pelas quais o júri poderia se posicionar a seu favor" e "Se você tivesse que ficar desapontado, a coluna da direita seria uma lista de razões pelas quais o júri poderia se posicionar contra você". Sem usar a terminologia específica, peço que as partes rascunhem protótipos da Terceira Alternativa. No topo de uma página escrevo as três palavras: "plano para entendimento", e deixo as partes escreverem, reservadamente, seus planos. Às vezes, é preciso três ou quatro tentativas. Na maioria dos casos em que usei essa técnica conseguiu-se chegar a uma solução, pois as partes e seus advogados analisaram em profundidade os prós e os contras, e depois se mostraram criativos com relação a estabelecer um plano razoável para se chegar a um entendimento. Usei esse mecanismo da Terceira Alternativa para resolver um dos mais complicados processos judiciais que já enfrentei: o caso da mina de Blackbird.

A velha mina de Blackbird, nas montanhas de Idaho, era a única fonte de cobalto dos Estados Unidos, um metal de grande importância estratégica durante a Guerra Fria. Os mineiros trabalharam ininterruptamente ao longo dos anos 1950 e 1960. Finalmente abandonada na década de 1970, a mineração deixou para trás um fluxo terrível de venenos ácidos e metálicos, devastadores para a terra, a água e a vida selvagem da bela região em torno do rio Salmon. Então, como uma série de peças de dominó enfileiradas, o Estado, grupos privados ambientais e uma dúzia de agências federais processaram os proprietários da mina e uns aos outros a fim de exigir a descontaminação da área. Houve uma enxurrada de reclamações e alegações em contrário.

No momento em que o caso chegou até mim para mediação, já estava se arrastando na corte por mais de uma década. Estavam em causa os custos da descontaminação, de mais de US$ 60 milhões, cuja responsabilidade ninguém queria assumir. Tentativas anteriores de resolver o caso falharam porque as partes estavam bastante divididas. Os arquivos já somavam milhares de páginas, com dezenas de moções aguardando decisões. O julgamento levaria meses, com centenas de depoimentos e dezenas de especialistas como testemunhas, além de muitas apelações nos anos seguintes. A confusão toda havia se convertido em um impasse judicial.

Diante desse caso complicado meu colega me aconselhou a não me preocupar em como resolvê-lo: "Isso não é possível. Espero que você consiga apenas solucionar algumas das questões periféricas, de modo que o julgamento seja administrável." Decidi tentar uma abordagem da Terceira Alternativa.

Após me reunir com todas as partes em uma sessão lotada — até mesmo o tribunal do júri estava cheio —, decidi encerrar a sessão, instalei cada grupo interessado em uma sala de conferências e pedi que os advogados principais fossem até a minha câmara particular. "Cada um de vocês compreende os fatos do caso e conhece os pontos fortes e fracos de suas próprias posições", afirmei a todos. "Daqui a duas horas alguém da minha equipe irá buscar cada um de vocês para que possam me apresentar o plano dos seus grupos para resolver esse caso."

Surpreendidos com esse pedido, os advogados foram para suas salas e começaram a esboçar suas propostas sobre blocos de papel posicionados em grandes cavaletes. Acompanhei todas as reuniões, não porque quisesse conhecer os planos, mas porque estava procurando alguém: um líder, uma pessoa com uma mentalidade da Terceira Alternativa. Encontrei-o em John Copeland Nagle, que mais tarde se tornou reitor-adjunto de pesquisa da Escola de Direito de Notre Dame. Esse distinto advogado e professor de direito escreveu, literalmente, o livro sobre a legislação ambiental norte-americana.[182] Mas, para mim, o mais importante é que Nagle não parecia ameaçador, era altamente capaz sem ser indiferente, além de um líder inato. Pedi para ele ser o meu elo com as partes, enquanto elas elaboravam os seus planos, mas eu estava realmente contando com sua natural capacidade de liderança para chegar a uma solução. Ele ia até mim e dizia: "Eis aqui a posição A", e entrávamos em sinergia e chegávamos a uma solução melhor do que a posição A. À medida que as equipes arquitetavam suas próprias soluções, elas começaram a se apropriar delas, como eu já previa. As pessoas sempre se mostram mais comprometidas com uma Terceira Alternativa que elas mesmas produzem do que com uma solução imposta.

Nas semanas e nos meses que se seguiram, pedi que as partes e seus advogados retornassem para mais duas reuniões. Aos poucos, eles foram se

---

[182] J. B. Ruhl, John Copeland Nagle e James Salzman, *The practice and policy of environmental law* [A prática e a política da lei ambiental] (Nova York: Foundation Press, 2008).

aproximando de uma resolução completa, e não apenas das questões menores, tudo por causa do raciocínio da Terceira Alternativa que permeava o ambiente daquele trabalho em conjunto.

Não haveria julgamento dramático, nenhuma sessão lotada no tribunal, nenhum drama televisivo de prender a respiração, pois dentro de alguns meses o fiasco de uma década estaria completamente encerrado. As partes compartilharam a responsabilidade e foram trabalhar para reparar os danos. A mina de Blackbird é uma história de sucesso. Foi uma conciliação rápida — a primeira grande resolução ambiental a se concentrar essencialmente na realização de uma restauração rápida e eficiente. A descontaminação foi em frente, uma das maiores da história antes do desastre do *Exxon Valdez*, e logo os salmões puderam retornar para os córregos que, um dia, haviam sido poluídos pela mina de Blackbird.

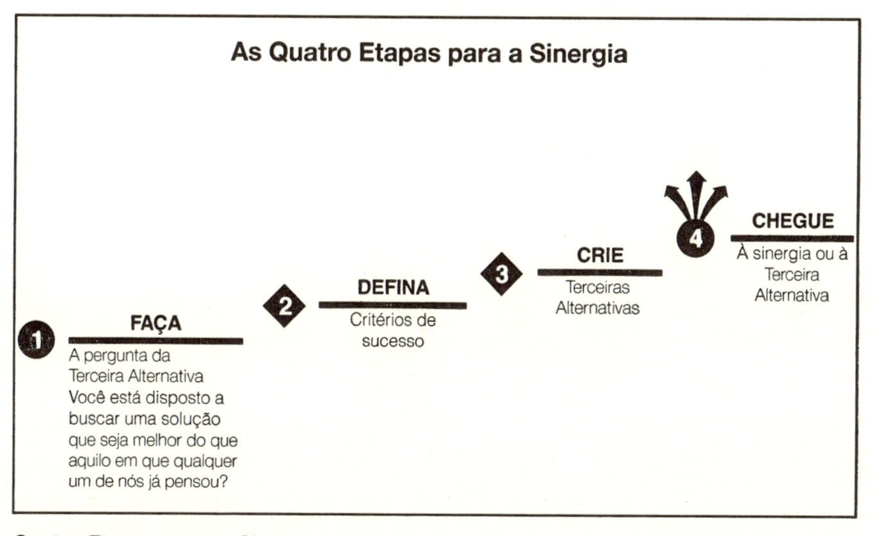

Quatro Etapas para a Sinergia. Determinado a (1) encontrar uma Terceira Alternativa em disputas judiciais, o juiz Boyle pede às partes que (2) definam os seus critérios de sucesso e (3) criem alternativas de prototipagem até que (4) cheguem a uma solução sinérgica.

Sem a conciliação, um juiz federal teria presidido o caso naquele mesmo tribunal por pelo menos mais um ano, ouvindo moções, resolvendo as questões processuais e jurídicas, testemunhando as acusações e ouvindo os eloquentes argumentos sobre a vilania da outra parte. Milhões de dólares em custas e honorários poderiam ter sido gastos. O juiz de instrução teria trabalhado longa e penosamente para levar o caso a julgamento e, quando a decisão fosse tomada, o processo começaria novamente na corte de apelações, enquanto o rio continuaria contaminado. Escolhi fazer todo o possível para impedir que isso acontecesse, colocando em ação o poder dos princípios e o processo de criação de Terceiras Alternativas. A força do resultado não partiu de uma iniciativa minha — ela resultou do processo e do gênio criativo que foram desencadeados entre aqueles brilhantes advogados.

Para quem pensa de acordo com a Terceira Alternativa, o objetivo não é a retribuição, mas a renovação. É fácil afirmar isso, até que se torne algo pessoal. Mas e se alguém nos causar um dano — *realmente* nos causar um dano? E quanto às ofensas que realmente são desastrosas? E quanto aos incompetentes, negligentes ou mal-intencionados que causam danos graves? Eles não deveriam ser responsabilizados? Eles não deveriam pagar um preço por aquilo que fazem?

É claro que deveriam. Todos nós temos o direito de proteger a nossa sociedade de pessoas perigosas ou envolvidas em atividades criminosas. Mas nos tribunais dos Estados Unidos apenas cerca de um em cada cinco processos é um caso criminal; o resto são ações cíveis.[183] E é na área cível do direito, em que aparecem as disputas e os conflitos mais comuns entre as pessoas, que o princípio atemporal da Terceira Alternativa pode ser mais eficaz e benéfico.

Nesses casos, a questão para um pensador sinérgico é: "Que trabalho queremos realmente ver realizado? Quais os resultados que estamos de fato buscando?" Cada caso é diferente. O empreiteiro, diante de um pintor que estava se comportando de modo abaixo do confiável, tinha todos os motivos para levá-lo aos tribunais, arruiná-lo e certificar-se de que ele jamais voltasse a trabalhar. A população de Idaho e o governo dos Estados Unidos tinham todos os motivos para processar os operadores da

[183] "2010 Year-End Report on the Federal Judiciary" [Relatório anual do Judiciário Federal — 2010]. Disponível em: http://www.supremecourt.gov/publicinfo/year-end/2010year-endreport.pdf.

mina de Blackbird pelos danos causados. Mas, e quanto ao governo, que os pressionou duramente para que produzissem cobalto o mais rápido que pudessem? E quanto às agências de regulação ambiental, que deveriam impedir o dano, mas aparentemente agiam de outra maneira? E quanto à própria população de Idaho, que estava razoavelmente feliz com o dinheiro que a mina trazia para o seu estado? Em cada um desses casos, a Terceira Alternativa foi, sem dúvida, a melhor alternativa, como sempre é.

Considere a abordagem da Terceira Alternativa que a população da África do Sul adotou para começar a resolver o implacável conflito racial naquele país. Séculos de segregação, opressão e agressões chegaram ao fim, teoricamente, com a eleição presidencial de Nelson Mandela, em 1994, e a abolição do apartheid. Mas esses grandes eventos simbólicos não curaram, em hipótese alguma, todos os dolorosos danos emocionais dos anos de apartheid, quando as pessoas eram amontoadas em guetos, agredidas, detidas sem julgamento e até mesmo "desaparecidas" pelo regime.

Uma grande tempestade judicial ameaçou acontecer. Alguns dos recém-chegados ao poder queriam submeter os responsáveis a julgamentos de Nuremberg, a exemplo dos famosos julgamentos dos crimes de guerra nazistas. Outros propuseram uma anistia geral, perdoando e esquecendo o passado.

Para os sul-africanos conscientes, nenhuma das alternativas era aceitável. "Poderíamos muito bem ter buscado a justiça", diz o arcebispo Desmond Tutu, "a justiça retributiva, e fazer com que a África do Sul se deitasse sobre cinzas." A abordagem do julgamento de Nuremberg provavelmente teria significado uma guerra civil. "Mas as vítimas não podem simplesmente perdoar e esquecer. [...] A anistia geral seria, na verdade, a amnésia", afirmou Tutu, achando essa opção igualmente indesejável. "Não possuímos uma espécie de decreto pelo qual podemos dizer 'O que passou, passou'. [...] O passado, longe de desaparecer ou ser enterrado no esquecimento, tem uma maneira constrangedora e persistente de retornar e nos assombrar, a menos que de fato tenha sido tratado adequadamente."

Para superar esse raciocínio de Duas Alternativas os mais sábios líderes sul-africanos perguntaram a si mesmos qual o resultado que realmente queriam, que tipo de país eles vislumbravam para o futuro. Depois de um profundo exame de consciência, eles optaram por aquilo que o arcebispo

Tutu chamou de "uma Terceira Alternativa, [...] anistia aos indivíduos em troca de ampla divulgação dos crimes para os quais a anistia estava sendo proposta". Em outras palavras, se os autores divulgassem publicamente toda a verdade sobre seus crimes, eles não seriam processados.

Assim, uma nova instituição foi criada: a Truth and Reconciliation Commission [TRC, na sigla em inglês, ou Comissão da Verdade e Reconciliação]. Aqueles que buscavam ser anistiados por seus crimes compareciam perante tal comissão e contavam suas histórias. As vítimas ouviam e também relatavam as suas histórias. Então, quando todas as partes sentiam que a verdade de todos os envolvidos havia sido dita e ouvida, a comissão concedia a anistia.

A TRC, provavelmente, parece muito estranha para os não africanos, mas está profundamente enraizada na tradição africana do *Ubuntu*. De acordo com o arcebispo Tutu, "essa terceira forma, de anistia, estava em consonância com uma característica central do *Weltanschauung* africano — o que conhecemos em nossas línguas como *Ubuntu*". Lembre-se de que *Ubuntu* significa que não posso ser verdadeiramente humano a menos que também considere e valorize plenamente a humanidade do outro. Não posso demonizar você, o que significa, literalmente, ver você como um demônio inumano, e ainda permanecer humano eu mesmo.[184]

---

[184] Desmond Tutu, *No fuure without forgiveness* [Não há futuro sem perdão] (Nova York: Doubleday, 1999), p. 19, 23, 28, 30-31.

Evidentemente, a TRC é amplamente criticada. Onde está a justiça, se as pessoas não têm de pagar por seus crimes? Que tipo de Terceira Alternativa é essa?

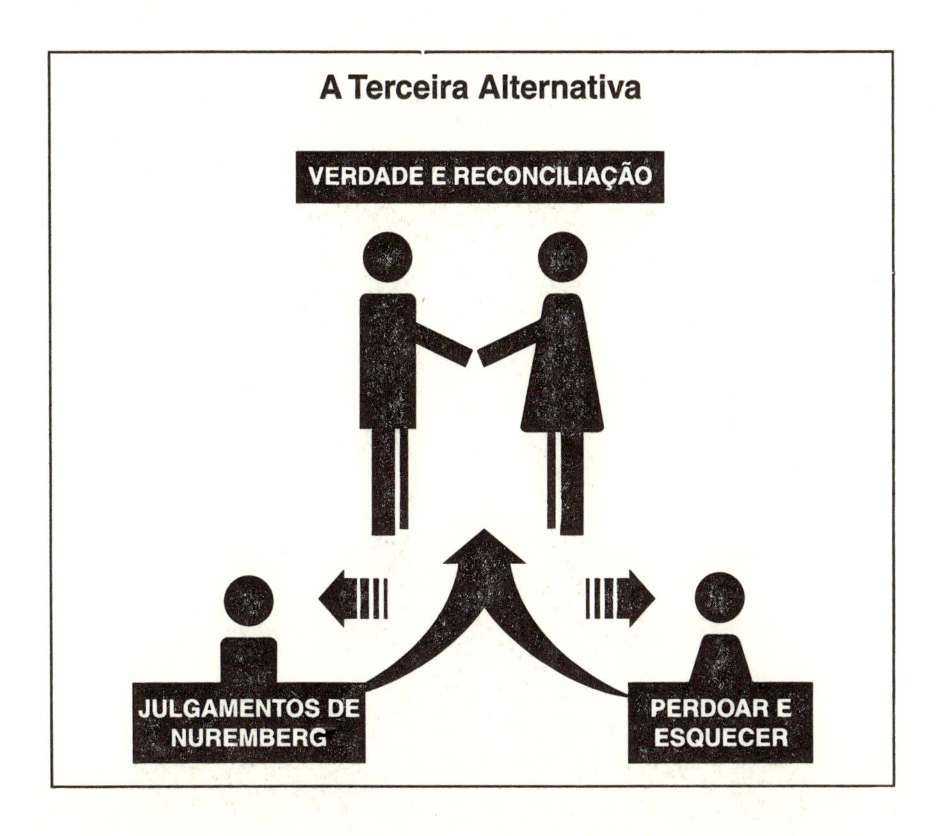

Em nossa opinião, a TRC cumpre as normas de uma Terceira Alternativa. É engenhosa. Vai além do acordo. Mas, acima de tudo, ela produz resultados para a população. Conforme assinala Marc Gopin: "Eles só querem ser ouvidos — não necessariamente para sacrificar os seus adversários. Todo mundo tem de ser ouvido, e a TRC é um procedimento jurídico para capacitar as pessoas a serem ouvidas. A lei não é desrespeitosa; ao contrário, leva em conta o sofrimento dessas pessoas."[185] Curiosamente, aqueles que mais sofreram com o apartheid, os xhosa e outros povos, foram os que mais se mostraram satisfeitos com o desfecho do processo da TRC. Um grande

[185] Entrevista com Gopin.

estudo concluiu que a aceitação "dos resultados da TRC foi muito maior entre os sul-africanos de ascendência africana do que entre os descendentes de europeus. [...] Os xhosa estavam muito mais inclinados a aceitar o trabalho de descoberta da verdade e reconciliação promovido pela TRC".[186]

O arcebispo Tutu responde aos críticos da TRC desta maneira:

> *A justiça deixa de ser feita apenas se o conceito de justiça que alimentarmos for o da justiça retributiva, cujo principal objetivo é a punição. [...] Há um outro tipo de justiça, a justiça restaurativa. [...] No espírito do* Ubuntu, *a preocupação central é controlar as irregularidades, corrigir os desequilíbrios, restaurar os relacionamentos partidos, buscar reabilitar tanto a vítima quanto o perpretador, a quem deveria ser dada a oportunidade de se reintegrar à comunidade que ele feriu com sua agressão. [...] A justiça, a justiça restaurativa, é praticada quando esforços são empenhados no sentido da cura, do perdão e da reconciliação.*[187]

Quando um povo tão agredido pode se reconciliar com aqueles que cometeram crimes tão graves contra ele, certamente somos convidados pela consciência a refletir com mais profundidade sobre a tendência de arrastar os outros aos tribunais à menor provocação.

Estendendo a Mão da Paz

O eminente advogado John W. Davis, que concorreu à presidência dos Estados Unidos em 1924, falava sobre a advocacia como a profissão da pacificação: "Na verdade, nós não construímos pontes. Tampouco levantamos torres. Não fabricamos máquinas. Não pintamos quadros. [...] Muito pouco do que fazemos pode ser captado pelo olho humano. No entanto, aplainamos dificuldades; aliviamos ansiedades; corrigimos erros; tornamos

[186] Douglas H. M. Carver, "The xhosa and the truth and reconciliation commission: African way" [Os xhosa e a comissão de verdade e reconciliação: caminhos africanos], s.d., p. 17. Disponível em: http://tlj.unm.edu/archives/vol8/8TLJ34-CARVER.pdf. Acessado em 21 de janeiro de 2011.

[187] Desmond Tutu, id., p. 54-55.

nossas as aflições dos outros; e, por meio dos nossos esforços, possibilitamos a vida tranquila dos homens em uma sociedade pacífica."[188]

No fundo de seus corações, muitos advogados se sentirão filosoficamente atraídos pela perspectiva de viver a vida como pacificadores. Mas a questão perturbadora permanece: "Posso ganhar a vida dessa maneira?" Nossa experiência e convicção é que eles podem se tornar os advogados mais bem-sucedidos do mundo — bem-sucedidos financeiramente (basta correr o comentário de que alguém tem uma pontaria certeira e resolve problemas de modo rápido e criativo), bem-sucedidos por conta das relações significativas com colegas e clientes, bem-sucedidos na prestação de um grande serviço e na contribuição prestada, bem-sucedidos em saúde e felicidade, bem-sucedidos em casa, bem-sucedidos na vida. Porque o verdadeiro sucesso primário sempre é sustentável e engloba toda a vida.

Quanto ao restante de nós, membros da sociedade mais litigiosa da história, deveríamos procurar a Terceira Alternativa em todos os conflitos, em vez de propor ações judiciais, pelo menos para o nosso próprio bem. Não há absolutamente razão alguma para que as pessoas de Breedon-on-the-Hill não pudessem ter se sentado em torno de uma mesa, tomado uma xícara de chá e descoberto como acabar com o seu impasse. Elas poderiam ter ouvido, realmente ouvido, para entender as preocupações umas das outras. Poderiam ter tentado a sinergia entre várias Terceiras Alternativas: prestar serviços para a escola em vez de pagar uma taxa? Oferecer um voluntário para lidar com as questões de segurança? Transformar a pantomima em uma experiência de aprendizagem conjunta entre cidade e escola, voltada para os alunos, que poderiam pintar o cenário, tocar música ou confeccionar adereços? Elas poderiam ter escolhido a sinergia positiva, em vez da sinergia negativa. E, assim, ter emergido do conflito como uma comunidade mais forte e melhor; ao contrário, escolheram empobrecer-se e arruinar amizades e tradições preciosas.

Se você se envolver em uma disputa séria, você tem o mesmo poder de escolha. Pode escolher entre a sinergia positiva e a negativa, mas você terá

[188] John W. Davis, "Address at the 75th anniversary proceedings of the association of the Bar of the City of New York" [Discurso nas comemorações do 75º aniversário da Associação dos Juristas da cidade de Nova York], 16 de março de 1946.

de escolher. Se recusar a Terceira Alternativa, é muito provável que esteja optando pela tragédia. Você pode acabar parando em um tribunal, o que talvez seja equivalente a pilotar uma locomotiva desgovernada que vai colidir no fim da linha. Não estamos sugerindo que você não deva usar o sistema judicial — algumas situações realmente o exigem —, mas que o veja como um tribunal de última instância, e não de primeira. Ao optar por ele, você perderá o controle dos meios para resolver a disputa — a menos que encontre, enfim, uma Terceira Alternativa.

Você pode estar se perguntando: "Como é possível escolher a sinergia positiva quando os outros estão me atacando?" Embora não seja possível controlar os paradigmas dos outros, você pode ser sinérgico consigo mesmo, ainda que esteja em um ambiente bastante contraditório. Pode optar por não se sentir ofendido. Pode procurar o seu adversário e ouvir com empatia; você ampliará a sua própria perspectiva, e poderá descobrir que a empatia, por si só, desarma o conflito. Você pode propor insistentemente a pergunta da Terceira Alternativa: "Você estaria disposto a buscar uma alternativa melhor do que aquilo em que qualquer um de nós já pensou antes?"

Conhecemos muitas pessoas que estavam brigadas e foram para os tribunais para defender suas posições, o que só acabou por agravar o problema, à medida que o processo judicial avançava. E lhes propusemos a pergunta da Terceira Alternativa. Os resultados, em quase todos os casos, foram surpreendentes. As questões que vinham sendo arrastadas jurídica e psicologicamente ao longo de meses ou anos foram resolvidas em questão de poucas horas ou dias. A liberação de energia criativa foi incrível.

Além disso, aprendemos que reforçamos nossa própria autoestima quando abandonamos o lado "vingativo" de nossa natureza e partimos para uma Terceira Alternativa. Talvez pareça insensato, mas nossa paz de espírito depende de estendermos a mão da paz para os outros. Como afirmou o reverendo Martin Luther King Jr.: "A velha lei do olho por olho deixa todo mundo cego. Sempre será a hora certa para fazer a coisa certa."

A mudança da mentalidade de Duas Alternativas para o raciocínio da Terceira Alternativa pode ocorrer em uma pessoa, um advogado ou um tribunal. Quando esse processo deve começar? As palavras de John F. Kennedy ilustram a nossa opinião de que deveria ser imediatamente: "Temos de pensar e agir considerando não apenas o momento atual, mas o nosso tempo. Lembro-me do grande marechal francês Lyautey, que uma vez pediu ao seu jardineiro para plantar uma árvore. O jardineiro reclamou que a árvore demoraria a crescer e que não alcançaria a maturidade antes de 100 anos. O marechal respondeu: 'Nesse caso, não há tempo a perder; plante-a esta tarde!'"[189].

---

[189] Citado em Brian Thomsen, *The dream that will not die: inspiring words of John, Robert, and Edward Kennedy* [O sonho que não vai acabar: Palavras inspiradoras de John, Robert e Edward Kennedy], (Nova York: Macmillan, 2010), p. 78.

ENSINAR PARA APRENDER

A melhor maneira de aprender com este livro é ensiná-lo a alguém. Todo mundo sabe que o professor aprende muito mais do que o aluno. Então, encontre alguém — um colega de trabalho, um amigo, um familiar — e transmita-lhe as percepções que você adquiriu. Faça as perguntas provocativas da lista a seguir, ou formule as suas próprias.

- Como você explica a tendência do atual sistema judicial: o aumento do número de conflitos em vez de sua resolução? Quais são as consequências dessa tendência para os advogados e seus clientes?
- Abraham Lincoln disse: "Como pacificador, o advogado tem uma oportunidade superior." Qual seria essa oportunidade? Por que mais advogados não aproveitam tal oportunidade?
- É possível que a advocacia seja transformada pelo raciocínio da Terceira Alternativa? De que forma a advocacia seria transformada?
- Qual foi a grande mudança na mente e no coração de Gandhi que o levou a ser um pacificador? Qual foi o fruto dessa mudança em sua vida e na vida dos outros?
- Descreva o processo de sinergia utilizado pelo juiz Boyle para chegar a soluções da Terceira Alternativa. Como esse processo representa uma contratipagem para o procedimento judicial usual?
- Na história do presidente da empresa que estava tentando lidar com um desastroso processo judicial, que medidas ele tomou para resolver o conflito? Sua abordagem foi realista? Por quê? Ou por que não?
- Em alguma das suas relações atuais existe um muro que precise ser derrubado?
- Em que medida a história do empreiteiro e do pintor se torna um exemplo de sinergia positiva que poderia ter se tornado negativa?
- Quais foram as Duas Alternativas impensáveis que os líderes sul-africanos tinham diante de si quando o sistema do apartheid entrou

em colapso? Qual a sua opinião sobre a Terceira Alternativa a que eles chegaram? Para você, quais são as vantagens e desvantagens dessa Terceira Alternativa?

- Como é possível escolher a sinergia positiva quando os outros o estão atacando?

EXPERIMENTE

Você está envolvido em uma disputa que pode ter implicações judiciais? Inicie a prototipagem de Terceiras Alternativas. Peça a contribuição de outras pessoas. Use a ferramenta "Quatro Etapas para a Sinergia".

QUATRO ETAPAS PARA A SINERGIA

❶ Faça a Pergunta da Terceira Alternativa:

"Você está disposto a encontrar uma solução que seja melhor do que aquilo que qualquer um de nós já apresentou?" Se, sim, vá para a Etapa 2.

❷ Defina Critérios de Sucesso

Liste neste espaço as características de uma solução que agradaria a todos. O que é o sucesso? Qual o verdadeiro trabalho a ser feito? O que seria uma situação de "ganha/ganha" para todos os interessados?

❸ Crie Terceiras Alternativas

Neste espaço (ou em outros) crie modelos, desenhos, peça ideias emprestadas, transforme o seu modo de pensar. Trabalhe de maneira rápida e criativa. Suspenda todos os julgamentos até aquele momento emocionante em que você sabe que chegou à sinergia.

❹ Chegue à Sinergia

Descreva aqui a sua Terceira Alternativa e, se quiser, explique como pretende colocá-la em prática.

GUIA DO USUÁRIO PARA AS QUATRO ETAPAS DA FERRAMENTA DE SINERGIA

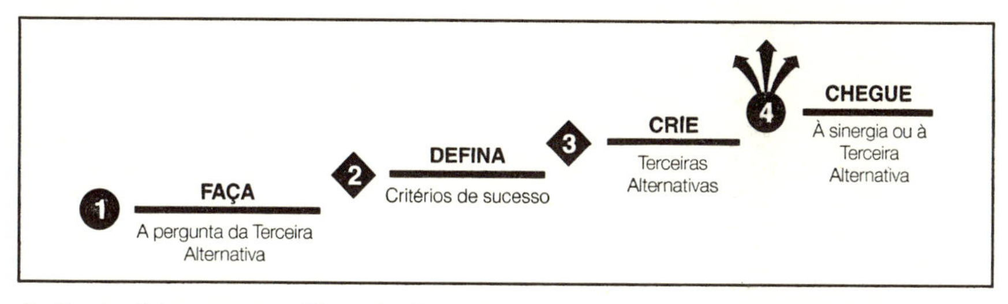

As Quatro Etapas para a Sinergia. Este processo ajuda a colocar o princípio de sinergia em prática. (1) Mostre disposição para encontrar uma Terceira Alternativa. (2) Defina o que é o sucesso para todos. (3) Teste soluções até (4) chegar à sinergia. Pratique a escuta empática ao longo do processo.

Como Chegar à Sinergia

❶ Faça a Pergunta da Terceira Alternativa

Em uma situação de conflito ou de criação, esta pergunta ajuda todos a abandonar posições rígidas ou ideias preconcebidas em prol do desenvolvimento de uma terceira posição.

❷ Defina os Critérios de Sucesso

Liste as características ou redija um parágrafo descrevendo qual seria um resultado bem-sucedido para todos. Responda estas perguntas conforme você avançar:

- Todos estão envolvidos em estabelecer os critérios? Estamos conseguindo obter o maior número possível de ideias, do maior número possível de pessoas?
- Quais resultados realmente queremos? Qual é a verdadeira tarefa a ser realizada?
- Quais resultados significariam "vitórias" para todos?
- Estamos abrindo mão de nossas demandas arraigadas do passado e buscando algo melhor?

❸ Crie uma Terceira Alternativa

Siga estas diretrizes:

- Participe do jogo. Não é "de verdade". Todo mundo sabe que é um jogo.
- Evite um fechamento, acordo prematuro ou consenso.
- Evite julgar as ideias dos outros — ou as suas próprias.
- Faça modelos. Desenhe imagens em quadros-negros, esboce diagramas, construa maquetes, faça rascunhos.
- Transforme as ideias nas mentes dos outros. Subverta a sabedoria convencional.
- Trabalhe rápido. Defina um limite de tempo para manter a energia e as ideias fluindo rapidamente.
- Alimente inúmeras ideias. Não é possível prever qual conclusão repentina pode conduzir a uma Terceira Alternativa.

❹ Chegue à Sinergia

Você reconhece a Terceira Alternativa pelo sentimento de empolgação e inspiração que toma conta do ambiente. O antigo conflito é abandonado. A nova alternativa preenche os critérios de sucesso. Atenção: não confunda acordo com sinergia. O acordo gera satisfação, mas não prazer. Um acordo significa que todos perdem alguma coisa; a sinergia significa que todos ganham.

A Terceira Alternativa na Sociedade

7

A Terceira Alternativa na Sociedade

> Em muitos casos, a solução está em perceber que na verdade não há escolha, que, no fundo, não existe uma alternativa real. Se a pessoa pretende realmente fazer uma mudança, ela terá de sair de sua zona de conforto e encontrar uma Terceira Alternativa.
>
> — *Paul Watzlawick*

Os maiores desafios enfrentados por nossa sociedade são tão antigos quanto a própria sociedade: criminalidade, pobreza, doenças, guerra e as poluições espiritual e ambiental, que os fazem aumentar. Temos progredido contra esses velhos males de modo estimulante, porém desigual.

Como indivíduos, talvez ignoremos os problemas da sociedade, por estarem muito além de nossa alçada. Não há muito o que possamos fazer sobre eles, pensamos conosco mesmos, mas ainda assim eles nos afetam — e profundamente. Podemos não estar cientes do *quão* profundamente. Hoje em dia, a ciência acredita que, não importando a distância em que nos encontramos, o sofrimento das outras pessoas pode, literalmente, nos fazer sofrer. "O sofrimento social ativa as mesmas regiões cerebrais de dor que o sofrimento físico! O cérebro é profundamente social. Temos enormes quantidades de circuito social."[190] Para nosso próprio bem-estar, não pode-

[190] David Rock, "Your brain at work" [Como o seu cérebro funciona]. 12 de novembro de 2009. Disponível em: http://www.youtube.com/watch?v=XeJSXfXep4M.

mos nos dar o luxo de ignorar o sofrimento do restante do mundo. Parafraseando Charles Dickens, "a humanidade me interessa. O bem-estar comum me interessa; a caridade, a misericórdia, a paciência e a benevolência me interessam".[191]

Paralelamente, é possível aprender mais sobre como aplicar o raciocínio da Terceira Alternativa em seus próprios problemas ao observá-lo aplicado em problemas sociais. O rabino Marc Gopin, que trabalhou pela paz nos lugares mais problemáticos do mundo, acredita que a única diferença entre o conflito social e o pessoal é a ordem de grandeza:

> *Descobri uma semelhança fundamental entre as complicadas disputas entre países rivais, que tanta discórdia causam ao mundo, e as destrutivas brigas pessoais e familiares que nos afetam tão profundamente como indivíduos. Embora a escala e os desafios sejam, obviamente, muito diferentes, o processo e o drama subjacentes são os mesmos.*[192]

Embora possamos pensar em nossos problemas mais difíceis como assuntos particulares, normalmente eles são tanto pessoais quanto globais.

Ao lado do flagelo da guerra, os entrevistados de nossa pesquisa Grandes Desafios escolheram "eliminação da pobreza e do desemprego" e "gestão do ambiente — terra, ar, água" como os mais importantes desafios sociais que enfrentamos. Eles também demonstraram preocupação com a criminalidade e os cuidados de saúde. Eis aqui alguns trechos do que eles disseram:

- Gerente asiático: "A maior parte de nosso povo vive em bolsões de pobreza. Há falta de emprego, educação deficitária, as facilidades de infraestrutura dificilmente estão disponíveis, uma dívida enorme, administração deficiente, e a corrupção é desenfreada."
- Executivo de negócios norte-americano: "A pobreza é, muitas vezes, a estimuladora da raiva, do ódio, da ganância e da inveja que ali-

[191] Charles Dickens, *The annotated Christmas carol* [Canções de Natal comentadas] (Nova York: Norton, 2004), p. 13.

[192] Marc Gopin, *Healing the heart of conflict* [Curando o cerne do conflito] (Emmaus, PA: Rodale, 2004), p. xiii-xiv.

mentam as guerras, o terror e o desemprego — temos de concentrar nossos máximos esforços na resolução do problema da pobreza."

- Gerente financeiro latino-americano: "É fundamental eliminar a pobreza no mundo. Às vezes, a fome obriga uma pessoa a fazer coisas horríveis para sobreviver."
- Gerente de TI europeu: "A pobreza não tem lugar em um mundo com tantas riquezas."
- Empresário asiático: "Parece que as pessoas não se importam mais umas com as outras. A sociedade está ficando mais dura. É tudo eu, eu, eu, e ninguém se lembra do restante."
- Gerente de negócios sul-asiático: "Aqui, a corrupção é [um] modo de vida. Tem sido o obstáculo mais grave para que o país decole com todo o seu potencial."
- Empresário europeu: "Nossos recursos naturais são finitos. Eles têm um limite, e estamos sendo excessivamente ambiciosos. Nada será deixado para as gerações futuras e para um país cuja identidade repousa em suas belas paisagens — ele não vai continuar assim por muito tempo."
- Advogado norte-americano: "Se não tivermos saúde, nada mais tem valor."
- Gerente europeu: "Evitar a pornografia infantil na internet. [...] Esse é, realmente, o problema mais grave que a Europa está enfrentando."
- Gerente intermediário do Sudeste Asiático: "Globalmente, nenhum ambiente saudável, nenhuma vida. Pelo fato de envenenarmos o ambiente, não haverá amanhã para o planeta."

Todo mundo quer eliminar a violência, a fome, as doenças, a falta de moradias e a poluição. Todo mundo quer que seus filhos herdem um mundo pacífico, próspero e saudável. O trabalho a ser realizado está suficientemente claro, mas nossa sociedade está irremediavelmente dividida sobre como realizar tal trabalho. Duas filosofias fundamentalmente opostas disputam votos em todo o mundo: a filosofia da esquerda e a da direita. As nações mais desenvolvidas se equilibram precariamente entre essas duas vertentes, como um pássaro inseguro quanto à direção de seu voo. E tal divisão não está diminuindo, mas aumentando.

A Grande Divisão

Nas palavras de Alan Greenspan, muitas pessoas previdentes estão alarmadas com a "ruptura geral desta sociedade, que está se tornando cada vez mais destrutiva". A retórica, como mostram estes exemplos reais, fica cada vez mais venenosa a cada dia. Da ala da direita ouvimos o seguinte:

- Liberais! Não se pode conviver com eles, mas também não se pode matá-los.
- Como crianças mimadas e irritadas, eles se revoltam contra as responsabilidades usuais da vida adulta e exigem que um governo paternalista satisfaça suas necessidades do berço à sepultura. O liberalismo é uma insanidade.
- Liberais são bastante caridosos — caridosos com o dinheiro das outras pessoas!
- O liberalismo é inteiramente destrutivo, nos tributando e regulando até a falência e comprando votos por meio da ilusão preguiçosa e inútil do bem-estar.

E da ala esquerda ouvimos o seguinte:

- Os conservadores também são pessoas — pessoas más, egoístas e gananciosas.

- Onde quer que haja um patrão ganancioso enriquecendo cada vez mais por meio da exploração despudorada de seus funcionários, encontraremos um bando de conservadores venerando-o como um deus do livre mercado.
- Os conservadores querem que continuemos doentes, estressados e impotentemente desesperançados, pois só assim seus altos investimentos em grandes laboratórios e grandes empresas de seguros podem continuar a matar de maneira indecente.
- Os conservadores são socialmente irresponsáveis, intolerantes, extremamente hipócritas, tristes arremedos de humanidade.

Enquanto isso, com as pessoas insultando umas às outras e o nível de decibéis aumentando, os problemas sociais sobre os quais estão discutindo pioram cada vez mais. A criminalidade e a corrupção disparam, o custo dos serviços de saúde sobe, o desemprego se dissemina, a poluição escurece os céus. Grande parte da população, sem saber no que acreditar e sem muitas esperanças, volta-se para uma ou outra direção de tempos em tempos, pensando que, talvez, daquela vez será diferente. Mas os ideólogos parecem mais focados em obter e manter o poder do que em enfrentar os grandes desafios. Seu principal objetivo é criar uma imagem que venda bem no mercado, mesmo que se trate de uma imagem superficial e inconsistente, com o propósito de obter votos. Assim, as ideologias utilizadas para sufocar as emoções acabam se tornando cínicas.

Logicamente, a maioria das pessoas opta pela política motivada por um desejo genuíno de fazer a diferença, e consegue realizar muitas coisas boas. Mas vários desses políticos praticam a arte de demonizar seus adversários, de modo a ficar por cima. Qualquer pessoa (ou a maioria delas) consegue identificar os truques retóricos dos quais eles se valem para reduzir os mais complicados problemas a simplórias frases de efeito do estilo "nós contra eles".

Ainda assim, superada a infantilidade, há realmente uma diferença filosófica fundamental entre os dois lados.

Um princípio básico da direita é a liberdade individual. A direita enfatiza a responsabilidade pessoal e desconfia de qualquer medida que limite a liberdade de ação do indivíduo. Então, ela desconfia da ação social e, até mesmo, da ideia de "sociedade" em si, acreditando que o livre mercado eliminará automaticamente os males sociais. Margaret Thatcher, a respeitada líder conservadora da Grã-Bretanha, coloca a questão desta maneira:

Muitas pessoas foram levadas a acreditar que, se tiverem um problema, é dever do governo tratar desse problema? "Eu tenho um problema, vou buscar uma subvenção"; "Sou um sem-teto, o governo deve me oferecer uma casa". Eles lançam os seus problemas na sociedade. Não existe tal coisa! Há indivíduos, homens e mulheres, e existem famílias.

Em contrapartida, um princípio básico da esquerda é a responsabilidade social. A esquerda enfatiza o trabalho comunitário conjunto como uma maneira de aliviar os males sociais e dividir as sobrecargas da vida. Ela desconfia das motivações dos conservadores, que, normalmente, estão em melhores condições econômicas e lhe parecem mais interessados em manter seus privilégios do que em defender a liberdade. Hillary Clinton, secretária de Estado dos Estados Unidos, é uma liberal de destaque:

Devemos parar de pensar no indivíduo e começar a pensar no que é melhor para a sociedade. [...] Somos todos parte de uma família. Para se criar uma criança feliz, saudável e esperançosa é necessária a ajuda de todos. Não é possível fazer isso sozinho.

Essas são afirmações provocativas, e coros de protesto das alas adversárias atingiram ambas as mulheres. Indubitavelmente, assim como você, posso encontrar muitos motivos para admirar as duas e para concordar com ambas as filosofias, tanto a conservadora quanto a liberal. Passei a maior parte de minha vida docente lembrando os alunos de que eles são indivíduos poderosos, dotados de recursos e iniciativa e capazes de fazer grandes contribuições. Ao mesmo tempo, me preocupo com o ego irrefreado, a busca de objetivos individuais e a desconsideração pelo bem-estar da sociedade.

Embora eu concorde, por vezes, mais com uma do que com outra, minha opinião é que ambas as correntes se baseiam em paradigmas equivocados. O ideal liberal de ação comunitária carrega a semente da dependência; quando os outros entram em ação para cuidar de você, você se torna impotente, para de crescer como indivíduo e seu potencial de contribuição é reduzido. Por outro lado, o ideal conservador do individualismo carrega a semente da independência, o que, em si, é valioso. Mas a independência não é o ideal supremo. As pessoas não chegam à sinergia por si mesmas; trabalhando juntas, elas realizarão muito mais do que se agirem de maneira independente umas das outras.

A Terceira Alternativa para as duas alas é a *interdependência.* Pessoas interdependentes são totalmente autossuficientes *e*, ao mesmo tempo, totalmente responsáveis umas pelas outras. Enquanto os conservadores e liberais tentam fazer valer o seu conjunto de valores em detrimento dos valores do outro lado, aqueles que pensam de acordo com a Terceira Alternativa procuram um caminho interdependente para resolver os males sociais. Enquanto alguns gritam inutilmente uns contra os outros, presos ao impasse do raciocínio de Duas Alternativas, outros estão se movendo em direção à sinergia.

O Imperador da Interdependência

Quando, mais de 2 mil anos atrás, o imperador Ashoka, da Índia, atacou e destruiu a pacífica terra de Kalinga, ele se viu, em meio ao derramamento de sangue e dos escombros, horrorizado com o que havia feito. Ele teve o mérito de passar o resto de sua vida tentando expiar sua culpa. Ashoka renunciou à ganância da conquista de terras e se dedicou à erradicação da violência e da pobreza, tanto econômica quanto espiritual. Ele entalhou centenas de decretos em pedras, de uma extremidade do império à outra, pedindo ao povo que buscasse a paz e a generosidade, implorando que ele fosse respeitoso, obediente e puro.

Ashoka abriu mão de sua pompa real e passou os 28 anos restantes de seu reinado viajando pelo império, da Pérsia à Tailândia, encontrando-se com as pessoas, inteirando-se de seus problemas e fazendo o seu melhor para ensinar-lhes a autoconfiança e a compaixão mútua. Diz-se que a Idade de Ouro de Ashoka foi a época mais próspera e pacífica da história daquela terra. A seu respeito, afirmou H. G. Wells: "Em meio a dezenas de milhares de monarcas que povoam os anais da história, suas majestades, benemerências, serenidades, altezas reais e coisas do gênero, o nome de Ashoka brilha, e brilha quase sozinho, como uma estrela."[193] Ashoka pode ter sido o primeiro grande monarca da história a tentar resolver os problemas da sociedade, em vez de piorá-los por meio da ganância e da crueldade. Ele se esforçou para ensinar — e viver — o *dharma*, o dever de amar a si mesmo e aos outros.

O ideal do *dharma* de Ashoka assemelha-se ao que quero dizer com interdependência. Dois aspectos importantes do *dharma* são autodisciplina e compaixão, fundamentais para a mentalidade de interdependência. Se tiver a autodisciplina do *dharma*, você se torna uma solução, não um problema. Você passa a se considerar infinitamente capaz, com iniciativa e recursos internos para oferecer algo à sociedade, e não explorá-la. Se você tiver a compaixão do *dharma*, conseguirá enxergar o coração das outras pessoas: os males delas se tornarão seus e a felicidade delas se tornará sua. Essa foi a mensagem do grande imperador Ashoka, gravado em pilares por toda a Índia:

---

[193] H. G. Wells, *História universal* (São Paulo: Companhia Editora Nacional, 1959).

O que desejo para meus próprios filhos — seu bem-estar e felicidade tanto nesta existência quanto na próxima —, desejo também para todas as pessoas. Vocês não conseguem compreender até que ponto desejo isso; e se alguns conseguem, não compreendem toda a extensão do meu desejo.

Com base nesses princípios, esse homem notável passou do pior tipo de pensador bipolar, que atacava e massacrava qualquer um que se opusesse a ele, à personificação da sinergia. Ele se tornou um enérgico inovador social, lado a lado com seu povo, concebendo estradas, albergues, universidades, sistemas de irrigação, templos e algo novo, chamado hospital. Ele proibiu punições violentas para crimes. Nunca entrou em guerra novamente, pois passou a resolver os conflitos dentro do espírito do *dharma*. Ele foi o primeiro a instituir leis para a proteção das minorias e a promover a tolerância para todas as religiões. Ele concebeu até uma espécie de religião sinérgica que, segundo ele, englobaria as verdades de todos os credos. Há algumas evidências de que tenha enviado embaixadores até os reis gregos e persas, convidando-os a se juntarem a ele nessa irmandade de homens.

"Quem faz o bem primeiro faz algo muito difícil", afirmou Ashoka. Há uma dose de heroísmo em sua atitude de fugir da arena do raciocínio de Duas Alternativas "nós contra eles" e buscar a mudança radical. Por um lado, não há defensores da Terceira Alternativa, porque todos estão jogando o cabo de guerra liberal-conservador. Por outro, ambas as equipes desse jogo depositam sua fé em grandes forças que não a merecem — em si mesmas, no governo, na outra parte, no mercado —, e ambas são tão confiáveis quanto o clima. Mas você não pode esperar que grandes forças, imprevisíveis e impessoais, lhe apontem o caminho. Como agente sinérgico, você está no jogo para mudá-lo, não para reproduzi-lo. Você acredita que, em sinergia com outras pessoas talentosas e inteligentes, poderá começar a criar um novo futuro inimaginável para os ideólogos e toda a sua retórica gasta.

O segredo para uma sociedade saudável é alinhar a vontade social, isto é, o sistema de valores, aos princípios da sinergia. É por isso que não estou realmente interessado no debate liberal-conservador. Estou muito mais interessado no trabalho real a ser feito: descobrir Terceiras Alternativas por meio do poder milagroso da sinergia, inovações que realmente ajudarão a sanar os males que enfrentamos como sociedade. Neste capítulo vamos conhecer pessoas notáveis que estão realizando esse trabalho agora. Elas estão eliminando a criminalidade, curando as pessoas como um todo, revertendo a desolação ambiental. Estão resolvendo a crise crônica nos cuidados de saúde e incutindo o orgulho e a autossuficiência nos mais necessitados.

Não somos reis, mas dentro dos nossos círculos de influência também temos o poder de fazer o bem primeiro. Quando Ashoka começou sua caminhada por seu vasto império, foi sob o espírito da sinergia. Ele estava disposto a enfrentar diretamente a injustiça, a pobreza, a doença e a obscuridade espiritual. Ele iria se aconselhar com seu povo. Provavelmente, não tinha uma ideia clara do que fazer. Mas, por onde andou, deixou para trás soluções que ninguém havia concebido antes e, por isso, os historiadores consideram o seu reinado um "dos mais brilhantes interlúdios na conturbada história da humanidade".[194] Mais de 20 séculos depois, outro grande sinergista, chamado Mohandas Gandhi, voltaria a criar um novo futuro para a Índia e, no centro da bandeira da nova Índia, estaria a roda do *dharma*, o símbolo do imperador Ashoka.

O Renascimento da Cidade

A interseção entre a Broadway e a rua 42, em Nova York, é considerada o centro do mundo, e com razão. Paradas militares, enormes painéis eletrônicos exibindo as últimas notícias, uma multidão gigantesca no réveillon — a Times Square é o coração pulsante da maior cidade norte-americana. Eixo da área de entretenimento há um século, o bairro já reuniu os mais antigos e famosos teatros da Broadway. O belo Hotel Astor presidia a cena, uma preciosa fortaleza de granito. A "grande avenida branca" atraía público de todas as partes do mundo.

Mas nos anos 1970, nas palavras da professora Lynne Sagalyn, a natureza de "entretenimento" naquele que havia sido um grande distrito de teatro degenerou para uma "cena de intensa depravação social", repleta de "desajustados, pessoas com comportamento sexual desviante, alcoólatras, drogados, fugitivos, mendigos, cafetões, [...] uma avenida de imundícies,

---

194 H. G. Wells, id.

em vez de uma grande avenida branca".[195] A maioria dos teatros antigos fechou; aqueles que permaneceram abertos exibiam pornografia o dia inteiro. A deterioração urbana, um problema nacional cada vez mais intenso, corrompia a cidade exatamente em seu cerne. "O pior quarteirão da cidade" se tornou o símbolo de uma metrópole financeira e moralmente fracassada, que morria de dentro para fora. Muitos temiam que essa perigosíssima cratera na qual se transformara essa parte da cidade absorveria toda uma civilização.

Hoje em dia as coisas mudaram — radicalmente. A Times Square, outrora um ícone de nossos piores males sociais, brilha de novo como um símbolo bastante diferente. Atualmente, ela representa o que pessoas maravilhosas podem atingir juntas por intermédio do poder da sinergia. A história do "renascimento espiritual e físico da Times Square", como certo autor a classifica, nos ensina como podemos transformar nossa sociedade se estivermos determinados a quebrar o ciclo do raciocínio de Duas Alternativas e partir para a Terceira Alternativa.

Embora muitas pessoas possam se orgulhar legitimamente de suas contribuições para a renovação da Times Square, o impulso partiu de um pensador da Terceira Alternativa de quem quase ninguém tinha ouvido falar, um ativista comunitário despretensioso, chamado Herb Sturz. Menino idealista de Nova Jersey, Sturz estava determinado a se tornar escritor, mas terminou se envolvendo em inúmeras causas sociais na vida adulta. Ele adorava os Escoteiros da América e, depois de concluir a faculdade, conseguiu um emprego como redator da revista da instituição, a *Boys' Life*, em que sugeriu, em uma carta ao candidato à presidência John F. Kennedy, que se instituísse um corpo de serviço nacional formado por jovens.

Ainda como jornalista iniciante na década de 1960, Sturz ficou sabendo que as prisões da cidade de Nova York mantinham encarcerados centenas de "delinquentes juvenis", definhando por meses, uma vez que eram muito pobres para pagar fiança. Ao atentar para a Constituição norte-americana, ele observou que os valores de fiança não poderiam ser extorsivos, e começou uma campanha para ajudar aqueles rapazes. Sturz logo se viu imobili-

---

[195] Lynne B. Sagalyn, *Times Square Roulette* [A roleta da Times Square] (Cambridge, MA: MIT Press, 2003), p. 6, 7.

zado diante de duas ideologias: a das pessoas que defendiam a "linha-dura", e viam o seu esforço como "simpatizante do liberalismo", e aquela dos idealistas fervorosos, mas sem tempo ou dinheiro para contribuir.

Então, Sturz seguiu adiante sem alarde, testando protótipos de um sistema que ajudasse os deliquentes juvenis a exercer os seus direitos. Ele recrutou estudantes das faculdades de direito de Nova York como assessores. Eles coletaram dados sobre os jovens e usaram os então modernos cartões de ponto computadorizados para processar os perfis de cada um. Eles apresentaram aos juízes relatórios com 40 itens, que demonstravam que poucos daqueles réus representavam verdadeiros riscos de fuga. Ele provou aos adversários como o Projeto de Fiança de Manhattan faria os contribuintes economizarem muito mais do que seus custos de implementação. Foi um grande sucesso.

Para Herb Sturz, o Projeto de Fiança foi apenas o começo. Durante uma longa carreira empenhando-se em encontrar Terceiras Alternativas para ajudar viciados em drogas, jovens desempregados e crianças em programas extracurriculares, ele demonstrou uma espécie de intuição para definir qual era o verdadeiro trabalho a ser feito e, em seguida, elaborar sistemas inovadores para que ele fosse realizado. Sua grande força estava em sempre enxergar uma Terceira Alternativa em um mundo bipolar. De acordo com seu biógrafo, Sturz "recuou diante da fácil e reflexiva resposta automática" da mentalidade liberal-conservadora — "descentralizar, regular; gastar mais, gastar menos" —, preferindo resolver os problemas sociais com uma estratégia viável. Sobre os conservadores antigovernistas, ele afirmou: "Algumas pessoas partem do princípio de que o governo não funciona porque elas não querem que ele funcione." Mas ele também acreditava que, sozinho, o governo não conseguiria efetivar a verdadeira mudança social.

Em 1979 Sturz fez parte do governo pela primeira vez, como vice-prefeito de Nova York. Naquela época, a Times Square era um lugar realmente assustador, e a frase mais ouvida na cidade era: "Algo precisa ser feito." Então, ele *definiu* concretamente o trabalho a ser feito: "Queremos trazer de volta a fantasia para a Times Square e substituir essa triste realidade."[196]

---

[196] Sam Roberts, *A kind of genius: Herb Sturz and society's toughest problems* [Uma espécie de gênio: Herb Sturz e os problemas mais difíceis da sociedade] (Nova York: Perseu, 2009), p. 5, 246.

"Uma Grande Confusão"

Quando a cidade apresentou seu plano para reconstruir a praça, muitas pessoas ficaram chocadas com o projeto urbanístico. O distrito seria demolido para dar lugar a quatro novos arranha-céus, que eram "monolíticos e monótonos, [...] grandes demais, volumosos, sem graça, sérios, apáticos, sem vida e alheios à Times Square, [...] enormes prédios-fantasmas de cor cinza, [...] levando a Times Square para o fundo do poço".[197] Ao mesmo tempo, o protótipo tinha o efeito que um bom protótipo deve ter: ele estimulava a ação.

Imediatamente, os proprietários de imóveis bombardearam a cidade com dezenas de processos. Os donos de negócios escusos, que corriam o risco de ser condenados, protestaram. Eles estavam fazendo um bom dinheiro — por que deveriam ser expulsos dali? De outra parte, os ambientalistas e ativistas da cidade se opuseram ao projeto: ele transformaria a Times Square em mais uma região impessoal de negócios. Sturz também não gostou; ele queria algo que mantivesse "a luz e a energia da Times Square".

Principal dissidente nessa disputa de vários lados, a família de Seymour Durst era dona de grande parte das propriedades em torno da Times Square. Os Durst objetaram, a princípio, quanto aos subsídios governamentais para a iniciativa desenvolvimentista privada. Seymour Durst desprezava de tal maneira os gastos do governo que erguera, em um prédio de sua propriedade na 6ª Avenida, um enorme relógio eletrônico que exibia o aumento da dívida nacional dos Estados Unidos a cada segundo. A cidade de Nova York estava oferecendo milhões em recursos públicos para os empreendedores dispostos a investir naquela área e, enquanto muitos proprietários tentavam fechar o melhor negócio possível, os Durst recusavam, por princípio, participar de qualquer negociação.

Nessa grande confusão, entrou em cena Rebecca Robertson, uma experiente urbanista. Herb Sturz a recrutou, e a cidade a transformou na coordenadora do projeto de reurbanização. Ela sabia que a Times Square havia se

---

[197] Lynne B. Sagalyn, id., *p. 174.*

tornado "a escória de Nova York".[198] Mas ela também aproveitou o fascinante desafio sinérgico: como conciliar as disputas de dezenas de líderes oposicionistas da cidade e criar um novo centro para a Nova York do futuro?

Robertson apresentou um projeto para a cidade e, basicamente, perguntou a todos os interessados: "Quem está disposto a se organizar e construir algo melhor do que aquilo em que alguém já pensou antes?" Essa pergunta é o pré-requisito fundamental para a Terceira Alternativa.

Ela convocou um debate em toda a cidade, uma sessão de Teatro Mágico inteiramente dedicada à aparência do novo e mágico distrito de teatro de Nova York. Vozes divergentes eram bem-vindas, incluindo as de ambientalistas, historiadores, artistas, bem como urbanistas e construtores privados, do proeminente empreiteiro Carl Weisbrod a Jean-Claude Baker, proprietário do exótico restaurante Chez Josephine, na rua 42; da formidável família Durst a Cora Cahan, uma empresária teatral determinada a levar o teatro para crianças à rua 42.

No fim, chegou-se a uma visão comum entre essas diversas perspectivas, um conjunto de critérios que todos pudessem compartilhar. "O que faz uma cidade grande ser grande é a sua mitologia", afirmou Robertson. No caso da Times Square, essa mitologia provinha da "imprópria, extravagante, obscena e esportiva rua 42", dos grandes teatros da Broadway e de incríveis filmes antigos, como *Melodia da Broadway* e *Ziegfeld Follies*. "Eu não queria acabar com o caos e a popularidade daquela rua", insistiu ela. "Com certeza, teria de ser uma rua limpa, livre da criminalidade — mas senti que a mitologia da área residia em seu caos, em sua confusão sonora."[199] Para Robertson, "a estética deveria ser a prioridade número um. [...] As pessoas vêm para a Times Square para ver coisas". A ideia era preservar a natural "cacofonia, a emoção e a democracia das calçadas, às quais todos tinham igual acesso. [...] Deveria ser um jardim zoológico, [...] mas um

---

[198] Pranay Gupte, "Her 'to die for' projects include Times Square and the Seventh Regiment Armory" [Seus projetos 'incríveis' incluem a Times Square e o Sétimo Regimento de Artilharia], *New York Sun*, 9 de março de 2006. Disponível em: http://www.nysun.com/new-york/her-to-die-for-projects-includetimes-square/28837. Acessado em 30 de junho de 2010.

[199] Guypte, id., p. 302.

zoológico bem-mantido, em vez de uma espécie de zoológico deprimente, subutilizado e repleto de usuários de crack".[200]

A visão de Robertson trouxe uma nova energia ao projeto. Um paradigma diferente, uma Terceira Alternativa, começou a tomar forma na mente das pessoas. Elas perceberam, como diz o autor James Traub, que "a rua 42 não era simplesmente um caso de patologia urbana, mas uma grande meca do entretenimento em grave abandono".[201] Os critérios de sucesso estavam claros e eram amplamente compartilhados. Era hora de passar para a fase de prototipagem.

No lugar dos quatro edifícios propostos surgiu um novo protótipo, que tirava proveito da vocação de entretenimento da praça. O projeto original não tinha "uma imagem muito sedutora para as empresas de entretenimento, pois aludia a litígios coletivos, prazos e torres de escritórios comerciais". O novo protótipo "comercializaria a imagem para grupos como Disney e Viacom". Tudo estaria relacionado ao "grande fluxo de pedestres, o melhor mercado turístico em Nova York, [...] 20 milhões de turistas por ano, 39 casas de espetáculo da Broadway, com 7,5 milhões de espectadores, [...] 200 mil usuários de transportes por dia".[202] A característica mais inovadora do protótipo: os que investissem na Times Square teriam significativa redução de impostos se também restaurassem um teatro nos prédios que construíssem. O primeiro teatro foi o New Victory, "restaurado para recuperar a glória que tinha na virada do século XIX". Então, a Ford Motor Company financiou a restauração dos teatros Lyric e Apollo, transformando-os em um novo centro de artes cênicas[203]. E, talvez, mais importante do que isso: a Disney concordou em restaurar o mais famoso dos teatros da Broadway, o New Amsterdam, para shows ao vivo, inspirados nos populares filmes da Disney.

---

[200] Lynne B. Sagalyn, id., p. 302.

[201] James Traub, *The devil's playground* [O parque do diabo] (Nova York: Random House Digital, 2004), p. 162.

[202] Lynne B. Sagalyn, id., p. 302.

[203] Robin Pogrebin, "From naughty and bawdy to stars reborn" [De impertinente e indecente para o renascimento de estrelas, *The New York Times*, 11 de dezembro de 2000. Disponível em: http://www.nytimes.com/2000/12/11/theater/naughty-bawdy-stars-reborn-once-seedy-theatres-now-restored-lead-development.html?ref=peter_schneider. Acesso em 30 de junho de 2010.

Ainda assim, a organização Durst resistiu, recusando-se a tomar parte em qualquer projeto subsidiado pelo governo. Mas Douglas Durst, gerente da empresa, começou a deixar essa ideologia para trás. A princípio "arqui-inimigo" de Robertson, Durst havia adquirido intimidade com o projeto a partir das ações judiciais que moveu. Ele logo percebeu que a prometida redução de impostos possibilitaria um desenvolvimento que traria grandes dividendos para a cidade e, então, abriu mão de suas objeções e se propôs a construir um novo e revolucionário tipo de torre de escritórios comerciais em sua propriedade: a 4 Times Square. Sobre Rebecca Robertson, ele afirma: "Brigamos judicialmente com ela por muitos anos, e foram momentos difíceis. Mas agora trabalhar com ela tem sido fantástico."[204]

Hoje, a nova Times Square vibra de emoção e energia. Há engarrafamentos de pedestres todos os dias. Gigantescos letreiros digitais iluminam a noite. Teatros restaurados e reluzentes exibem os melhores espetáculos do mundo. Em vez das 50 mil pessoas que frequentavam a praça na véspera de Ano-novo em 1980, agora 1 milhão aparece para assistir à maçã cair, com suas 500 lâmpadas de cristal e espelhos rotativos em forma de pirâmide, marcando o momento exato em que o ano começa. É possível, até mesmo, comprar uma reprodução da Times Square feita de LEGO. Rebecca Robertson afirma: "É um lugar que renasceu; sentimos vontade de ficar ali. E de morrer por ele!"

Vamos refletir sobre o processo de sinergia e as lições que podemos aprender com o renascimento da Times Square.

Grande parte do sucesso do projeto de reurbanização da Times Square deveu-se à calma e à persistência de Herb Sturz em transcender as complicadas querelas. "Este projeto nunca teria decolado sem a sua liderança e o seu zelo", afirmou o prefeito.[205] Sua disponibilidade para buscar Terceiras Alternativas foi contagiante. Por mérito próprio, os líderes administrativos da cidade conseguiram vencer seu gigantesco esquema para transformar a praça em um centro de negócios, o que efetivamente exi-

---

[204] Sam Roberts, id., p. 250.

[205] Sam Roberts, id., p. 252.

giu um esforço hercúleo. Rebecca Robertson e Douglas Durst haviam lutado um contra o outro por tanto tempo que isso lhes custara considerável força emocional, até que decidissem buscar juntos uma solução melhor do que qualquer um já havia concebido. Felizmente, ambos estavam dispostos a pôr de lado seus preconceitos e melindres antigos para se entusiasmar com uma nova visão, que nenhum dos dois havia adotado antes.[206]

O compartilhamento dos critérios de sucesso ajudou todas as partes envolvidas na renovação da Times Square a expressar seus mais profundos desejos e sua visão para o futuro. Eis alguns desses critérios:

- A nova Times Square deve levar adiante a mitologia teatral da antiga Times Square, um polo de entretenimento urbano com sua "extravagância e senso libertário". Assim, os 39 teatros devem ser restaurados, começando com os inovadores espetáculos para crianças no Victory, idealizados por Cora Cahan.
- O coração pulsante de mídia da cidade deve ser renovado. Assim, o gigantesco vídeo exibirá notícias e publicidade dia e noite, e a sede de produção da ABC News ocupará o Times Square Studios. Aqui também estará a sede da MTV e da Condé-Nast, a brilhante editora das revistas *Vogue*, *The New Yorker*, *GQ* e *Vanity Fair*.
- O acesso deve ser aberto e livre para acomodar milhões de visitantes. Daí a vibrante nova estação de metrô e o parque para pedestres.
- Embora localizada em um distrito de negócios, a arquitetura deve ser envolvente e moderna, e continuar sendo apreciada.

Os visitantes da nova Times Square podem testemunhar que tais desejos foram mais do que cumpridos.

A Construção de uma Terceira Alternativa

Quando Douglas Durst planejou construir a 4 Times Square, enfrentou inúmeras críticas da comunidade em relação à sua proposta de um arra-

---

[206] Lynne B. Sagalyn, id., p. 433.

nha-céu de 48 andares. Seria apenas mais um complexo comercial impessoal de Nova York? Seria a ruína do refinado ambiente da Times Square?

Poderoso magnata do ramo imobiliário, Durst poderia ter fechado os ouvidos para tais preocupações. Mas não foi o que ele fez. Os arquitetos que contratou, Fox e Fowle, eram reconhecidos por seus projetos criativos e que respeitavam o meio ambiente. Depois de ouvir atentamente muitas das partes interessadas da Times Square, os arquitetos acumularam seu próprio e desafiador conjunto de critérios de sucesso. A nova torre teria de entrar em sinergia com o que parecia constituir, à sua volta, conflitantes demandas culturais: as necessidades da comunidade empresarial *versus* as expectativas icônicas do polo de entretenimento dos Estados Unidos. Para ser bem-sucedido, o prédio teria de cumprir o seguinte:

- Apresentar uma "personalidade refinada", de modo a se enquadrar na zona empresarial do centro de Manhattan e do Bryant Park.[207]
- Refletir as luzes e os ruídos da Times Square com o dinamismo de seus teatros, sua vibrante sinalização e as multidões de turistas.
- Ser ambientalmente sensível, incorporar uma nova ética de responsabilidade social e ser o mais "verde" possível.
- Atrair negócios de varejo para seus andares inferiores, de acordo com as facilidades para os consumidores da nova Times Square.

Cada grupo de interesses, como na parábola dos homens cegos tentando descrever um elefante, tinha um desfecho diferente em mente. E cada um desses desfechos era válido. Cabia aos arquitetos criar, de fato, o elefante. Como eles atenderiam a todos esses critérios? Um edifício que fosse, ao mesmo tempo, ruidoso e silencioso?

A resposta dos arquitetos veio em um monumento de sinergia, uma colagem de diversos estilos que funcionam muito bem juntos. Em frente à animada Times Square o prédio é todo de platina e vidro curvo temperado, com gigantescas telas de vídeo na fachada. A entrada para o mercado varejista sugere o famoso estilo art déco da Nova York de anos atrás. No lado

---

[207] Kira L. Gould, *Fox & Fowle architects: designing for the built realm* [Arquitetos Fox & Fowle: projetos para o reino construído] (Victoria, Aust:. Images Publishing, 2005), p. 187.

voltado para a vizinhança corporativa do centro urbano, a construção é toda incrustada de alvenaria cinza, com um aspecto semelhante ao de um banco. Todo o edifício é uma Terceira Alternativa.

Mas a característica mais intrigante do edifício é invisível: é o primeiro edifício "verde" já construído. Seus 48 andares são alimentados, em parte, por enormes células de combustível que geram eletricidade sem combustão. O calor das células aquece a água utilizada no edifício. Eixos rotativos e dutos especialmente concebidos filtram o ar, tornando-o 85% livre de poeira, em vez dos 35% típicos de um prédio de escritórios. Ares-refrigerados de gás natural resfriam o prédio, em vez de aparelhos de ar-condicionado, que consomem muita eletricidade, com uma economia de energia de 20%. O restante da eletricidade provém de painéis solares afixados nos últimos 19 andares.

Embora o 4 Times Square consuma mais energia elétrica do que o esperado, ele ainda consome um terço a menos do que a média de prédios de escritórios da cidade de Nova York. Esse dado é o mais notável, pois os painéis elétricos da fachada, responsáveis pelo maior consumo de energia, literalmente iluminam a noite.[208] O mais luminoso desses painéis é o do NASDAQ MarketSite, uma tela de vídeo cilíndrica com sete andares de altura, no ápice da faixa de luz da Times Square de hoje em dia.

Depois de décadas de renovação, a praça agora aparece sistematicamente listada como a principal atração turística dos Estados Unidos. Os negócios explodiram, com 24 mil novos empregos e US$ 400 milhões de receitas para a cidade de Nova York.[209] A grave taxa de criminalidade regrediu no "pior quarteirão" de Nova York; hoje, ele é um dos melhores quarteirões. O número de crimes caiu de 230 em 1984 (mais de seis assaltos por dia) para menos de 60 em 1995. O índice geral de criminalidade caiu em torno de 50% entre 2000 e 2010.[210]

---

[208] Adam Hinge *et al.*, "Moving toward transparency and disclosure in the energy performance of green buildings" [Caminhando para a transparência e o acesso à informação no desempenho energético dos edifícios verdes], *2006 ACEEE Summer Study on Energy Efficiency in Buildings* [Estudo da ACEEE sobre a eficiência energética em edifícios — Verão de 2006]. Disponível em: http://www.sallan.org/pdf-docs/Energy-Efficiency-HPB-SummerStudy06.pdf.

[209] Sam Roberts, id., p. 251.

[210] "2010 Annual Report" [Relatório Anual 2010], Times Square Alliance.

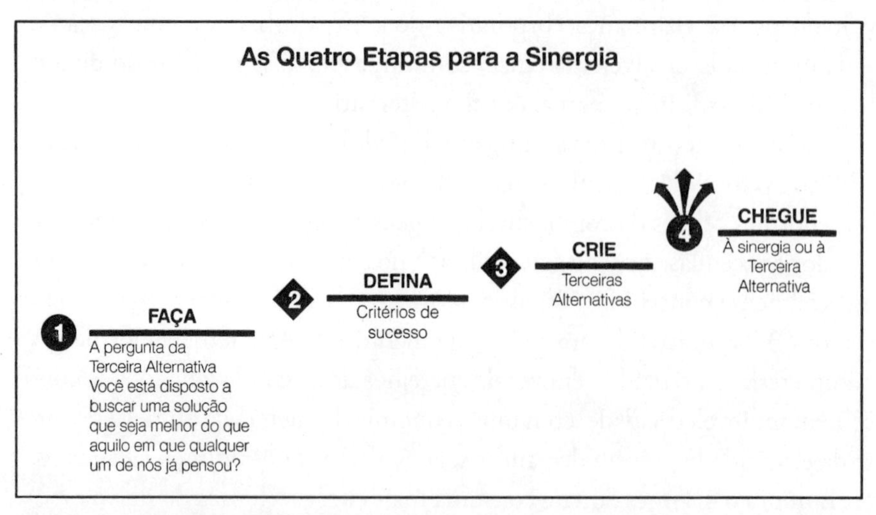

As Quatro Etapas para a Sinergia. A fim de encontrar uma Terceira Alternativa entre o abandono da Times Square e sua transformação em apenas outro distrito empresarial, um amplo grupo de cidadãos definiu seus critérios de sucesso, concebeu protótipos de novas alternativas e chegou a uma solução sinérgica que encanta todos os que a visitam.

O renascimento da Times Square é, na verdade, uma história sobre pessoas com vontade, disciplina e personalidade necessárias para transformar a sociedade. O trabalho a ser feito era "transformar o pior em melhor", e elas fizeram isso. Extremamente diversificado, o grupo incluía homens de negócios ultraconservadores, ativistas comunitários liberais, ambientalistas, banqueiros, empresários, donos de restaurantes e funcionários públicos, em sociedade com empreendedores privados. Alguns eram pró-governo, outros, contra o governo. No fim, porém, os enfadonhos ideólogos liberais e conservadores não contribuíram com praticamente nada. O espírito de sinergia contaminou a todos, à medida que sua própria diversidade de pontos de vista se reorganizou em nome de uma visão substancial.

O Fim da Criminalidade

O crime é uma dura e aterradora realidade, que tem se agravado cada vez mais em nosso mundo. O impacto da criminalidade é muito tangível, pessoal, real, e bastante conhecido por quem elabora políticas públicas. As estatísticas recentes refletem o grave e opressivo cenário:

- A cada ano mais de 1,6 milhão de pessoas no mundo todo perdem suas vidas para a criminalidade. A violência está entre as principais causas de morte de pessoas com idade entre 15 e 44 anos em todo o mundo, correspondendo a 14% das mortes entre os homens e 7% das mortes entre as mulheres. Para cada pessoa que morre como resultado da violência, inúmeras outras ficam feridas e sofrem de uma gama de problemas físicos e mentais. Além disso, a violência impõe enorme peso às economias nacionais, custando aos países bilhões de dólares a cada ano em cuidados de saúde, reforço de policiamento e queda de produtividade.[211]
- Mais de 10 mil atos de terrorismo político, incluindo sequestro, danos físicos e assassinatos, ocorrem todos os anos ao redor do mundo. Quase 60 mil pessoas são mortas por terroristas a cada ano.[212]
- De acordo com o FBI, 1,3 milhão de crimes violentos são relatados a cada ano nos Estados Unidos, juntamente com 9 milhões de crimes contra a propriedade, que, somados, equivalem a uma perda de mais de US$ 15 bilhões.[213] Eis aqui o cronômetro da criminalidade: um assassinato a cada 32 minutos, uma agressão sexual a cada dois minutos, um assalto a cada 55 segundos, uma agressão física a cada sete segundos e um furto ou roubo a cada dois segundos.[214]
- As Nações Unidas informam que cerca de 5% da população mundial entre 15 e 64 anos abusam de drogas — cerca de 200 milhões

---

211 Organização Mundial de Saúde, *World Report on Violence and Health* [Relatório Mundial sobre Violência e Saúde], 2002.

212 Departamento de Estado dos Estados Unidos, *Country Reports on Terrorism 2009* [Relatórios de países sobre terrorismo — 2009], 5 de agosto de 2010. Disponível em: http://www.state.gov/s/ct/rls/crt/2009/140902.htm.

213 "FBI releases 2009 crime statitiscs" [O FBI divulga as estatísticas de criminalidade de 2009], *Crime in the United States* [Criminalidade nos Estados Unidos], 13 de setembro de 2010. Disponível em: http://www2.fbi.gov/ucr/cius2009/about/crime_summary.html. Acessado em 12 de janeiro de 2011.

214 *Crime clock* [Relógio da criminalidade], National Center for Victims of Crime. Disponível em: http://www.ncvc.org/ncvc/AGP.Net/Components/documentViewer/Download.aspxnz?DocumentID=33522. Acessado em 12 de janeiro de 2011.

de pessoas. É possível que haja 38 milhões de viciados em drogas no mundo.[215]

- Na América Latina, a violência está entre as cinco principais causas de morte. É a principal causa de morte em países como Brasil, Colômbia, Venezuela, El Salvador e México.[216]
- O diretor-executivo da McAfee, David DeWalt, relata que o cibercrime se tornou um negócio de US$ 105 bilhões, que atualmente supera o valor do tráfico ilegal de drogas em todo o mundo.[217]
- Em termos financeiros, os crimes de colarinho branco superam outros tipos de comportamentos criminosos. Ninguém tem conhecimento do custo verdadeiro, mas o FBI estima cifras entre US$ 300 e US$ 600 bilhões anuais.[218]
- No final do século XX o custo líquido da criminalidade nos Estados Unidos excedeu US$ 1,7 trilhão por ano.[219] Qual será seu valor agora?

Evidentemente, essas estatísticas se traduzem em um profundo sofrimento emocional, impossível de se medir. Os números variam sutilmente de ano para ano, mas há uma inevitabilidade desanimadora a seu respeito. O custo de corações, vidas e relacionamentos partidos é verdadeiramente insondável. É um sofrimento intenso e crônico. Nós o mensuramos estatistica-

---

[215] Escritório das Nações Unidas sobre Drogas e Crime, "Executive Summary" [Resumo executivo], *World Drug Report 2010* [Relatório Mundial sobre Drogas — 2010]. Disponível em: 17. http://www.unodc.org/unodc/en/data-and-analysis/WDR-2010.html. Acessado em 12 de janeiro de 2011.

[216] Roberto Briceño-León e Verónica Zubillaga, "Violence and globalization in Latin America" [Violência e globalização na América Latina], *Current Sociology*, janeiro de 2002. Disponível em: http://csi.sagepub.com/content/50/1/19 . Abstract.

[217] "Cybercrime is a US$ 105 billion business now" [Hoje, o cibercrime é um negócio de US$ 105 bilhões], *Computer Crime Research Center*, 26 de setembro de 2007. Disponível em: http://www.crime-research.org/news/26.09.2007/2912/.

[218] "White collar crime: an overview" [Crime do colarinho branco: Uma visão geral], Legal Information Institute, Cornell University Law School, 19 de agosto de 2010. Disponível em: http://topics.law.cornell.edu/wex/White-collar_crime.

[219] David Anderson, "The aggregate burden of crime" [A sobrecarga da criminalidade], *Journal of Law and Economics* 42, nº 2 (outubro de 1999): 2. Disponível em: http://www.jstor.org/stable/10.1086/467436.

mente, nos acostumamos a ele, aprendemos a conviver com ele. A criminalidade, dizemos, estará sempre conosco.

Oprimidos pelas causas, tentamos tratar os sintomas. No passado, por exemplo, tentamos aplicar a abordagem "linha-dura" — uma solução instantânea, que não causasse muita confusão. Nos Estados Unidos, a população carcerária disparou desde 1980, de cerca de 330 mil para mais de 2 milhões de presos, em decorrência da repressão em todo o país e das penas de prisão obrigatória e de longo prazo. Agora, o custo do sistema penal está começando a preocupar o país, mas o problema subjacente permanece.

A abordagem "linha-dura" reduz verdadeiramente a criminalidade? De acordo com James P. Lynch e William J. Sabol, da American University, "aumentos substanciais de encarceramentos não estão associados a estimativas de reduções substanciais de crimes violentos".[220] Muitos especialistas acreditam que, na verdade, adotar a "linha-dura" faz com que os agressores cometam mais crimes; isso os envergonha e estigmatiza de tal maneira que eles se sentem totalmente alienados da sociedade, destruindo seu potencial para a mudança. Eles ficam desestimulados.[221]

Em oposição à abordagem "linha dura" está a chamada abordagem flexível. Embora ninguém queira ser rotulado de "flexível com o crime", o objetivo é prevenir a criminalidade atacando as condições que a engendram. Claro, isso faz todo o sentido, mas a abordagem defendida pelos proponentes não suspende essas condições. Os proponentes fazem muito pouco ou fazem coisas demais. Uma de suas ações é recomprar armas, o que, conforme apontam certas pesquisas, não faz diferença alguma para as taxas de criminalidade.[222] Ou se queixam de que nada pode ser feito com relação à criminalidade até que toda a estrutura da sociedade mude, a fim de eliminar a pobreza, o analfabetismo e a injustiça econô-

---

[220] James P. Lynch e William J. Sabol, "Did getting tough on crime pay?" [Compensou ser duro com o crime?], Urban Institute Research of Record, 1º de agosto de 1997. Disponível em: http://www.urban.org/publications/307337.html. Acessado em 12 de janeiro de 2011.

[221] Larry J. Siegel, *Essentials of criminal justice* [Aspectos essenciais da justiça criminal] (Florence, KY: Cengage Learning, 2008), p. 393.

[222] Lawrence W. Sherman *et al.*, "Preventing crime" [A prevenção da criminalidade], s.d. Disponível em: http://www.ncjrs.gov/works/wholedoc.htm.

mica. O problema é que o crime acontece agora, e vidas estão sendo destruídas agora.

A abordagem "linha-dura" é associada, principalmente, aos conservadores e a abordagem flexível, aos liberais, mas tais abordagens ideológicas simplesmente não são as mais indicadas. Temos de ir além dessa mentalidade de Duas Alternativas, na qual grande parte do raciocínio convencional sobre a questão se deixa estagnar. O grande criminologista Lawrence W. Sherman explica: "De modo geral, o debate sobre a criminalidade trata a 'prevenção' e a 'punição' como conceitos mutuamente excludentes, diametralmente opostos em um contínuo de respostas 'flexíveis' *versus* 'duras' à criminalidade; não [existe] tal dicotomia. [...] O resultado são escolhas políticas feitas mais na base do apelo emocional do que em evidências sólidas de eficácia."[223]

O sofrimento agudo de uma sociedade com alta taxa de criminalidade é perpetuado, e não aliviado, por esse tipo de raciocínio de Duas Alternativas e, até que mudemos nosso raciocínio, só obteremos resultados contraproducentes. Deve haver uma Terceira Alternativa.

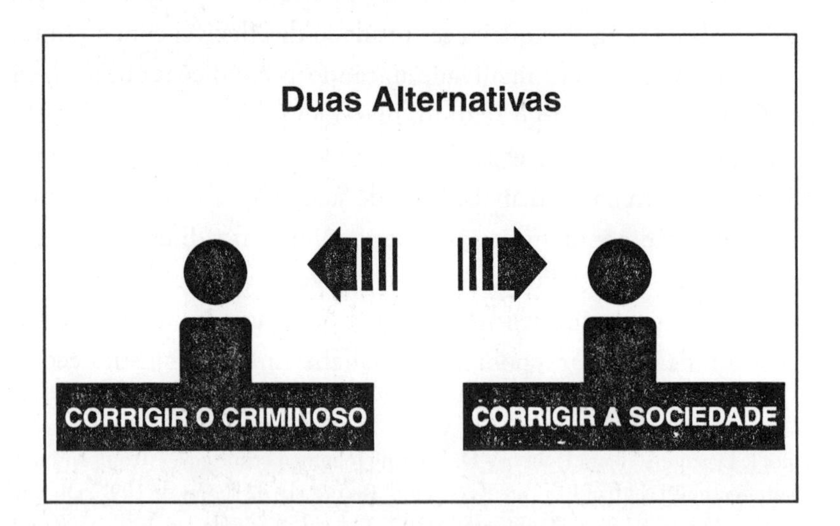

[223] Lawrence W. Sherman, *Evidence-based crime prevention* [A prevenção da criminalidade com base em evidências], (Londres: Routledge, 2002), p. 3.

Políticas da Terceira Alternativa

Em 23 de junho de 1985 o voo 182 da Air India, que seguia de Toronto para Nova Déli, explodiu sobre o mar da Irlanda, matando mais de 300 pessoas. Descobriu-se que havia bombas em uma bagagem que alguém havia despachado no Aeroporto Internacional de Vancouver. A partir daí, os investigadores se concentraram em um grupo de separatistas sikh que vivem nas cercanias de Richmond, um subúrbio de Vancouver. O atentado a bomba foi mais um golpe na guerra travada entre o governo indiano e os extremistas sikh, que pleiteavam a independência de sua terra natal, o Punjab.

O fato de que esse horrendo crime tivesse suas raízes em uma guerra civil a meio mundo de distância chocou as autoridades dessa encantadora cidade da costa do Pacífico. Mais de 100 mil sikhs vivem em Vancouver. Posteriormente, os analistas concluíram que se a polícia de Vancouver tivesse conquistado a confiança da comunidade sikh, poderia ter conseguido informações necessárias para impedir o ataque.[224]

Não apenas no Canadá, mas em todas as partes do mundo, a resposta para a criminalidade vai muito além da simples aplicação da lei, de capturar criminosos após a prática do delito. A construção da sociedade civil é o verdadeiro trabalho a ser feito, uma sociedade baseada em fortes relações de respeito e empatia. E isso requer criatividade e raciocínio de Terceira Alternativa — o tipo de raciocínio praticado por Ward Clapham. Clapham é um veterano, hoje aposentado, da Real Polícia Montada do Canadá (RCMP, na sigla em inglês), em que trabalhou por 30 anos. Uma figura magnífica em seu casaco de sarja vermelha e seu impecável chapéu, Ward se orgulha dos "montados". E tem razões para se orgulhar mesmo — é a única força policial que conheço que traz a palavra "proativo" em sua declaração de princípios. Sua missão é basicamente "preservar a paz", um conceito muito mais amplo do que simplesmente aplicar a lei.

No início de sua carreira, ainda um jovem policial do norte do Canadá, Ward conversava, certo dia, com algumas crianças aborígenes. Ele lhes per-

---

[224] Ken McQueen e John Geddes, "Air India: after 22 years, now's the time for truth" [Air India: Depois de 22 anos, agora é a hora da verdade], *Macleans*, 28 de maio de 2007.

guntou o que elas achavam que um policial fazia. Elas responderam: "Você é um caçador. Você fica esperando entre os arbustos e leva nossas mamães e nossos papais para a cadeia."[225] Ward percebeu que as crianças tinham medo dele, e isso o assustou.

Parte de seu trabalho era observar os registros de delinquência juvenil. A leitura dos prontuários o desanimou. Ele sabia que muitos daqueles adolescentes acabariam na cadeia ou em situação ainda pior, e se inquietava com o fato de que ninguém tinha noção do que fazer para mudar aquele quadro. Era um desafio enorme. Adotar a "linha-dura" não era a resposta. Ele também não poderia ficar simplesmente parado, enquanto escolas, igrejas e governos discutiam o que fazer. "Era como estar contra a correnteza em uma cachoeira e ver as pessoas lutando na água. Você sabe o que vai acontecer, mas se sente impotente."

Quando foi alocado para trabalhar em uma cidade em Alberta, ele deparou com cidadãos indignados diante de uma juventude incontrolável. Um dia, ele recebeu uma ligação de alguém indignado, denunciando alguns garotos que estavam jogando hóquei no meio da rua e bloqueando o trânsito. O policial seguiu imediatamente para o local em sua grande viatura, saiu do carro e colocou-se diante dos rapazes, enquanto eles olhavam para o chão. Eles haviam sido avisados antes. E Clapham sabia o quão amedrontados eles estavam.

Naquele momento, a missão de "preservar a paz" ressoou em sua mente. O que ele poderia fazer naquela situação para preservar a paz? Não apenas uma paz momentânea, não apenas uma falsa paz, obtida às custas do encurralamento daqueles jovens desregrados, mas uma paz duradoura?

Então, ele disse: "Vou propor uma escolha. Posso lhes aplicar uma notificação, ou posso jogar hóquei com vocês."

Os jovens ficaram atordoados. Ali estava um policial segurando um taco, correndo atrás de um disco de hóquei e rindo junto com eles no meio da rua. Seu imponente quepe caiu no chão. Os motoristas que estavam presos no congestionamento ficaram aborrecidos e, nos dias seguintes, ele

---

[225] Todas as citações de Ward Clapham são de uma série de entrevistas conduzidas por telefone, de outubro de 2010 a abril de 2011.

recebeu uma série de reclamações de algumas pessoas que se sentiram momentaneamente incomodadas, mas sua relação com os jovens daquela cidade nunca mais foi a mesma depois disso.

Com seu estilo proativo de raciocínio da Terceira Alternativa, Ward Clapham continuou a surpreender tanto os cidadãos quanto seus supervisores ao longo de sua carreira. Em outra cidade, os comerciantes estavam sendo constantemente notificados por venderem cigarros a menores de idade, e as penas eram pesadas. Ward foi até o magistrado e pediu uma chance para tentar algo novo: a suspensão das sanções se os comerciantes ministrassem cursos antitabaco em seus estabelecimentos. Parecia loucura, mas os comerciantes estavam ansiosos para escapar das punições e, em breve, os funcionários e a juventude da vizinhança estavam se informando sobre os perigos do tabagismo. A venda de cigarros para menores caiu significativamente. Para Clapham, o mais importante é que muitos jovens jamais se tornariam fumantes.

Clapham está atento às origens do problema, e não apenas aos sintomas. Ele diz: "Podemos continuar a recolher os corpos desfalecidos ao pé da cachoeira, ou impedi-los, em primeiro lugar, de nadar contra a corrente." Para isso é necessário o raciocínio da Terceira Alternativa. "Podemos — coitados de nós — apenas aceitar o fato de que a criminalidade e a violência serão o destino das nossas vidas e das vidas de nossos filhos. Mas eu digo: 'Não, não! Há uma maneira melhor.'"

No momento oportuno, Clapham se tornou chefe do Destacamento da RCMP em Richmond, Colúmbia Britânica, na época uma cidade de cerca de 175 mil habitantes. É impossível determinar os limites entre Richmond e Vancouver, com sua vasta população multicultural. Em Richmond, mais de metade da população é originária do sul da Ásia ou do leste indiano, e graves hostilidades raciais e econômicas configuram um ambiente difícil para a juventude. Lá, ele fundou um departamento de polícia tipicamente urbano, "criado em oposição ao estilo de policiamento reativo, pós-incidente, estilo Disque 911". O objetivo era capturar os bandidos e retirar as crianças das ruas. O tipo de construção de relacionamento capaz de impedir a criminalidade estava ausente. Clapham estava determinado a mudar a mentalidade, de modo a criar uma nova cultura com a ajuda de seus companheiros:

Os policiais são formados em campos de treinamento militar, e a única ferramenta disponível em sua caixa é a aplicação da lei. "Nós cumprimos as leis." Mas comecei a lhes pedir para ampliarem suas mentes. Perguntei o que significava ser um "oficial da paz". Falamos sobre Sir Robert Peel, que fundou a primeira força policial há 150 anos, em Londres. Ele dizia que seu trabalho estava relacionado com a paz. De alguma maneira, nos desviamos da paz e chegamos à aplicação da lei. Mas há uma chance de trazer o policiamento de volta ao mundo da paz, para atingir uma sociedade civil sustentável — para atingir o fim da criminalidade.

A noção de "fim da criminalidade" é uma verdadeira Terceira Alternativa. Em vez de travarmos a eterna batalha contra a criminalidade, acabamos com ela! Nós a prevenimos. Isso é possível? Talvez, se, como fez Ward Clapham, conseguirmos ir além da ideia de que a prevenção da criminalidade é um trabalho menos importante e percebermos que é o *verdadeiro* trabalho.

A prevenção não tem boa reputação. Para a maioria das pessoas, isso significa todas as coisas prévias e anteriores capazes de deter o crime. Ela requer grandes mudanças sociais, erradicação da pobreza, melhorias na criação dos filhos, grandes escolas. Nenhuma criança pode ser deixada para trás. Isso não seria ótimo? Mas é muito ambicioso e, assim, a polícia age de maneira padronizada para capturar os que causam problemas. Não é trabalho nosso mantê-los longe dos problemas.

Mas este é o segredo — não se trata apenas de curar o mal pela raiz, embora isso seja crucial. O que estamos sugerindo é que, para o trabalho da polícia, a prevenção é um todo contínuo — englobando a raiz, o caule e os frutos.

Essa notável Terceira Alternativa muda tudo. Há coisas que você pode fazer — coisas gerenciáveis — antes, durante e depois de instalado o problema. O raciocínio de Clapham transformou o conceito da aplicação da lei em Richmond. Sem descuidar da investigação e da aplicação da lei, ele foi incansável na promoção de ideias novas e sinérgicas para prevenir a criminalidade e evitar que novos crimes acontecessem.

Mudar o paradigma de sua força foi um grande desafio. Ele assumiu o Destacamento de Richmond poucos dias depois dos ataques terroristas de 11 de setembro de 2001. Localmente, lembranças amargas do voo 182 da Air India vieram à tona. "Mais do que nunca, a crise nos lançou de volta ao modelo profissional de policiamento", afirmou ele. "Irritadas, as pessoas queriam uma solução rápida, a severa aplicação da lei, táticas agressivas e até mesmo o abandono de alguns de nossos direitos civis. Isso nos levou de volta àquela mentalidade belicista de nós contra eles."

Mas Clapham estava determinado. Rapidamente, ele criou um foro de Bastão da Fala para a polícia, os líderes da cidade e a diversificada comunidade de Richmond: muçulmanos, sikhs, pessoas do sudeste asiático e das Primeiras Nações — todos. O microfone ficou aberto e a comunidade se pronunciou: "O que a polícia está fazendo? As pessoas estão nos chamando de terroristas. Estamos todos segregados, sendo divididos por critérios raciais. As pessoas estão zangadas, estão com medo. Não somos terroristas só por causa da cor da nossa pele." Os motoristas de táxi asiáticos que trabalhavam no Aeroporto Internacional de Vancouver reclamavam que as pessoas não faziam corridas com eles. Os comerciantes tinham medo de seus fregueses. Clapham recorda: "Simplesmente deixamos as pessoas falarem sobre isso, dando-lhes chance para desabafar, para sentir que alguém as entendia. Esse grande foro foi uma primeira oportunidade para acabar com aquela percepção global. A maior lição que aprendi foi colocar o Bastão que Fala em funcionamento. E, então, *nós* fomos trabalhar para mudar as coisas."

A comunicação do Bastão da Fala foi uma ferramenta fundamental na reorientação do raciocínio da própria equipe de Clapham. Como a maioria dos departamentos de polícia, o Destacamento de Richmond tinha suas "rotinas diárias", pequenos resumos preparados pela manhã, quando o chefe se sentava diante dos oficiais, que liam o relatório e aguardavam as decisões de seu superior. Clapham mudou isso completamente. O resumo diário se tornou um Teatro Mágico. "O que podemos fazer de maneira diferente? O que ainda não tentamos?", questionava ele. "Falamos sobre mudanças. Levou seis meses até que eles se sentissem confortáveis para contribuir diariamente. Insistimos em ouvir uns aos outros e nos certificávamos de que todos se sentissem ouvidos."

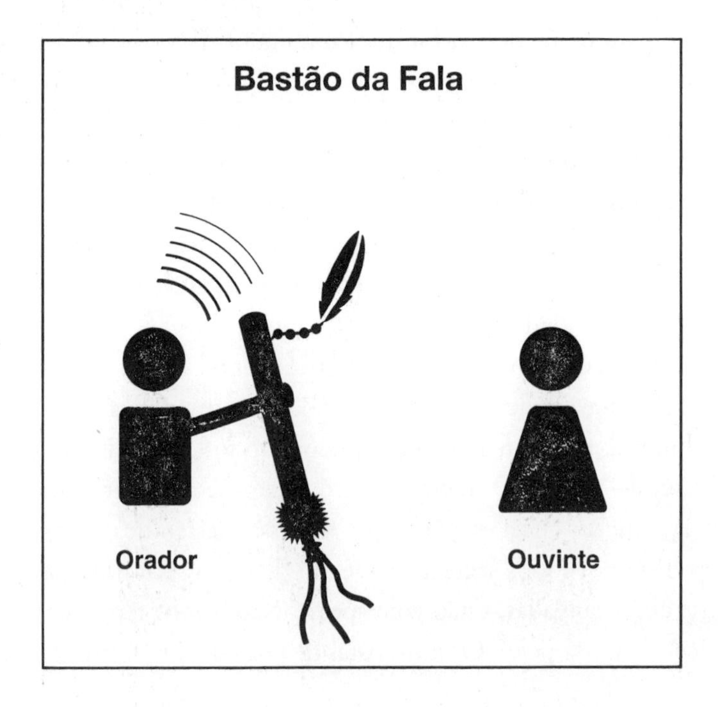

"Resolvi que mudaria as coisas. Todo dia eu me sentava em um lugar diferente da sala, às vezes no canto, e deixava que os oficiais conduzissem a reunião. Sempre nos apoiávamos no princípio 'Em primeiro lugar, procurar entender'. Sempre acreditei que há mais de uma resposta certa, e gostava de falar sobre isso sempre que podia, porque mantinha a comunicação e as mentes abertas."

Essa busca por ideias extrapolou o departamento de polícia e chegou à comunidade. Uma meta importante da RCMP foi estabelecer parcerias com grupos de cidadãos, em um esforço de policiamento comunitário. Um dia, um auditor da RCMP foi até Richmond e disse: "Não existe registro algum por escrito das parcerias com a comunidade." Clapham riu e disse: "Bem, isso seria a mesma coisa que me pedir para manter um registro de cada respiração e cada piscar de olhos. E a cada um de meus oficiais também, porque isso é tudo o que fazemos. Tudo aqui está relacionado com as parcerias." Então, eles iniciaram um registro e descobriram que estavam fazendo 30, 40, 80 contatos de parcerias a cada dia.

Por causa de sua mentalidade da Terceira Alternativa, sempre buscando uma maneira melhor na qual ninguém havia pensado antes, Clapham deparou com a forte resistência daqueles que pensam de acordo com as Duas Alternativas. "Se você não é severo com o crime, está sendo leniente", era o recado que sempre tinha de enfrentar.

> *Eu estava em conflito direto com o* status quo. *O* status quo *era claro. Esperava-se que operássemos segundo um modelo corretivo pós-incidente, de comando e controle, e seríamos recompensados se o fizéssemos. Então, quando você começa a orientar todas as pessoas de sua equipe para transformá-las em líderes, introduz a liderança compartilhada e faz da prevenção um objetivo principal, você passa a ser, imediatamente, o alvo dos opositores.*
>
> *Eu passava de um quarto à metade de cada um dos meus dias me justificando. Eles vinham até mim constantemente para provar que eu estava errado, para fazer com que eu me calasse, com que me adequasse ao* status quo. *Eles abriam o regulamento e me mostravam em que pontos eu o estava violando.*

Mas o dilema "linha-dura contra flexível" não significava nada para Ward Clapham. Ele estava à procura de Terceiras Alternativas que realmente fizessem a diferença. “Eu enxergava os 18 mil crimes por ano como 18 mil fracassos. Tudo o que eu pudesse fazer para reduzir esse número seria um sucesso.”

Notificações Positivas

A busca de Clapham por Terceiras Alternativas se provou inesperadamente frutífera. Uma delas o atingiu como um raio em um seminário do qual participava. O líder fez esta pergunta: “O que aconteceria se surpreendêssemos os jovens fazendo coisas certas?” Clapham passara grande parte de sua carreira notificando os jovens por conta de seus comportamentos negativos. E se fosse o contrário? E se eles merecessem atenção sempre que fizessem alguma coisa certa? “Nós os notificamos quando eles violam a lei”, disse ele. “Mas e se os notificássemos por cumprirem a lei? Por fazerem algo útil?” Assim nasceu a ideia da “notificação positiva”, uma autêntica contratipagem. Para obter as notificações positivas Clapham recorreu à infinidade de parceiros na comunidade, e dezenas de empresas locais contribuíram com cupons que podiam ser trocados por lanches rápidos, sorvetes gratuitos, descontos em clubes de dança e eventos esportivos. A cidade de Richmond ofereceu passes para natação e patinação no centro comunitário. A notificação positiva informava: “Para ________, que foi pego fazendo algo bom!” As notificações eram resgatadas por qualquer coisa, desde uma fatia de pizza até um tocador de música portátil.

Uma noite, um adolescente de Richmond, ao qual daremos o nome de John, estava voltando a pé para casa quando viu uma criança pequena correr para o meio do trânsito. Por impulso, ele pegou a criança e a colocou em segurança de volta na calçada. Um oficial da RCMP que estava passando naquele momento observou a cena e parou. John provavelmente não ouvira falar sobre a notificação positiva, porque, quando o policial se aproximou, ele reagiu como a maioria dos adolescentes reagiria. Seu estômago se embrulhou, sua pele umedeceu e seu coração disparou; ele pensou que estava em apuros.

Mais tarde a mãe adotiva de John disse: “Meu filho me contou que foi parado pela polícia e recebeu uma notificação. Como você pode imaginar, a minha reação imediata foi negativa. Então, ele falou: ‘Não, mãe, recebi uma notificação positiva.’ Eu disse: ‘O que você está querendo dizer?’ John explicou: ‘Uma criancinha saiu correndo para a rua, corri atrás dela e a puxei de volta para a calçada. Um policial parou, saiu do carro e perguntou meu nome — fiquei com medo. Achei que ele estava bravo comigo, por pensar que eu havia machucado a criança. O policial disse que estava orgulhoso de mim, que me comportei bem e me deu cupons para natação, patinagem e golfe gratuitos.'"

Com lágrimas nos olhos, a mãe adotiva contou que a notificação positiva está afixada em um painel no quarto do filho. Recentemente, ela lhe perguntou por que ele ainda não a havia usado. Ele respondeu: "Mãe, eu nunca vou usar esse cupom. O oficial da polícia disse que eu era um bom garoto, que eu poderia ser qualquer coisa que quisesse. Mãe, nunca vou usar esse cupom."

A cada ano, uma média de 40 mil dessas notificações positivas são distribuídas a jovens que estão fazendo coisas boas. "Somos caçadores", ri Ward. "Nós os caçamos pelas coisas positivas que eles fazem." Um policial pode conceder uma notificação positiva a um menino por usar o capacete ao andar de bicicleta. Um policial pode distribuir notificações positivas a um grupo de meninas de rua que *não* estejam fumando ou falando palavrões. São jovens em situação de risco social, e gratificá-los, mesmo que por pequenos gestos positivos, pode reforçar os gestos positivos mais significativos: usar a calçada, sair de uma biblioteca com um livro, jogar o lixo na lixeira e não no meio da rua.

Junto com as notificações, os policiais oferecem cartões personalizados. Não são cartões de visita. Eles trazem uma foto do funcionário, seus interesses pessoais — "esqui, asa-delta, hóquei, música" — e um pensamento favorito sobre a vida. O cartão de Clapham diz: "Você não precisa de drogas para ficar ligado na vida." É um detalhe que ajuda os jovens a conhecê-los como indivíduos, não apenas como policiais.

A comunidade tem percebido a diferença. Keith Pattinson, diretor da Boys & Girls Clubs da Colúmbia Britânica, diz o seguinte: "Quando a polícia se foca nos pontos fortes dos jovens, ela depara com uma mudança no relacionamento. Em vez de fazer gestos obscenos quando os policiais passam, os jovens os estão chamando e lhes dizendo: 'Olha, vai acontecer uma briga hoje à noite. Alguém vai se machucar, talvez vocês devessem verificar.'"[226]

---

[226] Robin Roberts, "40 developmental assets for kids" [40 princípios de desenvolvimento para crianças], *Mehfil*, setembro-outubro de 2006, p. 37.

Clapham pensa o mesmo. "A maioria dos jovens evita a polícia, não quer receber notificação. Com a notificação positiva, recompensamos os jovens por fazerem coisas boas. Logo, quando eles veem a polícia, correm até nós, em vez de fugir." Os relacionamentos se estabelecem. Os jovens podem recorrer à polícia, em vez de temê-la. A polícia se torna uma parte positiva de suas vidas; em vez de cumpridores impessoais da lei, os policiais são amigos que os ajudam a percorrer o traiçoeiro caminho do amadurecimento.

Clapham também distribuiu notificações positivas semelhantes para sua própria equipe: pequenos vales-presentes, como reconhecimento pela contribuição de seus oficiais para a mudança da cultura de Richmond. Naturalmente, ele logo teve problemas com o regulamento: "Não se deve utilizar o dinheiro do contribuinte para oferecer vales-presentes aos empregados como forma de reconhecimento por suas boas ações." Eles cancelaram o meu cartão de crédito administrativo e me mandaram fazer um curso de quatro horas, do qual eu me recusei participar. Mas eis aqui a parte interessante: quando revelei essa história aos governantes de Richmond, eles perguntaram: "De quanto você precisa para continuar fazendo o que está fazendo?" Então, eles me deram um cartão de crédito, pois perceberam que minha ação tinha um retorno de mil por cento sobre o dinheiro investido. O regulamento estava simplesmente fora de contexto. Eles confiavam em mim para me abastecerem de armas, balas e spray de pimenta, mas não das ferramentas capazes de transformar a cultura.

Mas a comunidade adorava. Quando as pessoas começaram a ver os resultados bem-sucedidos, elas passaram a querer mais do mesmo. A comunidade foi a razão de eu ter continuado, porque estava motivado pela minha paixão em direção ao meu objetivo — acabar com a criminalidade em nossa cidade.

A notificação positiva é apenas uma ideia sinérgica entre tantas que Ward Clapham e sua unidade implementaram para fortalecer os relacionamentos pessoais que evitam o conflito. Quando ele pediu a cada um dos oficiais que "adotasse uma escola" e fizesse amigos lá, ele sabia que não conseguiria obter financiamento. Mas sua enorme rede de parcerias lhe ofereceu apoio financeiro e tornou o projeto possível. Eles também lançaram o programa OnSide, que prevê patrocínio para que policiais levem os jovens a eventos esportivos profissionais. Um policial praticou escalada durante todo o verão com alguns jovens que abandonaram a escola secundária e os convenceu a retomarem os estudos.

> *Estávamos recebendo muitas reclamações sobre jovens que andavam de bicicleta em parques públicos e áreas comerciais. Em vez de apenas notificá-los, nos organizamos e propusemos uma Terceira Alternativa. A cidade doou alguns lotes, fizemos todo o trabalho junto com os jovens, e hoje passeamos e disputamos corrida com eles em nosso próprio parque de ciclismo. As conexões que construímos com eles não têm preço. Aliás, as queixas acabaram.*

Corridas de alta velocidade nas ruas eram uma maldição para a polícia de Richmond. Quando um policial foi morto ao tentar impedir uma corrida de rua, até mesmo Ward quis recuar e tornar mais severa a aplicação da lei. "Mas que benefício isso nos traria? Combatemos essa prática há anos e, mesmo assim, perdemos quatro jovens por ano em corridas de rua, e agora um dos nossos." Então, o Destacamento de Richmond realizou uma sessão de sinergia sobre como eles enfrentariam o problema dos jovens que gostavam de disputar corridas. Um policial sugeriu uma verdadeira contratipagem: "Se não podemos convencê-los do nosso ponto de vista, vamos nos juntar a eles. Vamos encontrar um MINI Cooper, colocar todos os acessórios que podem ser legalmente colocados dentro de um carro e levá-lo às feiras de automóveis. Vamos identificá-lo como um dos nossos. Vai ser a coisa mais legal que eles já viram."

Os adeptos de corridas adoram acessórios em seus carros. Eles procuram grandes coletores ilegais, pedais de gás, tubos de escapamento — qualquer coisa que incremente o carro — e gostam de exibir o veículo em feiras. Então, a polícia conseguiu a doação de um MINI e o identificou como uma viatura sua, fez algumas adaptações e o transformou na maior atração das feiras. Imediatamente, eles receberam a visita de inúmeros corredores de rua e começaram a desenvolver relacionamentos, estabelecendo confiança com eles, dialogando sobre os perigos de se disputar corridas nas vias públicas.

Evidentemente, Clapham não foi autorizado a circular com o veículo: "Meus superiores ouviram falar sobre isso, vieram até a feira e exigiram que nos livrássemos do carro. Bem, poderíamos nos insubordinar ou desistir da única ferramenta que tínhamos para resolver o problema dos corredores." Como seria de esperar, eles propuseram uma solução da Terceira Alternativa. Eles repintaram o MINI, mas também inventaram escudos magnéticos da polícia e luminosos portáteis para transformá-lo em um carro de polícia a qualquer momento. E continuaram frequentando as feiras. "Não registramos uma morte sequer em corridas de rua desde 2003", ele relata.

Equipe Izzat

Preocupados com os estereótipos divulgados pela mídia sobre os jovens sikh de Vancouver, cerca de duas dúzias de policiais subordinados a Ward Clapham se reuniram para formar uma liga de basquete chamada Equipe Izzat, uma palavra que significa "respeito" em punjabi. Aberta a qualquer pessoa, a equipe é majoritariamente composta por jovens sul-asiáticos. O sargento Jet Sunner, sul-asiático e fundador da equipe, diz: "Com toda a percepção negativa dos sul-asiáticos, do crime organizado e das drogas, queríamos dizer às pessoas que essa não é a nossa verdadeira imagem. Noventa e nove por cento de nossa comunidade são boas pessoas."

Sunner se espantou ao constatar como o basquete pode influenciar a vida dos jovens. No espaço de três anos a Equipe Izzat se multiplicou para 30 equipes, treinadas, geralmente, por jovens oficiais da RCMP e estudantes universitários voluntários. Ele busca estudantes universitários porque deseja que seus jogadores os tenham como modelos. Um de seus objetivos é fazer com que os 50 melhores alunos conversem com suas equipes sobre a noção do verdadeiro sucesso.

A Equipe Izzat não apenas joga basquete; ela também patrocina fóruns da juventude, extensivos para toda a comunidade, sobre drogas, abuso sexual e sucesso escolar. O ministro de Segurança Pública do Canadá reconheceu oficialmente a equipe: "Condecoro a Equipe Izzat pelo excepcional trabalho que realiza, equipando os jovens com as ferramentas das quais necessitam para fazer a diferença em suas comunidades. Por meio de eventos como o Fórum da Juventude da Equipe Izzat, os jovens líderes estão ganhando discernimento sobre questões sociais atuais — como a exploração infantil e o uso de drogas — e sendo desafiados a ajudar a criar bairros fortes e saudáveis, capazes de resistir ao crime."[227] Isso nos faz imaginar se algo como uma Equipe Izzat poderia ter apaziguado o distanciamento e o ódio que produzem tragédias como o voo 182 da Air India.

Motivado por sua disposição para ajudar os jovens, Ward Clapham fez mudanças estruturais em sua unidade, a fim de gratificar os policiais que se destacavam: "Quando cheguei aqui, constatei que, talvez, não estivéssemos alocando nossos melhores quadros para a seção juvenil. Ser promovido a detetive foi a grande recompensa. Então, eu disse: 'Não, vamos colocar nossas melhores e mais brilhantes pessoas para trabalhar com os jovens. Vamos valorizar a seção juvenil.'" A partir daí, ele concebeu o regime de promoção. Hoje, ser escolhido para trabalhar na seção juvenil é um prêmio de prestígio, que exige muito treinamento e um difícil processo de seleção.

Clapham não se esqueceu daqueles que já enfrentam problemas, os que lidam com "os frutos" do problema, como ele diz. O foco nessa questão é intenso, visando reintegrar os infratores à sociedade e evitar mais crimes. A RCMP ajudou a criar o Programa de Justiça Restaurativa de Richmond, que auxilia os jovens infratores a constatar o mal que fizeram, mas não de maneira punitiva. Em vez de ir para a cadeia, eles se encontram com suas vítimas, com testemunhas e policiais, e um facilitador ajuda o grupo a chegar a um acordo para remediar os danos. É um fórum de grande escuta empática, que ajuda o jovem a entender o que ele causou aos outros — e, também, a ser compreendido.

Um jovem imigrante indiano alegou que havia sido agredido e tivera sua cabeça raspada por uma gangue de jovens brancos. Quando ficou claro que a acusação era falsa, o jovem foi enviado para o Programa de Justiça Restaurativa. As pessoas que ele acusou confessaram sua profunda mágoa com aquela mentira. Mas o jovem também conseguiu externar a frustração que acumulava há anos por conta de sua solidão, do desprezo e do preconceito desumano que sentia daqueles ao seu redor. Não foi fácil, mas todos

---

[227] "Public Safety Minister Towes commends important work of Team Izzat Youth Forum organizers" [Ministro Toews, da Segurança Pública, louva importante trabalho dos organizadores do Fórum da Juventude da Equipe Izzat], *Public Safety Canada*, 15 de janeiro de 2011. Disponível em: http://www.publicsafety.gc.ca/media/nr/2011/nr20110115-eng.aspx.

conseguiram respirar um "ar psicológico", e o jovem imigrante passou uma borracha em seu crime por meio da prestação de serviços comunitários.

Que Diferença Faz?

Apesar das coisas inovadoras que propôs, o superintendente Ward Clapham não ficou imune às críticas. As pessoas viam os policiais de Richmond "brincando" com os jovens, jogando bola, distribuindo notificações positivas. "Por que vocês não estão prendendo os bandidos? Que diferença tudo isso faz?", eles perguntavam. Clapham reagia às críticas.

> *Estamos fazendo uma discreta diferença. Essas conexões com os jovens e as mensagens positivas que eles recebem influenciam suas decisões e evitam que eles entrem no mundo do crime e da tragédia. Acolhemos tanto os jovens bem-comportados quanto os em situação limítrofe, de modo a reforçar o estímulo para que permaneçam do lado bom. Jovens que já estiveram realmente envolvidos em uma série de problemas com a polícia acabam mudando as suas vidas. Daqui a dez anos, esses jovens serão adultos. Eles vão nos apoiar no que quisermos fazer por eles e por seus filhos.*

E há uma abundância de dados concretos para demonstrar que a unidade de Richmond produziu resultados excelentes:

- A taxa de criminalidade juvenil caiu 41% nos primeiros três anos depois da posse de Ward Clapham.
- O custo de um processo judicial contra um jovem infrator decresceu, em um período de dez anos, de C$ 2.200 para cerca de C$ 250 — uma queda de quase 90%.
- Os índices de reincidência de jovens infratores sob o Programa de Justiça Restaurativa baixaram para 12%, em comparação com os 61% de reincidência dos que não participavam do programa.[228]

---

[228] Christine Lyon, "Restorative justice gets $95K city boost" [Justiça restaurativa obtém um impulso de $95K para a cidade], *Richmond Review*, 13 de novembro de 2010. Disponível em: http://issuu.com/richmondreview/docs/11-13-10. Acessado em 22 de janeiro de 2011.

- O Destacamento de Richmond registrou, sistematicamente, o moral mais elevado da RCMP.

De maneira ainda mais drástica, nos meses anteriores aos Jogos Olímpicos de 2010 a área de Vancouver explodiu em violência. A erradicação do tráfico de drogas levou o preço das drogas às alturas, o que resultou em guerra de gangues nas ruas.[229] Mas Richmond manteve-se praticamente intocada. A cidade ficou em paz. O Destacamento de Richmond da RCMP vinha se empenhando há quase uma década para essa transformação.

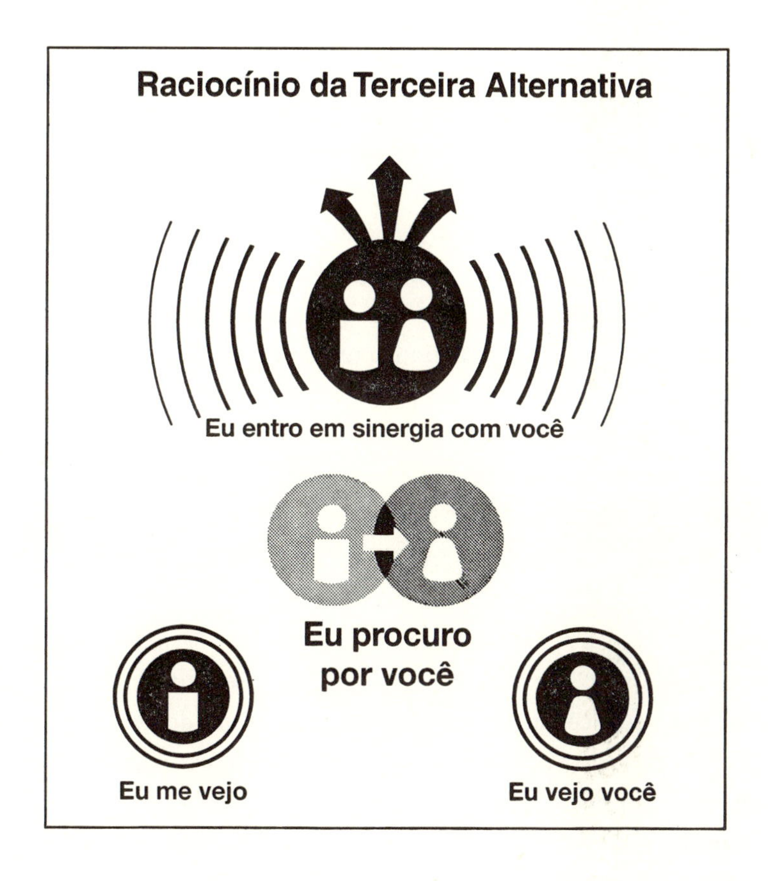

[229] Jeremy Hainsworth, "Ahead of 2010 olympics, violence stalks Vancouver" [Às vésperas dos Jogos Olímpicos de 2010, a violência assusta Vancouver], *Seattle Times*, 28 de março de 2009. Disponível em: http://seattletimes.nwsource.com/html/nationworld/2008940523_apcanadavancouvergangs.html.

Ao longo dos anos, Ward Clapham recebeu inúmeros pedidos para contar sua história. Ele deu palestras sobre a notificação positiva em 53 países. Seu perfil tem sido apresentado em livros e revistas. Tive o privilégio de viajar com ele para participar de algumas de suas apresentações, como a que fizemos para os principais líderes da polícia metropolitana de Londres e outras forças do Reino Unido.[230]

Deixem-me compartilhar com vocês o que aprendi com Ward Clapham.

Ele encarna o paradigma "Eu me vejo". Ele percebeu, logo no início de sua carreira, que não era uma máquina fabricada para tomar decisões e executar o trabalho da polícia como sempre havia sido feito. Ele sentiu dentro de si uma ânsia criativa para dar uma grande contribuição. Ele se via como um "preservador da paz", não apenas como um "caçador" ou um "aplicador da lei". Ele escuta profundamente sua própria consciência, não se satisfazendo com um futuro que englobe a criminalidade e vidas destroçadas.

Ele vive de acordo com o paradigma "Eu vejo você". Os jovens infratores com os quais ele lida não são apenas estatísticas dos relatórios de detenções diárias; são indivíduos que ele quer conhecer e com os quais se preocupa, e ele também quer que eles o conheçam e tenham consideração por ele. Seus colegas não são subordinados, mas pessoas talentosas que contribuem com talentos distintos, que serão aproveitados. Para Ward Clapham, a solução para a criminalidade está na construção de profundas ligações de confiança entre os seres humanos.

Ele pratica o paradigma "Eu procuro você". Nunca conheci uma pessoa com tanta fome por ideias, provenientes das mais diversas fontes possíveis. Em vez de presidir o seu destacamento da cabeceira da mesa, Clapham se vê como mais um de seus policiais. A cada dia, ele se senta em uma cadeira diferente. Ele pede, consulta e extrai ideias de cada um de seus companheiros. Além disso, pede à comunidade que exponha os seus pensamentos. Ele lê e viaja ininterruptamente para aprender com as melhores pessoas. Ideias como a notificação positiva nunca lhe teriam ocorrido sem o seu hábito de buscar a aprendizagem constante.

---

[230] Para assistir a um vídeo interessante sobre a história de transformação de Ward Clapham, acesse The3rdAlternative.com.

Ele realmente acredita na máxima "Eu entro em sinergia com você". Ao entrar em sinergia com sua equipe e sua cidade, ele projetou soluções inéditas para o persistente problema da manutenção da paz. Suas reuniões de Teatro Mágico são plenas de Terceiras Alternativas, algumas bizarras, outras incrivelmente perspicazes, como a notificação positiva ou o carro de corrida MINI Cooper e a Equipe Izzat. Com certeza, foram os seus esforços que produziram a paz em uma comunidade fragmentada, cujas perspectivas de um futuro semelhante eram baixíssimas. Em seu trabalho com a juventude, teria ele criado uma situação na qual a criminalidade violenta poderia, eventualmente, se tornar uma coisa do passado? Clapham responde: "Eu era o chefe de polícia. Mas gostava de ser chamado de o Chefe da Esperança."

Clapham admite ser um "quebrador de normas", respeitando apenas as regras que fazem sentido — mas opondo-se severamente àquelas que não o fazem. Às vezes, o regulamento vence. Porém, em vez de deixar a sabedoria convencional derrotá-lo, ele segue em frente.

Adoro esta frase de Henry David Thoreau: "Para cada mil homens dedicados a arrancar os frutos do mal, há apenas um atacando as raízes."[231] Com essa percepção, Thoreau capturou as consequências do raciocínio de Duas Alternativas. Aqueles que adotam a "linha-dura com a criminalidade" se satisfazem em arrancar os frutos. Aqueles que são "flexíveis com a criminalidade" são, muitas vezes, acusados de ignorar os frutos. Eles insistem que nada pode ser feito até chegarmos às raízes e resolver os grandes problemas sociais que dão origem ao crime. Mas se Thoreau fosse pressionado, acho que concordaria que os frutos também precisam de atenção.

É por isso que fico tão impressionado com Ward Clapham. Ele está perfeitamente consciente de que os males da sociedade são a fonte da criminalidade, mas não se satisfaz apenas em enfrentá-los; quer que eles desapareçam. Ele também não tem de provar que é "duro", tratando os jovens infratores como se fossem lixo. Trata-se de um pensador da Terceira Alternativa, atacando o problema tanto pela raiz *quanto* pelos frutos.

---

[231] Henry David Thoreau, *Walden* (Porto Alegre: L&PM Editores, 2010).

A Terceira Alternativa para a Prevenção da Criminalidade: o Vínculo Amoroso

Luwana Marts é uma pessoa que está efetivamente atacando as raízes da criminalidade. Essa mulher magnífica se denomina uma "educadora profissional" e, ao percorrer os igarapés da Louisiana ajudando jovens mães sem condições financeiras a darem à luz e a criarem bebês saudáveis, ela evita que a criminalidade crie raízes.

As raízes da criminalidade repousam logo no início da vida. Hoje em dia os pesquisadores conseguem demonstrar uma ligação clara e considerável entre a saúde de uma mulher grávida e a probabilidade de seu filho se tornar um criminoso. Uma mãe que fuma, consome álcool e abusa de drogas tem muito mais chances de dar à luz um futuro criminoso do que uma mãe que cuida de sua própria saúde.[232] Enfermeira licenciada em clínica geral, Marts trabalha em uma região onde um terço dos bebês nasce de mães com tais problemas; então, talvez ela seja a maior prevencionista da criminalidade. Como enfermeira visitante, "ela vai até uma família, dando conselhos sobre elaboração da rotina e amamentação, além de recomendar que as armas de fogo sejam mantidas fora de alcance".[233] Ela sabe que, se um bebê conseguir prosperar durante os primeiros dois anos de vida, suas chances de ir para a prisão mais tarde cairão pela metade.

Marts trabalha em conjunto com muitas outras enfermeiras, em um projeto chamado Parceria Enfermeiro-Família (NFP, na sigla em inglês), administrado pelo estado de Louisiana. A NFP foi criada por um verdadeiro pensador da Terceira Alternativa, o professor David Olds. Depois de se formar na universidade, em 1970, Olds conseguiu seu primeiro emprego como professor em uma creche para crianças de baixa renda, em Baltimore. Ele considerou a experiência profundamente frustrante. Muitas das crianças haviam sofrido danos por conta de abuso, síndrome alcoólica fetal e outros comportamentos dos pais. Um menino de 4 anos de idade, ele lembra, "frágil, com uma disposição doce", só conseguia emitir sons e grunhir,

[232] Lee Ellis *et al.*, *Handbook of crime correlates* [Livro de bolso sobre variáveis criminais] (Maryland Heights, MO: Academic Press, 2009), p. 184-89.

[233] Katherine Boo, "Swamp nurse" [Enfermeira de campanha], *New Yorker*, 06 de fevereiro de 2006, p. 54.

porque sua mãe havia usado drogas e álcool durante a gravidez. Outro menino, era sistematicamente espancado em casa quando molhava a cama à noite e, assim, tinha pavor de adormecer, e até mesmo de cochilar.[234]

Embora a creche proporcionasse uma boa educação infantil, Olds sentia que grande parte de seu trabalho era um esforço inútil. Ele conhecia a visão pessimista que se tinha sobre filhos de pais disfuncionais. Os problemas pareciam insolúveis. Naquela época, o debate nacional se concentrava na disputa entre aqueles que defendiam a lei e a ordem pública e os que acreditavam que apenas drásticas reformas sociais poderiam solucionar o problema da criminalidade. Vastos recursos estavam sendo investidos em educação e programas contra a pobreza, mas tais esforços chegariam tarde demais para as crianças em dificuldade atendidas por Olds. Ele estava buscando uma Terceira Alternativa.

A grande percepção de Olds foi mudar o foco dos recém-nascidos para os natimortos. As raízes da criminalidade e da falta de esperança, ele percebeu, estavam no útero. As mães de mais de um terço dos presidiários eram toxicômanas, afetadas pela pobreza e pela ausência de cuidados médicos. As consequências da dependência de álcool e outras drogas por uma gestante, incluindo a síndrome fetal alcoólica, podem aumentar drasticamente as chances de que o filho tenha uma vida disfuncional.[235] O tipo adequado de cuidado pré-natal pode ser importante preventivo para a criminalidade. Havia programas para mulheres grávidas de baixa renda, mas as mães em maior situação de risco eram as menos propensas a procurar ajuda. Se elas não fossem até David Olds, ele decidiu que iria até elas.

Em uma parte rural e economicamente depauperada do estado de Nova York, Olds começou a fazer experiências com o que ele chama de seu "modelo". Enfermeiros licenciados em clínica geral visitariam os lares de jovens mulheres que estavam grávidas pela primeira vez. Os enfermeiros ajudaram as

---

[234] Andy Goodman, "The story of David Olds and the Nurse Home Visiting Program" [A história de David Olds e o Programa de Visitas Domiciliares de Enfermeiras], *Grands Results Special Report*, Robert Wood Johnson Foundation, 7 de julho de 2006.

[235] "Behind bars II: substance abuse and America's prison population" [Atrás das grades II: abuso de substâncias e população carcerária dos EUA], National Center on Addition and Substance Abuse at Columbia University, 23 de fevereiro de 2010. Disponível em: http://www.casacolumbia.org/articlefiles/575-report2010behindbars2.pdf.

mães a parar de fumar e consumir álcool e drogas; ensinaram habilidades de enfrentamento de crises; e continuaram fazendo visitas até o 21º mês de cada bebê. Embora os primeiros resultados parecessem promissores, Olds queria ter certeza de que seu modelo funcionava. Por 15 anos ele acompanhou as vidas tanto das mães e das crianças participantes quanto das não participantes. No fim, ele se sentiu confiante quanto aos resultados: "72% a menos de condenações entre as crianças de 15 anos visitadas por enfermeiros."[236] O modelo de Olds havia abalado profundamente a criminalidade.

Assim nasceu o movimento de Parceria Enfermeiro-Família. Desde esse primeiro experimento, muitos testes aleatórios e cuidadosamente controlados continuaram a mostrar o extraordinário poder do modelo. Mães e crianças de mais de 100 mil famílias de todas as partes do mundo têm prosperado. Somando as economias nos custos de saúde e de execução da lei, o retorno financeiro dos investimentos no modelo é de cerca de 500%!

Logicamente, esse sucesso é uma conquista árdua. As mulheres que participam do programa NFP lutam contra a pobreza, as doenças, a falta de educação, o vício, o abuso — e aprenderam a desconfiar. Todos os dias os enfermeiros visitantes deparam com problemas que muitos de nós nem conseguem imaginar. A desconfiada "Bonnie", uma típica jovem atendida pelo programa, vivia em um porão imundo, infestado de baratas. A enfermeira fez pouco progresso com Bonnie. Ela ameaçou bater na enfermeira quando essa sugeriu que Bonnie parasse de fumar. Alcoólatra e fumante, ela tinha sido torturada quando criança e condenada por abusar de crianças em suas atividades como babá. Mas depois de algumas visitas Bonnie admitiu: "Estou receosa de que eu vá fazer isso com o meu próprio bebê."[237]

A enfermeira ouviu. Uma parte importante da abordagem da NFP é a escuta "reflexiva" , ou empática; na verdade, a escuta empática é uma das habilidades que as enfermeiras ensinam às mães de primeira viagem. "A mãe é a especialista de sua própria vida", observa um pesquisador. "Os

---

[236] "Nurse Family Partnership: overview" [Parceira Enfermeiro-Família: visão geral]. Disponível em: http://www.nursefamilypartnership.org/assets/PDF/Fact-sheets/NFP_Overview. Acessado em 12 de fevereiro de 2011.

[237] Andy Goodman, id., p.11.

enfermeiros não dizem à mãe o que fazer, mas a respeitam e a incentivam a tomar suas próprias decisões."[238] Depois que a enfermeira da NFP conquistou a confiança de Bonnie, elas fizeram planos juntas. A enfermeira ensinou como agir quando a criança chorasse incontrolavelmente. Elas escolheram um novo lugar para ela viver. Quando o bebê nasceu, em um parto prematuro, Bonnie e sua enfermeira conseguiram atender às necessidades especiais da criança. Ao crescer, essa criança evitou as armadilhas da juventude de Bonnie e seguiu adiante, completando o ensino superior.[239]

Mais importante do que tudo: os enfermeiros visitantes da NFP, tão heroicos quanto Luwana Marts, ajudam as jovens mães — muitas das quais nunca conheceram o amor em suas vidas — a dar amor a seus bebês. Elas aprendem que o amor é mais do que cuidar; tem a ver com alimentação, vestuário, educação e provimento. Desde o início da vida, o amor conduz ao fim da criminalidade. "O vínculo amoroso", como Marts o chama. "É um ciclo. Quando não há base segura para o bebê — quando não se atende às suas necessidades básicas, quando não se satisfaz sua fome, quando não o mantemos fora de perigo — não há confiança, nenhum alicerce para o amor. E esse é o momento em que ele pode, simplesmente, se apegar à criminalidade."[240]

A maioria dos crimes decorre da aflição dos que se sentem menosprezados e malquistos. Esse fato não é desculpa, em absoluto, para os infratores, mas, ainda assim, é um fato. O antídoto é vermos e procurarmos entender verdadeiramente uns aos outros, criando soluções da Terceira Alternativa para a falta de esperança. Trata-se de um novo paradigma, que não está focado apenas em capturar e punir os criminosos, mas em criar uma parceria entre a polícia, o sistema de saúde, os pais, as escolas, a juventude e, em particular, os jovens marginalizados, para transformar uma cultura.

---

[238] Katy Dawley e Rita Beam, "My Nurse Taught Me How to Have a Healthy Baby and Be a Good Mother" [Minha enfermeira me ensinou a ter um bebê saudável e a ser uma boa mãe], *Nursing Clinics of North America* 40 (2005): p. 809.

[239] Andy Goodman, id., p. 11.

[240] Katherine Boo, id., p. 57.

Como Ward Clapham, o sargento Jet Sunner, David Olds e Luwana Marts, da NFP, são diferentes daqueles que desejam trancafiar os infratores e jogar a chave fora! Como são diferentes dos que reconhecem que a postura de nossa sociedade com relação à criminalidade não tem funcionado, sem, no entanto, conseguirem escapar da prisão do raciocínio de Duas Alternativas. A criminalidade, dizemos, estará sempre conosco. Mas, então, encontramos pessoas como essas, que perguntam: que tal uma Terceira Alternativa? Que tal colocar um fim à criminalidade?

O Bem-estar da Pessoa Como um Todo

O mundo desenvolvido está enfrentando um cenário sombrio diante dos custos de saúde, que não param de crescer. Nosso sistema de saúde está se tornando tecnicamente sofisticado e altamente especializado, o que eleva sobremaneira os custos. Na América do Norte, na Europa e no Japão, o número de profissionais ativos que contribuem para a previdência vem diminuindo significativamente, enquanto o número de cidadãos idosos tem aumentado. Em 2050, 40% dos japoneses e 35% dos europeus e norte-americanos terão mais de 65 anos. Como os idosos custam mais e contribuem menos, a sociedade terá de arcar com seus cuidados de saúde, e esses custos se tornarão mais pesados ao longo do tempo.

Meu grande amigo Scott Parker, ex-presidente da Federação Internacional de Hospitais, cita, em tom de gozação, a velha máxima dos cuidados de saúde: "É possível ter acesso amplo, de alta qualidade ou de baixo custo — mas não tudo isso ao mesmo tempo." Paradoxalmente, à medida que nosso conhecimento médico avança, podemos nos descobrir mais incapazes do que nunca para levar tal conhecimento a todos que dele precisam.

O que fazer diante disso? Como de costume, as pessoas se distribuem em dois lados. O lado liberal argumenta que todos têm direito inerente aos melhores cuidados de saúde, e que a sociedade deve arcar com os custos, sejam eles quais forem. Mas esse pensamento pode levar a despesas desastrosas, que impedem o crescimento. Muitos acreditam que todos nós iremos à falência por causa disso. O lado conservador defende que os cuidados de saúde equivalem a outros serviços; já que nem todos podem conseguir pagar pelo melhor, devem se contentar com o que podem custear. Presumivelmente, um mercado livre, em última instância, atende às necessidades de todos. Mas esse pensamento poderia estreitar a rede de segurança social dos idosos, dos pobres e dos vulneráveis, que, muitas vezes, são os que mais sofrem de problemas de saúde.

Reconheço que estou caricaturando os dois lados, mas são essas as tendências. O mundo inteiro está envolvido nesse conflito; nos Estados Unidos, as ideologias rivais lutam ferozmente entre si. Há pessoas inteligentes e de princípios em ambos os lados, e ambos têm pontos positivos a defender. No entanto, eles não estão se fazendo a pergunta fundamental da Terceira Alternativa: "Você está disposto a buscar uma solução que seja melhor do que aquilo em que qualquer um de nós já pensou?" Se se fizessem esta pergunta, isso poderia levar a outras questões: e se os nossos pressupostos estiverem errados? Como sabemos que é impossível dar a todos o melhor e, ainda assim, reduzir os custos? Quais os resultados que realmente queremos? Estamos construindo um sistema para atingir tais resultados?

Imagine, por um momento, os dois lados do grande debate se reunindo para entrar em sinergia, em vez de discutir. Imagine o que aconteceria se eles dedicassem a mesma quantidade de tempo à consideração ponderada com relação ao verdadeiro trabalho a ser feito que gastam tentando derrotar uns aos outros. Eles iriam perceber que a crise nos cuidados de saúde se deve não à ausência de soluções, mas à falta de sinergia.

O verdadeiro trabalho a ser feito não é curar as doenças, mas preveni-las. Em todos os países, a indústria de saúde é, na verdade, uma grande "indústria da doença". O dr. Frank Yanowitz, que dedicou sua vida ao bem-estar, e não à doença, gosta de contar a velha história do estudante de medicina que está caminhando às margens de um rio ao lado de seu professor. De repente, eles veem um homem se afogando no rio. O estudante pula na água, arrasta o homem até a margem do rio, realiza a ressuscitação cardiopulmonar e salva a vida do sujeito. Evidentemente, o aluno está querendo impressionar o professor. Então, inexplicavelmente, eles veem outra pessoa se afogando e o estudante repete o procedimento. Em pouco tempo o rio fica cheio de pessoas se afogando e o estudante, já sem fôlego, mostra-se esgotado. "Sei que sou um médico dedicado a ajudar as pessoas, mas não consigo dar conta disso!", ele grita com o professor, que lhe responde: "Então, por que você não detém a pessoa que está empurrando esses infelizes ponte abaixo?"

Para aqueles que pensam de acordo com a Terceira Alternativa, como Yanowitz, essa é a história da indústria de saúde. Construímos uma ciência dedicada a retirar as pessoas doentes do rio, em vez de, em primeiro lugar, mantê-las afastadas dele. Jordan Asher, proeminente médico e executivo de cuidados de saúde, coloca a questão desta maneira:

Os cuidados de saúde nos Estados Unidos estão completamente defasados. Prestamos cuidados episódicos depois que algo de ruim acontece. Não há lugar melhor no mundo para se estar depois de um ataque cardíaco, mas é o pior lugar para se estar se você quiser evitar esse problema. Estamos tentando impedir o fluxo de água que comprime a mangueira, em vez de descobrir de onde a água está vindo.[241]

Francamente, o quadro nos Estados Unidos não é muito diferente da situação em qualquer outro lugar do mundo. Variações do grande debate são universais, à medida que os países ficam sem recursos para gerir o crescente fluxo de problemas de saúde decorrentes do envelhecimento da população. Todos estão discutindo sobre a melhor maneira de lidar com o dilúvio, em vez de optar pela Terceira Alternativa, isto é, procurar deter, ou pelo menos retardar, tal dilúvio.

Um século atrás, fazia sentido que os médicos se concentrassem nos enfermos. A maioria das pessoas morria de doenças infecciosas há muito debeladas. Neste século, apenas 2% da população mundial morrerá de tais doenças. Atualmente, o problema no mundo desenvolvido são as chamadas doenças do estilo de vida — doenças cardíacas, diabetes e câncer —, que custam muitas vidas e muito dinheiro, mas que podem ser, em grande parte, prevenidas por meio de simples mudanças no estilo de vida.

A Organização Mundial de Saúde define saúde como "um estado de perfeito bem-estar físico, mental e social, e não apenas a ausência de doenças ou de enfermidades".[242] Essa é a verdadeira definição de saúde: o bem-estar da pessoa como um todo. A Terceira Alternativa para a nossa

---

[241] Entrevista com Jordan Asher, 19 de fevereiro de 2011.

[242] "Preamble to the constitution of the World Health Organization as adopted by the International Health Conference, New York, 19-22 June, 1946" [Preâmbulo da constituição da Organização Mundial de Saúde conforme adotada pela Conferência Internacional de Saúde de Nova York, 19-22 junho de 1946]. Disponível em: http://www.who.int/about/definition/en/print.html.

atual crise de saúde é transformar o paradigma da "indústria da doença" em um paradigma da "indústria do bem-estar".

E onde estão os médicos do bem-estar? Onde fica a escola de medicina na qual o bem-estar é mais do que mera nota de rodapé no currículo? Onde estão os pensadores da Terceira Alternativa que criarão contratipagens para toda a indústria e a virarão pelo avesso para encontrar uma orientação que faça sentido?

Consigo ouvir as vozes da indústria médica protestando: "Mas as pessoas não se preocupam com a saúde até ficarem doentes. Elas não vão aparecer para fazer um exame de rotina. Elas se recusam a investir tempo e esforço na prática de exercícios. Elas não vão parar de fumar. Elas comem muito e ficam muito estressadas." Tudo isso é verdade. Não há como fugir à nossa responsabilidade individual quando se trata de nosso próprio bem-estar. Ironicamente, uma dieta sensata e exercícios moderados podem prevenir a maioria das doenças do estilo de vida. Por que, então, não assumimos essa responsabilidade mais seriamente?

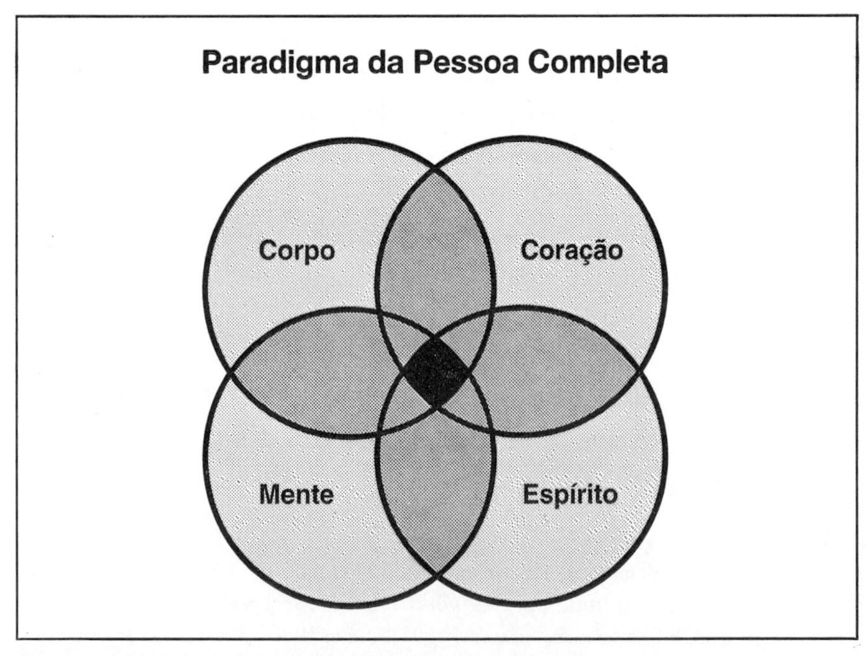

Paradigma da Pessoa Completa. Para transformar os cuidados de saúde temos de transformar o "paradigma da doença" em um paradigma que assegure a saúde da pessoa como um todo, dos pontos de vista espiritual, emocional e mental, assim como do físico.

Quase todos nós culpamos a falta de disciplina. Mas a questão é mais profunda do que isso. Acredito que grande parte da culpa recai sobre as grossas lentes da Era Industrial através das quais nos observamos. Assumimos que nossos corpos são máquinas que podem ser "consertadas" se algo der errado. Nos vemos como fabricantes que devem produzir o tempo todo, em vez de compreender a nós mesmos como contribuidores que precisam de renovação espiritual, de amizade e de crescimento para prosperar. Precisamos de uma rápida caminhada no parque para arejar nossos espíritos, da mesma forma que nossos sistemas cardiovasculares. Acreditamos que precisamos de nossos vícios para manter a produtividade, mas realmente precisamos de uma visão autêntica de nós mesmos como profundamente talentosos e, como diz a Bíblia, "feitos de modo especial e admirável". Precisamos nos ver como um todo — corpo, mente, coração e espírito —; nutrir e cultivar todos esses inestimáveis talentos.

É muito comum nos sentirmos desencorajados pelo ciclo do estabelecimento de metas, como fazer exercícios, balancear a dieta e perder peso, e, depois, pelo seu abandono. Nós nos culpamos pela preguiça e pela falta de disciplina. Minha experiência é que o maior problema não é a disciplina, mas sim o fato de que ainda não nos observamos como realmente somos.

Mas outra razão importante pela qual as pessoas não cuidam de si mesmas é, honestamente, a própria indústria de cuidados pessoais. O sistema médico é estruturado, treinado, credenciado e remunerado não para prevenir a doença, mas para tratá-la. Simplesmente, não há tempo ou dinheiro suficientes para se concentrar na prevenção, pois tudo é consumido pela necessidade mais urgente dos cuidados intensivos. Um criterioso analista dessa situação afirma: "Há uma crise na saúde que resulta da escassez de recursos e da distribuição desigual deles para aqueles que têm mais condições de pagar. [...] O paradigma da escassez, em que os indivíduos devem competir por recursos escassos, domina os cuidados de saúde no Ocidente, expressando e sustentando tal crise."[243] Em outras

[243] Richard Katz e Niti Seth, "Synergy and healing: a perspective on Western Health Care" [Sinergia e cura: uma perspectiva sobre os cuidados de saúde no Ocidente], in *Prevention and health: Directions for policy and practice* [Prevenção e saúde: orientações para políticas

palavras, é o nosso *paradigma* que faz com que os cuidados de saúde sejam um bem escasso e, portanto, caro. Pessoas com uma mentalidade de escassez acreditam que os recursos são finitos e, no caso dos médicos, o principal recurso escasso é o tempo. Todo mundo sabe que é melhor prevenir uma doença do que tratá-la, mas os médicos não têm tempo para se concentrar na prevenção. Eles não conseguem fazer um exame físico anual minucioso em seus pacientes, porque isso roubaria muito tempo do tratamento desses mesmos pacientes quando eles ficarem doentes. Estão tão ocupados espantando as moscas que se esquecem de consertar o buraco na tela anti-insetos.

Em função da mentalidade de escassez, privilegiamos o tratamento e negligenciamos relativamente a prevenção, o que, por sua vez, aumenta os custos — para não mencionar o sofrimento e as perdas humanas. Os médicos estão "mais acostumados ao processo de pensamento usado para pacientes sintomáticos [isto é, doentes] do que ao processo de pensamento usado para cuidados preventivos".[244] O resultado são longas filas nas emergências dos hospitais, formadas por pessoas que, antes de mais nada, não deveriam ficar doentes.

"É daí que vêm os altos custos", diz Shawn Morris, executivo de cuidados de saúde de Nashville:

> *Salas de emergência e hospitais. Ninguém quer frequentar esses lugares, mas a maioria das pessoas acaba parando lá de qualquer maneira. Você só vai ao médico quando está doente e, se a sorte estiver ao seu lado, ele terá seis minutos sobrando para lhe dedicar. Ele também fica frustrado por conta disso. Isso se deve a um sistema chamado "taxa por serviço", a maneira pela qual os médicos são remunerados. Eles não são reembolsados por uma série de coisas que poderiam ajudar efetivamente os pacientes, e por isso se encontram em um impasse. Eles não podem parar o que estão fazendo para verificar se você está realizando sua*

---

e práticas], ed. Alfred Hyman Katz e Robert E. Hess (Nova York: The Haworth Press, 1987), p. 109.

[244] Steven Woolf H. et al., *Health promotion and disease prevention in clinical practice* [Promoção da saúde e prevenção de doenças na prática clínica] (Hagerstown, MD: Lippincott Williams & Wilkins, 2007), p. 9.

colonoscopia ou sua mamografia. Se você estiver resfriado, eles não vão tirar os seus sapatos e examinar o seu pé para saber se a sua diabetes está piorando.

Morris não apenas entende o problema; ele e seus companheiros estão arquitetando uma Terceira Alternativa para os cuidados de emergência, de um lado, e para os casos de negligência, de outro. Ela se chama Living Well Health Center.

Um Novo Tipo de "Clube de Saúde"

Em Gallatin, Tennessee, o Living Well Health Center exala uma atmosfera rural sulista, com cadeiras de balanço, uma lareira de pedra e tabuleiros de damas; na verdade, algumas das pessoas que descansam em frente à lareira só estão lá para jogar damas. Os proprietários o chamam de "casa de saúde centrada no paciente", mas funciona mais como ponto de encontro para idosos em Gallatin. Há um folclórico "embaixador de serviços", que orienta as pessoas sobre os serviços disponíveis ou apenas socializa com elas. Há grupos de exercício e aulas de pintura, de arranjos de flores e de culinária.

Entretanto, para além dessas cenas, o centro é dedicado ao bem-estar de seus clientes. Os idosos podem aparecer quando quiserem, mas são cuidadosamente monitorados e orientados de acordo com um programa de manutenção de cuidados de saúde, uma lista de 32 fatores de risco. Um dos itens da lista de controle, um teste regular de PSA (antígeno prostático específico) para homens mais velhos, detecta o câncer de próstata, que tem uma taxa de cura de 99,7%, caso diagnosticado precocemente. A lista também alerta os médicos para o aparecimento de assassinos silenciosos, como o diabetes e as doenças cardíacas. Os médicos não atendem os pacientes em seis minutos (a média nacional!), mas pelo tempo necessário para percorrer a lista de controle, acompanhar um procedimento ou apenas conversar. São clínicos gerais que praticam o que eles chamam (ironicamente) de "medicina centrada no paciente". Eles passam a conhecer bem cada paciente e desenvolvem um vínculo de confiança com eles.

Um objetivo primordial do Living Well é evitar que os pacientes tenham de fazer visitas desnecessárias ao hospital. Tudo está voltado para a prevenção e o gerenciamento dos problemas crônicos. Em decorrência do monitoramento e do acompanhamento cuidadosamente coordenados, a taxa de incidentes críticos tem diminuído continuamente, o que significa menos ataques cardíacos, câncer e acidentes vasculares cerebrais e menos diabetes e doenças crônicas. A economia resultante em termos de custo é compartilhada com os médicos na forma de um bônus de bem-estar e de qualidade. Shawn Morris afirma: "Estamos tentando mudar todo o paradigma de remuneração dos médicos, de modo que eles possam passar mais tempo com os pacientes. Tratar de problemas crônicos consome muito tempo, assim como os cuidados preventivos. O hospital é para as situações críticas e graves. As pessoas não deveriam ir parar no hospital porque não conseguem lidar com problemas rotineiros e administráveis como a asma ou o diabetes, mais bem-gerenciados em uma configuração ambulatorial". Quando surge um problema grave de saúde, o Living Well Health Center envia o paciente para tratamento especializado fora de suas instalações. Mas a equipe de transição do Centro leva o paciente para casa, faz verificações de bem-estar e trabalha no ambiente doméstico — tudo isso para evitar que o paciente tenha de ser internado novamente.

De acordo com as medidas de qualidade nacionais, o Living Well Health Center apresenta um desempenho 55% mais eficiente do que a média dos prestadores de serviços de saúde pública. "Atingimos 90%, diante de uma média nacional de 45% a 50%", diz Morris.[245] Isso se traduz em clientes muito mais saudáveis e significativas economias, tanto em termos médicos quanto sociais.

O Centro foi criado por pessoas com um paradigma de sinergia. É o resultado do esforço não apenas de médicos e enfermeiros, mas também de cozinheiros, preparadores físicos e decoradores, professores, religiosos e diretores sociais, que contribuem para o bem-estar da pessoa como um todo — para atender necessidades físicas, mentais, espirituais e sociais. Esse lugar não existe apenas para cuidar do corpo físico, mas também para ajudar as pessoas a aprender, a fazer amigos e a se divertir.

Como resultado, o Living Well dá um significado completamente diferente ao termo "clube de saúde". É um local de encontro, não uma sala de

---

[245] Entrevista com Shawn Morris, Nashville, TN, 18 de outubro de 2010.

emergência. É um centro de recreação, não um prédio de escritórios com placas repletas de nomes de médicos e suas intimidantes iniciais. É um refúgio, não uma "instituição". Com o salão de alimentação, os tabuleiros de jogos e as grandes telas de tevê, ele tem algo do espírito de um navio de cruzeiros. As pessoas gostam de simplesmente aparecer por lá. Essa é a sabedoria dos mentores do Living Well Health Center — em vez de persuadirem os pacientes a aparecer para fazerem seus exames de rotina, eles os atraem transformando o Centro em um destino que atende à pessoa como um todo.

O Centro também apresenta uma solução engenhosa para um dos principais problemas dos cuidados de saúde: a maneira como os médicos são remunerados. Existem dois métodos usuais. A "taxa por serviço" significa que os médicos são remunerados por procedimento realizado, de modo que tenham um incentivo para atender muitos pacientes e realizar inúmeros procedimentos. O outro método, a "capitação", pressupõe que os médicos recebem um valor fixo e, então, o incentivo está em não atender a paciente algum e não fazer procedimento algum, porque eles serão remunerados atendendo ou não atendendo aos pacientes. É claro, há médicos e médicos em todos os pontos desse contínuo. Mais uma vez, porém, deparamos com um raciocínio de Duas Alternativas, e nenhuma oferece um estímulo saudável.

Mas, no Living Well Health Center, os médicos são pagos para fazer o trabalho que precisa ser feito: ajudar as pessoas a ficar bem em todos os aspectos de suas vidas. O sistema é chamado de "cuidados coordenados". Um clínico-geral coordena todos os cuidados, certificando-se de que os pacientes obtenham o máximo de suas terapias e exames. Ele é pago por atingir metas de qualidade com cada paciente, juntamente com o bônus de bem-estar por mantê-los fora do hospital. Essa Terceira Alternativa para os dois métodos convencionais de remuneração dos médicos melhora a qualidade dos cuidados e contribui para a redução dos custos.

Claramente, lugares como o Living Well Health Center são Terceiras Alternativas que transcendem o debate ideológico sobre os sistemas médicos. Ao optar pelo trabalho a ser feito, os profissionais do Living Well simplesmente criaram uma abordagem mais ampla e melhor para os cuidados de saúde, em vez de esperarem que o grande debate se resolvesse.

A Norman Clinic: uma Mentalidade da Terceira Alternativa

Enquanto isso, o debate continua, de modo praticamente infrutífero.

> *"O direito aos melhores cuidados de saúde disponíveis não deveria ser para todos?"*
>
> *"Mas e quanto aos custos cada vez mais altos? Todas as famílias e todos os países do mundo iriam à falência se tivessem de pagar pelo melhor para todos."*
>
> *"Então vamos deixar que as pessoas que não podem pagar adoeçam e morram?"*
>
> *"Quem vai pagar por isso? Eu? Você?"*

Basta um pouco de reflexão para perceber que esses dilemas são falsos. Como bem demonstra o Living Well Health Center, é perfeitamente possível oferecer a todas as pessoas cuidados de saúde concretos *e* administrar razoavelmente os custos. Na verdade, o que impediria os custos de diminuíem enquanto a qualidade aumenta? É apenas uma questão de se chegar a uma Terceira Alternativa.

O verdadeiro problema não é nem o custo nem a qualidade. O problema real, mais uma vez, são os paradigmas fracos. O sistema de cuidados de saúde está preso ao raciocínio de Duas Alternativas, aquela mentalidade estranha e ilógica que insiste que é preciso escolher entre a qualidade e a eficácia nos custos. Não há outra escolha, dizem eles.

A impressionante história da Norman Clinic desmente tudo isso.

Às 5 horas de uma manhã de terça-feira abrem-se as portas da Norman Parathyroid Clinic, no Tampa General Hospital, na Flórida. Treze pacientes — do Canadá, da Índia, da América Latina e de vários estados norte-americanos — são rapidamente registrados por sorridentes funcionários. Cada paciente vai para uma pequena sala, onde um médico lhes passa informações sobre sua situação e sobre o que fazer após a cirurgia. O médico explica que eles vão ter de tomar comprimidos de cálcio por algum tempo. E, então, eles começam a ser preparados.

Ao meio-dia todos os 13 já estavam curados de uma doença pouco conhecida, mas não incomum, chamada hiperparatireoidismo. Todos nós nascemos com quatro pequenas glândulas paratireoides, cada uma do tamanho de um grão de arroz. Distribuídas ao redor da tireoide, que é muito maior, essas glândulas controlam o nível de cálcio no sangue. Ocasionalmente, uma delas sai de controle e faz com que o corpo passe a retirar cada vez mais cálcio da corrente sanguínea. O resultado é a perda óssea, aumentando as dores por todo o corpo, a depressão e a fadiga — "dor abdominal, dor nos ossos, fraqueza e confusão mental". Se não for tratada, tal enfermidade pode ser totalmente debilitante e levar a acidentes vasculares cerebrais ou ao câncer.

Cerca de uma em cada mil pessoas desenvolverá essa doença. A causa é desconhecida, mas a cura é simples: a remoção da glândula disfuncional. Em poucas horas os níveis de hormônio do paciente voltam ao normal, à medida que as glândulas não afetadas entram em ação como forma de compensação.

Afirmo que a cura é simples, mas a cirurgia não é. Pelo fato de as glândulas paratireoides estarem localizadas no pescoço, os cirurgiões devem tomar cuidado para não danificar a artéria carótida, o aparelho fonador, o nervo laríngeo e outras estruturas complexas e delicadas. É por isso que, normalmente, a paratireoidectomia é considerada uma cirurgia de grande porte. Muitas vezes, os médicos cortam a garganta do paciente de orelha a orelha e levam uma média de quase três horas para realizar o procedimento, que requer vários dias de internação no hospital e semanas de recuperação. O procedimento típico não tem sofrido alterações substanciais desde a década de 1920. A taxa de cura está entre 88% e 94%, com 5% de relatos de complicações. E é caro; nos Estados Unidos, pode chegar a cerca de US$ 30 mil.

Em contrapartida, os pacientes da Norman Clinic ficam na sala de operação por uma média de 16 minutos e saem do hospital algumas horas depois. O único vestígio da cirurgia é uma incisão minúscula de 2 ou 3 centímetros na base da garganta. A taxa de cura no Tampa General Hospital é de 99,4%, com quase zero de complicações — por cerca de um terço do custo do procedimento usual.

O dr. Jim Norman é um homem franco e de humor ácido. "Não tratamos essa doença. Nós a curamos", diz ele, com sua voz gutural. A taxa de cura de quase 100% lhe dá toda essa confiança. Fundador da Norman Parathyroid Clinic, ele realizou mais de 14 mil cirurgias de paratireoide — muito mais do que qualquer outro cirurgião na história — e é um verdadeiro especialista nessa ciência. Ele realiza cerca de 42 operações por semana, enquanto o cirurgião-endocrinologista mais produtivo dos Estados Unidos consegue chegar a tal marca, se tanto, em um ano.

Na juventude, Norman se especializou no sistema endócrino e realizou todos os tipos usuais de cirurgia. Um dia, ele estava reclamando com seu pai, um vendedor de carros, que o procedimento da paratireoide era muito difícil: "Tentamos tirar uma minúscula glândula de um buraco de 15 ou 20 centímetros. Há muitos riscos envolvidos, muita drenagem, um monte de coisas no pescoço, risco de complicações, carótida, nervos." Seu pai respondeu: "E por que vocês não fazem um buraco menor?"

Foi apenas a semente de uma ideia. Nos anos seguintes, Norman realizou experiências com incisões cada vez menores, inventou ferramentas das quais não dispunha, como uma sonda radioativa, até desenvolver um método inteiramente novo, chamado minicirurgia da paratireoide. Por intermédio de um foco preciso, da repetição e de milhares de horas investidas, Jim Norman se tornou o melhor, o mais rápido e o menos invasivo cirurgião de paratireoide do mundo.

Ao mesmo tempo, ele construía um novo e notável modelo de negócios. Toda a sua equipe é formada por especialistas. Ele se associou a alguns colegas, que estão se tornando tão bons quanto ele. As imagens digitais ficam cada vez melhores, pois os radiologistas fazem mais de 2 mil delas por ano. As enfermeiras fazem a mesma coisa todos os dias e desenvolvem um sexto sentido em relação aos pacientes — elas conseguem perceber imediatamente se um paciente se sentirá melhor em uma hora ou em meia hora. Os médicos raramente precisam pedir alguma coisa. Eles estão sempre pensando: "Como podemos aprimorar essa experiência para o paciente?"

As sinergias são abundantes na Norman Clinic. À medida que a reputação da clínica aumenta, pacientes de todas as partes do mundo têm aparecido, e eles precisam de lugares para se hospedar. A maioria dos pacientes chega em Tampa no primeiro dia, faz sua cirurgia no dia seguinte e retorna para casa no terceiro dia. Assim, a clínica conseguiu grandes descontos em hotéis vizinhos e em serviços de locação de veículos. Os pacientes são recebidos no aeroporto e levados para o hotel, onde a equipe está ciente de todas as necessidades excepcionais desses hóspedes.

Mark Latham, gerente administrativo da clínica, diz: "Estamos tentando controlar a experiência como um todo, desde a casa do paciente até o seu retorno. Damos muito trabalho aos hotéis, e eles doam recursos para a nossa fundação. Oferecemos aos membros das equipes hoteleiras visitas à clínica. Eles entendem do que os pacientes precisam e, por isso, fazem estoque de alimentos como sorvetes e picolés. É possível conseguir comprimidos de cálcio ali mesmo, nos hotéis."

A Norman Clinic e o Tampa General Hospital desfrutam de impressionantes sinergias. O alto volume de cirurgias é uma vitória para o hospital, não só por causa dos lucros, mas também porque Norman é muito eficiente. A clínica usa apenas duas salas de cirurgia, e a rotatividade nessas salas é enorme. Não há necessidade de quartos para recuperação; apenas um em cerca de 4 mil pacientes precisa pernoitar. O hospital também se beneficia da previsibilidade. Radiologistas e anestesistas sabem exatamente o que esperar. Todos os pacientes já dão entrada na clínica com suas contas quitadas e estão cadastrados no sistema antes de serem operados. "É verdade que a maioria de nossos pacientes tem de arcar com os custos da viagem até Tampa", afirma Mark Latham. "Mas, somando a quantidade de dólares economizada em operações longas e invasivas, em riscos de complicações e em internações hospitalares, sai muito mais barato ir até um local verdadeiramente especializado. Em média, os outros lugares são muito mais caros do que o custo total para os nossos pacientes."

Parte da estratégia da Norman Clinic para a redução de custos é certificar-se de que todos os pacientes sejam bem-orientados antes de chegarem ao Tampa General Hospital. Eles usam um site bem explicativo na internet, com custo de manutenção reduzido, para se comunicar com os pacientes e treiná-los naquilo que seria uma prática mundial. Por definição, o site não é complicado, e está escrito em inglês informal. É possível assistir a um vídeo da cirurgia, ler histórias e poemas escritos por ex-pacientes e, até mesmo, ver a origem dos pacientes em um mapa-múndi. Usar a internet para instruir os pacientes e processar os históricos economiza tempo e dinheiro na clínica.

Em resumo, o dr. Jim Norman oferece um serviço de excelente qualidade a seus pacientes a um preço muito inferior ao que eles pagariam em qualquer outro lugar. "Se toda a indústria de cuidados de saúde tomasse conhecimento de nossa existência, seria muito melhor", diz Latham. "Para mim, é incrível perceber como alcançamos tanta visibilidade. Houve muitos trabalhos escritos a nosso respeito, muitas palestras, todas aquelas pesquisas baseadas em resultados — e, mesmo assim, ninguém mais está fazendo o que fazemos. Por alguma razão, ninguém mais."[246]

Naturalmente, a razão pela qual "ninguém mais está fazendo o que fazemos" é óbvia. Pelo fato de a ideologia de Duas Alternativas dominar o debate sobre a saúde, os ideólogos sequer imaginam que pode haver uma Terceira Alternativa, uma maneira de as pessoas conseguirem cuidados de saúde cada vez melhores a preços dramaticamente decrescentes. E uma Terceira Alternativa é extremamente necessária. Pense nas muitas sinergias realizadas entre a Norman Clinic, o Tampa Hospital, os hotéis, os próprios pacientes — todos unidos para reduzir os custos e elevar a qualidade.

Mas forças formidáveis se articulam *contra* os pensadores da Terceira Alternativa como o dr. Norman. "Conquistamos apenas cerca de 12% do mercado nacional. Os médicos não nos encaminham pacientes. Normalmente, funciona da seguinte maneira: os médicos, os cirurgiões e as seguradoras se unem em um único bloco. Eles encaminham pacientes uns para os outros. O que eles chamam de 'gestão de cuidados de saúde' é equivalente a uma corporação medieval. Para eles, nós somos uma ameaça aos seus negócios."[247] São poucos os pacientes que pesquisam sobre cuidados de saúde; eles tendem a fazer o que seus médicos e seguradoras recomendam, e esses dificilmente lhes dirão para romper com o sistema e seguir para a Flórida.

Esse é praticamente o mesmo problema que desestimula os pacientes de todo o mundo a recorrerem à Norman Clinic. Na maioria dos países, por conta dos serviços nacionais de saúde, tais procedimentos são gratuitos para os cidadãos, e não faz muito sentido investir uma grande quantidade de dinheiro para ir até a Flórida. Ainda assim, aqueles que são informados sobre os resultados e têm recursos suficientes aparecem por lá.

Isso nos leva de volta ao falso dilema entre custo e qualidade. Em termos do grande debate sobre cuidados de saúde, os liberais entusiastas diriam que todos deveriam ter acesso ao dr. Norman, e a União deveria au-

---

[246] Entrevista com Mark Latham, 18 de novembro de 2010.

[247] Entrevista com Mark Latham, id.

mentar os impostos e pagar por isso. Os conservadores entusiastas diriam que todos que podem pagar deveriam ter acesso ao dr. Norman, mas a União não tem o direito de tributar todo mundo para que apenas algumas pessoas possam ir à Flórida. No entanto, ambas as posições são falhas, porque suas premissas são falhas, como demonstra a história da Intermountain Healthcare.

Um Modelo para o Mundo

"É possível ter acesso amplo, de alta qualidade ou de baixo custo — mas não tudo isso ao mesmo tempo." Esta é a velha regra inquebrantável que Scott Parker aprendeu quando estudava administração hospitalar na University of Minnesota. Todo mundo dizia isso, todos concordavam e todos sabiam que era verdade. Porém, quando, na década de 1970, Parker se tornou chefe de uma das maiores redes de hospitais sem fins lucrativos dos Estados Unidos, ele começou a se perguntar sobre a validade da velha regra da tripla limitação.

Os administradores da Intermountain Healthcare (IHC), uma cadeia de 15 hospitais, pediram que Parker organizasse uma equipe para transformar seu sistema em "um modelo de prestação de cuidados de saúde para o mundo". Esse desafio os empolgava do mesmo modo que os assustava; isso significava que a IHC precisaria ter um verdadeiro diferencial, e que essa missão nunca teria fim.

Evidentemente, a maioria dos hospitais luta contra este dilema: a dificuldade de equilibrar a qualidade dos cuidados com os custos. Muitos hospitais oferecem um conjunto restrito de serviços padronizados e, desde que preservem sua credibilidade e obtenham uma margem de lucro, eles se conformam. Eles fogem das inovações, mantêm-se meramente dentro das normas aceitas em relação às taxas de mortalidade e de infecção, e tentam evitar riscos. Uma vez que um procedimento se torna padrão, eles o usam indiscriminadamente, sem muita reflexão.

Assim, os líderes da IHC se perguntaram: "Como podemos ser diferentes? O que podemos fazer melhor? Se estamos tentando nos tornar um sistema 'modelo', o que precisa ser mudado?" Eles não estavam otimistas com relação ao problema de custo *versus* qualidade, de modo que decidiram, a princípio, se concentrar no acesso, o terceiro elemento do trio de limitações.

De modo geral, nenhum hospital nega tratamento para as pessoas que o procuram. É por isso que as salas de emergência costumam ficar lotadas de pacientes, independentemente de seu poder aquisitivo, e a IHC sentiu uma obrigação especial de atender aqueles que a procuravam. Mas a equipe de Parker estava interessada nos que *não* iam até as suas instalações, nos que eram muito pobres ou que estavam muito afastados para pedir ajuda. A IHC atendia uma vasta área do oeste norte-americano, mais de 2,5 milhões de hectares e, em muitas cidades menores e distantes, não havia um médico sequer. Então a IHC decidiu ir até eles. Embora, na época, isso fizesse pouco sentido do ponto de vista econômico, muitos novos e pequenos hospitais e clínicas da IHC começaram a povoar a porção oeste do país. À medida que esse número crescia, os pacientes começaram a aparecer. Demorou muito tempo para que essas instalações se tornassem autossustentáveis, mas milhares de pessoas, enfim, tiveram acesso a elas.

Então, no fim dos anos 1980, Brent James, bioestatístico e cirurgião formado em Harvard, procurou Scott Parker. Ele acreditava que era possível aumentar radicalmente a qualidade do atendimento aos pacientes e, ao mesmo tempo, reduzir drasticamente os custos. Parker não o levou a sério — isso ia contra tudo o que ele achava que sabia. Ele acreditava que as mais ínfimas mudanças no estado geral do paciente exigiriam grandes investimentos. Noventa por cento dos pacientes saíam do hospital em boa forma, e seria proibitivamente caro aumentar esse número, mesmo que se tratasse de um pequeno aumento.

Mas Brent James convenceu a equipe de liderança da IHC a passar alguns dias com ele, aprendendo a melhorar cientificamente os procedimentos. Parker começou a se perguntar: "A IHC poderia se tornar uma alternativa à velha oposição entre custo e qualidade? Poderíamos alcançar a excelência de uma maneira que nenhum outro hospital foi capaz de fazer?" Então, eles deram o sinal verde para que James fizesse uma experiência. Uma equipe de cirurgiões da IHC seria a cobaia. Com sua experiência na área de estatística, James media tudo o que acontecia com os pacientes que estavam sob os cuidados daquela equipe: admissão, diagnóstico, preparação, anestesia, a cirurgia propriamente dita, cuidados de enfermagem, recuperação, alimentação, medicamentos, alta e acompanhamento. Então, ele se reunia com os departamentos envolvidos e apresentava os dados, perguntando-lhes: "Qual é o seu papel neste processo? O que podemos fazer que nunca tenha sido feito antes para melhorar este procedimento?"

A sala se transformou em um Teatro Mágico. Ideias brotavam de todos os departamentos. As enfermeiras perceberam em que pontos poderiam melhorar seus procedimentos de preparação. Os cirurgiões identificaram oportunidades de coreografar o seu trabalho de modo a torná-lo mais eficiente. Eles descobriram que antibióticos eram prescritos de maneira descontrolada no pós-operatório. Até mesmo os nutricionistas sugeriram maneiras de oferecer o alimento certo para os pacientes. Eles reuniram essas ideias e passaram a trabalhar para aplicá-las.

Semanalmente, Brent James se reunia com a equipe e mostrava os resultados da semana em uma curva de distribuição. Os departamentos começaram a competir para ver quem conseguia reduzir mais ainda as curvas, atingindo, assim, mais e mais consistência em seus procedimentos. Impressionado, Parker se deixou convencer e pediu que James transformasse seus "projetos científicos" em um sistema completo para administração de cuidados de saúde. No fim, mais de 50 importantes procedimentos clínicos foram submetidos ao mesmo escrutínio.

Funciona assim: as equipes avaliam o que já estão fazendo e, então, elaboram protótipos de ferramentas, como listas de controle e diretrizes para aumentar a consistência, economizar tempo ou fazer um uso mais eficiente de determinado recurso. Então, elas testam e retestam os protótipos até que possam mensurar as melhorias.

Os resultados têm sido evidentes. As infecções hospitalares, a maldição dos hospitais modernos, caíram significativamente. Os efeitos adversos da medicação (superdosagem e subdosagem, reações alérgicas) caíram pela metade. Mais de 1,7 milhão de norte-americanos são hospitalizados por ano com pneumonia, e 14% deles morrem, mas a IHC reduziu essa taxa em 40%. As taxas de mortalidade em cirurgias de pacientes cardíacos caíram para 1,5%, contra a média nacional de 3%. Em comparação com outros hospitais, são raras as readmissões. Isso se traduz em milhares de vidas salvas por ano.

Menos importante, mas igualmente significativo, é o fato de que os resultados também se traduzem em uma economia de centenas de milhões de dólares. "Começamos a acrescentar os resultados econômicos aos nossos testes clínicos e, em alguns meses, eles comprovaram ser verdadeiros", lembra Brent James. Ironicamente, porém, em função da maneira como o seguro reembolsa os hospitais, o fato de realizarem menos procedimentos estava, na verdade, lhes custando dinheiro. Sentindo-se envergonhado, James foi pedir desculpas aos executivos da equipe da IHC, mas, para sua surpresa, foi repreendido por isso. "Você não vai pedir desculpas pelo fato de nossos pacientes obterem melhores resultados", disse o diretor financeiro Bill Nelson. "Como administradores, é nosso trabalho descobrir um modo de equilibrar as finanças."[248] No fim, os custos dos hospitais da IHC têm sido rotineiramente 30% mais baixos para os pacientes em geral do que os de um hospital mediano dos Estados Unidos.

As finanças eram apenas uma das complicações. O mais difícil foi mudar a mentalidade da equipe médica. Brent James explica por quê:

> *Como médico, desafiar a minha qualidade, em certo sentido, é desafiar minha competência, minha competência profissional, me desafiar pessoalmente. [...] Isso é preocupante para muitos médicos e enfermeiros.*
>
> *Para fazer esse trabalho, os médicos precisam mudar radicalmente a maneira como se veem. O fato é que, no passado, eles eram indivíduos autônomos, que precisavam prestar contas apenas para Deus e para si mesmos. Eles se autovalorizavam tendo por base as suas lembranças do bem que fizeram aos seus pacientes. A diferença é que, hoje, estamos mensurando tudo isso. E estamos descobrindo que não somos tão bons quanto pensávamos em relação aos resultados a que chegamos com nossos pacientes. E isso, naturalmente, abre as portas para grandes melhorias.*[249]

---

[248] Curtis P. McLaughlin e Arnold D. Kaluzny, *Continuous quality improvement in health care* [Melhoria contínua da qualidade nos serviços de cuidados de saúde] (Sudbury, MA: Jones & Bartlett Learning, 2006), p. 458, 480.

[249] Hedrick Smith, "Interview with Dr. Brent James" [Entrevista com o dr. Brent James], *Inside American Medicine*, s.d. Disponível em http://www.hedricksmith.com/site_criticalcondition/program/brentJames.html.

É claro que esse problema não dura muito tempo, pois os médicos são competitivos por natureza. Eles não querem ficar para trás na corrida para obter resultados de qualidade.

Scott Parker já está aposentado, mas gostou de fazer parte dessa busca pela qualidade. Pelo fato de valorizar muito as novas ideias, ele esteve em todos os lugares que podia para aprender com a rotina de outros hospitais. Ele fez amizade com tantos executivos hospitalares que eles o convenceram de uma ideia genial: formar cooperativas para obter vultosos descontos na compra de suprimentos e na contratação de seguros, outra maneira de economizar centenas de milhões de dólares. A indústria o homenageou, dando-lhe a presidência da Associação Americana de Hospitais e, por fim, da Federação Internacional de Hospitais.[250]

Na opinião de Parker, a velha máxima de que não se pode ter alta qualidade e baixos custos é, simplesmente, falsa. Em todos os parâmetros mensuráveis, a qualidade dos cuidados da IHC supera a média nacional, e os custos são quase um terço mais baixos do que tal média. Claramente, essa conquista cumpre a missão da IHC de ser um modelo de prestação de cuidados de saúde. O dr. John Wennberg, do Dartmouth College, tem estudado os sistemas de cuidados de saúde há anos e afirma: "É o melhor modelo existente no país de como é possível, realmente, mudar a saúde."[251] E o *The Wall Street Journal* divulgou: "Se o restante do país pudesse oferecer o tipo de atendimento de alta qualidade e baixo custo que [...] a Intermountain Healthcare oferece, os problemas dos cuidados de saúde nos Estados Unidos estariam resolvidos."[252]

O que Jim Norman fez em pequena escala, a equipe da IHC tentou fazer em grande escala. Ampliada para 23 hospitais e meio milhão de clientes, a IHC é uma próspera Terceira Alternativa à suposição desgastada de que os cuidados devem ser racionados para que os custos não sejam astronômicos. Nem Norman nem Parker estão interessados no grande debate

---

[250] Entrevista com Scott Parker, 5 de abril de 2011.

[251] David Leonhardt, "Making health care better" [Melhorando os cuidados de saúde], *New York Times Magazine*, 8 de novembro de 2009, MM31.

[252] Ron Winslow, "A health care dream team on the hunt for the best treatments" [O time dos sonhos em cuidados de saúde na busca pelos melhores tratamentos], *The Wall Street Journal*, 15 de dezembro de 2010.

dos cuidados de saúde. Ambos já foram muito além dos ideólogos, porque compreendem o trabalho a ser feito: aumentar os resultados de qualidade para os pacientes, com preços cada vez menores. O grande debate é a história das oportunidades de se criar Terceiras Alternativas que poderiam realizar esse trabalho, mas que foram desperdiçadas.

Mas a medicina moderna não é um fracasso. Longe disso. É um milagre. E com as crescentes sinergias entre pacientes e profissionais de saúde o futuro é animador. Como diz Brent James: "Nós não estamos tão bem quanto ainda vamos estar."

O Bem-estar da Terra

Na cidade litorânea de Saida, Líbano, que um dia foi encantadora, uma enormidade de despejos tóxicos aumenta a cada hora, à medida que pilhas de lixo se acumulam, provenientes de cidades próximas. Com a altura de um prédio de quatro andares e um volume de meio milhão de metros cúbicos, a montanha despeja, regularmente, blocos de lixo no mar, como se fossem icebergs de uma geleira, poluindo o Mediterrâneo, sufocando as tartarugas-do-mar nativas e entupindo praias tão distantes quanto as da Síria e da Turquia.

Todos, desde os vizinhos até os países próximos, querem acabar com essa sujeira.

A cidade diz que é um problema do governo federal. O governo federal diz que a responsabilidade é da cidade. Há argumentos defensáveis de ambos os lados, e dificilmente os políticos conseguem trabalhar juntos em uma solução. Mas enquanto os dois lados debatem, a montanha de lixo aumenta e os gases tóxicos partem direto para a água e o ar, matando peixes e sufocando os moradores, principalmente as crianças, que sofrem cada vez mais de asma.[253]

---

[253] "Mountain of trash blights historic city of Saida" [Montanha de lixo deteriora a cidade histórica de Saida], *News.com*, 24 de setembro de 2010. Disponível em: http://www.voanews.com/english/news/middle-east/Mountain-of-Trash-Blights-Historic-Lebanesse-City-of-Saida-103741374.html; "Lebanon: policital rivalries prevent clean-up of toxic rubbish dump" [Líbano: rivalidades políticas impedem a limpeza de depósito de lixo tóxi-

A "montanha de lixo" de Saida é apenas um exemplo local do raciocínio de Duas Alternativas, que deu origem ao nosso problema mundial de degradação ambiental. Nenhum lugar da Terra está imune. Não se trata de um problema dos "liberais contra os conservadores", mas, ainda assim, eles discutem furiosamente a questão. Em todas as sociedades, a saúde de nosso planeta é um dos desafios mais difíceis que enfrentamos. Nossos entrevistados na pesquisa Grandes Desafios escolheram a "gestão ambiental" como uma de suas três maiores preocupações globais, como se pode constatar a partir dessas observações típicas, feitas em todas as partes do mundo:

- Chile: "A maioria dos problemas do mundo é provocada pelo fato de as pessoas não viverem de maneira sustentável."
- Índia: "Precisamos cuidar de nosso meio ambiente. Abusamos dele de formas que vão além da imaginação."
- Holanda: "A Holanda pode sofrer muito com as influências desestabilizadoras que estamos causando ao meio ambiente."
- Estados Unidos: "Não podemos continuar trilhando esse caminho, a menos que façamos mudanças drásticas no modo como vivemos. Nossos recursos naturais são finitos. Há um limite para eles, e estamos sendo muito gananciosos. Não sobrará nada para as gerações futuras."

É claro que tais afirmações são discutíveis, mas refletem os medos que as pessoas têm em todas as partes do mundo. As discussões em torno dessa questão são inflamadas, como fica evidente na adesão maciça à "Hora do Planeta", um fenômeno da internet que pede às pessoas e às instituições de todo o mundo que desliguem as luzes em determinada hora, todos os anos. Ícones como a Torre Eiffel e a Sydney Opera House, juntamente com milhões de casas, ficam às escuras para economizar o equivalente a uma hora de eletricidade. Ironicamente, em várias cidades, a Hora do Planeta é comemorada com desfiles iluminados por tochas, que, logicamente, poluem o ar com sua fuligem preta, ilustrando o quanto é complicado, mesmo com a melhor das intenções, agir corretamente em relação ao meio ambiente.

---

co], IRIN, 21 de março de 2008. Disponível em: http://www.irinnews.org/Report.aspx?ReportId=77399.

O debate ambiental pode se tornar extremamente polarizado em todos os níveis da sociedade, desde os mais pessoais até os mais globais. Ele pode chegar à sua vizinhança com muita rapidez. Vivo no belo estado de Utah e, enquanto escrevo este livro, milhares de pessoas estão revoltadas com a decisão do governo de demolir suas casas para dar lugar a uma estrada, em vez de construí-la mais a oeste, sobre sensíveis pântanos cheios de vida selvagem. "Quem é mais importante?", eles reclamam. "A minha família ou algum sapo raro?" Outros rebatem: "Você sempre conseguirá encontrar outra casa — o sapo, não!"

O problema diante de nós se resume a esta questão perturbadora, proposta pelo escritor David Pepper: "Podemos alcançar soluções de 'ganha/ganha' em vez de soluções de 'soma zero' para os conflitos entre o desenvolvimento e o meio ambiente? [...] Podemos ser bem-sucedidos como uma sociedade tecnológica global, enriquecendo o ambiente à medida que nos enriquecemos?"[254]

Em nível global, as pessoas estão preocupadas com as insinuações de certos grupos de cientistas de que a atividade humana poderia estar causando uma mudança para pior em nosso clima. A maioria dos cientistas tem o mérito de fazer um esforço genuíno para apresentar suas descobertas tão objetivamente quanto possível e, muitas vezes, suas conclusões não parecem definitivas. É assim que a ciência deveria funcionar, mas isso traz problemas para aqueles que têm de tomar decisões.

A maioria dos cientistas parece se inclinar para a visão de que nossa tecnologia industrial está contribuindo anormalmente para o aquecimento do planeta, e alguns estão muito seguros disso. "Nossos netos estão em maus lençóis", diz o físico James Hansen, do Instituto de Estudos Espaciais da NASA. "O planeta Terra está em iminente perigo." Ele prevê que a elevação das temperaturas resultante da queima em massa de combustíveis fósseis provocará "a perda de gelo do mar Ártico, o desmanche de lençóis de gelo e geleiras", o que, por sua vez, produzirá o caos climático que "ameaça não apenas as outras milhões de espécies do planeta, mas também a própria sobrevivência da humanidade".[255]

---

[254] David Pepper, *Environmentalism: critical concepts* [Ambientalismo: conceitos fundamentais] (Florence, KY: Taylor & Francis, 2003), p. 78.

[255] James Hansen, *Storms of my grandchildren* [Tempestades dos meus netos] (Nova York: Bloomsbury, Estados Unidos, 2009), p. ix.

Do outro lado estão proeminentes cientistas que acreditam que tal ameaça está sendo superestimada. Richard Lindzen, meteorologista do MIT, conclui: "Não há uma base substancial para previsões de considerável aquecimento global devido a aumentos observados em insignificantes gases de efeito estufa, como o dióxido de carbono, o metano e os clorofluorcarbonetos."[256]

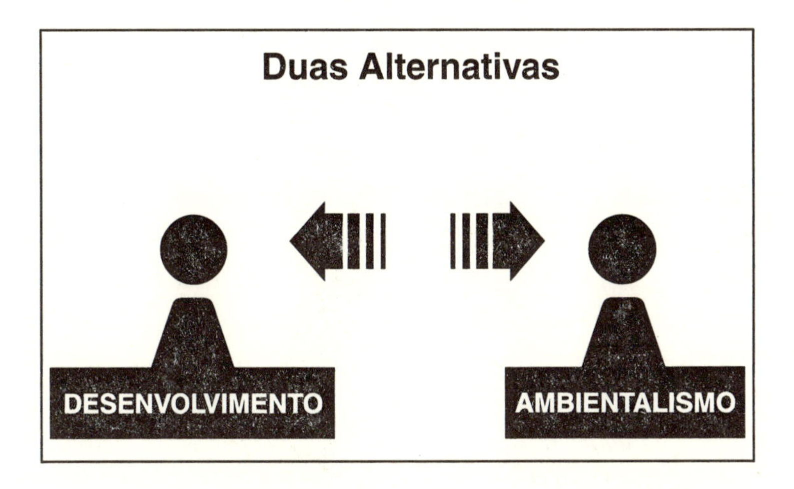

Isso seria apenas uma discussão acadêmica ligeiramente interessante se tantas coisas não estivessem em jogo para a nossa sociedade. Se existe a possibilidade de uma mudança climática radical, que impeça nossa sobrevivência neste planeta, alguém tem de decidir o que fazer em relação a isso — e não fazer nada é uma decisão tão séria quanto fazer algo. Infelizmente, a questão se tornou profundamente politizada, e aqueles que pensam de acordo com as Duas Alternativas estão ocupados em desviar nossa atenção e demonizar uns aos outros. Um lado nega que a mudança climática exija uma resposta:

> *[Os ambientalistas] querem que você viva em uma escala reduzida; mais inconveniente, mais desconfortável, mais cara, menos agradável e menos promissora. E a intimidação moral dos verdes é só o início [de*

---

[256] "Is global warming a myth?" [O aquecimento global é um mito?], *Scientific American*, 8 de abril de 2009.

seu] impaciente fervor para começar a ditar, pela força da lei, a sua mobilidade, a sua dieta, o uso doméstico da energia, o tamanho de sua casa, o quão longe você pode viajar e, até mesmo, quantos filhos você pode ter. [...] Ser verde, na verdade, é submeter-se a microrregulações externas — que reduzem nossos sonhos e nos conectam a uma novíssima ordem social. [...] É como viver sob o império do punho verde.[257]

E o outro lado é igualmente insistente, afirmando que os céticos estão errados:

A recusa em enxergar a mudança climática está se espalhando como uma doença contagiosa. Ela existe em um cenário que não pode ser confrontado com evidências ou argumentos racionais; qualquer tentativa de chamar a atenção para achados científicos é recebida com objeções furiosas. Esse cenário está se expandindo com uma velocidade assombrosa. [...] Esses livros e sites atendem a um novo mercado literário: as pessoas com QI à temperatura ambiente. [...] Fico constantemente impressionado com a maneira pela qual pessoas [...] que se proclamam céticas acreditam em qualquer velha estupidez que se adapte às suas opiniões.[258]

Evidentemente, essas são vozes de pensadores radicais de Duas Alternativas, que sabem que se insultar mutuamente sempre chama bastante atenção. É muito fácil rotular a oposição de insana, macabra ou estúpida. De acordo com a organização Gallup, até o momento, a opinião mundial tende a estar dividida sobre essas questões.[259]

---

[257] Steven Milloy, *Green hell: how environmentalists plan to control your life* [Inferno verde: Como os ambientalistas planejam controlar sua vida] (Washington, DC: Regnery, 2009).

[258] George Monbiot, "Climate change deniers are not sceptics — they're suckers" [Os que negam a mudança climática não são céticos — são idiotas], *Guardian* (*Manchester*), 3 de novembro de 2009.

[259] Anita Pugliese e Julie Ray, "Awareness of climate change and threat vary by region" [A consciência da mudança e das ameaças climáticas variam conforme a região], Gallup.com. 11 de dezembro de 2009; Frank Newport, "Three key findings on Americans' view of the environment" [Três conclusões principais da visão dos americanos sobre o meio ambiente], Gallup.com, 18 de março de 2011.

Que Tipo de Seres Nós Somos?

Obviamente, o debate sobre o meio ambiente é uma área sensível para muitas pessoas cujos sentimentos são muito arraigados. Há extremistas tanto à esquerda quanto à direita do espectro, mas a maioria das pessoas só quer ar puro, água e terras produtivas, sem sacrificar os benefícios da civilização. São objetivos que competem entre si, talvez até contraditórios, mas, como defensores da sinergia, sempre que ouvimos que há apenas Duas Alternativas, sentimos o cheiro de um falso dilema e nos entusiasmamos para chegar a uma Terceira Alternativa. Nós também sabemos o que isso exige.

Precisamos nos considerar não apenas representantes de um ponto de vista, mas aprendizes e solucionadores de problemas. Vemos os outros com respeito e empatia. Nós os buscamos com a intenção de entendê-los, e não de nos envolvermos em debates desgastantes e tautológicos. Finalmente, compartilhamos o objetivo de chegar à sinergia, de criar uma Terceira Alternativa pela qual todos ganhem: a terra, o ar, a água, os animais selvagens, nós e nossas famílias.

Ao ensinar esses princípios de sinergia costumo fazer esta pergunta: "Quantos aqui se identificam fortemente com a abordagem purista de proteção e preservação do meio ambiente, de nossa água e nosso ar?" Geralmente, cerca de metade do auditório levanta a mão. Então, pergunto: "Quantos aqui pensam que a abordagem purista é excessiva, e acaba por desrespeitar nossa necessidade de progresso e desenvolvimento?" Normalmente, a outra metade se manifesta. Então, peço que um representante de cada grupo se junte a mim. Pergunto a ambos: "Vocês estão preparados para procurar uma solução melhor do que a que vocês têm em mente agora?"

Se eles responderem sim, enfatizo que o objetivo comum, agora, é a sinergia — encontrar uma solução que seja melhor do que o ponto de partida de ambos. Eles têm de pensar na sinergia como fruto daquela discussão. Se não estiverem suficientemente alicerçados, se não estiverem seguros da integridade e do respeito mútuos, pergunto se poderão chegar à sinergia. Eles não devem julgar um ao outro por conta de suas convicções mais profundas. Uma vez que concordaram em buscar uma Terceira Alternativa, ambos estão com uma predisposição para o ganha/ganha, mas nenhum deles sabe o que vai acontecer. Uma terceira mentalidade precisa ser criada.

Então, peço-lhes, simplesmente, que comecem a falar. Eis aqui uma discussão entre uma mulher e um homem em uma das sessões que liderei:

Ela: Eles estão destruindo nosso planeta. Vamos sofrer irremediavelmente. Observe as florestas, veja o que eles estão fazendo. Vocês deveriam atentar para os nossos cânions. As florestas e os vales devem ser mantidos intocados, para que possamos apreciá-los como eles são. Não acredito que precisamos de todo esse progresso.
Ele: Posso compreender o seu ponto de vista, mas há uma certa quantidade de tecnologia e de progresso à qual é necessário se chegar.
Ela: Mas por quê? Isso é o que eles têm dito desde o princípio dos tempos, e olhe o que fizeram!
Ele: Entendo, mas vamos ver se consigo ajudar a nós dois. Você não está usando roupas sintéticas?
Ela: Não, isso é seda.
Ele: E quanto aos sapatos? Nenhum animal morto? Nada de couro?
Ela: Não sei...
Ele: Gosto dos meus sapatos de couro.
Ela: Sim, mas a vaca também gostava do couro dela.
Ele: Eles não são produzidos tecnologicamente, a partir do petróleo?
Ela: Não, eles são feitos de algodão. São de fibra.
Ele: Você não acha que, paralelamente à preservação, precisamos de uma quantidade razoável de progresso?
Ela: Mas você não acha que o progresso foi longe demais?
Ele: Aparentemente, são *vocês* que acham isso. Há uma certa quantidade de desenvolvimento da qual realmente precisamos. Alguns dizem que a máquina desenvolvimentista já foi longe demais, que estamos danificando o meio ambiente. Devemos ser cautelosos. Devemos ser razoáveis. Você não concorda?
Ela: Isso é o que eles sempre dizem.

Obviamente, não houve entendimento aqui. A discussão descambou rapidamente para a impaciência e só andava em círculos. Então, eu lhes ensinei a comunicação do Bastão da Fala, a mentalidade e o conjunto de habilidades da escuta empática. A regra básica: não é permitido defender o próprio ponto de vista até que você tenha expressado o ponto de vista da outra pessoa e ela se mostre satisfeita. O outro tem de se *sentir* compreendido.

A mulher, então, fez uma tentativa. Hesitando, olhou para o seu parceiro e disse: "Você acredita que, sendo cauteloso, o progresso pode seguir o seu curso e, ainda assim, preservar o meio ambiente. Quando há uma demanda elevada por desenvolvimento e uma regulação ambiental deficitária, é fácil deixar que os resultados econômicos ditem as regras. Portanto, você está dizendo que se utilizarmos um equilíbrio adequado, poderemos fazer isso com sabedoria e não afetaremos o ambiente de maneira tão desastrosa, a ponto de matar as criaturinhas."

Isso não significa que ela tenha concordado com ele. Ela não estava assumindo a posição dele, só estava querendo entender. Mas ele ainda não se sentia suficientemente compreendido. Em seu ponto de vista, ela fez uma mera simulação. Ela precisava entrar em seu quadro de referências, no modo como ele via as coisas. Mas a atitude entre os dois havia começado a mudar. Estava muito menos adversarial.

Então, perguntei ao homem: "Em uma escala de 1 a 10, o quanto ela o entendeu?" Ele deu nota 5. Ela deu a si mesma a nota 1, o que não me surpreendeu. A simples tentativa de usar a comunicação do Bastão da Fala ajuda as pessoas a se sentirem compreendidas, mesmo quando o entendimento não é completo. E a tarefa de entender alguém é verdadeiramente solitária. Você diz para si mesmo: "Eu não vou julgar. Vou persistir. Vou entrar realmente na pele dessa pessoa e sentir o que ela sente."

Agora era a vez dele de tentar entendê-la. Pedi que ele tentasse uma nota 8, 9 ou 10, defendendo o ponto de vista *dela*, assim como ela havia feito, e que expressasse a mesma profundidade de convicção. Ele disse: "O meio ambiente está perdendo em qualidade. Os animais estão sofrendo, a natureza está sofrendo; com o tempo, as pessoas perderão em qualidade de vida, pois o ambiente está se tornando pior. As crianças herdarão algo de qualidade inferior ao que temos hoje. Estamos destruindo a qualidade de vida dos animais e das plantas em função do nosso lixo".

Ela lhe deu um 7. Ele se deu uma nota um pouco menor. Quanto a mim, achei que o tom de voz e o sentimento que ele expressou foram bastante generosos para com ela. Estávamos caminhando para a empatia.

Perguntei a ambos: "Vocês sentiram que estavam se preparando para uma réplica? Que a sua vez estava chegando? Ou estavam sendo genuinamente empáticos na compreensão? E quanto à total disponibilidade para entender com verdadeira intenção de fazê-lo?"

Eles concordaram que estavam caminhando na direção certa, mas, logo depois, o homem me perguntou: "Então, onde chegaremos com esse processo? Para que serve isso tudo?"

Claramente, ele havia perdido nosso objetivo de vista. Respondi: "Qual era o propósito de vocês desde o início? A sinergia. Uma solução superior àquelas nas quais vocês pensaram antes. Vocês dois vivem nesta Terra. Vocês, suas famílias, toda a raça humana, todos os seres vivos são interdependentes." Ele assentiu com a cabeça, parecendo ver, pela primeira vez, o que estávamos tentando alcançar juntos.

Só tivemos tempo para isso, mas me senti estimulado pela empatia que eles estavam começando a demonstrar, pré-requisito essencial para a sinergia. No fim, os dois pareciam ter mais compreensão e respeito um pelo outro.

Talvez, se houvesse tempo suficiente, eles tivessem sido capazes de, enfim, resolver os problemas do mundo.

Em última análise, o meio ambiente não está dissociado dos seres humanos. O respeito e a empatia por nós mesmos e para com outros não estão desconectados do respeito e da empatia pela própria vida. Quando se trata da nossa relação com o ambiente, é fundamental procurar em nossos próprios corações as mais profundas motivações. Somos esbanjadores? Indiferentes? Desrespeitosos e mesquinhos? Limitados? Gananciosos? Fanáticos? Nas palavras de alguns ponderados estudiosos: "Antes de responder a *O que deve ser feito?*, devemos perguntar, antes de mais nada: *Que tipo de seres nós somos?*"[260]

O Trabalho Ambiental a Ser Feito

O ideal é que a sinergia comece com uma compreensão compartilhada do trabalho a ser feito. Sem critérios de sucesso não é possível saber com exatidão o que é o sucesso, e a solução encontrada terá pouca força. Essa é uma das principais razões pelas quais deve haver empatia por diversas perspectivas — não podemos chegar a uma Terceira Alternativa zombando e insultando uns aos outros. Há uma probabilidade muito maior de se chegar lá compreendendo cuidadosa e atentamente o trabalho a ser feito com base em todas as perspectivas.

Quando multidões de entusiastas apagam as luzes para reduzir a poluição das fábricas e desfilam pelas ruas com tochas fumacentas, as pessoas mais inteligentes se perguntam: será que alguém aqui realmente entende o trabalho a ser feito? Sem essa compreensão, agimos de maneira ineficaz, produzindo soluções fracas, ou até mesmo contraproducentes.

Por exemplo: décadas atrás, no noroeste dos Estados Unidos, os engenheiros dragaram os gigantescos e seculares assoreamentos acumulados no fundo dos rios que desaguavam em Puget Sound. Seu propósito era não apenas melhorar o tráfego fluvial, mas também facilitar a migração dos salmões rio acima para desovar. Eles fizeram tudo isso sem a participação

---

[260] Michael Shellenberger e Ted Nordhaus, *Break through:why we can't leave saving the planet to environmentalists* [Novidade: por que não podemos deixar a salvação do planeta para os ambientalistas] (Nova York: Houghton Mifflin, 2007), p. 8.

dos povos indígenas americanos que pescavam naquelas águas há séculos, considerados ignorantes e "anticientíficos". Em pouco tempo, no entanto, o majestoso salmão chinook, antes tão abundante naquelas águas, começou a desaparecer misteriosamente.

Na verdade, não havia mistério algum; os povos skagit ou snoqualmie poderiam ter dito aos engenheiros que o habitat preferido do chinook eram as profundas piscinas formadas em torno dos assoreamentos acumulados ao longo dos tempos. Sem as piscinas, o chinook se viu fatalmente desalojado. Mas esse foi apenas o início do declínio do salmão em Puget Sound. Durante décadas o intenso desenvolvimento da região de Seattle poluiu o Sound, envenenando os peixes e privando-os de oxigênio. As barragens e a pesca excessiva diminuíram ainda mais a população de salmões. Hoje, o salmão do Pacífico enfrenta um alto risco de extinção. No último século e meio, as populações de salmão caíram 40%, e a tendência está se acelerando. Eles desapareceram completamente de um terço de seu antigo habitat. No momento, os cientistas estão constatando que as florestas e os animais selvagens em torno de Puget Sound estão morrendo de fome, em função da perda de meio milhão de toneladas de nutrientes a cada ano. O resultado final poderia ser uma catástrofe para toda a região. Como observa John Lombard, cientista de Seattle, sobre a bela região campestre de Puget: "Perderemos nossas almas se virmos essa área se transformar em um lugar solitário, estéril e mal-assombrado."[261]

É claro que ninguém está feliz com isso, e sobram acusações para todas as direções: os pescadores culpam os madeireiros, os madeireiros culpam os construtores e todo mundo culpa o governo. Algumas pessoas se resignam e dizem que perder o salmão é o preço do progresso. Outras, horrorizadas com esse ponto de vista, dependendo de suas inclinações, exigem o fim da exploração madeireira, da pesca ou de novas construções. Ou os peixes ou as pessoas perderão algo. Mas, justificadamente, a maioria de nós não fica satisfeita com uma mentalidade de "ganha/perde" *ou* "perde/ganha" quan-

---

[261] David Montgomery, *The king of fish: the thousand year run of salmon* [O rei dos peixes: Mil anos do reinado do salmão] (Boulder, CO: Westview Press, 2004), p. 3; Ted Gresh *et al.*, "Salmon decline creates nutrient deficit in northwest streams" [Declínio do salmão cria déficit de nutrientes em córregos do Noroeste], *Inforain.org*, janeiro de 2000.

do se trata do meio ambiente. Precisamos de uma situação de "ganha/ganha", ou todos poderemos perder no fim.

E esse é o verdadeiro trabalho a ser feito. "Ecologia" é uma palavra que descreve, basicamente, a sinergia na natureza: tudo está relacionado com todo o resto. É na relação que a criatividade se desenvolve. Vivemos em um planeta interdependente, em que o todo é muito mais do que a soma das partes; por isso, não podemos tratar as partes isoladamente ou como se elas não fizessem diferença. Assim como em uma equipe de trabalho, se os membros não ganharem, a equipe não poderá ganhar. O dr. Peter Corning adverte que devemos começar a ver o mundo através do paradigma da sinergia:

> *Somos constantemente desafiados a expandir nosso entendimento sobre todas as "partes" de nossos sistemas e a lidar com os padrões de interdependência criados por esses sistemas. Há o perigo, sempre presente, de que nossa miopia produza surpresas desagradáveis (ou fatais). Do mesmo modo, devemos aprender a desenvolver maneiras mais sofisticadas de compreender as consequências mais amplas e sistêmicas de nossas ações.*[262]

O milagre sinérgico que é o nosso mundo depende do bem-estar do todo. Muitas vezes, somos forçados a agir sobre o meio ambiente apenas quando ele adoece. Como vimos, tratamos os nossos corpos da mesma maneira. Vemos a nós mesmos através das lentes da Era Industrial, como máquinas que podem ser "consertadas" se algo der errado com o mecanismo. Observamos o ambiente através da mesma lente, como uma máquina. Essa mentalidade faz dos cuidados de saúde uma indústria da doença, em vez de uma indústria do bem-estar.

Mas, como diz Corning? "Os modelos deterministas e maquinizados dos processos biológicos são fundamentalmente falhos."[263] O mundo é um sistema vivo, não uma máquina morta, uma realidade interdependente em que o bem-estar de cada parte está ligado ao bem-estar geral do todo. Entre os

---

[262] Peter A. Corning, "The synergism hypothesis" [A hipótese da sinergia], *Journal of Social and Evolutionary Systems* 21, n. 2 (1998), p. 314.

[263] Peter A. Corning, id., p. 293.

inúmeros exemplos está o pássaro-do-mel africano, que vive de cera de abelhas, mas não consegue entrar nas colmeias para obtê-la. Quando encontra uma colmeia, ele faz sinais para um animal parecido com um texugo, chamado ratel, que arranha a colmeia e come o mel, enquanto o pássaro se delicia com a cera. Os pássaros só conseguem digerir a cera por conta das bactérias presentes em seu intestino, capazes de decompô-la em nutrientes. Para completar, o povo borana do Quênia segue os pássaros-do-mel e participa do banquete. Pastores nômades de gado, os boranas colocam seus animais para pastar, preparando e adubando o solo à medida que caminham. As abelhas, por sua vez, recolhem o pólen e o néctar das gramíneas para fabricar o mel.[264]

Experimente retirar uma única parte desse ciclo simbiótico e corre-se o risco de tudo entrar em colapso, das bactérias aos boranas. Adicione mais um elemento — digamos, o gado europeu, com diferentes padrões de pastagem — e corre-se o risco de se transformar o pasto em um deserto. O bem-estar do todo é extremamente delicado e requer uma visão global, que só pode advir de uma compreensão ampla e profunda da realidade.

É preciso ter em mente todas as partes dessa realidade. Lembre-se do mantra da sinergia: *O maior número de ideias, do maior número possível de pessoas, o mais cedo possível.* Antes de desassorear Puget Sound, é melhor escutar a população skagit. Se eu quiser pastagens saudáveis na África Oriental, preciso conviver com os boranas, trabalhar com eles e consultá-los. A empatia com a população nativa é a empatia com a terra.

Além disso, preciso entender a interdependência entre todas as formas de vida. Se sou um ambientalista combativo, corro o risco de me afastar dos sentimentos dos outros — agricultores que tentam cultivar alimentos, famílias que tentam ganhar a vida. Eu poderia defender ações de isolamento que acabariam sendo ineficazes ou que piorariam a situação, como acender um tocha fumacenta para que eu possa apagar as luzes. Uma campanha hostil para salvar o chinook revela, por si só, uma mentalidade de "corrigir o problema", em vez de uma mentalidade holística.

---

[264] Peter A. Corning, id., p. 54, 60; A.V. Bogdan, "Grass Pollination by Bees in Kenya" [Polinização da relva por abelhas no Quênia], 18 de julho de 2008. Disponível em: http://onlinelibrary.wiley.com/doi/10.1111/j.1095-8312.1962.tb01326.x/abstract.

Se, por outro lado, eu desrespeitar os ambientalistas, elimino da solução as pessoas com mais conhecimento e energia para contribuir. Posso estar comprometido com o crescimento econômico e os direitos de propriedade e, mesmo assim, simpatizar profundamente com aquele sapo raro e aqueles que se preocupam com isso. Para um pensador da Terceira Alternativa, as coisas nunca são tão simples quanto "ou isto/ou aquilo".

A saúde de Puget Sound e de qualquer outro ambiente delicado exige, como diz John Lombard, "uma visão que abranja toda a natureza, e não apenas a vida marinha ou o salmão, mas todo o patrimônio natural de toda a área que circunda o Sound. [...] A recuperação dos rios de Puget Sound não é um devaneio extravagante".[265] Lombard, por exemplo, está trabalhando arduamente para promover uma Terceira Alternativa, chamada "desenvolvimento de baixo impacto", que recicla a água poluída da chuva junto à fonte, em vez de descarregá-la no mar. As pessoas poderão construir *e* o salmão poderá prosperar — mas será preciso, pelo menos, uma pessoa que acredite em Terceiras Alternativas, que não rejeite de imediato a possibilidade de sinergia e que possa ajudar a criar uma visão do verdadeiro trabalho a ser feito.

Então, o que é o sucesso? Vimos quanta discordância há sobre essa questão, mas, claramente, para Puget Sound e para o mundo inteiro, o sucesso deve ser holístico. É um ganha/ganha para as pessoas *e* para seu meio ambiente.

Imagine uma montanha coberta de pinheiros, cheia de lobos e cervos. Se intervirmos para salvar os cervos e matar todos os lobos, a montanha passará a temer a multiplicação desenfreada do número de cervos. Eles vão exaurir o local até transformá-lo em um deserto, e ele vai sofrer erosão pela força do vento e da água. Como afirmou o grande ecologista Aldo Leopold: "[Nós] não aprendemos a pensar como uma montanha. Por isso, temos recipientes de lixo e rios para lançar o futuro ao mar."[266]

O trabalho a ser feito é "pensar como uma montanha", a fim de promover a sinergia entre o ser humano e a natureza. Leopold usou o termo

---

[265] "John Lombard: Saving Puget Sound" [John Lombard: Salvando Puget Sound], *University of Washington Lectures* [Palestras da Universidade de Washington], 23 de janeiro 2007. Disponível em: http://www.seattlechannel.org/videos/watchVideos.asp?program=uwLectures.

[266] Aldo Leopold, *A sand county almanac* [Almanaque de uma região árida] (Nova York: Random House Digital, 1990), p. 140.

"conservação" para descrever tal sinergia, "uma genuína Terceira Alternativa" para a exploração ostensiva, de um lado, e a salvação da natureza dos "destrutivos seres humanos", de outro[267].

Uma Paisagem de Terceiras Alternativas

Se eu tiver essa mentalidade sinérgica, irei além do raciocínio simplista das Duas Alternativas. Sei, também, que chegar à sinergia envolve, como Peter Corning diz, "um trabalho rigoroso, disciplinado, e até mesmo enfadonho. Vai-se contra a essência de uma cultura imediatista, rápida e superficial, viciada em inovações tecnológicas, prontas para o consumo ou não".[268] É preciso pagar o preço por uma Terceira Alternativa.

[267] David Pepper, id., p. 78.
[268] Peter A. Corning, id., p. 314.

Os imediatistas estão sempre ocupados atirando uns contra os outros. Os ambientalistas radicais da cidade de Nova York reagem violentamente contra "o grande capital", que, em sua opinião, transformou o porto de Nova York em um deserto marinho, por conta de uma insana expansão urbana alimentada pela ganância. Homens de negócios insensíveis reagem estupefatos, perguntando: "O que vocês esperam que façamos? Teremos de demolir Manhattan? Devolvê-la aos índios?" Nenhum grupo demonstra respeito pelo outro, nem a empatia ou a disciplina necessárias para se chegar à sinergia.

Mas se eles conseguissem conciliar o apreço pelo meio ambiente com a experiência do empreendedorismo, algumas surpreendentes Terceiras Alternativas poderiam surgir. Um modelo ambulante de sinergia é Natalie Jeremijenko, uma ativista ambiental australiana que quer transformar Nova York em um ecoparaíso urbano — sem demoli-lo. Estudante de engenharia aeroespacial, bioquímica, neurociência e física, Jeremijenko concilia percepções provenientes de todas essas disciplinas em projetos de pequeno porte, concebidos para fazer uma grande diferença.

Ao longo dos anos, o porto de Nova York tem sido devastado pela poluição proveniente da cidade grande. Muito já se fez para isolar o porto do sistema de esgoto sanitário, mas, quando chove, as ruas despejam na água enormes quantidades de cádmio, neurotoxinas como gasolina derramada e combustível diesel, além das impurezas de milhões de freios automotivos. Não há uma maneira de reverter esse quadro, a não ser retirando todo o asfalto de Nova York — a menos que você seja Natalie Jeremijenko.

A ideia dela é plantar um pequeno jardim em torno de cada hidrante da cidade. As plantas poderiam filtrar a carga tóxica da água da chuva nas calhas e enfeitar a cidade com pequenas ilhas de beleza. Se, eventualmente, um veículo de emergência precisasse estacionar ali, ele destruiria apenas algumas plantas, que se regenerariam. Como isso poderia fazer a diferença? Quando se percebe que Nova York tem cerca de 250 mil hidrantes de água, os pequenos jardins em cada quarteirão poderiam realizar juntos um grande trabalho de filtragem.

Tragicamente, a vida marinha no estuário está contaminada com o PCB (bifenil ploriclorado) proveniente de muitas fábricas. Por isso, Jeremijenko espalhou engenhosas boias fluorescentes ao longo da costa, que piscam quando os peixes nadam em torno delas. As pessoas podem, então, lançar aos peixes alimentos especialmente tratados, que anulam o efeito do veneno.

Jeremijenko também projetou uma chaminé solar para ventilar o ar quente dos edifícios, fazendo com que ele passe através de um filtro que remove o carbono do CO_2. As chaminés são capazes de capturar de 80% a 90% do CO_2 expelido por dezenas de milhares de edifícios de Nova York. E o carbono negro pode ser usado para fabricar lápis!

Mas o projeto de Jeremijenko de maior alcance é a agricultura urbana. Se os alimentos pudessem ser cultivados na cidade, poderíamos evitar a perda de nutrientes e o custo do transporte de alimentos. O topo dos edifícios poderia ser um lugar ideal para uma horta, mas a maioria dos telhados não suportaria o peso de toneladas de terra. Então, Jeremijenko criou uma engenhosa cápsula em aço leve e capa polimerizada para ser colocada no alto de um edifício, como se fosse uma nave espacial com pernas. Dentro de cada cápsula, um jardim hidropônico cresce sob a bruma e a luz, enquanto as pernas transferem o peso para o esqueleto do prédio. Um engenhoso sistema de canalização ajuda a aquecer e resfriar o prédio, e as cinzentas águas residuais irrigam as plantas. Essas estruturas de prata em forma de larva poderiam, um dia, dominar o horizonte de Nova York, fornecendo frutas e legumes frescos para a cidade e economizando grandes quantidades de energia.

"Estrela do mundo da arte alternativa" além de inventiva engenheira, Jeremijenko atravessa com facilidade as fronteiras convencionais entre arte e tecnologia, entre a criação natural e a criação humana. Ela enxerga "uma visão da natureza a partir da posição em que nos encontramos, interagindo com ela, na qual as formas urbanas são parte da natureza e atuam como se fossem seus próprios sistemas naturais". Ela não acredita que suas obras sejam respostas para os nossos problemas ambientais, mas questões provocadoras: "O que são aqueles tubos na água? O que são aquelas cápsulas brilhantes em todos os telhados? Por que há gerânios crescendo em torno de cada hidrante da cidade?" Ela quer intrigar as pessoas, de modo a fazê-las se perguntar o que *elas* poderiam criar. Pontilhando a paisagem urbana com Terceiras Alternativas, a notável Natalie Jeremijenko é uma rara profissional da sinergia.[269]

---

[269] Kevin Berger, "The artist as mad scientist" [O artista como um cientista louco], *Salon.com*, 22 de junho de 2006; Natalie Jeremijenko, "The art of eco-mindshift" [A arte da ecomu-

Do outro lado do mundo a poluição do ar na cidade de Delhi, Índia, mata 10 mil pessoas por ano. Enquanto as autoridades lutam bravamente para combater o problema, Delhi tem um dos ares mais poluídos do mundo. Quando Kamal Meattle, proprietário de um prédio de escritórios em Delhi, se deu conta de que o simples ato de respirar poderia matá-lo, ele não esperou até que a batalha estivesse perdida. Fazendo suas próprias pesquisas, descobriu que determinadas plantas podem fornecer todo o ar puro de que as pessoas precisam em ambientes fechados. Então, ele encheu seus escritórios com palma de areca, uma grande produtora de oxigênio, e plantas folhosas que limpam as toxinas do ar. Para refrescar os escritórios durante a noite, ele colocou a "língua-de-sogra" (assim chamada por suas folhas afiadas!), que não precisa de luz solar para transformar o dióxido de carbono em oxigênio.

Com um número razoável dessas três plantas, afirma Kamal, "seria possível ficar preso dentro de uma garrafa, sem nenhuma outra fonte de ar puro". Acompanhando os resultados, ele descobriu que as plantas reduziram as irritações oculares pela metade, as irritações respiratórias em um terço e as dores de cabeça em um quarto. "Nossa experiência demonstra um incrível aumento de 20% na produtividade e uma redução de 15% das necessidades energéticas nos edifícios." Uma vez que quase metade da energia do mundo é consumida com ventilação, aquecimento e resfriamento de edifícios, a economia com o uso dessas plantas poderia se mostrar surpreendente.[270]

No oeste da Índia um ceramista chamado Mansukh Prajapati inventou uma geladeira de baixo custo, a Mitti Cool, um vaso de barro engenhosa-

---

dança de mentalidade], *TED.com*, outubro de 2009. Disponível em: http://www.ted.com/talks/lang/eng/natalie_jeremijenko_the_art_of_the_eco_mindshift.html; Rob Goodier, "The future of urban agriculture in rooftop farms" [O futuro da agricultura urbana em fazendas suspensas], *Popular Mechanics*, 3 de junho de 2010. Disponível em: http://www.popularmechanics.com/technology/engineering/infrastructure/future-urban-rooftop-agriculture.

[270] Gigi Marino, "The mad hatter of Nehru place greens" [O Chapeleiro maluco dos verdes da região de Nehru], *MIT Technology Review*, 8 de setembro de 2006. Disponível em: http://www.technologyreview.com/read_article.aspx?id=17442; Kemal Meattle, "How to grow fresh air" [Como cultivar ar puro], *TED.com*, fevereiro de 2009. Disponível em: http://www.ted.com/talks/ kamal_meattle_on_how_to_grow_your_own_fresh_air.html.

mente concebido para resfriar a água por dias a fio, além de frutas, legumes e até mesmo leite. Custa menos de US$ 60 e não requer eletricidade, estando ao alcance das pessoas de menor renda, que já compraram milhares de unidades. No mundo como um todo, a refrigeração consome enormes quantidades de energia, gerada pela queima de combustíveis fósseis e, portanto, soluções como essas poderiam economizar milhões de toneladas de carvão, gás e barris de petróleo[271].

O Bem-estar da Terra

Uma séria ameaça à vida neste planeta é a perda de terra. De acordo com um estudioso, "aos poucos, estamos ficando sem solo. [...] A cada ano, as fazendas dos Estados Unidos destroem uma extensão de solo capaz de encher uma caminhonete para cada família do país. É uma quantidade fenomenal de terra. [...] Estima-se que 24 bilhões de toneladas de solo sejam perdidas anualmente em todo o mundo — várias toneladas para cada pessoa do planeta. A cada segundo, o rio Mississippi despeja outro caminhão carregado de solo fértil no Caribe". Como resultado da moderna tecnologia agrícola, das pressões da população e da pecuária intensiva, grande parte da terra arável do mundo está se desertificando. Aproximadamente 40% da nossa terra estão secas, nossos desertos estão crescendo e a biodiversidade, diminuindo. Considerando-se que são necessários cerca de 500 anos para produzir 3 centímetros de solo, fazer essa terra renascer é um desafio assustador. "A tecnologia simplesmente não consegue resolver o problema do consumo de um recurso com mais rapidez do que nossa capacidade de produzi-lo: um dia, vamos ficar sem ele".[272] E então? Renunciamos à revolução agrícola que alimenta o mundo ou condenamos as gerações futuras a um planeta estéril e faminto?

Pensador da Terceira Alternativa, o biólogo Allan Savory, do Zimbábue, ganhou o prêmio Buckminster Fuller Challenge ao rejeitar esse falso

---

[271] Raja Murthy, "India's rural inventors drive change" [Os inventores da Índia rural comandam a mudança], *Asia Times*, 29 de janeiro de 2010. Disponível em: http://www.atimes.com/atimes/South_Asia/LA29Df03.html; David Owen, "The efficiency dilema" [O dilema da eficiência], *New Yorker*, 20 de dezembro de 2010. Disponível em: http://www.newyorker.com/reporting/2010/12/20/101220fa_fact_owen#ixzz1IxhCPA7H.

[272] David Montgomery, *Dirt: The erosion of civilizations* [Solo: A erosão das civilizações] (Berkeley: University of California Press, 2008), p. 4, 6.

dilema. A premiação anual, que homenageia o grande campeão de sinergia, é oferecida a pessoas que propõem "soluções significativas e radicais para problemas aparentemente insolúveis".[273] A grande solução de Savory para regenerar a terra é, na verdade, muito simples: ele coloca para pastar superpopulações de rebanhos, que aram a terra com seus cascos e a fertilizam à medida que caminham, produzindo uma nova camada superficial de solo e uma nova vegetação em poucos anos, em vez de séculos. Quando os governos têm tentado salvar o solo proibindo as pastagens, Savory fez o oposto, gerando dezenas de milhares de acres de solos renovados.

Savory chama essa contratipagem de "gestão holística" da terra. Intuitivamente, quando se percebe que o gado está comendo toda a relva, a reação é deixar que a terra repouse e, para isso, se remove o gado. Mas essa é a mentalidade da correção do problema, não a mentalidade do bem-estar. O verdadeiro trabalho a ser feito, diz Savory, é paradoxal, é gerenciar todo o sistema natural para não arruiná-lo com soluções expeditas e reativas enquanto se tenta salvá-lo:

> *Considere as invasões de plantas nocivas — se você tratá-las como um problema isolado, irá fracassar. Os governantes de Montana gastaram mais de US$ 50 milhões tentando matar centáureas-maiores. Eles também podem proclamá-las a flor do estado, porque hoje elas se multiplicaram mais do que nunca. Isso nunca foi um problema; é apenas um sintoma da perda de biodiversidade. Os texanos gastaram mais de US$ 200 milhões amarrando, envenenando e arrancando os espinheiros, e agora há mais espinheiros do que nunca. Isso nunca foi um problema; é um sintoma da perda de biodiversidade.*[274]

A biodiversidade é a marca do solo saudável. Quando se pega uma pá para cavar em terra boa, é possível ver e cheirar o vigor das bactérias, dos

---

[273] Cliff Kuang, "Method that turns wastelands green wins 2010 Buckminster Fuller Challenge" [Método que transforma terras improdutivas em terras verdes ganha o Buckminster Fuller Challenge de 2010], *Fast Company*, 2 de junho de 2010.

[274] C. J. Hadley, "The wild life of Allan Savory" [A vida selvagem de Allan Savory], *Range*, outono de 1999. Disponível em: http://www.rangemaga zine.com/archives/stories/fall99/allan_savory.htm.

fungos, das larvas, da vegetação abundante, o equilíbrio entre o nascimento, a vida e a deterioração. O solo morto é estéril, uma realidade pesada quando se sabe que o futuro da humanidade depende do bem-estar da terra. Sem aeração e fertilizantes, o solo morre e, com ele, a biodiversidade. Depois de 30 anos analisando a vida das pradarias africanas, Allan Savory trabalha com esses princípios, e não contra eles.

Embora Savory enfrente algumas críticas, e seu método possa funcionar melhor em algumas áreas do que em outras, ele tem o instinto de um sinérgico e uma mentalidade de contratipagem, recusando-se a aceitar soluções convencionais de Duas Alternativas e procurando uma Terceira Alternativa simples e emocionante. Ele consegue ver as amplas conexões entre as culturas humanas e seus animais, a vida selvagem, a terra, a água e o bem-estar de todo o planeta:

> *A gestão holística do gado e de outros animais de pastagem tem a capacidade de promover uma (re)formação extremamente rápida do solo, que, em grande parte, se perdeu onde a agricultura humana causou estragos. Essa nova camada superficial do solo conterá, necessariamente, grandes quantidades de carbono retiradas da atmosfera, o suficiente para reconduzir a atmosfera ao equilíbrio pré-industrial — desde que isso ocorra paralelamente a reduções das emissões de gases de efeito estufa provenientes da queima de combustíveis fósseis.*[275]

Não sei se a Terceira Alternativa de Savory será bem-sucedida ou não. Mas respeito, em pessoas como ele, a libertação do raciocínio de Duas Alternativas e da banalidade do "grande debate". Por um lado, elas se veem livres de um ambientalismo "que pretende restringir a ambição, a aspiração e o poder humanos, em vez de estimulá-los e orientá-los", nas palavras de

---

[275] Jonathan Teller-Elsberg, "Following up with Allan Savory on using cattle to reverse desertification and global warming" [Acompanhando Allan Savory no uso do gado para reverter a desertificação e o aquecimento global], Chelsea Green, 25 fevereiro de 2010. Disponível em: http://chelsea green.com/blogs/jtellerelsberg/2010/02/25/following-up-with-allan-savory-on-using-cattle-to-reverse-desertification-and-global-warming/.

um perspicaz observador.[276] Por outro lado, se livram da cegueira cínica daqueles que, em função de seus predatórios interesses de negócios, não enxergam qualquer ameaça à nossa casa planetária (especialmente quando seus salários dependem de *não* enxergar). Elas também não estão presas à grande zona intermediária, que não tem muito o que esperar do grande debate.

Nossa capacidade de produzir Terceiras Alternativas para a destruição de nosso planeta ou para renunciar ao nosso modo de vida é limitada apenas por nossa mentalidade. Há uma infinidade de contratipagens para a maneira desenfreada com que consumimos nossas fontes de energia. Como vimos, até mesmo o que parece uma trivial Terceira Alternativa pode ter um impacto enorme em nosso meio ambiente. Ao libertar o poder da sinergia, podemos renovar a glória e a beleza do mundo que todos nós compartilhamos.

Um Mundo sem Pobreza

Talvez o problema mais difícil enfrentado por nossa sociedade seja a pobreza, a raiz de tanta criminalidade, violência, maus-tratos e da maior parte dos outros males sociais. Ficamos angustiados com a pobreza e, muitas vezes, desalentados. Evidentemente, a pobreza está relacionada com a cultura, e os que são chamados de pobres em alguns países seriam considerados incrivelmente favorecidos em outros. Ainda assim, os pobres sempre sofrem, e as pessoas de boa vontade sofrem com eles. Nossos entrevistados da pesquisa Grandes Desafios ao redor do mundo estão profundamente preocupados com os efeitos da pobreza em meio à inconcebível desigualdade econômica:

- "A pobreza é, muitas vezes, o catalisador da raiva, do ódio, da ganância e da inveja que alimentam as guerras, o terror e o desemprego — temos de concentrar ao máximo os nossos esforços na resolução do problema da pobreza."
- "Para muitos de nós, ter o básico é algo natural, mas ainda existem muitas pessoas que nem isso têm."

[276] Michael Shellenberger e Ted Nordhaus, id., p. 17.

- "Ninguém deveria ter de passar a vida na pobreza. A pobreza está na origem de outros problemas globais, como a educação de má qualidade e as questões ambientais."
- "A pobreza predomina em todo o mundo, e é a principal razão para que graves problemas de terrorismo aconteçam. [...] As pessoas pobres e sem instrução são muito propensas a isso [lavagem cerebral]."
- "Com tanto dinheiro gasto recentemente em tantas coisas, tornou-se óbvio que a guerra contra a pobreza, as drogas e o desemprego não era uma guerra coisa nenhuma. Fomos e continuamos a ser enganados, e continuamos a pagar, alguns com suas vidas, pelo bem de poucos."
- "A taxa de desemprego em nosso país disparou. [...] Há poucas ou nenhuma perspectiva para muitos dos desempregados."
- "Nosso país é um dos mais pobres da Ásia. Este é o grito de guerra, [...] pois a maioria de nossa população vive na pobreza. Há falta de empregos, educação deficitária, as facilidades de infraestrutura dificilmente estão disponíveis, uma dívida enorme, má gestão e corrupção galopante."
- "Um mundo melhor, em minha opinião, significa um mundo sem pobreza."

Um mundo sem pobreza seria algo fácil de se conseguir, dizem as alas da esquerda e da direita, se apenas seguíssemos as suas prescrições. Poucas são as questões em que as duas vertentes são mais claras sobre suas ideologias e, ainda assim, se enfrentam com mais veemência do que quando se trata do que fazer em relação à pobreza.

A cada inverno, segundo alguns pesquisadores, entre 25 mil e 30 mil pessoas morrem de frio no Reino Unido, a maioria delas pessoas mais idosas e vulneráveis, e isso em um dos países mais desenvolvidos do mundo. Justificadamente indignada com isso, a esquerda se pergunta por que mais pessoas morrem de frio no inverno da Grã-Bretanha temperada do que na Sibéria, e colocam a culpa em "uma elite econômica insensível e imobilizada diante dos males que afligem os outros". A alta dos preços dos combustíveis penaliza os pobres, enquanto as empresas de energia enriquecem, argumenta a esquerda. Isso é fundamentalmente injusto. A solução: controlar os preços e "transferir recursos dos consumidores mais ricos para os mais pobres".[277]

Do outro lado, a direita pede que os pobres parem de depender do Estado para prover suas necessidades. Os conservadores britânicos apontam para o "círculo vicioso" de dependência da política de bem-estar de geração para geração, à medida que o número de pessoas desempregadas em idade ativa em um núcleo familiar sem renda fixa se aproxima dos 5 milhões. Eles alegam que um sistema de previdência social "originalmente concebido para dar apoio aos mais necessitados da sociedade está, agora, mantendo-os aprisionados exatamente ao mesmo problema que deveria combater", e que novas demandas por calefação, comida ou cuidados de saúde simplesmente condenarão os pobres ao lodaçal da dependência.[278]

[277] George Monbiot, "Cold-hearted" [Insensíveis], 27 dezembro de 2010. Disponível em: http://www.monbiot.com/2010/ 12/27/cold-hearted/.

[278] "Tories vow to tackle National scandal of walfare dependency" [Os conservadores juram que vão combater o escândalo nacional da dependência da previdência] *Telegraph* (*Londres*), 27 de agosto de 2009. Distribuído em: http://www.telegraph.co.uk/news/politics/conservative/6098889/Tories-vow-to-tackle-national-scandal-of-welfare-dependency.html; "Reforms will tackle poverty and get Britain working again" [Reformas enfrentarão a pobreza e farão a Grã-Bretanha trabalhar novamente], UK Department for Work and Pensions, 27 de maio de 2010. Disponível em: http://www.dwp.gov.uk/newsroom/press-releases/2010/may-2010; shdwp070-10-270510.shtml.

Ninguém pode discordar das solicitações por mais responsabilidade pessoal; por outro lado, todos se preocupam com o sofrimento das pessoas pobres e vulneráveis enquanto outros gozam de situação tão confortável. Esse é o dilema daqueles que pensam de acordo com as Duas Alternativas e, então, eles se sentem forçados a tomar partido. Enquanto isso, as pessoas na grande zona intermediária não têm respostas e, na verdade, não esperam qualquer resposta: "Teremos de conviver para sempre com os pobres", suspiram.

Não pretendo argumentar nem contra a esquerda nem contra a direita. Ambos os lados se afinam com os princípios da responsabilidade pessoal e social, e ambos fizeram contribuições significativas para a nossa prosperidade econômica, muitas vezes apenas servindo de contrapeso um ao outro. Mas esse cabo de guerra simplista entre os ideólogos não tem ajudado, efetivamente, a romper o ciclo da pobreza. O seguro-desemprego faz com que algumas pessoas se tornem dependentes, e as exortações para "sair dessa e conseguir um emprego" também não ajudam muito. Como defensores da sinergia, estamos cansados das discussões entre os pensadores de Duas Alternativas; gostaríamos que eles se juntassem a nós e buscassem algo mais elevado e melhor do que aquilo que o limitado raciocínio bipolar tem a oferecer. Nosso grande e maior objetivo é um mundo sem pobreza.

Riqueza Primária Versus *Riqueza Secundária*

Essa maneira maior, mais elevada, começa comigo. Olho para os pobres com certa presunção? Imagino que, se eles fossem tão virtuosos e inventivos como eu, não seriam pobres? Por outro lado, se não estou tão bem quanto gostaria de estar, me considero uma vítima? Me sinto, de algum modo, no direito de reivindicar algo dos mais afortunados? Em meus óculos ideológicos, a lente esquerda é mais forte do que a lente direita, ou vice-versa? A minha identidade foi sequestrada por um partido político?

Nem o agressor nem a vítima estão em condições de contribuir para se chegar a uma solução.

Enquanto houver coisas como deficiências física, mental ou emocional — sejam elas autoinfligidas, herdadas ou apenas frutos da má sorte —, algumas pessoas em nossa sociedade dependerão para sempre de todas as outras. Conheço um jovem com distrofia muscular, Frank, que não é capaz de fazer nada, a não ser digitar levemente em um teclado, ganhando alguns dólares por semana nessa empreitada. Ele precisa ser alimentado e cuidado como um bebê recém-nascido. Ele não tem família nem qualquer tipo de bem, exceto as roupas que veste; até mesmo sua cadeira de rodas pertence ao Estado. Porém, eu não o chamaria de pobre, porque ele é rico em amigos, no intelecto e na gentileza de sua personalidade. Quando falo em um mundo sem pobreza, quero dizer um mundo pleno do tipo de riqueza da qual Frank goza. Um tipo diferente de riqueza.

O dinheiro é apenas um tipo de riqueza, um símbolo de sucesso secundário. O sucesso primário, como eu disse antes, provém de nosso caráter, e é medido em termos das contribuições que fazemos. Integridade, honestidade, trabalho árduo, compaixão pelos outros — se vivermos de acordo com esses princípios, nunca seremos pobres em termos de riqueza primária. Em um mundo de pessoas assim, ninguém seria pobre, nem mesmo os fracos e as pessoas com deficiência. Esse tipo de riqueza espiritual é a riqueza primária. Muitas vezes (embora não haja garantia disso), a riqueza secundária é uma consequência natural. Os valores que costumam conduzir à prosperidade material nunca sofreram mudanças; são eles: o caráter, a educação, as habilidades e os relacionamentos desenvolvidos ao longo do tempo, além da paciência. Existem leis naturais agindo aqui, e aqueles que vivem sob tais leis conseguem ser humildes e confiantes ao mesmo tempo. É verdade que algumas pessoas enriquecem sem esses valores, seja pelo nascimento, por sorte ou conivências, e é fácil se deixar aborrecer por conta disso. Mas se eu me considero uma vítima, vou esperar que a sociedade se torne "justa" em vez de desenvolver os valores primários que levam à prosperidade. Em contrapartida, se eu achar que os pobres são parasitas preguiçosos vou acreditar que atender às suas demandas é moralmente perigoso para eles e para a sociedade. Além disso, não me parecerá justo que eles consigam algo sem nenhum esforço.

Como defensores da sinergia, no entanto, não estamos muito preocupados com o que é justo — queremos ir além da justiça e chegar a uma Terceira Alternativa. Concordamos que o sucesso primário precede a riqueza material e que o trabalho inicial é promover as qualidades de sucesso primário em nós mesmos e em nossa sociedade. Ao mesmo tempo, discordamos da ideia de que os pobres são degenerados e anormais, que esperam ansiosamente para pegar uma carona à nossa custa. Mais do que todas as outras pessoas, os pobres precisam de nosso respeito e empatia. Nós os apreciamos dentro do espírito do *Ubuntu*, como indivíduos insubstituíveis, excepcionalmente talentosos, sem os quais nós mesmos seríamos sub-humanos. Fazemos com que eles ergam os próprios olhares, para que também possam reconhecer seu próprio valor e potencial. Uma vez atingida essa percepção, eles passarão a conquistar a riqueza espiritual que leva à riqueza material.

Como tantas pessoas desfavorecidas em nossa sociedade, o jovem Weldon Long era um sem-teto completamente sem recursos. Tendo abandonado o ensino médio aos 15 anos de idade, sem qualquer qualificação para integrar o mercado de trabalho, ele encontrava algum consolo na cerveja e nas drogas sempre que conseguia mendigar algum dinheiro. Ele não tinha absolutamente qualquer senso de autoestima. Aos 32 anos, já tinha entrado e saído da cadeia três vezes por roubo, estava totalmente falido, sem esperança e sem futuro. "Ele era um perdedor como outro qualquer. Nunca teve um emprego estável. Abandonara seu filho de 3 anos de idade. Nunca teve uma casa. Passou toda a vida adulta em um deplorável estado de desespero."[279] Weldon Long era o mais pobre dos pobres.

Confinado na prisão, ele começou a frequentar despretensiosamente a biblioteca, e descobriu os escritos de Ralph Waldo Emerson. Uma das frases iluminadas do grande filósofo o assombrou: "Nós nos tornamos o que pensamos o dia todo." Por sua própria conta, ele se concentrou nessas palavras, repetindo-as infinitamente em sua mente, enquanto olhava para a própria imagem no espelho de sua cela.

> *Ele refletiu intensamente sobre aquelas palavras enquanto observava sua própria e miserável realidade. Ele fixou o olhar em si mesmo e ficou pensando. A vida era mais do que isso? Será que ele conseguiria descobrir? Ele seria capaz, mesmo que remotamente, de alterar o curso de seu destino aparentemente traçado mudando o que ele pensava "o dia todo"?*

---

[279] Weldon Long, "Emerson was right — if you THINK he was!" [Emerson estava certo — Se você ACHAR que ele estava!], *Sources of Insight*, 30 de março de 2011. Disponível em: http://sourcesofinsight.com/2011/03/30/emerson-was-right-if-you-think-he-was/.

Apesar de as probabilidades parecerem intransponíveis, ele decidiu tentar.

Ele resolveu que faria uma mudança transformacional em sua vida. Estava desesperado, e homens desesperados tomam atitudes desesperadas. Ele estava determinado a mudar o rumo de seu destino.

Ele começou a pensar em um "novo" Weldon Long, um pai e marido amoroso, uma pessoa educada, um empresário honesto, alguém que contribuísse para a sociedade. Contou a si mesmo histórias imaginárias em que ele próprio aparecia em tais papéis. Ele preencheu sua mente com essas visões de sucesso primário dia após dia, o dia todo. Essa mudança de pensamento levou a uma mudança em seu comportamento. Ele leu todos os conteúdos edificantes que conseguiu encontrar: Emerson, a Bíblia, livros de autoajuda. Passou a escrever cartas para seu filhinho todas as semanas. Ele frequentou todas as classes oferecidas na prisão, conquistando, no fim, o grau de bacharel e um MBA *summa cum laude*. ("Eu estava na cadeia, não em Yale!", brinca ele).

Passei a acreditar que eu era completamente responsável pelo processo da minha transformação. Eu não poderia controlar as pessoas e as coisas ao meu redor; assim, assumir a responsabilidade significava parar de me lamentar e inventar desculpas. Não havia garantias de que eu conseguiria realizar o que havia visualizado. Independentemente disso, eu tinha de assumir a responsabilidade, [...] fazer tudo que estivesse ao meu alcance para me tornar um ser humano decente.

No momento em que fui libertado da minha terceira estadia na prisão, em 2003, as coisas haviam mudado. Eu tinha mudado. Em vez de fazer o que eu sempre fizera — beber, me drogar e cometer crimes —, fiquei limpo e sóbrio. Eu me comprometi a alcançar o sucesso e a construir uma vida baseada no trabalho árduo, na integridade e na responsabilidade pessoal.[280]

---

[280] Weldon Long, *The upside of fear: how one man broke the cycle of prison, poverty, and addiction* [O lado bom do medo: Como um homem rompeu o ciclo da prisão, da pobreza e da dependência] (Austin, TX: Greenleaf Books, 2009), p. 124.

No mundo, como um homem livre, Weldon enfrentou o maior teste de todos. Ele entraria novamente no padrão de sua antiga vida ou superaria seus medos e construiria uma nova vida? Felizmente, ele já havia cultivado o hábito de se visualizar em papéis novos e produtivos. Encontrar trabalho foi difícil, pois poucos empregadores estão dispostos a apostar em um delinquente. Finalmente, conseguiu um emprego de vendedor de equipamentos de calefação e ventilação e, logo no primeiro mês, quebrou o recorde de vendas da empresa. Pela primeira vez em sua vida ele estava levando uma vida honesta. Em breve abriria sua própria empresa, que prosperou por sua dedicação integral ao trabalho. Ele agora é dono de belas casas em Colorado e Maui, e vive com sua esposa e seu filho.

Conheço Weldon Long pessoalmente, e o admiro. Nada disso poderia ter acontecido se ele não tivesse descoberto quem realmente era: um indivíduo poderoso, cujo potencial estava limitado apenas por suas próprias escolhas. A intenção espiritual orienta a percepção, que impulsiona o comportamento, que produz então resultados. Se realmente conseguirmos fazer com que as pessoas pensem em termos de suas contribuições, isso as conduzirá imediatamente para determinado estado de espírito. Quando estimularmos os corações das pessoas pobres, quando as ajudarmos a se perceberem como seres humanos de valor infinito, elas sairão sozinhas da pobreza. Esse é o trabalho a ser feito.

Qualquer um pode fazer o que Weldon Long fez, mas a mudança de paradigma de "um perdedor como outro qualquer" para alguém talentoso, pleno de recursos e capaz de contribuir positivamente para a sociedade foi um salto incrível para ele. Quando perguntado, ele responde que o maior obstáculo para dar esse salto é o medo: "Percebi que o medo havia sido a principal razão de todos os meus fracassos. [...] Meus amedrontados pensamentos haviam se transformado em profecias autorrealizáveis."[281] Os pobres enfrentam um dilema desanimador. Muitos começam suas vidas com saúde precária e em casas disfuncionais. A educação sofre atrasos, e não há bons empregos sem educação. Com o passar dos anos, os pobres têm diante de si um fosso cada vez maior, que exige força e coragem incomuns para

[281] Weldon Long, id., p. 124.

ser superado. É por isso que tantos têm tanto medo de tentar. Para eles, a escolha é dar um salto e fracassar uma e outra vez, ou permanecer na extrema pobreza.

Por que Eles Simplesmente não Arrumam um Emprego?

É claro que, como a maioria dos dilemas, esse também é falso. A história de Weldon Long mostra que há uma Terceira Alternativa. Ainda assim, forças culturais esmagadoras procuram deter os pobres que tentam romper o ciclo. Nossa sociedade está dividida entre aqueles que perguntam, frustrados, "Por que eles simplesmente não arrumam um emprego?" e aqueles que, por meio de um desmoralizador seguro-desemprego, perpetuam a pobreza por conta de sua equivocada bondade. Em nossos tempos, "simplesmente arrumar um emprego" pode ser um desafio enorme para alguém com pouca saúde, baixa instrução ou conhecimentos insuficientes. E, quanto a demonstrar bondade para com os pobres, fornecendo-lhes um meio de subsistência sem qualquer esforço de sua parte, o grande ensaísta C. S. Lewis observou sabiamente: "O amor é algo mais rigoroso e esplêndido do que a simples bondade."[282] Nossa sociedade tem um trabalho muito mais rigoroso a fazer em prol dos pobres do que simplesmente distribuir vales-refeições e exortações.

Depois de 32 anos trabalhando para uma grande firma de contabilidade, Dave Phillips não tinha qualquer intenção de se aposentar para ir jogar golfe. Durante anos ele e sua esposa, Liane, haviam servido como voluntários de várias organizações sem fins lucrativos e ansiavam por fazer mais por sua comunidade de Cincinnati, Ohio. Espantados ao tomarem conhecimento de que a taxa de pobreza em Cincinnati tinha disparado de 12% para 24% na década anterior, eles decidiram dedicar o restante de suas vidas a ajudar os pobres a saírem da pobreza.

Eles não tinham ideia de como proceder, mas Dave contava com uma sólida experiência em negócios e ambos eram dotados de grande capacidade de empatia, e, assim, se decidiram a aprender o máximo que podiam sobre o problema e como poderiam ajudar. Depois de estudarem intensamente os programas de empregabilidade pelo país, eles reuniram

---

[282] C. S. Lewis, *O problema do sofrimento* (São Paulo: Editora Vida, 2006).

suas ideias e lançaram a Cincinnati Works, uma "sociedade de membros" sem fins lucrativos, atualmente saudada como a "melhor das melhores práticas em criação de soluções de ganha/ganha para pessoas em situação de pobreza e empresas que precisam de funcionários qualificados de nível inicial". O modelo está se espalhando por cidades de todos os Estados Unidos.

A Cincinnati Works (CW) é uma verdadeira Terceira Alternativa para os pobres. Pelo fato de não contarem com uma sólida rede de apoio, os pobres normalmente recorrem às agências públicas de emprego, a maioria das quais faz o seu melhor para oferecer oportunidades de emprego às pessoas, ensiná-las a prepararem um currículo e marcar entrevistas. Elas consideram seu trabalho concluído quando o cliente consegue um emprego. Mas essa abordagem é muito limitada diante do verdadeiro trabalho a ser feito. Os desempregados crônicos raramente se mantêm em um emprego depois de serem admitidos; a taxa de retenção típica, passados três meses, é de deploráveis 15% a 20%. O verdadeiro trabalho a ser feito, nas palavras de Liane Phillips, é adotar "uma abordagem holística para o candidato a um emprego". Ela considera o pobre como uma pessoa *completa*, que precisa de apoio não apenas do ponto de vista material, mas também nas esferas emocional, mental e espiritual.

Na CW os desempregados crônicos não são "clientes", mas "membros" de um clube de apoio mútuo, cujo objetivo é progredir na carreira por meio de uma relação duradoura. Quase todos os membros são mulheres afro-americanas, mães solteiras que lutam para trabalhar e, ao mesmo tempo, cuidar de seus filhos. "Elas enfrentam muitos desafios", diz Shirley Smith, especialista da CW. "Deixam as crianças com diferentes babás, pegam ônibus, tentam fazer seus dólares render. [...] Elas precisam ouvir várias vezes: 'Sim, você consegue', porque não escutam isso de outra pessoa. Nossos membros devem sentir que estão em um espaço de cuidado e comprometimento, em que todos nós vamos andar juntos a cada passo do caminho para fazê-los sair da pobreza."

Esse apoio emocional que transmite confiança é fundamental. Em sua pesquisa, os Phillips descobriram que 60% de seus membros sofriam de depressão crônica, que acomete as pessoas extremamente pobres não apenas em Cincinnati, mas em todos os lugares. Os sintomas de depressão são, muitas vezes, percebidos como sinais de preguiça. Liane Phillips diz:

> *Descobrimos que essa percepção é completamente falsa. A maioria das pessoas pobres que conhecemos estava longe de ser preguiçosa. A cada dia, havia uma dificuldade nova, o que exigia delas permanente capacidade de resolução de problemas. Tarefas que pareciam automáticas e simples para nós absorviam delas uma quantidade enorme de energia: chegar e sair do trabalho sem carro, encontrar mantimentos e pagar por eles, descontar um cheque-salário — caso tivessem um — sem ter uma conta bancária. [...] O mais impressionante de tudo é que começamos a compreender a profundidade de seu desespero e frustração ao tentarem conseguir um emprego e fracassarem repetidamente.*

Um especialista em saúde mental fica no local, ajudando os membros a lidar clínica e emocionalmente com as marcas da pobreza. Uma vida de fracasso e rejeição deixa-os amedrontados. "É muito assustador procurar um emprego", diz um dos membros. "Ser rejeitado faz com que eu me sinta decepcionado comigo mesmo. Pergunto-me como e onde errei." Outro descreve "apenas o medo de sair de casa, ir para a rua e conseguir o emprego, o medo de ouvir um não e ser expulso, o medo de não me chamarem de volta". Eles sofrem por seu isolamento e pela esmagadora mensagem social de que há algo de errado com eles. Para muitos, mesmo que suas vidas estejam muito ruins, é doloroso demais arriscar-se a novos fracassos.

Devido a essas sensíveis feridas emocionais, o problema real de tais pessoas, muitas vezes, não é *encontrar* um emprego, mas *preservá-lo.* Essa foi uma percepção importante dos Phillips. Uma vez contratados, muitos abandonam o emprego se alguém os desrespeitar no trabalho, se perderem o ônibus ou se um dos filhos ficar doente. Abandonar continuamente o emprego os desestimula, e faz com que reduzam as possibilidades de serem contratados novamente. "No calor do momento, ou diante de um problema — real ou imaginário —, eles desistem imediatamente, deixando de perceber o quanto a preservação do emprego é fundamental para o seu futuro." Com a sua mentalidade de contador, Dave estudou o problema e descobriu que levava um ano até que o membro médio da CW se estabilizasse em um emprego, e que as chances de perder o emprego eram maiores nos três primeiros meses. A CW, portanto, está organizada em função de um regime estrito de três meses, com comunicação e acompanhamento frequentes. O mantra é "Ligue para nós antes de abandonar o emprego". Os membros mais estressados ligam para a linha direta da CW para pedir ajuda quando deparam com problemas.

Geralmente, um ano no emprego sinaliza a estabilidade, tanto material quanto emocional. Um dos membros afirma: "Acho que não ter um emprego faz minha depressão aumentar, com o isolamento, [...] a sensação de estar errado. Mas quando estou trabalhando e estou em meio à minha pequena rotina, me sinto ótimo. Tenho um propósito. Me sinto bem. Sinto que pertenço a algo, como se eu estivesse conectado."

A CW também trabalha arduamente para enriquecer a vida mental de seus membros. Cursos ensinam as "regras ocultas" do local de trabalho, como construir um forte relacionamento, como lidar com um chefe difícil, e os aconselham a nunca abandonarem um emprego sem ligar para a CW primeiro. Os membros aprendem a focar no "próximo passo" para sair da pobreza: obter uma qualificação requerida pelo mercado de trabalho, um certificado ou diploma, ou uma carteira de motorista.

A vitória para as empresas de Cincinnati que contratam e orientam os membros da CW é uma retenção muito maior de funcionários: a CW "reduziu sensivelmente a rotatividade de pessoal em muitas empresas — em alguns casos, em mais da metade —, colocando 4 mil pessoas pobres e cronicamente desempregadas para trabalhar e, em seguida, fornecendo serviços para preservá-las nesses locais. [...] Na Fifth Third Bank, 90% dos funcionários contratados por meio do programa ficam pelo menos um ano. Compare isso com a taxa de retenção por um ano da empresa, de 50%".[283] No caso da CW como um todo, a taxa de retenção por um ano é de 80%.

---

[283] Brian Ballou e Dan L. Heitger, "Tapping a risky labor pool" [Lidando com mão de obra arriscada], *Harvard Business Review*, dezembro de 2006. Disponível em: http://hbr.org/2006/12/tapping-a-risky-labor-pool/ar/1.

O impacto da CW é verdadeiramente revolucionário. Quando as agências governamentais gastam, tipicamente, US$ 30 mil por ano em serviços para cada núcleo familiar pobre em Cincinnati, a CW, com um gasto único de US$ 1.200, ajuda uma pessoa a obter e manter um emprego. Ao longo de uma década, a CW poderá fazer com que a comunidade economize mais de US$ 100 milhões. "Por que eles simplesmente não arrumam um emprego? Essa é a pergunta de US$ 1 milhão quando se trata de desempregados crônicos", diz Liane Phillips. "Esse valor impressionante também vem a ser um custo mínimo para a sociedade quando se leva em conta a expectativa de vida de um núcleo familiar em situação de pobreza nos Estados Unidos."[284]

Muitas vezes, a escolha para os desempregados crônicos é desistir ou retornar ao sobrecarregado mecanismo dos serviços públicos de emprego. A abordagem holística da Cincinnati Works é uma verdadeira Terceira Alternativa. Alguns poucos, como Weldon Long, pensam e trabalham sozinhos para sair da pobreza; mas para muitos dos 37 milhões de pobres dos Estados Unidos o "rigoroso e esplêndido" amor dos pensadores da Terceira Alternativa como os Phillips pode significar o início da autossuficiência e o fim da pobreza.

Acabando com a Pobreza de Dentro para Fora

Um mundo sem pobreza é inconcebível para a maioria de nós. Em todo o mundo, 878 milhões de pessoas não conseguem pagar pelas necessidades básicas da vida, como água limpa, alimento e moradia. Entre elas estão dezenas de milhões de crianças de rua. Mais de 11 milhões de crianças pobres morrem antes de seu quinto aniversário. Para as pessoas de boa vontade, o desafio de aliviar tais privações é gigantesco.

Mas há boas notícias. Entre 2005 e 2010, o número de pessoas pobres diminuiu quase meio bilhão, devido ao crescimento econômico nos países emergentes. Laurence Chandy, da Brookings Institution, observa: "A redução da pobreza com tal magnitude não tem paralelo na história: nunca antes tantas pessoas foram retiradas da pobreza em um período tão curto

---

[284] Liane Phillips e Echo Montgomery Garrett, *Why don't they just get a job?* [Por que eles simplesmente não arrumam um emprego?] (Highlands, TX: aha! Process, 2010), p. 31, 54, 86, 128-29, 159.

de tempo." Parece que o mundo em desenvolvimento está, enfim, se desenvolvendo verdadeiramente, e talvez o fim da pobreza absoluta esteja à vista.[285]

Dezenas de milhões de pessoas já seguiram o estilo de ação de Weldon Long e saíram elas mesmas da pobreza, se lançando ao mercado de trabalho. Naturalmente, o estimulador aqui é o crescimento dos mercados globais ao longo da Ásia, da África e da América Latina, mas é gratificante saber que, diante de uma oportunidade, muitos a aproveitarão por iniciativa própria.

Em toda as partes, as pessoas que já foram pobres estão encontrando uma Terceira Alternativa para as duas antigas opções: permanecer em situação de pobreza ou esperar que alguém venha salvá-las. Elas estão encontrando essa alternativa dentro si mesmas. Governos e instituições de caridade têm dado enormes contribuições, mas, no fim das contas, a abordagem mais eficaz para aliviar a pobreza vem de dentro para fora. Esforços bem-intencionados do mundo exterior para oferecer dinheiro às pessoas e dotá-las de recursos simplesmente não funcionam até que algo mude em seu interior. Esse "algo" é o respeito por si mesmo.

As pessoas de fora *podem* ajudar a facilitar tal mudança. Anos atrás, Jerry e Monique Sternin eram representantes de uma fundação de caridade que tentava melhorar a nutrição infantil no Vietnã. Bebês saudáveis em milhares de aldeias rurais estavam definhando por falta de alimentação adequada, de modo que o governo vietnamita convidou os Sternin para buscar soluções em termos práticos. Eles não foram os primeiros. Muitos grupos tinham ido e vindo, levando consigo leite e biscoitos ricos em proteína; porém, quando os suprimentos e a vontade de ajudar acabavam, eles abandonavam os esforços: "Eles vinham, alimentavam os bebês, iam embora e nada mudava", relata Jerry Sternin.

"Não foi difícil reconhecer as razões para o fracasso", afirma Sternin. "Os aldeões foram beneficiários passivos do programa, não eram incenti-

---

[285] Laurence Chandy e Geoffrey Gertz, "Poverty in numbers: the changing state of global poverty 2005-2015" [A pobreza em números: As mudanças na pobreza global — 2005-2015], Brookings Institution, janeiro de 2011. Disponível em: http://www.brookings.edu/papers/2011/01_global_poverty_chandy.aspx.

vados nem se exigia que alterassem quaisquer das práticas subjacentes que haviam ocasionado a desnutrição de seus filhos." Embora levassem alguns suplementos, os Sternin decidiram fazer com que a comida não parecesse caída do céu sem esforço algum; ao contrário, eles começaram uma busca empática por respostas entre os próprios aldeões.[286]

Primeiro, eles se reuniram com os líderes das quatro aldeias e descobriram que ninguém nunca havia perguntado a opinião deles sobre o que estava errado com a saúde de seus filhos. Quando questionados, os aldeões se empenharam entusiasticamente para responder. Os voluntários pesaram cada uma das crianças e fizeram um cruzamento com os dados da renda familiar. Os moradores ficaram surpresos ao descobrir que algumas das crianças mais bem-nutridas pertenciam às famílias mais pobres. Perplexos, todos queriam saber o que aquelas famílias estavam fazendo de diferente e, assim, um intenso processo de escuta empática teve início. Os aldeões absorveram tudo o que seus vizinhos tinham para lhes dizer, apesar de estarem na base da escala social.

Logo ficou claro que os mais pobres dos pobres estavam acrescentando ao arroz familiar vários pequeninos camarões e folhas de batata-doce selvagem, catados nos arrozais. Essas fontes de proteínas e vitaminas, que a maioria dos moradores considerava "resíduos" impróprios para as crianças, de repente se tornaram altamente valorizadas. Essas e outras descobertas que, enfim, salvaram milhares de crianças da desnutrição estavam dentro da comunidade o tempo todo, mas os pais permaneciam cegos quanto às suas próprias forças, em função de uma falta de respeito por si mesmos. "Somos uma aldeia pobre", diziam sempre. "Não temos respostas. Sofremos até que os ricos e instruídos venham em nosso auxílio."

Como pensadores da Terceira Alternativa, os Sternin sabiam que, sem uma mudança de paradigma, as crianças da aldeia continuariam sendo vítimas do raciocínio de Duas Alternativas que assola tantos pobres: "Os outros não nos ajudam, e não conseguimos nos ajudar." Os Sternin aprenderam, no Vietnã, "que o modelo tradicional de mudança social

---

[286] Jerry Sternin, "Childhood malnutrition in vietnam: from peril to possibility" [Desnutrição infantil no Vietnã: Do risco às possibilidades], in *The power of positive deviance* [O poder do desvio positivo] (Cambridge, MA: Harvard Business Press, 2010), p. 22.

e organizacional não funciona. Nunca funcionou. Não é possível trazer de fora soluções permanentes."[287] Mas, uma vez fortalecidos para encontrar dentro de si mesmos as soluções para sua pobreza, para se considerarem talentosos e capazes, os pobres podem ser excelentes solucionadores de problemas.

Os Sternin também mostram como raciocinar segundo o modelo da contratipagem, a arte de encontrar sinergias, subvertendo a sabedoria convencional. Especialistas ocidentais bastante cultos e tecnologicamente sofisticados, eles haviam sido convidados para ir ao Vietnã salvar os aldeões "primitivos". Mas os Sternin viraram tudo do avesso. Eles foram para aprender, não para ensinar. Ouviram, em vez de impor as suas ideias. Entraram em sinergia com as pessoas, em vez de lhes dar ordens. Eles encontraram suas mais ricas respostas entre os mais pobres dos pobres.

Quando se trata de Terceiras Alternativas para a pobreza, o Teatro Mágico não conhece limites de classe ou instrução. A inovação é onipresente entre os pobres, que, muitas vezes, têm de elaborar a mais engenhosa resolução de problemas apenas para continuar sobrevivendo. Quando pensamos em inovação, pensamos na Apple, no Google e em sofisticadas corporações, com orçamentos enormes e laboratórios de pesquisa, embora algumas das inovações mais notáveis do mundo estejam surgindo atualmente nas oficinas e nos domínios dos inventivos pobres.

Duas vezes por ano os alunos do Instituto Indiano de Administração, em Ahmedabad, seguem em peregrinação para o campo, onde ficam por oito a dez dias. Nessa *shodhyatra*, ou caminhada a pé, os estudantes peregrinos procuram Terceiras Alternativas — a ideia improvável, a criação estranha ou inovadora, nascida da necessidade nas remotas aldeias da Índia. Os *shodhyatris* ficam fascinados pelo mais ínfimo desvio positivo. Se encontrarem alguma prática incomum ou algum dispositivo inventado por um agricultor ou um operário, eles compartilham a ideia por meio da Honey Bee Network, uma organização nacional voltada para a promoção de novos conhecimentos.

[287] David Dorsey, "Positive deviant" [Desviante positivo], *Fast Company*, 30 de novembro de 2000. Disponível em: http://www.fast company.com/magazine/41/sternin.html.

O professor Anil K. Gupta fundou a Honey Bee Network, assim denominada porque as abelhas, o mel e as flores formam uma simbiose, para servir como um veículo de sinergia entre os inovadores das classes populares, os investidores e os acadêmicos. Exemplo clássico de contratipagem, a rede opera sob a premissa de que a maior fonte de conhecimento da Índia está no campo, não nas universidades. "Quando falamos da Índia como uma economia de conhecimento, assumimos que a população rural estará empregada somente nas atividades de mais baixo valor agregado, e nunca como fornecedora de conhecimento. Isso é um absurdo", insiste Gupta.

> *Há pelo menos 50 anos o paradigma desenvolvimentista tem sido dominado pela ideia de que o papel do Estado ou da sociedade civil é apenas providenciar o que falta às pessoas pobres, ou seja, recursos materiais, oportunidades de adquirir qualificações, habilidades ou emprego. Esse paradigma não consegue levar em conta um recurso no qual, muitas vezes, as pessoas pobres se mostram ricas: seu próprio conhecimento.*
>
> *Ser economicamente pobre não significa ser pobre em conhecimento. Mas, de modo geral, os pobres que estão na parte inferior da pirâmide econômica são tratados como se também estivessem na parte inferior da pirâmide do conhecimento. Nada poderia estar mais longe da verdade*[288].

A Honey Bee encaminha os dados recolhidos nas caminhadas para a Fundação Nacional de Inovação, cujo catálogo reúne mais de 50 mil inovações que despontaram em toda a Índia, e os distribui para investidores e para a própria população rural, ou qualquer pessoa que possa se beneficiar de tais inovações. Os *shodhyatris* registram escrupulosamente medicamentos fitoterápicos, utilizações diferenciadas de pequenos motores (por exemplo, um velho walkman da Sony utilizado para fazer um ventilador funcionar) e, até mesmo, receitas locais de curry. Eles também deparam com pequenos milagres, como uma criança que consegue recitar os nomes e os

[288] Sarah Rich, "Anil Gupta and the Honey Bee Network" [Anil Gupta e a Honey Bee Network], WorldChanging.com, 21 de março de 2007 http://www.worldchanging.com/archives/006333.html; Raja Murthy, "India's rural inventors drive change" [Os inventores rurais da Índia coordenam a mudança], *Asia Times*, 29 de janeiro de 2010. Disponível em: http://www.atimes.com/atimes/South_Asia/LA29Df03.html.

usos de mais de 300 plantas locais.[289] Muitas vezes, eles encontram ideias verdadeiramente inovadoras, capazes de transformar as vidas dos pobres. Uma descoberta de sucesso foi a geladeira "Mitti Cool", de Mansukh Prajapati, feita a partir de um engenhoso vaso de barro retangular e que dispensa eletricidade; milhares delas estão sendo utilizadas. Ele também inventou um arado movido por uma motocicleta e uma frigideira de barro antiaderente que, supostamente, funciona tão bem quanto uma frigideira de Teflon, mas custa apenas US$ 1.

Em locais onde os moinhos de cereais não aceitam encomendas de pequenos agricultores, um inventor leva uma geringonça portátil sobre duas rodas para moer o trigo e cuidar da colheita; caso você queira que ele também cuide de sua roupa, o aparelho tem uma máquina de lavar acoplada. O inventor de um dispositivo para escalar coqueiros já está vendendo seu produto internacionalmente. Um creme de ervas para eczema, originário de um povoado rural, se tornou popular em todo o mundo. Outro homem inventou uma bicicleta anfíbia, de modo que ele pudesse atravessar o rio para ver sua namorada. "Eu não aguentava esperar o barco", diz ele. "Eu precisava encontrar o meu amor. O desespero me transformou em um inovador. Até mesmo o amor precisa da ajuda da tecnologia." A bicicleta não é uma brincadeira; os investidores já a consideram um dispositivo de resgate em áreas alagadas.[290]

Para o professor Gupta e sua Honey Bee Network a Índia inteira é um Teatro Mágico para Terceiras Alternativas ao raciocínio convencional. A rede, em si, é uma gigantesca contratipagem, se beneficiando de ideias transformadoras — e lucrativas —, concebidas pelas populações rurais pobres, e não por laboratórios de grandes corporações. Gupta tem o mérito de lutar arduamente para proteger os direitos intelectuais dos milhares de inovadores da Honey Bee Network. "Quando aprendemos alguma coisa com as pessoas, isso deve ser compartilhado com elas", afirma. E assim também deve ser com os benefícios econômicos.

---

[289] Relatórios das *shodhyatras* semestrais podem ser encontrados em http://www.sristi.org/cms/shodh_yatra1. Acessado em abril de 2011.

[290] Anil Gupta, "India's hotbeds of invention" [Focos de invenção da Índia], *TED.com*, novembro de 2009. Disponível em: http://www.ted.com/ talks/lang/eng/anil_gupta_india_s_hidden_hotbeds_of_invention.html.

Mais importante do que a questão econômica, porém, é o valor espiritual do trabalho de Gupta. Quando o conhecimento deles é respeitado, quando alguém valoriza as contribuições que eles podem fazer, os pobres respondem afetuosamente. A avó da zona rural que ninguém notou por um longo tempo, de repente se transforma em uma fonte preciosa de conhecimento sobre ervas, na medida em que a comunidade a procura para se consultar. As crianças da aldeia competem para mostrar suas invenções, e o orgulho que sentem por suas realizações é o que move seus espíritos.

A Grande Sinergia

"A pobreza não pertence à sociedade humana civilizada. Seu lugar é em um museu. É lá que ela estará", prevê o prêmio Nobel Muhammad Yunus. Pai da indústria do microcrédito — uma brilhante Terceira Alternativa em si mesma —, Yunus entende que a pobreza é, fundamentalmente, um desafio espiritual. Ela envolve a pessoa como um todo. É impossível separar a pobreza física da mente, do coração e do espírito. Aliviar a pobreza requer uma sinergia positiva interna de cada componente de nossa natureza. Um corpo degradado e faminto, um coração deprimido e desvalorizado, uma mente ignorante, um espírito desalentado — tudo isso constitui a sinergia negativa a que chamamos pobreza.

Yunus acredita que é preciso libertar as aptidões humanas inatas dos pobres, para que eles cresçam por si mesmos. Na década de 1970, quando era professor de economia em Bangladesh, ele concluiu que a pobreza material era, em grande parte, resultado do raciocínio de Duas Alternativas: as pessoas pobres precisavam de crédito para montar seus pequenos negócios, mas os bancos não lhes emprestavam nada *porque* elas eram pobres; os empréstimos seriam muito insignificantes para justificar os possíveis problemas, já que elas eram um investimento de alto risco. Como resultado, elas se viam forçadas a depender de agiotas, que cobravam taxas exorbitantes. Os pobres simplesmente não conseguiam escapar desse círculo vicioso; qualquer lucro que eles obtinham voltava para os agiotas.

Dessa maneira, Yunus propôs uma Terceira Alternativa: um banco de microcrédito, que empresta pequenas quantidades de dinheiro para artesãos e agricultores pobres, para que eles possam progredir gradualmente e evitar os agiotas que os exploram. Ele conhecia o seu povo bem o suficiente para confiar em seus atributos primários de integridade e honestidade; seu índice de adimplência se mostrou superior ao da maioria dos clientes de grandes bancos. Hoje, mais de 100 milhões de pessoas estão saindo da pobreza com a ajuda do movimento de microcrédito. Embora alguns indivíduos desonestos tenham tentado subverter o conceito do microcrédito, ele ainda é a esperança para milhões de outras. Quando jantei com o dr. Yunus, ele me disse que o objetivo de sua vida é testemunhar o fim da pobreza.

Yunus acredita que o grande debate político sobre a pobreza nem chega à superfície, pois está completamente concentrado na economia política, que, "sem o lado humano, é tão dura e seca quanto uma pedra". Quanto à ala da extrema esquerda, que quer resolver a pobreza por meio da simples transferência de recursos, ele diz que a mensagem que se envia à população pobre é debilitante: "Não há nada que você possa fazer, é dever do governo cuidar de você. Logo, você se torna dependente." E ele lembra da ala da extrema direita, com sua confiança cega no *laissez-faire* do mercado livre: "Mercados livres não se destinam à resolução de problemas sociais; muito pelo contrário, podem até agravar a pobreza, as doenças, a poluição, a corrupção, a criminalidade e a desigualdade."[291] Para Muhammad Yunus nenhum dos lados consegue enxergar claramente qual o verdadeiro trabalho a ser feito, que é elevar a dignidade humana das pessoas pobres.

Yunus sonha com uma grande sinergia entre o mundo empresarial e os pobres, em que o poder do capital se conecte com as aspirações dessas pessoas, a fim de criar uma Terceira Alternativa que ele chama de "negócio social". O objetivo de um negócio social, diz ele, é "pôr fim a um problema social", em vez de gerar lucros para os acionistas. O GroupeDanone, a gigante de alimentos francesa, juntou-se a ele para criar a empresa Grameen-Danone, sem fins lucrativos, que emprega milhares de trabalhadores pobres em Bangladesh, na produção de um iogurte fortificado, cujo preço é acessível para as crianças pobres daquele país. Ao fortalecer a saúde infantil, comprar leite local em grandes quantidades e oferecer empregos que aumentam a autoestima, esse exemplo do modelo de negócio social resulta em algo muito maior do que a soma de suas partes. É uma sinergia que poderia transformar um país[292].

Yunus acredita que em breve a Terceira Alternativa presente nos negócios sociais terá o poder de nos trazer um mundo sem pobreza. Isso é impossível de prever. Os investidores da Danone sabem que o único retorno que eles receberão é "psicológico e espiritual, por ajudar pessoas pobres do outro lado do mundo". Talvez a promessa de riqueza primária atraia capital suficiente para produzir este tipo de mudança. É o que Yunus pensa: "Nem sempre o empresário é alguém que quer maximizar os lucros. As empresas também podem ter um outro objetivo: servir a um propósito social. Precisamos de empresários que não sejam impulsionados pelo dinheiro, mas pelo desejo de contribuir para a sociedade".[293]

---

[291] Muhammad Yunus, *Um mundo sem pobreza* (São Paulo: Ática, 2008).

[292] Muhammad Yunus e Karl Weber, *Criando um negócio social* (Rio de Janeiro: Campus, 2010).

[293] Marco Visscher, "The world champ of poverty fighters" [O campeonato mundial dos que lutam contra a pobreza], *Ode Magazine*, julho-agosto de 2005. Disponível em: http://

Não sei se a visão de Yunus funcionará ou não, mas admiro profundamente sua mentalidade da Terceira Alternativa, que já estimulou milhões de pessoas pobres a lutarem por um futuro melhor, por intermédio de sua própria potencialidade e iniciativa. Ele também atribui aos negócios e ao governo um papel crucial. A combinação entre a responsabilidade pessoal e as organizações que promovem a justiça social pode elevar a dignidade humana das populações pobres e acabar com seu sofrimento. Neste livro tentei ser um *shodhyatri*, um buscador de Terceiras Alternativas em nossa sociedade. Elas estão em todos os lugares, como fogueiras pontilhando a escuridão. Cada uma dessas luzes é o resultado de alguém, em algum lugar, adotando os paradigmas de sinergia, em vez dos paradigmas de defesa e ataque.

Eu me vejo. Eis aqui Weldon Long, o mais pobre dos pobres, olhando demoradamente para sua própria imagem em um espelho e percebendo que a pobreza — moral, material, emocional — é uma escolha, e que ele tem o poder de fazer uma escolha diferente.

Eu vejo você. Eis aqui Anil Gupta, professor de gerenciamento urbano, que vê, nos olhos dos camponeses pobres do sul da Ásia, não uma ignorância impotente, mas tesouros de conhecimento que podem enriquecer o mundo. Ele afirma: "As pessoas podem ser pobres economicamente, mas não são pobres no intelecto. As mentes que estão à margem não são mentes marginais."

Eu procuro você. Eis aqui Ward Clapham, um policial durão da Real Polícia Montada do Canadá, que persegue os jovens não para prendê-los, mas para elogiá-los pelo bem que praticam, para aprender e trabalhar com eles. Ele não vê "delinquentes", mas futuros colaboradores, pais, parceiros na missão sinérgica de construção da sociedade civil para as gerações futuras.

Eu entro em sinergia com você. Eis aqui Natalie Jeremijenko, que se une aos artistas, engenheiros, jardineiros e biólogos marinhos — qualquer pessoa com a mentalidade de Teatro Mágico — para transformar a ecologia de uma grande cidade com pequenos milagres de sinergia.

Se, assim como essas pessoas maravilhosas, eu for um defensor da sinergia, verei os males da sociedade como oportunidades de transformação,

---

www.odemagazine.com/doc/25/the_world_champ_of_poverty_fighters/.

como convites para mudar o jogo e criar um futuro que seja melhor do que meus próprios sonhos. Se formos dois sinérgicos, as grandes divisões entre nós acabarão desaparecendo. E não faz diferença alguma se nosso círculo de influência é pequeno ou grande, se estamos nos referindo a um pequeno núcleo familiar ou à sociedade como um todo, pois as consequências de nossas ações se expandem com o tempo. Não precisamos ficar paralisados pelos falsos dilemas. Não precisamos esperar que a sociedade mude. Podemos criar, conscientemente, nossa própria mudança.

ENSINAR PARA APRENDER

A melhor maneira de aprender com este livro é ensiná-lo a alguém. Todo mundo sabe que o professor aprende muito mais do que o aluno. Então, encontre alguém — um colega de trabalho, um amigo, um familiar — e transmita-lhe as percepções que você adquiriu. Faça as perguntas provocativas da lista a seguir, ou formule as suas próprias.

- Alan Greenspan fala de "uma ruptura geral de nossa sociedade, que está se tornando cada vez mais destrutiva". Que suposições sobre a sociedade são sustentadas pelos dois lados dessa ruptura? Quais são as limitações de ambos os lados?
- O que é "interdependência"? Por que os pensadores da Terceira Alternativa valorizam a interdependência na resolução de nossos problemas sociais? De que maneira o conceito de *dharma* pode nos ajudar a enfrentar, como indivíduos, os problemas à nossa volta?
- O que podemos aprender com a história do renascimento da Times Square quanto à resolução de conflitos em nossos bairros e comunidades? O que podemos aprender sobre o valor do envolvimento de grupos diversificados? Como eles usaram o processo de prototipagem para chegar a uma Terceira Alternativa?
- Quais são as limitações das mentalidades "linha-dura" e "flexível" em relação à criminalidade? Por que e como Ward Clapham criou uma força policial sinérgica? De que modo a "notificação positiva" e o carro de corrida MINI Cooper são contratipagens? Qual é o valor de uma contratipagem?
- Quais são os dois lados do grande debate sobre os cuidados de saúde? Por que esse debate é um falso dilema?
- Qual é nossa responsabilidade pessoal ao cuidarmos de nossa própria saúde? O que significa "cuidar da pessoa como um todo"?

- "A indústria de saúde é, na verdade, uma grande 'indústria da doença'". O que isso significa? O que podemos aprender com as Terceiras Alternativas em cuidados de saúde a partir das histórias do Living Well Health Center, da Norman Clinic e da IHC?
- O que o relato de duas pessoas que discutem sobre o meio ambiente pode nos ensinar sobre a escuta empática?
- O que podemos aprender com Natalie Jeremijenko e Allan Savory sobre o potencial de Terceiras Alternativas de pequena escala para produzir impactos em grande escala?
- Qual é a diferença entre riqueza primária e riqueza secundária? Por que a riqueza primária é mais importante do que a secundária para o nosso bem-estar?
- Weldon Long diz que o medo é o maior obstáculo quando as pessoas estão tentando sair da pobreza. Quais são as fontes desse medo? O que a história de Weldon Long nos ensina sobre a superação do medo?
- O que queremos dizer quando afirmamos que o fim da pobreza virá "de dentro para fora"? De que modo esse princípio está ilustrado nas histórias de Jerry e Monique Sternin e da Honey Bee Network?

EXPERIMENTE

Quando você olha em torno de sua própria comunidade, que problemas sociais ou oportunidades você vê? Inicie a prototipagem de Terceiras Alternativas. Peça a contribuição de outras pessoas. Use a ferramenta "Quatro Etapas para a Sinergia".

QUATRO ETAPAS PARA A SINERGIA

❶ Faça a Pergunta da Terceira Alternativa:

"Você está disposto a encontrar uma solução que seja melhor do que aquilo que qualquer um de nós já apresentou?" Se sim, vá para a Etapa 2.

❷ Defina Critérios de Sucesso

Liste neste espaço as características de uma solução que agradaria a todos. O que é o sucesso? Qual o verdadeiro trabalho a ser feito? O que seria uma situação de "ganha/ganha" para todos os interessados?

❸ Crie Terceiras Alternativas

Neste espaço (ou em outros) crie modelos, desenhos, peça emprestadas ideias, transforme o seu modo de pensar. Trabalhe de maneira rápida e criativa. Suspenda todos os julgamentos até aquele momento emocionante em que você sabe que chegou à sinergia.

❹ Chegue à Sinergia

Descreva aqui a sua Terceira Alternativa e, se quiser, explique como pretende colocá-la em prática.

GUIA DO USUÁRIO PARA AS QUATRO ETAPAS DA FERRAMENTA DE SINERGIA

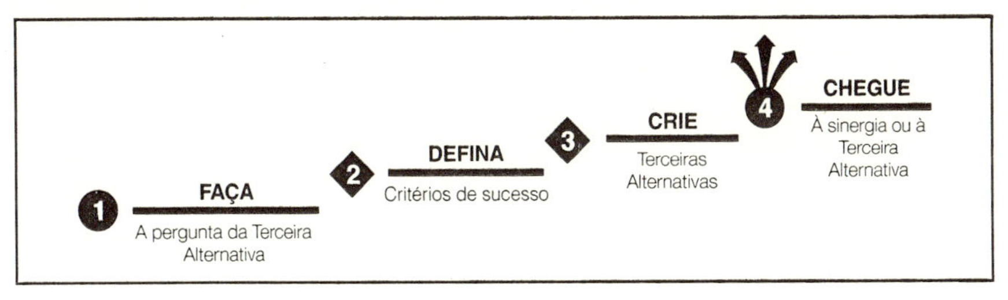

As Quatro Etapas para a Sinergia. Este processo ajuda a colocar o princípio de sinergia em prática. (1) Mostre disposição para encontrar uma Terceira Alternativa. (2) Defina o que é o sucesso para todos. (3) Teste soluções até (4) chegar à sinergia. Pratique a escuta empática ao longo do processo.

Como Chegar à Sinergia

❶ Faça a Pergunta da Terceira Alternativa

Em uma situação de conflito ou de criação, esta pergunta ajuda todos a abandonar posições rígidas ou ideias preconcebidas em prol do desenvolvimento de uma terceira posição.

❷ Defina os Critérios de Sucesso

Liste as características ou redija um parágrafo descrevendo qual seria um resultado bem-sucedido para todos. Responda estas perguntas conforme você avançar:

- Todos estão envolvidos em estabelecer os critérios? Estamos conseguindo obter o maior número possível de ideias do maior número possível de pessoas?
- Quais resultados realmente queremos? Qual é a verdadeira tarefa a ser realizada?
- Quais resultados significariam "vitórias" para todos?
- Estamos abrindo mão de nossas demandas arraigadas do passado e buscando algo melhor?

❸ Crie uma Terceira Alternativa

Siga estas diretrizes:

- Participe do jogo. Não é "de verdade". Todo mundo sabe que é um jogo.
- Evite um fechamento, acordo prematuro ou consenso.
- Evite julgar as ideias dos outros — ou as suas próprias.
- Faça modelos. Desenhe imagens em quadros-negros, esboce diagramas, construa maquetes, faça rascunhos.
- Transforme as ideias nas mentes dos outros. Subverta a sabedoria convencional.
- Trabalhe rápido. Defina um limite de tempo para manter a energia e as ideias fluindo rapidamente.
- Alimente inúmeras ideias. Não é possível prever qual conclusão repentina pode conduzir a uma Terceira Alternativa.

((❹)) Chegue à Sinergia

Você reconhece a Terceira Alternativa pelo sentimento de empolgação e inspiração que toma conta do ambiente. O antigo conflito é abandonado. A nova alternativa preenche os critérios de sucesso. Atenção: não confunda acordo com sinergia. O acordo gera satisfação, mas não prazer. Um acordo significa que todos perdem alguma coisa; a sinergia significa que todos ganham.

A Terceira Alternativa no Mundo

8

A Terceira Alternativa no Mundo

É impossível dar um aperto de mão com o punho fechado.
— *Indira Gandhi*

No caminho para um raro feriado em uma praia próxima a Tel Aviv, Mohammed Dajani e sua família depararam com uma longa fila de carros esperando para passar por um posto de controle das forças de defesa israelenses. A já idosa mãe de Dajani, que sofria de asma, ficou ansiosa e começou a ter dificuldade para respirar. Ela havia esquecido seu inalador. De repente, ela desmaiou, vítima de um aparente ataque cardíaco. Tentando não entrar em pânico, Dajani se encheu de coragem e foi implorar aos soldados israelenses que os deixassem passar rapidamente pelo posto, para que pudessem levá-la a um hospital.

Dajani entrou em crise naquele momento. Durante anos ele havia se submetido àqueles postos de controle. Na condição de palestino com origens ancestrais naquela terra, considerava humilhante ser parado e revistado constantemente por soldados armados que, para ele, eram forasteiros em seu país. A família Dajani vivia na Palestina há centenas de anos. Séculos atrás o sultão havia laureado a família com a guarda do túmulo do rei David, em Jerusalém, uma incumbência que era passada de geração para geração. Mas, então, em 1948, o Estado de Israel foi estabelecido, fato que muitas famílias árabes palestinas, como os Dajani, viam como *al-Nakba*, a Catástrofe, uma imposição injusta de autoridades externas e de uma cultura estrangeira. A família Dajani foi expulsa.

"Por muitos anos depois disso", diz ele, "o meu grande sonho era libertar a terra do domínio dos israelenses." Na universidade, em Beirute, ele descobriu que poderia ser uma força articuladora de sua causa. Hoje, as paredes de seu escritório estão cobertas por fotos suas publicadas nos jornais desde a década de 1970, discursando para as multidões sobre a libertação da Palestina. Ele logo se tornou um oficial de Yasser Arafat, líder da resistência ao Estado judeu. "Por muito tempo acreditei que somente a força seria a solução."

O conflito entre Israel e Palestina é muito familiar para a maioria de nós. Ele começou no século XIX, com o surgimento do sionismo, movimento para criar um Estado que os judeus chamam de *eretz Israel*, a sua pátria ancestral na Palestina. O antissemitismo na Europa, culminando com os horrores do Holocausto, levou muitos líderes mundiais a apoiar um Estado israelense, finalmente estabelecido em 14 de maio de 1948, por uma resolução das Nações Unidas. Mas os árabes palestinos, comunidade formada majoritamente por muçulmanos, receberam o sionismo como uma grande injustiça; para eles, era nada menos do que um roubo de *sua* pátria ancestral. Eles se insurgiram imediatamente contra o novo poder de Israel. Nos anos seguintes, ambos os lados sofreram ondas de atentados suicidas, ataques com mísseis, violentas revoltas e assassinatos.

O conflito entre israelenses e palestinos, desde então, se converteu em uma fonte de discórdia entre o mundo muçulmano e o Ocidente. Grandes alianças são estabelecidas, aumentando as ameaças de guerra. Esforços diplomáticos para resolver o conflito fracassam repetidamente. A paz parece frustrantemente esquiva.

Sendo tão complexa e tão antiga, essa briga sangrenta, como tantas outras, é no fundo produto do raciocínio de Duas Alternativas. Cada lado, essencialmente, diz ao outro: "O meu direito à terra é superior ao seu. Minha religião é superior à sua. Você deve ceder." Reina a mentalidade de escassez. É um jogo de soma zero, em que um lado deve perder para que o outro possa ganhar.

Neste capítulo expandiremos nossa visão para aplicar o raciocínio da Terceira Alternativa ao mundo em que vivemos, um mundo polêmico, no qual o perigo de uma guerra catastrófica é muito real. Nossos entrevistados da pesquisa Grandes Desafios mencionaram "interromper a guerra e o terrorismo" como o desafio mais importante enfrentado por nosso mundo contemporâneo. Eis aqui algumas de suas ponderações:

- "O terrorismo ainda é o mais importante desafio mundial. Ele é uma ameaça à liberdade e ao progresso que as democracias estabelecidas pretendem oferecer aos cidadãos do mundo."
- "O preço da guerra e do terrorismo é brutal para os cidadãos. Edifícios destruídos, vidas perdidas e uma quantidade incalculável de dinheiro investida para apoiar a destruição. Para quê?"
- "O mundo como um todo está devastado pela guerra, com arsenais cada vez mais numerosos de armas de destruição em massa."
- "Se não houvesse guerras para combater e não tivéssemos de lidar com o terrorismo, estaríamos mais focados em melhorar a nossa economia e em reduzir a pobreza."
- "A guerra e o terrorismo destroem a capacidade das pessoas de ter uma vida segura, para si e para seus filhos, e de obter uma educação sólida."

A questão israelense-palestina é apenas um dos pontos sensíveis. Todos estamos interessados nas soluções pacíficas e criativas que o raciocínio da Terceira Alternativa pode trazer para nossas comunidades locais, nossos estados e nossos países. Precisamos revolucionar a maneira como debatemos e praticamos a diplomacia. Há muitas pessoas exemplares que estão tentando chegar à Terceira Alternativa no Oriente Médio, e seus esforços podem nos ensinar muito sobre o tipo de sinergia possível em nossos próprios círculos de influência.

A Construção da Paz: Revolucionando a Diplomacia Interna

Uma dessas pessoas é Mohammed Dajani. Naquele dia desesperador diante do posto de controle, quando sua mãe estava à beira da morte, ele descobriu algo que mudou sua vida. Até então, seu único contato com os israelenses havia sido em postos de controle daquele tipo, com jovens soldados carregando metralhadoras. Agora, porém, aqueles mesmos soldados estavam se ausentando do trabalho para ajudar sua pobre mãe. Eles conseguiram duas ambulâncias em poucos minutos. Eles a transportaram para um hospital do Exército israelense, por ser a unidade de tratamento mais próxima. "Naquela tarde, assisti a meu inimigo tentando salvar minha mãe. Foi um acontecimento muito importante em minha vida. Para mim, foi um dos muitos momentos de transformação do 'nós ou eles' no 'nós *e* eles'."[294]

O professor Mohammed Dajani, da Universidade de al-Quds é hoje um dos principais expoentes da Terceira Alternativa na Palestina, de um paradigma "nós *e* eles". Sua notável mudança de orientação o levou a fundar uma organização chamada Wasatia, voltada especificamente para a educação dos jovens palestinos contra o raciocínio de Duas Alternativas. O nome da organização advém de um versículo do Alcorão: "Fizemos de vocês uma comunidade *wasatan.*" Traduzido de várias maneiras distintas, o termo *wasatia* significa algo como "o ponto médio entre dois extremos". Assim, a Wasatia se dedica a abdicar dos extremos em prol de uma abordagem superior e mais equilibrada de todos os aspectos da vida.

O professor Dajani afirma: "As origens do problema estão no fato de que a juventude palestina cresce aprendendo duas lições: que a única maneira de resolver conflitos ou diferenças é por meio de uma fórmula de ganha/perde; e que os muçulmanos, cristãos e judeus não conseguirão conviver, e muito menos prosperar juntos".[295] Evidentemente, esse é o clássico raciocínio de Duas Alternativas.

Minha impressão sobre o conceito islâmico de *wasatia* é que ele está muito próximo da noção da Terceira Alternativa. É uma refutação ao raciocínio de Duas Alternativas, que aprisiona as pessoas naquilo que Dajani chama de "partidarismo entusiasta, solidariedades tribais, fanatismo, racismo, irracionalidade e intolerância, [...] tendências que levam o homem

---

[294] Entrevista com Mohammed Dajani, sede da Wasatia, Beit-Hanina, Israel, 12 de janeiro de 2010.

[295] Mohammed Dajani, "The Wasatia Movement — an alternative to radical Islam" [O movimento Wasatia — Uma alternativa para o islamismo radical], *Worldpress.org*, 21 de junho de 2007. Disponível em: http://www.worldpress.org/Mideast/2832.cfm.

a se tornar o inimigo mortal do homem".[296] Aqueles que adotam o *wasatia* buscam uma solução maior e melhor, para além do compromisso da mera convivência, em direção a uma Terceira Alternativa que os levará a prosperar juntos na terra em que coabitam.

O que levou Dajani a dar início a esse influente movimento entre seus companheiros palestinos? Em grande parte, o que fez a diferença foi a demonstração de empatia dos soldados israelenses. Essa impressão foi reforçada quando o pai de Dajani recebeu tratamento contra o câncer em um hospital israelense. "O pessoal ria e brincava com ele e não o tratava como um árabe — isso foi uma revelação para mim", diz Dajani.

O rabino Ron Kronish, diretor do Conselho de Coordenação Inter-religiosa em Israel (ICCI, na sigla em inglês), está empenhado em proporcionar oportunidades para que israelenses e palestinos escutem empaticamente uns aos outros. É a precondição absoluta para uma alternativa pacífica da Terceira Alternativa naquela conturbada terra — ou em qualquer outro lugar.

[296] Mohammed S. Dajani Daoudi, *Wasatia: centrism and moderation in Islam* [Wasatia: centrismo e moderação no Islã], s.d., p. 17. Disponível em:http://www.ptwf.org/Downloads/Wasatia.pdf.

"Palestinos e israelenses raramente se encontram no cotidiano", diz o rabino Kronish. "Somos massacrados com os terríveis estereótipos veiculados pela mídia. Na maior parte das vezes, os palestinos encontram os judeus apenas nos postos de controle. Sob o seu ponto de vista, os judeus são soldados que fazem parte de um exército de ocupação. Para os judeus, os palestinos são percebidos como terroristas e o islamismo é considerada uma religião de morte, que incentiva os homens-bomba." No entanto, são essas mesmas pessoas que o rabino reúne regularmente em sistemáticos, significativos e sensíveis encontros de longo prazo, para que todos se conheçam — mulheres, jovens, adultos, educadores, líderes religiosos —, pessoas que podem funcionar como multiplicadoras em suas comunidades e sociedades. "O que fazemos no ICCI? Trazemos as pessoas para o diálogo, com a finalidade de transformar seus corações e suas mentes com relação às possibilidades e aos benefícios da convivência pacífica, agora e no futuro distante."

Quando alguém começa a dialogar seriamente com o outro — que, por acaso, também vem a ser seu inimigo — e descobre que esse outro é, na verdade, um ser humano e que cada pessoa tem uma história única, que, de modo geral, também está relacionada com o conflito religioso e político que envolve a todos, a surpresa é profunda. Além disso, quando as pessoas estudam minimamente a religião umas das outras descobrem que seus credos compartilham valores humanísticos essencialmente semelhantes. Os judeus que participam dos grupos nunca abriram o Alcorão, e vice-versa — os muçulmanos palestinos e os cristãos conhecem muito pouco do judaísmo. Em determinado grupo, um líder religioso muçulmano ouviu pela primeira vez a frase do Talmud "Quem salva uma vida, salva o mundo inteiro" e exclamou: "Temos um versículo idêntico no Alcorão!" Por meio do estudo dos textos sagrados de cada povo, judeus, cristãos e muçulmanos de Israel e daquela região desenvolvem confiança, à medida que aprendem uns com os outros.

O ICCI está criando o ambiente para que os indivíduos atingidos por esse conflito procurem e escutem deliberadamente uns aos outros. O dr. Kronish relata que "eles compartilham seus sentimentos sobre tais questões. Ocasionalmente, os ânimos ficam tão exaltados que pensamos que talvez devêssemos parar — mas os participantes insistem em continuar". Embora, frequentemente, os diálogos no ICCI sejam bastante difíceis, a maioria dos participantes se mantém interessada, pois uma profunda necessidade de escuta empática se impõe. Essas pessoas *querem* entender umas às outras e descobrir como poderão aprender a conviver. Recentemente, um dos participantes judeus afirmou: "Li algo no noticiário que me preocupou, e pretendo ouvir o que meus amigos e colegas — sejam palestinos muçulmanos ou cristãos — do meu grupo de diálogo estão sentindo e pensando. O que eles pensam *de verdade*?" Eles levam as grandes questões nacionais para debatê-las em nível *pessoal*.

Com a finalidade de atingir os jovens, o ICCI se tornou um dos parceiros internacionais do Seminário Teológico de Auburn, de Nova York, em um processo de diálogo que dura o ano todo, incluindo um acampamento de verão para estudantes palestinos e israelenses, bem como estudantes de ensino médio da África do Sul, da Irlanda do Norte e de partes dos Estados Unidos. No acampamento "Cara a Cara/Fé com Fé", realizado a cada verão em Upstate, Nova York, eles comem alimentos kosher, halal e vegetarianos; dividem beliches, discutem e choram quando chega a hora de se despedir, como em qualquer outro acampamento.[297]

Margaret Karram, uma árabe palestina, trabalha com o rabino Kronish no ICCI. Ela afirma: "Minha identidade é complexa. Sou israelense-católica-cristã-árabe-palestina." Quando criança, ela sofria em meio às crianças judias de seu bairro, nas encostas do Monte Carmelo. Como se estivessem reproduzindo o que os adultos faziam, as crianças atiravam pedras e xingavam umas às outras. "Eu vivia chorando", lembra ela. Um dia, depois de uma briga desse tipo, ela voltou mancando para casa. Sua extraordinária mãe, que estava preparando algo para comer, pediu-lhe que chamasse as crianças judias até a cozinha, onde ela deu a cada uma delas um pão árabe para levar para as suas famílias. Os judeus foram agradecer, e logo eles estavam frequentando os banquetes uns dos outros. Um relacionamento profundo começou a crescer naquele pequeno bairro de Haifa.

---

[297] Entrevista com o dr. Ron Kronish, da Universidade Hebraica de Jerusalém, 7 de janeiro de 2011.

Aos 15 anos de idade Karram conheceu o Movimento dos Focolares, um movimento católico mundial, cujo objetivo é trabalhar para promo ver o diálogo em todos os níveis e entre diferentes povos e religiões. Seguindo o exemplo de sua mãe, e alimentada pelos valores espirituais do Movimento dos Focolares, Karram passou a amar seus amigos judeus e, mesmo sendo cristã, quis aprender mais sobre eles. Ela foi para Los Angeles cursar estudos judaicos na University of Judaism. "Não abri a boca durante seis meses", diz ela. Os outros alunos assumiram que ela era judia, mas, por fim, descobriram quem ela era. Eles ficaram surpresos por estarem estudando a Torá e o Talmud ao lado de uma árabe palestina. Ela lhes explicou que estava lá para ajudar a superar o abismo entre os judeus e o povo do qual ela fazia parte. "Para fazer isso, tenho de conhecê-los", disse ela. Após cinco anos de escuta empática, ela se formou e voltou para sua terra natal, uma árabe com um diploma universitário em compreensão do povo judeu.

Agora, Margaret Karram dá palestras sobre as relações judaico-cristãs-árabes, fazendo o seu melhor para construir pontes. Ela investe sua vida na promoção do diálogo e na criação de empatia. "Não consigo fazer muita diferença", diz ela, "a não ser tijolo por tijolo".[298]

Acredito que Margaret esteja subestimando sua influência. À medida que conversam entre si, pessoas como Margaret Karram e membros de grupos como o ICCI e a Wasatia passam a confiar e a sentir uma genuína afeição uns pelos outros. Eles sabem que só o diálogo não basta, mas esse é um primeiro e essencial passo para a criação de novas possibilidades. E isso explica, em minha opinião, por que tantos esforços diplomáticos formais não conseguem resolver conflitos como os do Oriente Médio. Ao negligenciar a oportunidade de criar a conexão empática da qual as pessoas precisam, a diplomacia convencional não abre espaço para o "ar psicológico".

A abordagem padrão para a construção da paz é a negociação racional entre as pessoas, que o grande cientista político Samuel P. Huntington chama de "cultura de Davos". A cada ano, as mais poderosas elites governamentais e empresariais do mundo convocam uma reunião de cúpula nas luxuosas cercanias de Davos, na Suíça. Elas se conhecem muito bem e for-

[298] Entrevista com Margaret Karram, sede da Wasatia, Beit-Hanina, Israel, 12 de janeiro de 2011.

mam uma espécie de "consenso transnacional do jet set, que controla praticamente todas as instituições internacionais, vários governos do mundo e a maior parte das potências econômicas e militares mundiais".[299] Mas a atmosfera rarefeita de Davos não oferece qualquer ar psicológico para milhões de pessoas que estão sofrendo de verdade.

Os Acordos de Oslo de 1993, por exemplo, foram considerados um avanço em relação ao "estilo de Davos", e por algum tempo acreditou-se que eles seriam capazes de mudar tudo. Representantes de Israel e dos palestinos concordaram em reconhecer mutuamente o "direito à autodeterminação" e em compartilhar o território. Os delegados vibravam ao anunciarem que o conflito chegara ao fim, que, em princípio, tudo estava resolvido e que os detalhes seriam analisados pelos advogados.

Como antagonistas tão firmes conseguiram chegar a esse avanço? Porque as negociações não dependeram, realmente, das típicas reuniões formais entre diplomatas. Foram discussões "de bastidores", mantidas em segredo e longe do meios de comunicação. Os delegados conviveram por semanas na mesma casa, perto de Oslo, comiam à mesma mesa e faziam longas caminhadas juntos nos bosques da Noruega. Durante esse tempo, eles se conheceram melhor, e uma boa dose de comunicação do Bastão da Fala aconteceu. Para surpresa dos diplomatas oficiais, os dois lados chegaram a um acordo de trabalho que todos concordaram em apoiar.

Infelizmente, não se seguiu o mesmo processo empático no cumprimento do acordo. As pessoas que, na prática, tinham de executá-lo *não* contaram com ar psicológico. Apesar das assinaturas em documentos oficiais, muitos anos se passaram sem que houvesse qualquer progresso na implementação dos Acordos de Oslo.

O dr. Marc Gopin, ilustre estudioso e defensor da paz no Oriente Médio, compreende a importância da conexão emocional e pessoal que deve ser estabelecida caso se queira chegar a uma solução criativa. Acordos formais não são suficientes. "A resolução de conflitos, como campo de estu-

---

[299] Citado em Richard K. Betts, "Conflict or cooperation? Three visions revisited" [Conflito ou cooperação? Três visões revisitadas], *Foreign Affairs*, novembro/dezembro de 2010. Disponível em: http://www.foreignaffairs.com/articles/66802/richard-k-betts/conflict-or-cooperation?page=show. Acessado em 30 de novembro de 2010.

dos, está em uma fase muito primitiva de desenvolvimento", diz ele. "Os teóricos não parecem muito interessados em enfrentar seus próprios sentimentos e inadequações. Os diplomatas não têm a menor ideia do trauma que será causado. Eles fogem disso." O racionalismo dos negociadores não deixa espaço para que os dois lados realmente se conheçam.

Muitas das conquistas alcançadas nas reuniões de Oslo foram derrubadas em 1999, na conferência de Camp David entre os líderes israelenses e o formidável chefe palestino Yasser Arafat. Embora ele fosse celebrado pelo seu próprio povo, muitos israelenses o consideravam um terrorista perigoso. A delegação israelense tratou Arafat com incrível desrespeito. Fizeram-no esperar por horas e, depois, adentraram a sala com um projeto já redigido e totalmente formulado. Lançando o plano sobre a mesa, eles lhe disseram o que esperavam como resposta e o que lhe responderiam de volta. Arafat, então, se levantou, saiu da sala e nunca mais se reuniu com os israelenses. A conferência de Camp David foi um fracasso. Depois desse episódio, Arafat passou a negar que os judeus tivessem qualquer ligação histórica com a Palestina e, mais ainda, qualquer direito de reivindicar a sua assim chamada "Terra Santa".

Ironicamente, 20 anos antes, também em Camp David, o primeiro-ministro israelense Menachem Begin e o presidente egípcio Anwar Sadat haviam se enfrentado na mesma mesa de conferências, e também relutaram para selar um acordo de paz. Como uma terceira força, o presidente Jimmy Carter havia se empenhado arduamente para construir um caloroso relacionamento com aqueles dois homens, e Sadat estava inclinado a assinar os documentos. Mas Carter percebeu que Begin não estava disposto a ceder quanto ao acordo final. No 13º dia, quando a conferência parecia se encaminhar para o fracasso, Carter pediu que seu secretário descobrisse os nomes de todos os netos de Begin. Ele, então, mandou produzir fotos dos três líderes e as autografou com uma mensagem pessoal para cada neto de Begin. Os que presenciaram a cena afirmam: "Begin ficou visivelmente emocionado ao ver o nome de cada um de seus netos nas fotos. Pouco tempo depois Begin concordou em remover o último obstáculo para o acordo de paz."[300]

---

[300] Joyce Neu, "Interpersonal dynamics in international conflict mediation" [Dinâmica interpessoal na mediação de conflitos internacionais]. In: *Natural conflict resolution* [Resolução natural de conflitos], ed. Filippo Aureli (Berkeley: University of California Press, 2000), p. 66.

O gesto empático de Carter teria sido o item decisivo para selar a paz entre Israel e Egito? Será que o primeiro-ministro Begin se lembrou do rosto dos netos enquanto lia seus nomes e imaginou que tipo de mundo estava criando para eles? Ninguém sabe. Mas sabemos que Carter havia investido naquela relação. Os dois líderes haviam tido longas conversas particulares. O presidente e a senhora Carter haviam jantado com Begin e sua esposa; na ocasião, Begin lhes contou como perdera seus pais e seu irmão no holocausto nazista. Begin sabia que Carter havia lhe concedido ar psicológico. Alguém ainda tem dúvidas de que algo aconteceu no coração daquele homem quando ele começou a tremer diante dos nomes de seus netos, quando balbuciava cada nome ao olhar aquelas fotos?

Marc Gopin acredita que gestos empáticos como esses são essenciais para a busca de uma Terceira Alternativa. Em um dos piores momentos do conflito entre Israel e Palestina, Gopin teve oportunidade de ficar cara a cara com Arafat e fazer um gesto semelhante.

Atravessando a Intransponível Barreira

Na primavera de 2002 o exército israelense e os palestinos protagonizavam terríveis batalhas nas ruas da Cisjordânia. Civis inocentes estavam sendo escolhidos como alvos. Os israelenses mantinham Arafat em quarentena, aprisionado em seu refúgio. Horrorizado com a matança, Marc Gopin decidiu tentar atravessar o bloqueio por conta própria e falar com Arafat pessoalmente. Foi um momento assustador, de conflitos interiores para Gopin, que imaginava: "Devo abraçá-lo? Dar-lhe um presente?" Gopin tinha de decidir se ele era capaz de superar seus próprios preconceitos e medos e sentar-se diante do mortal inimigo de seu povo.

> *Quando me sentei ao seu lado, era a primeira vez que tocava em uma pessoa que havia matado tantos judeus e que continuava dando ordens para aniquilá-los. Mas pensei: "Se este gesto puder salvar uma vida, então valerá a pena." Era exatamente isso que estávamos enfrentando. Havia homicídios todos os dias, e ele era um personagem importante nesse ciclo de violência sem-fim. Pelo menos, ele poderia dizer algumas palavras para acalmar as coisas.*

Então, olhei em seus olhos como se ele fosse um doce velhinho e expressei minha sincera tristeza em nome de todas as crianças palestinas que haviam morrido. Eu disse a ele que havia um mitzvah *[mandamento] no judaísmo para confortar o luto. Eu disse a ele que, nas tradições judaica e islâmica, compartilhar conhecimentos com os outros é um ato sagrado. É um vínculo sagrado. Bem, há um trecho no Talmud que diz que o mundo se baseia em três coisas: verdade, paz e justiça. O rabino Muna disse que onde não há justiça, nunca haverá paz.*

Arafat sabia que, com isso, eu estava reconhecendo a necessidade de justiça de seu povo, mas também criticando seus métodos para alcançá-la. Ele se manteve quase o tempo todo em silêncio. Então, me olhou profundamente e disse: "Sabe, quando eu era menino, costumava orar no Muro. Você sabe... no Muro. Com os anciãos. Eles faziam suas orações e eu fazia as minhas."

Fiquei atordoado. Os aliados dele ficaram atordoados. É preciso entender as sutilezas aqui envolvidas. O que ele estava querendo me dizer? Ele estava reconhecendo que o Muro das Lamentações de Jerusalém era, de fato, um lugar sagrado judaico, e que os judeus e muçulmanos podiam rezar lado a lado. Esse era o mesmo homem que, em Camp David, havia negado a presença judaica em Jerusalém. Ele abandonara a conferência de Camp David apoiado nesse princípio.

No dia seguinte à visita de Gopin, Arafat emitiu um comunicado oficial às suas forças para que parassem de atacar civis israelenses.

Gopin observa: "Arafat era, de fato, nebuloso. Ele era corrupto, tinha milhões de dólares escondidos e patrocinara o terrorismo. Mas o ponto principal da minha história é exemplificar o poder dos gestos de respeito. Às vezes, eles são mais importantes do que qualquer outra coisa. Aquele momento entre Carter, Begin e Sadat, quando Carter apelou para os netos de Begin — onde está isso na teoria das relações internacionais?".[301]

---

[301] Entrevista com Marc Gopin, na Universidade Hebraica de Jerusalém, 10 de janeiro de 2011. Veja também Marc Gopin, *Healing the heart of conflict* [Curando o cerne do conflito] (Emmaus, PA: Rodale, 2004), p. 187-88.

Os racionalistas e negociadores diplomáticos estão absolutamente despreparados para gestos como esse, mas eles são o primeiro passo para resolver qualquer conflito de modo sustentável.

Durante o levante de 2003 na Palestina, as ruas de Jerusalém ficaram desertas. Nenhum turista, pouquíssimos empresários. Gopin descreve a experiência de ser um dos poucos hóspedes em um dos principais hotéis de Jerusalém. Certa noite, ele saiu para apanhar um táxi. Havia cinco vazios do seu lado da rua e um único do outro lado da calçada. Um dos cinco motoristas veio até ele e disse: "Não pegue aquele táxi lá. O motorista é árabe." Então, sendo o construtor de pontes que é, Gopin atravessou a rua e entrou no táxi do árabe.

> *Ele estava sentado ali, quieto, se corroendo por dentro. Ele sabia que eu era judeu, sabia que eu o havia escolhido de propósito. Ele ficou em silêncio. Eu lhe disse dez palavras: "Isso deve ser muito difícil para você e sua família." Naturalmente, todos os motoristas de táxi estavam morrendo de fome, pois não havia clientes. Surpreendentemente, ele começou a falar uma infinidade de coisas que poderiam deixá-lo em sérios problemas com alguns de seus compatriotas palestinos. "Aquele homem, Arafat, destruiu tudo. Estávamos nos entendendo antes dele chegar. Ele causou tudo isso." Bem, esse desabafo foi um grande presente para mim, mas ele só aconteceu porque eu havia demonstrado alguma empatia. Ele sabia que eu tinha ido contra meu próprio povo ao escolher o seu táxi.*
>
> *Isso é o que acontece quando você se dispõe a dar um passo atrás. Esses gestos de respeito e empatia são muito contagiosos, da mesma maneira que o ódio é muito contagioso. Nossa conversa naquela noite foi mais honesta do que as que eu havia tido em todos aqueles estúpidos diálogos diplomáticos, nos quais todos desempenham um papel e não dizem nada. A verdadeira resolução de conflitos começa com relações pessoais únicas.*[302]

---

[302] Entrevista com Marc Gopin, id.

Uma Sinfonia de Sinergia

Israel e Palestina se reuniram, certo dia, em um hotel de Londres, em uma dessas relações pessoais únicas das quais fala Gopin. O grande pianista e maestro israelense Daniel Barenboim estava sentado no saguão do hotel e cumprimentou um homem na poltrona ao seu lado. O homem se apresentou como Edward Said, um árabe palestino que era um renomado professor de literatura na Columbia University. Naquela noite, os dois homens, que deveriam estar em polos opostos no tocante às suas posições políticas, começaram uma conversa que se prolongou por anos.

Barenboim e Said se tornaram amigos íntimos. Após a morte do amigo, em 2003, Barenboim afirmou: "Edward Said não se encaixava em qualquer categoria. Ele era a própria essência da natureza humana, porque entendia as suas contradições. [...] Ele lutou pelos direitos dos palestinos, ao mesmo tempo em que compreendia o sofrimento dos judeus e, para ele, isso não era um paradoxo." Em nossos termos, Said foi um pensador da Terceira Alternativa: "Ele sempre olhou para o que estava 'além' de uma ideia, para o 'invisível' ao olho, para o 'inédito aos ouvidos'."

De sua parte, Said fez estas observações acerca de Barenboim: "Ele é uma figura complexa, [...] um desafio, e até mesmo uma afronta, à maioria normalmente dócil." Indiscutivelmente um dos maiores músicos da história, Barenboim dirigiu a Orquestra Sinfônica de Chicago e a Ópera de Berlim, registrou mais músicas clássicas do que qualquer outro artista independente e é um franco defensor da paz no Oriente Médio. Ele foi o primeiro e mais importante músico israelense a ser convidado para se apresentar na Cisjordânia palestina (o convite foi intermediado por Said), e sua empatia por ambos os povos é lendária.

Ao longo dos anos de conversa sobre a perpétua crise no Oriente Médio, nem Barenboim nem Said se mostravam muito confiantes de que a paz surgiria a partir de contatos rígidos e formais nos níveis governamentais. Eles concluíram que a origem do problema estava na absoluta ignorância que israelenses e palestinos nutriam uns pelos outros: "A ignorância não é uma boa estratégia política para um povo, e lá, cada um à sua maneira, deve compreender e conhecer o 'outro' proibido", escreveu Said.

Quando as pessoas não estão dispostas a conhecer umas às outras, elas simplificam demasiadamente os outros indivíduos — a consequência daquilo que tenho chamado de paradigma "Vejo apenas o meu lado". Se, quando me olho no espelho, só consigo me perceber em função do grupo ao qual pertenço — meu partido, meu país, meu gênero, minha religião, meu grupo étnico —, nunca enxergarei claramente a minha complexa e rica identidade, nem a das pessoas que estão do outro lado. Na condição de árabe, Said conclui:

No caso dos árabes, é uma tática boba e inútil [...] recusar-se a entender e analisar Israel, com a desculpa de que se deve negar sua existência porque causou a nakba *palestina. A história é dinâmica e, se esperamos que os judeus israelenses não usem o Holocausto para justificar as terríveis violações dos direitos humanos do povo palestino, também temos de superar idiotices, como dizer que o Holocausto nunca aconteceu e que todos os israelenses — homens, mulheres e crianças — estão condenados à nossa inimizade e à nossa hostilidade eternas.*

Desiludidos com o enfraquecimento do processo de paz, Barenboim e Said imaginavam o que poderiam fazer como Terceira Alternativa para ajudar os dois lados a se conhecerem. Eles tiveram a ideia de formar uma orquestra de jovens músicos palestinos e israelenses. Said costumava se lembrar: "A ideia era ver o que aconteceria se juntássemos aquelas pessoas para tocar em uma orquestra." Primeiro, eles enviaram convites para os testes de seleção, a serem realizados em Weimar, Alemanha, imaginando que quase ninguém atenderia à convocação. Eles receberam uma enxurrada de inscrições. Assim como a maior parte das experiências da Terceira Alternativa, tratava-se de uma situação empolgante, arriscada e imprevisível. O projeto logo se tornou "a coisa mais importante" nas vidas de Barenboim e de Said.

Barenboim comandava os ensaios durante o dia e, à noite, Said conduzia discussões "sobre música, cultura, política. [...] Ninguém se sentia pressionado a se deter diante de qualquer coisa". Havia estudantes judeus de Israel, da Rússia e da Albânia, além de estudantes árabes da Síria, do Líbano e da Palestina. Said iniciou a discussão perguntando: "O que as pessoas sentem a respeito de tudo isso?" Imediatamente, um músico judeu reclamou que estava sendo discriminado, pois os árabes não permitiam que ele aprendesse a tocar música árabe nas jam sessions realizadas após o horário das classes. "Eles me dizem: 'Você não pode tocar música árabe. Só os árabes podem fazer isso.'"

Barenboim insistiu que eles não estavam lá para reprimir seus sentimentos, mas para expressá-los mutuamente. Ele disse aos músicos: "Não é porque somos músicos que vamos achar maravilhoso tocar juntos e esqueceremos todo o resto. Pelo contrário, este é um projeto em que todos têm a possibilidade, o direito e, na verdade, o dever de expressar exatamente a sua opinião."[303]

Após algumas semanas de tensão e de construção de ar psicológico para dar vazão às queixas, as coisas começaram a mudar. "O mesmo garoto que tinha dito que somente os árabes podiam tocar música árabe já ensinava Yo-Yo Ma a afinar seu violoncelo para executar a escala árabe. Então, obviamente, ele pensava que os chineses também poderiam tocar música árabe. Aos poucos, o círculo foi se ampliando e todos estavam tocando a sétima sinfonia de Beethoven. Foi um acontecimento extraordinário."[304]

Desses testes nasceu uma experiente orquestra jovem, a West-Eastern Divan, com músicos de Egito, Irã, Israel, Jordânia, Palestina e Síria. O nome da orquestra faz referência ao título do livro de poemas de Goethe, em que o autor celebra as conexões entre as culturas oriental e ocidental. Desde 1999 centenas de talentosos jovens do Oriente Médio têm estabelecido ligações uns com os outros dessa maneira. A premiada orquestra se apresentou em dezenas de países, em Israel e nos territórios palestinos, correndo certos riscos. Quando a Divan tocou no Carnegie Hall de Nova York, os espectadores tiveram de passar por detectores de metais para entrar na sala de consertos.[305] Daniel Barenboim afirma:

---

[303] "Barenboim's music: a bridge across palestinian-israeli conflict" [A música de Barenboim: Uma ponte sobre o conflito entre palestinos e israelenses], *AFP*. Disponível em: http://www.youtube.com/ watch?v =GpGS1gVcU-k&NR=1.

[304] Daniel Barenboim e Edward Said, *Parallels and paradoxes: explorations in music and society* [Paralelos e paradoxos: Explorando a música e a sociedade], ed. Ara Guzelimian (Nova York: Vintage Books, 2002), p. ix-xi; 8-9; 181.

[305] Anthony Tommasini, "Barenboim seeks harmony, and more than one type" [Barenboim busca a harmonia, e em mais de um sentido], *The New York Times*, 21 de dezembro de 2006.

A Divan foi concebida como um projeto contra a ignorância. [...] É absolutamente essencial que as pessoas conheçam o outro, entendam o que o outro pensa e sente, sem necessariamente concordar com ele. Não estou tentando converter os integrantes árabes da Divan ao ponto de vista israelense, nem estou tentando convencer os israelenses do ponto de vista árabe. Mas quero criar uma plataforma em que os dois lados possam discordar sem recorrer a armas.[306]

Ainda existem milhares e milhares de israelenses que, ao se deitarem, sonham que, quando acordarem pela manhã, os palestinos não estarão mais lá — e o mesmo acontece do outro lado. [...] Eles são tão ignorantes que olham uns para os outros como se fossem monstros. Porém, quando tocam uma sinfonia de Beethoven em conjunto, dias e semanas tentando executar as mesmas notas, com a mesma expressividade, o problema político não é resolvido, mas acredito que isso influencia o modo como eles veem o outro.[307]

A Orquestra Divan exerceu alguma influência sobre seus músicos? Um artista israelense diz o seguinte sobre a experiência:

O grande problema é que todos estão cercados pelo seu próprio mundo, envolvidos com ele. Não sabemos nada sobre os outros, e eles não sabem nada sobre nós e, quer gostemos ou não, viveremos lado a lado para sempre. [...] Devemos começar a aprender a conviver; precisamos derrubar os muros que estão em nossas mentes e começar a entender uns aos outros.[308]

A violoncelista israelense Noa Chorin diz: "Quando estou tocando ao lado de Dana, da Síria, não penso: 'Ela é da Síria'; penso: 'Ela é minha amiga.'"

---

[306] Ed Vulliamy, "Bridging the gap, part two" [Eliminando as distâncias, parte dois], *Guardian* (Manchester), 18 de julho de 2008. Disponível em: http://www.guardian.co.uk/music/2008/jul/13/classicalmusicandopera.culture. Acessado em 21 de outubro de 2010

[307] "Palestinian-Israeli orchestra marks 10th anniversary" [Orquestra palestino-israelense completa dez anos], *Al-Jazeera English*, 21 de agosto 2009. Disponível em: http://www.youtube.com/watch?v=gDJui5-zoeg. Acessado em 21 de outubro de 2010.

[308] *Knowledge is the beginning: a film by Paul Smaczny [*O conhecimento é o começo: um filme de Paul Smaczny], 2005. Acessado em 20 de outubro de 2010.

Depois de uma apresentação em uma cidade palestina, recorda Chorin, "uma menina disse que eram os primeiros israelenses que ela via que não eram soldados. E na hora de nos despedirmos e seguirmos nosso rumo as pessoas estavam chorando".[309]

Talentosos pianistas que tocaram com a Divan, Shai Wosner, de Israel, e Saleem Abboud Ashkar, da Palestina, rapidamente se tornaram amigos íntimos. Barenboim lembra: "Em vez de terem aulas individuais comigo, eles queriam tocar juntos, e começaram a preparar o Concerto de piano a quatro mãos, de Mozart. Eles tocavam de maneira incrivelmente refinada juntos. A música que eles faziam estava repleta de compreensão e sentimento pelo modo de tocar e pelo estilo um do outro. [...] Também foi um movimento muito simbólico, e uma ocasião maravilhosa para todos nós."[310] Barenboim adora esse simbolismo: "Quando vejo ao piano a pequena Karim, palestina da Jordânia, e Inbal, de Israel, com seu violoncelo, é uma fonte de incrível alegria para mim."

Barenboim minimiza seu próprio papel nesse pequeno milagre. Usando a Orquestra Divan como veículo, ele conseguiu levar muitos jovens talentosos do Oriente Médio ao limiar do raciocínio da Terceira Alternativa. Nas palavras de Carl Rogers, ele criou "uma situação em que cada um dos lados passa a compreender o outro a partir do ponto de vista *do outro*. Na prática, isso foi conseguido mesmo quando os sentimentos estavam exaltados, por intermédio de uma pessoa que se dispôs a entender empaticamente todos os pontos de vista".[311]

Como qualquer outro corajoso perseguidor da Terceira Alternativa, Barenboim é alvo de críticas. Ativistas pró-palestinos o acusam de criar um "álibi utópico" para as agressões israelenses e de cultivar um *status quo* injus-

---

[309] Ed Vulliamy, id.

[310] Daniel Barenboim, *A life in music* [Uma vida na música] (Nova York: Arcade Publishing, 2003), p. 188.

[311] Carl Rogers, "Communications: its blocking and its facilitation" [Comunicação: Seu bloqueio e sua facilitação]. Disponível em: http://www.red woods.edu/instruct/jjohnston/English1A/readings/rhetoricandthinking/communication itsblockingitsfacilitation.htm. Acessado em 20 de outubro de 2010.

to.[312] Ao mesmo tempo, muitos de seus colegas israelenses desconfiam dele por demonstrar empatia e associar-se aos árabes, "os inimigos de Israel".

Mas Barenboim não alimenta ilusões sobre a Orquestra Divan. Ele sabe que isso, por si só, não levará a paz à região, e tampouco acredita que israelenses e palestinos devam, de algum modo, ser responsabilizados pela situação. Ele critica abertamente seu próprio governo. No entanto, a orquestra oferece às pessoas de ambos os lados a oportunidade de conhecer e de, pelo menos, começar a entender umas às outras.

Em 2004, Daniel Barenboim ganhou o Prêmio Wolf por sua notável conquista no campo das artes. Na cerimônia de premiação, perante o Parlamento israelense, ele descreveu sua Terceira Alternativa para promover a paz em sua terra natal:

> *Devemos encontrar uma solução. Eu me pergunto: por que é preciso esperar até que tal solução se materialize? É por isso que, juntamente com meu falecido amigo Edward Said, criei uma oficina musical para jovens músicos de todos os países do Oriente Médio, fossem judeus ou árabes. Pela sua própria natureza, a música pode elevar os sentimentos e as imaginações dos israelenses e palestinos para novas e inimagináveis esferas.*[313]

Então, em 2008, depois de apresentar um recital beneficente de piano em Ramallah, Barenboim foi presenteado com um passaporte palestino. Isso faz dele a primeira e, talvez, a única pessoa do mundo a ter os dois passaportes, o israelense e o palestino. Expressando sua satisfação, ele afirmou que o passaporte "simboliza a ligação eterna entre os povos israelense e palestino".[314]

---

[312] Raymond Deane, "Utopia as alibi: Said, Barenboim, and the Divan Orchestra" [Utopia como álibi: Said, Barenboim e a Orquestra Divan], *Irish Left Review*, 9 de dezembro de 2009. Disponível em: http://www.irishleftreview.org/2009/12/09/utopia-alibi-barenboim-divan orchestra/. Acessado em 21 de outubro de 2010.

[313] Daniel Barenboim, in Smaczny, *Knowledge is the beginning: A film by Paul Smaczny [O Conhecimento é o começo: um filme d Paul Smaczny]*, 2005.

[314] Kate Connolly, "Barenboim becomes first to hold israeli and palestinian passports" [Barenboim se torna o primeiro a ter passaporte israelense e palestino], *Guardian* (Manchester), 15 de janeiro de 2008. Disponível em: http://www.guardian.co.uk/world/2008/jan/15/musicnews.classicalmusic. Acessado em 14 de julho de 2010.

Os passaportes duplos fazem com que Daniel Barenboim seja uma viva e autêntica Terceira Alternativa. Nesse sentido, ele é diferente de qualquer outra pessoa no mundo. O raciocínio de Duas Alternativas desumanizou muitos outros indivíduos naquela região, mas Barenboim jamais permitiu que nenhum dos lados o definisse. Ver além dos dois lados é, para ele, um imperativo moral profundamente arraigado, e é assim que ele consegue chegar a uma terceira e enriquecedora possibilidade: ser um cidadão de *ambas* as grandes culturas.

O Paradigma da Construção da Paz

No trabalho dessas pessoas exemplares é possível vislumbrar perspectivas de uma Terceira Alternativa que transcenda a disputa mortal no Oriente Médio e traga a paz? Ninguém pode dizer. A sinergia é inteiramente imprevisível. O que sabemos, sim, é que ela funciona; o princípio está correto. Embora os pensadores da Terceira Alternativa que descrevi não consigam controlar os paradigmas dos outros, eles encontraram maneiras de criar sinergia dentro de seus próprios círculos de influência.

Talvez a intensa sinergia positiva produzida por muçulmanos como Mohammed Dajani, cristãos como Margaret Karram e judeus como Daniel Barenboim contribua para uma solução nobre. Se assim for, isso acontecerá porque eles criaram uma base de empatia. Eles têm incutido nas mentes e nos corações de muitas pessoas os paradigmas fundamentais "Eu me vejo" e "Eu vejo você". Têm trabalhado para auxiliar os adversários a adotarem o paradigma "Eu procuro por você" em prol do entendimento. Como a história tem demonstrado, todas as conferências diplomáticas e os acordos de trégua mundiais fazem pouca diferença quando esses paradigmas estão ausentes.

O que podemos aprender ao analisarmos esses pioneiros da paz no Oriente Médio? O que podemos concluir de suas experiências que possa ser aplicado nos mundos em que vivemos?

Primeiro, aprendemos a absoluta necessidade do paradigma "Eu me vejo". Cada um desses indivíduos passou pelo essencial autoexame exigido para aqueles que se dispõem a buscar, verdadeiramente, a Terceira Alternativa.

Em vez de aceitarem irrefletidamente as limitantes definições que muitos de seus companheiros gostariam de lhes impor, eles as questionam. Eles se recusam a ser rotulados por vozes extremas e marginais, que ameaçam a generosidade e a afetividade de suas religiões.

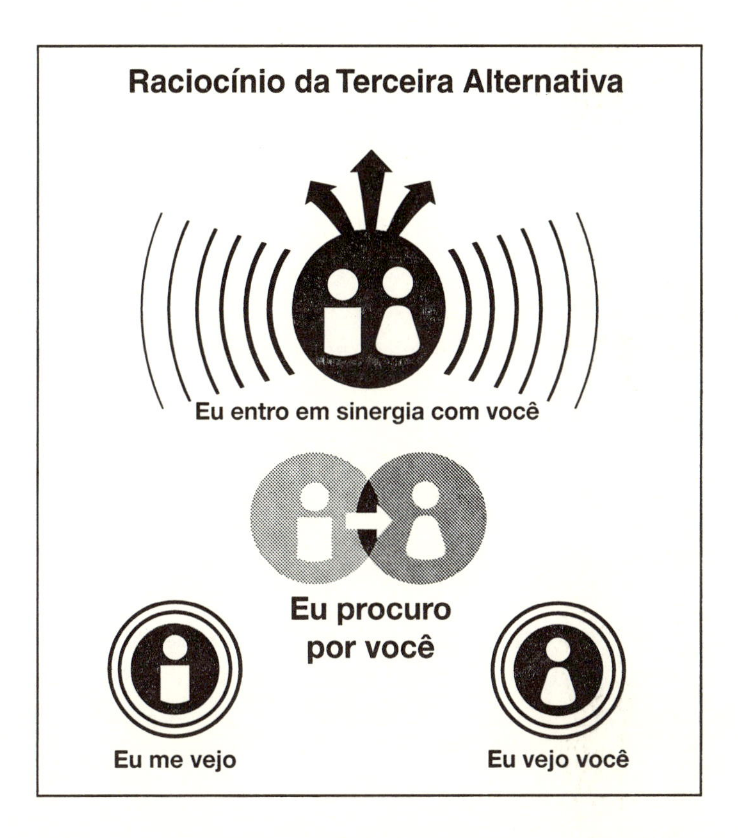

Refletindo sobre como seus colegas que trabalham pela paz diferem de outras pessoas, Marc Gopin afirma: "Estamos profundamente focados na vida interior. Descobri, em meu trabalho com os pacificadores, com esses verdadeiros praticantes da sabedoria da pacificação, que eles formam um grupo muito especial de pessoas neste planeta. Invariavelmente, estão trabalhando consigo mesmos. Eles sempre se perguntam: 'Por que fiz isso? O que faço agora?'"

Na história de qualquer religião, como destaca Gopin, as coisas mais etéreas — amor, compaixão, justiça — são sempre as mais importantes, mas elas são negligenciadas por serem muito genéricas. Em compensação, os pormenores — rituais, regras sobre indumentária, alimentos ou datas comemorativas — são, na verdade, muito fáceis de se observar. Amar os meus inimigos? Como é possível viver dessa maneira? Então, eu me engasgo com mosquitos, mas engulo sapos. É muito mais fácil continuar praticando o meu ritual e me sentir bem comigo mesmo.

"Ama o teu próximo como a ti mesmo", segundo os judeus, é a síntese da Torá e, segundo os cristãos, é o grande mandamento. Mas, como eu amo o meu próximo? Devo amar até mesmo aquele que está vindo em minha direção com um machado nas mãos? O princípio é poderoso, mas requer uma difícil introspecção para ser cumprido.

Esse tipo de introspecção é realmente básico em todas as grandes religiões, incluindo aquelas que estão em confronto no Oriente Médio. Para os judeus, ele é chamado de *cheshbon ha-nefesh*, o exame da alma. O termo *cheshbon* significa "reflexão". Quando a impaciência, o medo ou o ódio ameaçam me subjugar, devo fazer uma pausa e refletir: o que está acontecendo? Como devo reagir? Quais são as consequências? Como estou me saindo? O que está dando certo e o que está dando errado comigo?

No Islã, o termo é *musahabah*, "avaliar e julgar a nós mesmos": "É a avaliação de nossas próprias ações com total honestidade, o que exige de nós verdadeiras (e frequentes) meditações."[315]

Gopin diz: "No momento em que você reflete, sua mente se salva. Se você estiver dominado pelo ódio, no momento em que você diz: 'Vou sentar aqui e pensar no meu ódio', o cérebro muda. Para os grandes pensadores muçulmanos e judeus, assim como para o Dalai Lama, isso é fundamental."[316]

No intervalo entre qualquer estímulo e a nossa resposta existe um espaço mental. Isso é o que nos torna humanos. Não somos animais movidos

---

[315] Abdul Aziz Ahmed, "Al-Muhasabah: on being honest with oneself" [Al-Muhasabah: Sendo honesto consigo mesmo], *Al-Jumuah: Your Guide to an Islamic Life* [Al-Jumuah: Seu guia para uma vida islâmica], s.d. Disponível em: http://www.aljumuah.com/straight-talk/40-al-muhasabah-on-being-honest-with-oneself. Acessado em 20 de janeiro de 2011.

[316] Entrevista com Marc Gopin, na Universidade Hebraica de Jerusalém, 10 de janeiro de 2011.

pelo instinto; temos o poder de escolher nossa resposta a uma dada situação, pessoa, pensamento ou acontecimento. Temos um botão de pausa embutido e, antes de agir, podemos acioná-lo para pensar sobre quem realmente somos e o que nossa consciência está nos dizendo. Sempre acreditei que esse é o primeiro e fundamental hábito das pessoas altamente eficazes. É, também, o fundamento para a pacificação.

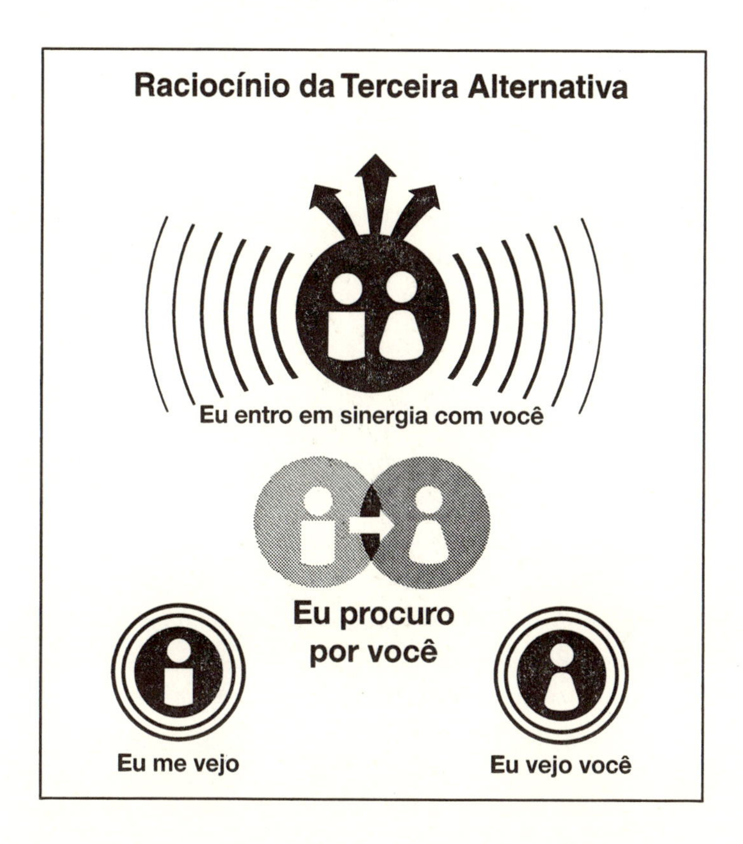

A segunda lição que aprendemos é a absoluta necessidade do paradigma "Eu vejo você", quando conseguimos enxergar além do simples — e simplório — estereótipo para nos conectar com outro ser humano real que é diferente de nós.

Em 1990, às 5 horas de uma manhã de primavera, cinco irmãos árabes estavam dormindo em sua casa, na Jerusalém Oriental. Soldados israelenses derrubaram a porta. Apontando suas armas, eles gritaram: "Vocês andaram atirando pedras?" Eles arrancaram Tayseer, o irmão mais velho, de

18 anos de idade, da cama. Àquela altura, a mãe dos rapazes já estava acordada, apelando aos soldados, mas eles acabaram levando Tayseer. Ele foi espancado por duas semanas até que, finalmente, admitiu ter atirado pedras em carros israelenses. Por quase um ano Tayseer permaneceu encarcerado, sem direito a julgamento. Quando foi, enfim, libertado, já estava desesperadamente doente e vomitando sangue. Três semanas depois ele faleceu.

Quem conta essa história é Aziz, seu irmão que na época tinha 10 anos de idade: "Tornei-me uma pessoa extremamente ressentida e irritada. [...] Cresci com o ódio ardendo em meu coração. Eu queria justiça. Eu queria vingança." Aziz se tornou jornalista, e escreveu uma série de artigos "para espalhar o ódio". "No entanto", diz ele, "quanto mais eu escrevia, mais vazio e irritado ficava." Aziz sabia que para conseguir um bom trabalho em Jerusalém, teria de aprender hebraico. Ele se recusou a aprender "a língua do inimigo", mas agora está matriculado em uma escola hebraica.

> *Era a primeira vez em que eu me sentava em uma sala com judeus que não eram superiores a mim. Era a primeira vez em que eu via rostos diferentes dos soldados dos postos de controle. Os soldados haviam levado o meu irmão; esses alunos eram iguais a mim. Fiquei confuso, pensando: "Eles são seres humanos normais, como eu?" Fiquei impressionado em poder fazer amizade com aqueles estudantes e compartilhar suas dificuldades. Saíamos para tomar café juntos. Estudávamos juntos. Para mim, esse foi um ponto de mudança em minha vida.*
>
> *Passei a entender que algumas infelicidades que acontecem em nossas vidas fogem ao nosso controle. Um menino de 10 anos de idade não poderia controlar os soldados que levaram seu irmão. Mas agora, já adulto, eu podia controlar a minha resposta a esse sofrimento. Eles tinham agido injustamente e assassinado Tayseer; eu, porém, tinha uma escolha, e ainda tenho, de seguir ou não na mesma direção.*[317]

---

[317] Aziz Abu Sarah, "A conflict close to home" [Um conflito perto de casa], *Aziz Abu Sarah: A blog for peace in Israel-Palestine* [Aziz Abu Sarah: Um blog para a paz em Israel e na Palestina], 6 de maio de 2009. Disponível em: http://azizabusarah.wordpress.com/2009/05/06/a-conflict-close-to-home. Acessado em 20 de janeiro de 2011.

Hoje, Aziz Abu Sarah é um respeitado jornalista e diretor de projetos sobre o Oriente Médio na George Mason University, nos Estados Unidos. Ele tem dado palestras sobre a reconciliação entre israelenses e palestinos para o Parlamento Europeu e para as Nações Unidas, e é sócio de Marc Gopin no Instituto de Análise e Resolução de Conflitos.

Quando Aziz se conectou com o seu "inimigo" — com a normalidade, as dificuldades e as esperanças do "outro lado" —, ele começou a trabalhar a partir do paradigma "Eu vejo você". Para nós, já é suficientemente difícil, na rotina normal de nossas vidas, colocar em prática tal paradigma. Mas quando testemunhamos o modo como pessoas como Aziz e Mohammed Dajani enfrentaram seus mais terríveis desafios, percebemos que devemos tomar a decisão consciente de realmente ver as pessoas, em vez de reduzi-las a alguns de seus aspectos.

Nunca é demais enfatizar a importância dessas conexões pessoais. Marc Gopin diz: "Não me importo se há um Estado, dois Estados ou três Estados. Aziz e eu não estamos mais interessados nisso. Para nós, tudo se baseia nas relações. As discussões racionais podem vir depois. Ninguém tem *qualquer* controle sobre a situação política; somente nas relações pessoais é que temos controle".

Enquanto alguns usam a religião como pretexto para a hostilidade, pessoas como Gopin e Aziz encontram em suas diferentes crenças uma sólida base para o amor humano, a generosidade e a inclusão — todas elas, características do paradigma "Eu vejo você."

Para Gopin, a grande mensagem do judaísmo é "amar o *ger* — o estranho — que está ao seu lado". Embora, como ele afirma, esse mandamento esteja repetido 37 vezes na Bíblia, a animosidade do mundo exterior levou muitos judeus a redefinirem a palavra *ger*, de modo a incluir apenas os seus colegas judeus. Essa é uma trágica mudança de paradigma, mas é importante compreender que tal mudança é fruto da guerra e de sucessivas agressões ao longo de gerações.[318]

Da mesma maneira, os árabes palestinos têm boas razões históricas para seu ódio contra Israel. Ainda assim, de acordo com outro adorado ativista

---

[318] Entrevista com Marc Gopin, na Universidade Hebraica de Jerusalém, 10 de janeiro de 2011.

islâmico em Jerusalém, Sheikh Abdul Aziz Bukhari: "Ninguém pode ser muçulmano sem ter amor no coração por todos os homens." Bukhari é bem conhecido por interpretar o conceito islâmico da *jihad* como a luta diária dos homens para superar o ódio. Ele implora aos judeus e aos seus colegas muçulmanos que parem de brigar "por causa de uma discrepância de 3% em suas escrituras, ignorando os outros 97% que têm em comum".[319]

A tarefa, para parafrasear Sheikh Bukhari, é reumanizar aqueles que desumanizamos.

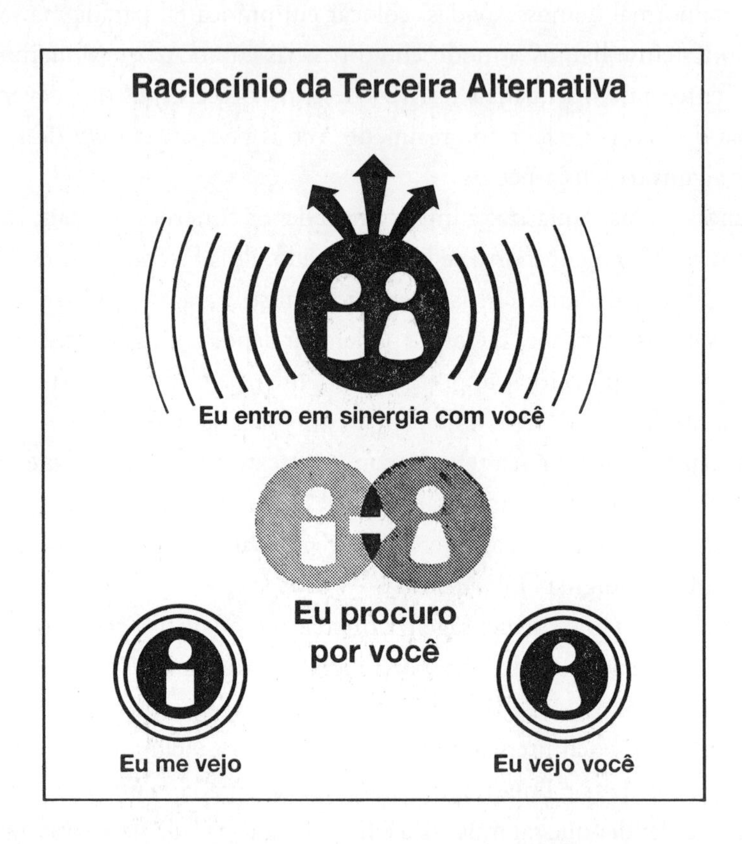

Para os ativistas da paz em Jerusalém, a religião não é um muro entre as pessoas, mas uma ponte para o entendimento. Longe de se rebelar ou rejeitar suas próprias tradições religiosas, eles encontraram, dentro dessas

[319] "Sheikh Abdul Aziz Bukhari", Jerusalem Academy. Disponível em: http://www.jerusalem-academy.org/sheikh-aziz-bukhari.html. Acessado em 20 de janeiro de 2011.

tradições, o supremo paradigma "Eu vejo você": eu respeito você, eu incluo você, eu valorizo as diferenças que existem entre você e eu.

A terceira lição que aprendemos é a absoluta necessidade do paradigma "Eu procuro por você", a mentalidade que diz: "Você discorda de mim? Preciso ouvir você." E dizer isso de verdade.

Quase todos os esforços dos pioneiros da paz que conhecemos nestas páginas têm por objetivo criar tal mentalidade. Mais de 300 organizações diferentes estão tentando promover o diálogo inter-religioso entre israelenses e palestinos. Embora seu trabalho seja fragmentado, pouco reconhecido e subfinanciado, elas estão trazendo ativamente para o diálogo alunos, líderes comunitários, rabinos, imãs, mães — enfim, qualquer um que esteja disposto a participar.

Não se pode subestimar a dificuldade emocional desses diálogos, mas eles são incrivelmente produtivos quando se trata de mudar os paradigmas das pessoas. Marc Gopin diz:

> *Se você quiser provocar uma mudança de paradigma nos sentimentos de uma pessoa, precisará confundi-la, escutando-a de verdade. Será preciso suportar todas as agressões que ela lhe fizer. Será preciso ouvir coisas ultrajantes, algumas delas verdadeiras e outras, ridículas — uma total demonização sua e do seu povo, enquanto a pessoa se isenta de seus próprios crimes. A vontade de revidar será enorme.*

Mas você não revida. Você já se educou para, primeiro, buscar entender. E aprendeu que há um grande retorno nesse investimento. "É notável como as pessoas do Oriente Médio têm o coração muito caloroso, são muito afetuosas. Respeito e cuidado nos momentos certos podem mudar radicalmente as coisas no Oriente Médio, particularmente *no Oriente Médio.*"[320]

Do lado islâmico, Sheikh Bukhari também aprendeu o valor de compreender a paixão e a energia integrais do Outro. "O mais forte é aquele que consegue absorver a violência e o ódio do outro e transformá-los em

---

[320] Entrevista com Marc Gopin, na Universidade Hebraica de Jerusalém, 10 de janeiro de 2011.

amor e compreensão. Não é fácil; é um trabalho árduo. [...] Mas essa é a verdadeira *jihad*."[321]

A quarta lição que aprendemos é a absoluta necessidade do paradigma "Eu entro em sinergia com você". Esse é o paradigma que questiona: "Você está disposto a buscar uma Terceira Alternativa?" É preciso haver pessoas com tal paradigma — pessoas como Daniel Barenboim e Edward Said — para multiplicar esse questionamento e encontrar tal disposição na sociedade. Porém, enquanto não houver uma massa crítica de israelenses e árabes reconhecendo as necessidades mútuas por respeito e empatia, nenhuma Terceira Alternativa será possível.

É por isso que Mohammed Dajani, Ron Kronish e outros não falam mais em termos de "pacificação". Cansados da sufocante política da região, eles agora se referem à "construção da paz", uma Terceira Alternativa para o teimoso ciclo do raciocínio de Duas Alternativas, que não conduziu a lugar algum. A pacificação convencional, dizem eles, está interessada em negociar um acordo. Por outro lado, a construção da paz não guarda qualquer relação com a negociação. Trata-se de sinergia — trata-se do crescimento de uma comunidade que prospera organicamente, por meio da proliferação de relações pessoais. É por isso que eles se denominam "construtores da paz".

A mentalidade de construção da paz vai além da celebração de tratados, que de modo geral encobrem as angústias geradas pelo conflito. "Durante 27 anos fui testemunha dos rotundos fracassos desses tratados, pois nunca houve qualquer compromisso com a honra e o respeito, questões com as quais as pessoas se importam profundamente", diz Marc Gopin.

Há um ponto cego nos gestos de violência — por exemplo, os postos de controle em Israel. Há um rígido impedimento da movimentação, e os postos de controle são coordenados por adolescentes com metralhadoras. Eles suscitam memórias horríveis nos palestinos. Por que não poderia

[321] Abdul Aziz Bukhari, "Two wrongs don't make a right" [Um mal não justifica o outro], *Global Oneness Project*. Disponível em: http://www.globalonenessproject.org/interviewee/sheikh-abdul-aziz-bukhari. Acessado em 20 de janeiro de 2011.

haver, alternativamente, uma equipe de boas-vindas, demonstrando um profundo respeito? O que os impede de dizer "Bem-vindo, só precisamos verificar as suas malas"? Há essa idolatria constante do contrato negociado, em detrimento dos gestos e das ações que poderiam atenuar as coisas.

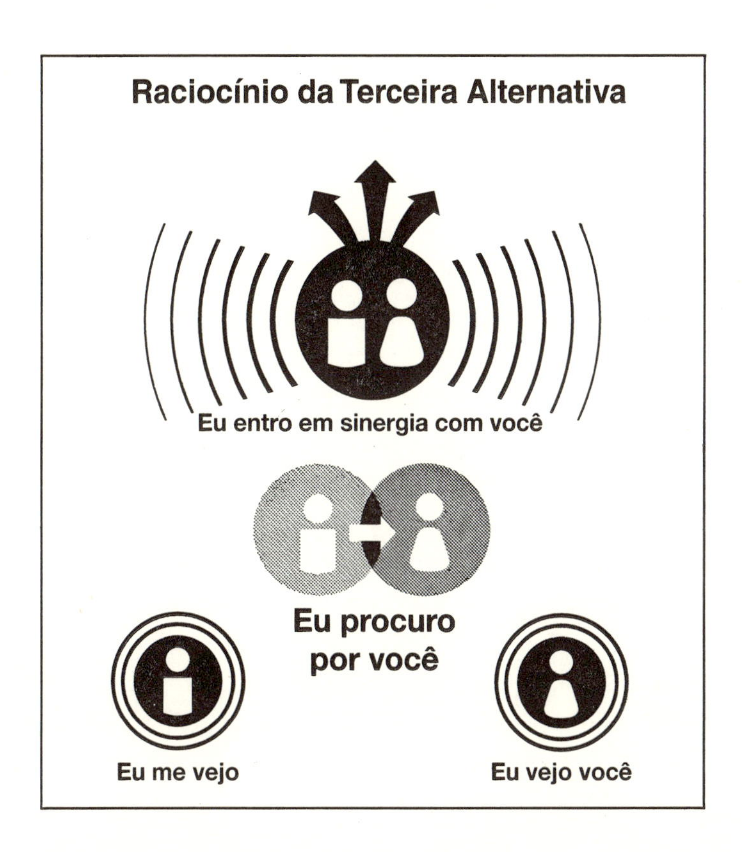

A noção de uma "equipe de boas-vindas" exemplifica o tipo de raciocínio da Terceira Alternativa que os líderes de Israel e da Palestina precisam adotar. Em vez disso, pelo fato de se aprisionarem em um raciocínio de Duas Alternativas, eles condenam seus povos à sinergia negativa da guerra.

A sinergia negativa funciona da seguinte maneira: primeiro, eu desumanizo você e o configuro como meu inimigo. Como observa o historiador Samuel P. Huntington: "As pessoas ficam sempre tentadas a catalogar os indivíduos entre nós e eles, o grupo que está na moda e o outro, a nossa civilização e aqueles bárbaros. Os estudiosos analisaram o mundo em termos de Oriente e Ocidente. [...] Os muçulmanos dividem o mundo, tradicionalmente, em *Dar al-Islam* e *Dar al-Harb*, o reino da paz e o reino da guerra."[322] Pelo fato de ser bárbaro, você precisa ser dominado. E se o meu grupo não conseguir dominar o seu, então devo atacá-lo, na esperança de chegar a uma nova sinergia, uma perversa e negativa Terceira Alternativa que elimina a sua humanidade, que nega a você e à sua história qualquer espécie de dignidade. Muitos árabes e israelenses sonham que irão acordar e os "outros" terão desaparecido. Eles se iludem, acreditando que essa Terceira Alternativa destrutiva será melhor do que o *status quo*.

Esse é o ciclo reativo que ocasiona todas as guerras. O historiador da Grécia antiga Tucídides descreveu as guerras do Peloponeso entre os gregos de seu tempo como uma espécie de doença cíclica, em que uma batalha era respondida com outra, terminando na decadência da gloriosa Era de Ouro dos gregos. O mesmo ciclo irracional acarretou a devastadora Primeira Guerra Mundial: decisões reativas em Viena, Berlim, Londres e São Petersburgo. A Primeira Guerra Mundial levou inexoravelmente à Segunda, em função dos humilhantes e vingativos termos impostos aos vencidos, que, enfim, contra-atacaram com uma fúria insana. Você me bateu, eu bato de volta. As coisas melhorarão se eu puder bater em você com força suficiente para tirá-lo de cena. A guerra é a expressão máxima da mentalidade de soma zero.

Em contraste, a sinergia positiva é o oposto da guerra. É proativa, não reativa. É abundante, não escassa. Significa optar, deliberadamente, pela Terceira Alternativa: "A manutenção da paz exige um ferrenho comprometimento com a diplomacia imaginativa, [...] e não com espasmos de desespero e o choque de ações militares, na esperança de alcançar algo melhor. Algo melhor é, quase sempre, algo pior."[323] Naturalmente, a diplomacia imaginativa é mais difícil de alcançar do que a diplomacia não imaginativa.

Um dos golpes mais imaginativos da diplomacia na história foi o Plano Marshall, uma verdadeira Terceira Alternativa para a guerra europeia que

---

[322] Samuel P. Huntington, *O choque de civilizações e a recomposição da ordem mundial* (Rio de Janeiro: Objetiva, 1997).

[323] Robert I. Rotberg, Theodore K. Rabb e Robert Gilpin, *The origin and prevention of major wars* [A origem e a prevenção de grandes guerras] (Cambridge, Reino Unido: Cambridge University Press, 1989), p. 248.

estava em curso. Com todas as grandes cidades do continente em ruínas e milhões de pessoas passando frio e fome, o Congresso dos Estados Unidos aprovou a doação de US$ 13 bilhões para alimentar, abrigar e reconstruir a infraestrutura de seus antigos inimigos. (Se você acha que não parece muito dinheiro, isso corresponderia, em termos do Produto Interno Bruto norte-americano de 1948, a US$1 em 20 — uma despesa gigantesca.) O Plano Marshall foi a mentalidade de abundância em ação, a mentalidade que diz que é possível ajudar o inimigo, é possível compartilhar, é possível construir juntos um futuro pleno. O renascimento resultante quebrou o ciclo de violência secular na Europa.

Eu poderia mencionar minha experiência com o Leadership Group no US-Muslim Engagement. Tratava-se de um encontro de cristãos, judeus e muçulmanos, cujo objetivo era construir melhor relacionamento entre os Estados Unidos e a comunidade do mundo islâmico. Naquela sala estavam reunidos alguns dos mais eminentes estudiosos, diplomatas e defensores da paz do mundo, incluindo a ex-secretária de Estado dos Estados Unidos, Madeleine Albright; o imã Faisal Abdul Rauf, chefe da Sociedade Americana para o Progresso Muçulmano, e o dr. Marc Gopin. Eles me permitiram ensinar a comunicação do Bastão que Fala na noite de abertura da conferência e durante dois dias nenhuma pessoa falou a não ser por meio do Bastão da Fala.

Pude constatar que esse distinto grupo se transformou inteiramente. Pessoas que estavam em lados diferentes de quase todos os assuntos — culturais, sociais, religiosos — conseguiram entender, respeitar e apreciar umas às outras. Eu vi isso acontecer. Madeleine Albright me disse que nunca havia presenciado nada tão poderoso, e que aquilo poderia revolucionar totalmente a diplomacia internacional. Ela me explicou que, em geral, a diplomacia consiste em descobrir quem tem o poder e vislumbrar os possíveis acordos a serem selados. Na mente da maioria das pessoas, a única alternativa é o acordo. Elas já ficam suficientemente satisfeitas se conseguirem avançar até o meio do caminho, em vez de serem realmente criativas e produzirem uma Terceira Alternativa.

Eu li o Alcorão, o Antigo Testamento e o Novo Testamento — todos eles são livros inspiradores, edificantes. Acredito que os muçulmanos, os judeus e os cristãos do Oriente Médio possam, no espaço das próprias tradições das fés que professam, descobrir ricas Terceiras Alternativas para a guerra.

Uma das principais recomendações desse grupo foi a de estabelecer um vigoroso diálogo inter-religioso, de modo que as pessoas pudessem entender umas às outras e encontrar, em suas crenças comuns, uma ponte para o futuro. O mais importante é a construção de profundas relações pessoais por meio das linhas de interseção, redes de milhares de pessoas que começam a se conhecer e a confiar umas nas outras. Essas trocas podem ser muito mais eficazes do que o trabalho de conferências ao estilo de Davos. Quando as pessoas se sentem empaticamente compreendidas, seus corações ficam satisfeitos e suas mentes se abrem. Quando um número suficiente dessas transformações acontece, é impossível deter o fluxo das Terceiras Alternativas. Chegaremos a um ponto culminante, onde as pessoas não vão mais aceitar o inaceitável e, ao contrário, avançarão juntas para um futuro abundante.

O segredo está no coração. Se continuarmos preocupados em entender apenas as mentes e as ideologias das pessoas, e não os seus corações, nada acontecerá. Por esse motivo, é absolutamente essencial criar oportunidades para que as pessoas escutem umas às outras com o coração, a mente e o espírito. Só então elas poderão superar as velhas formas destrutivas em favor de "algo melhor".

O arcebispo Desmond Tutu compreende o poder da Terceira Alternativa como "algo melhor":

> *Por vezes, vislumbramos algo melhor, [...] quando o mundo está inspirado por um espírito de compaixão e uma admirável manifestação de generosidade; quando, por algum tempo, estamos unidos por laços de uma humanidade atenciosa, um sentimento universal de* Ubuntu*; quando as potências vitoriosas criam um Plano Marshall para ajudar a reconstrução de seus antigos e devastados adversários.*
>
> *Se os protagonistas dos conflitos mundiais passassem a fazer gestos simbólicos em nome da paz, mudassem a maneira com que se habituaram a descrever seus inimigos e começassem a conversar com eles, suas ações também poderiam mudar.*
>
> *Que presente maravilhoso seria para o mundo, especialmente com a chegada de um novo milênio, se a verdadeira paz brotasse na terra daqueles que dizem* 'salama' *ou* 'shalom', *na terra do Príncipe da Paz.*[324]

Uma Nação que não Deveria Existir

Quando as pessoas me pedem para explicar minha filosofia da Terceira Alternativa, consigo responder com uma só palavra: "Suíça". Muitas vezes elas têm alguma ideia do que quero dizer.

A maioria de nós pensa na Suíça como uma terra pacífica e próspera, com montanhas muito belas e chocolates divinos. Mas esse país de 7 milhões de pessoas é muito mais do que isso — é um exemplo maravilhoso do raciocínio da Terceira Alternativa em escala nacional.

---

[324] Desmond Tutu, *No future without forgiveness* [Nenhum futuro sem perdão] (Nova York: Doubleday, 1999), p. 264, 280-81.

A sinergia é a marca registrada do raciocínio suíço. Quem for, ao meio-dia, ao refeitório de uma grande empresa farmacêutica em Basel, com janelas debruçadas sobre o rio Reno, verá pessoas de todo o mundo almoçando juntas. Centenas de línguas são faladas ali. Incontáveis e enérgicas discussões sobre ciência, medicina e arte da cura poderão ser entreouvidas. Produtos inovadores para curar doenças simplesmente transbordam nesse lugar. Tem-se a sensação de que aquelas são as pessoas mais brilhantes do planeta.

O que as leva até ali?

Como país, a Suíça construiu uma história de sucesso inquestionável. Os trabalhadores suíços são campeões mundiais em termos de eficiência. A renda *per capita* suíça ocupa as primeiras posições. O governo suíço é "um dos mais eficazes e transparentes do mundo". E, de acordo com o Fórum Econômico Mundial, a Suíça tem permanecido no topo como o país mais competitivo do planeta. Goza de "excelente capacidade de inovação. [...] Suas instituições de pesquisa científica estão entre as melhores do mundo, e a forte colaboração entre os setores acadêmico e empresarial, em conjunto com os gastos de grandes empresas em pesquisa e desenvolvimento, garantem que grande parte dessas pesquisas se traduzam em produtos e processos com boa aceitação no mercado".[325] Os relatórios da base de dados mundiais do Projeto Felicidade afirmam que a Suíça está apenas uma fração abaixo da Dinamarca como o país mais feliz do mundo.[326]

Mas a Suíça não deveria nem mesmo *ser* uma nação.

Na Suíça, nada favorece a ideia de nação. A geografia se coloca contra: os suíços vivem em lados diferentes do maciço dos Alpes, desfrutam de poucos recursos naturais e não têm acesso ao mar. A língua também se opõe: fala-se francês no Oeste, alemão no Norte e no Leste e italiano no Sul. A religião

---

[325] Klaus Schwab, ed., *The global competitiveness report 2010-2011* [O relatório de competitividade global 2010-2011], World Economic Forum, p. 14. Disponível em: http://www3.weforum.org/docs/WEF_GlobalCompetitivenessReport_2010-11.pdf.

[326] R. Veenhoven, *Average happiness in 146 nations 2000-2009* [Felicidade média em 146 nações 2000-2009], World Database of Happiness, Rank report Average Happiness [Base de Dados Mundiais da Felicidade, Relatório de Classificação da Felicidade Média]. Disponível em: http://worlddatabaseofhappiness.eur.nl/hap_nat/findingreports/RankReport_AverageHappiness.php.

é outro fator problemático, com uma longa história de discordâncias entre protestantes e católicos. Os historiadores ficam impressionados: "Imagine tentar unir essas diferentes comunidades de agricultores e comerciantes extremamente independentes, especialmente quando os vínculos religiosos, de idioma e de poder os seduziam, muitas vezes, para o mundo exterior."[327]

A história da Suíça não é tão feliz quanto as pessoas pensam. Subjugados, disputados e divididos inúmeras vezes, os 22 cantões, ou condados, da Suíça se confrontaram de forma implacável durante mil anos. Os cantões eram bastante zelosos de seus direitos e limites. Durante séculos, o comércio foi ignorado no país: "Um pedaço de pano, queijo ou outro item que atravessasse o país [...] estava suscetível a cerca de 400 impostos relativos ao transporte de mercadorias." O dinheiro era uma bagunça. Como cada cantão emitia o seu próprio dinheiro, havia mais de 700 tipos de moeda.[328]

Mas a maior preocupação era a religião. "Desde as disputas intracatólicas da Idade Média até as lutas da Reforma", a Suíça não escapou à fúria religiosa que dividiu a Europa. Em 1845, os cantões começaram a se alinhar em ligas protestantes e católicas, e em 1847 uma guerra civil eclodiu. Prevendo o colapso total, a Áustria, a França e a Alemanha se prepararam para dividir entre si uma Suíça dilacerada.

Por sorte, as forças do governo suíço eram lideradas pelo general Guillaume-Henri Dufour. Engenheiro militar multitalentoso, Dufour havia lutado nas guerras napoleônicas e projetara a primeira ponte suspensa permantente do mundo, em Genebra. Mas ele também era um homem de paz, penalizado pela guerra. Dele, costumava-se dizer: "É um soldado, mas valoriza o ser humano que está dentro do soldado. Ele faz a guerra, mas a transforma em um prelúdio para a paz."[329]

---

[327] George A. Fossedal e Alfred R. Berkeley III, *Direct democracy in Switzerland* [Democracia direta na Suíça] (Piscataway, NJ: Transaction Publishers, 2005), p. 30.

[328] George A. Fossedal e Alfred R. Berkeley III, id., p. 31.

[329] "Guillaume-Henri Dufour — a man of peace" [Guillaume-Henri Dufour — Um homem de paz], *International Review of the Red Cross* [Revista Internacional da Cruz Vermelha], setembro-outubro de 1987, p. 107. Disponível em: http://www.loc.gov/rr/frd/Military_Law/pdf/RC_Sep-Oct-1987.pdf. Acessado em 1º de fevereiro de 2012.

Quando Dufour assumiu o comando do exército suíço, ele emitiu a seus soldados um comando memorável, que "merece ser lembrado por seu nobre tom humanitário": "Ao cruzarem a fronteira, deixem a raiva para trás e pensem apenas em cumprir os deveres impostos por seu país natal. [...] Assim que garantirmos a vitória, esqueçam qualquer sentimento de vingança; ajam como soldados generosos, pois assim vocês provarão sua verdadeira coragem. [...] Protejam todos os indefesos; não permitam que eles sejam insultados ou maltratados. Não destruam desnecessariamente; não desperdicem; em uma palavra, comportem-se de uma maneira que inspire respeito."[330] As tropas da Confederação exibiram uma "significativa tolerância" durante a guerra, e os historiadores acreditam que o crédito por isso deve ser atribuído a Dufour.

Basicamente por meio de negociações e tréguas, Dufour conseguiu, com muita habilidade, colocar um fim à guerra em 26 dias. Poucas batalhas foram travadas e apenas 128 soldados morreram (em contrapartida, oito anos depois, 618 mil morreram na Guerra Civil americana). O extraordinário cuidado com os soldados inimigos feridos e os gestos generosos de Dufour ganharam a admiração dos rebeldes e ajudaram a unificar a Suíça.[331] E sua contribuição não pararia aí; em 1863 ele presidiu a primeira Convenção de Genebra, que criou a Cruz Vermelha Internacional.

A guerra civil de 1847 contrapôs a Suíca liberal, industrial e protestante, à Suíça conservadora, rural e católica. A Suíça de hoje é uma Terceira Alternativa a esse conflito político, econômico e religioso. O escritor Michael Porter diz: "País paupérrimo até o século XIX, o principal produto de exportação [da Suíça] era a imigração de cidadãos. Nas primeiras décadas do século XX, a Suíça já havia se firmado como uma nação industrial de importância muito maior do que o seu reduzido tamanho."[332]

Como isso aconteceu? Como a Suíça passou de uma fragmentação quase fatal ao Estado-nação indiscutivelmente mais bem-sucedido do planeta?

---

[330] William D. McCrackan, *The rise of the Swiss Republic* [O nascimento da República Suíça] (Boston: Arena Publishing Co., 1892), p. 330.

[331] George A. Fossedal e Alfred R. Berkeley III, *Direct democracy in Switzerland* [Democracia Direta na Suíça] (Piscatavray, No: Transaction Publishers, 2005).

[332] Michael E. Porter, *A vantagem competitiva das Nações* (Rio de Janeiro: Campus, 1989).

Boa parte do crédito vai para a capacidade de liderança de Dufour e para a generosidade, a compaixão e a atitude de clemência que ele demonstrou por seus adversários. O ódio entre protestantes e católicos persistia desde a Reforma, à medida que cada lado atacava o outro em uma longa série de retaliações. W. H. Auden escreveu: "O público e eu sabemos o que toda criança aprende, / Aqueles a quem se faz mal retribuem com o mal."[333]

No entanto, após a guerra civil, algo mudou. Os suíços desenvolveram um governo nacional diferente de qualquer outro no mundo. Para romper o ciclo de inimizade que havia levado à guerra, eles adotaram um sistema de democracia direta a partir da Constituição de 1848. Embora as leis sejam elaboradas pelo Poder Legislativo, qualquer cidadão pode contestar qualquer lei por meio da apresentação de uma petição. Em seguida, todo o eleitorado vota a respeito daquele assunto. Hoje em dia tais "votações" ocorrem com uma periodicidade trimestral. "Depois das votações, costuma-se dizer que 'o soberano se pronunciou'." De acordo com analistas, o sistema educa o público, incentiva o compartilhamento de poder e o respeito pelas minorias, além de motivar os elaboradores de políticas públicas a serem moderados e buscarem o consenso.[334] É claro, lapsos acontecem, e se os direitos humanos forem infringidos, o Supremo Tribunal Federal pode derrubar uma lei.

De alguma maneira, essa forma de governo da Terceira Alternativa ajudou a acabar com a disputa entre os cantões suíços. Quando todo o povo suíço sentiu que, finalmente, suas vozes seriam ouvidas, uma transformação notável tomou conta do país. A colcha de retalhos de taxas e moedas e o emaranhado de leis desapareceram. A paz se tornou um princípio regente; no século seguinte, a Suíça evitou completamente a devastação das duas guerras mundiais.

Mas, apesar desse modelo de democracia ajudar a entender "a unidade na diversidade" do país, essa explicação não é o bastante. Outros fatores

---

[333] W. H. Auden, "1º de setembro de 1939". Disponível em: http://www.poemdujour.com/Sept1.1939.html.

[334] Clive H. Church, *The politics and government of Switzerland* [A política e o governo da Suíça] (Basingstoke, Reino Unido: Palgrave Macmillan, 2004), p. 143.

favoráveis incluem o sistema educacional, que realmente enfatiza a unidade criadora compartilhada por todos e desestimula os velhos ressentimentos. Além disso, a lei não reconhece qualquer identidade étnica de grupo, apenas indivíduos. Segundo a professora Carol L. Schmid, "essa atitude, que implica o respeito pelas minorias, significa que a força numérica do grupo não é o fator decisivo, e que os indivíduos não estarão em desvantagem apenas por serem membros de uma minoria". No fundo, o sucesso da Suíça se deve ao que chamo de "a ética do respeito". Em seu estudo sobre países com grandes divisões étnicas, Schmid observa que "a convivência étnica bem-sucedida depende de razoável grau de igualdade entre os grupos. [...] A consciência de desigualdades significativas entre os grupos étnicos pode agravar as tensões". Tal consciência é o grande obstáculo para a sinergia. Os conflitos étnicos, diz Schmid, são quase sempre resultado da arrogância de um grupo de elite. "Sociedades violentas mostram consideráveis desigualdades econômicas e políticas."[335]

Diversificada, mas unificada, praticando muitas religiões e falando muitas línguas, a Suíça mostra ao mundo como construir uma cultura da Terceira Alternativa. As culturas ancestrais dos cantões são reverenciadas. Todos os indivíduos, as religiões e as línguas são respeitados; o alemão, o francês e o italiano têm o mesmo *status*, "um princípio de igualdade perante a lei, fadado a iluminar o futuro". À medida que os suíços faziam esses gestos mútuos de respeito, eles "foram derrubando os mais bárbaros preconceitos, que transformavam homens em rivais, depois em inimigos e, finalmente, em escravos". O resultado foi uma sinergia, um "casamento entre a profundidade alemã, a elegância francesa e o sabor italiano", escreveu Frédéric La Harpe, um dos autores da Constituição suíça.[336] Pessoas que honram a ética do respeito, que procuram deliberadamente se beneficiar das infinitas possibilidades ao seu redor, não conseguem fugir da sinergia.

Poderia a terra tensamente disputada entre israelenses e palestinos se transformar em outra Suíça? Somente se eles decidissem adotar a mentali-

---

[335] Carol L. Schmid, *Conflict and consensus in Switzerland* [Conflito e consenso na Suíça] (Berkeley: University of California Press, 1985), p. 155-56.
[336] Carol L. Schmid, id., p. 3.

dade da Terceira Alternativa, de respeito mútuo e valorização das diferenças. Não se trata, como algumas pessoas costumam dizer, de um conflito insolúvel. Não há conflitos insolúveis. O sucesso da Suíça não foi um acidente. Os alemães, os franceses e os italianos desse lugar, feridos por séculos de discordâncias étnicas e religiosas, optaram pela mudança. Os estudiosos sabem que "a Suíça surgiu porque, nos momentos críticos, o engenho humano conseguiu superar as grandes dificuldades".[337] Em outras palavras, a Suíça foi uma *escolha.*

Não há razão alguma para que outros povos não possam fazer a mesma escolha. O que muitos chamam de Terra Santa poderia se tornar uma outra Suíça. Imagine as Terceiras Alternativas que poderiam ser alcançadas com o casamento entre a energia dos árabes e a sagacidade dos israelenses! Esse não é um sonho ingênuo. Andrew Reding, do Instituto de Política Mundial, sugeriu a Suíça como modelo de uma federação israelense-palestina.[338] Em 2010, Alvaro Vargas Llosa, o vigoroso escritor latino-americano, visitou lares, empresas e mercados de rua em toda a região. O que ele testemunhou o reanimou: "A economia de Israel está crescendo e os territórios palestinos [da Cisjordânia] estão vivenciando a bonança do livre mercado. [...] O ímpeto econômico dos territórios palestinos e o surpreendente empreendedorismo de Israel nos mostram as maravilhas que essas duas sociedades podem alcançar juntas. O triste não é saber o quanto isso está distante da realidade, mas o fato de ser algo muito fácil de imaginar."[339]

Ainda assim, sou otimista e penso que o mundo como um todo está tendendo para a paz. Existem zonas de conflito desanimadoras, mas elas estão diminuindo. Existem psicopatas que podem tomar medidas monstruosas, mas eles estão cada vez mais isolados. Acredito que o comércio e a democratização globais vão prosseguir. Vemos pessoas jovens e instruídas

---

[337] George A. Fossedal e Alfred R. Berkeley III, id., p. 30.

[338] Andrew Reding, "Call it Israel-Palestine: try a federal solution in the Middle East" [Vamos chamar de Israel-Palestina: Tentando uma solução federal no Oriente Médio], World Policy Institute, 25 de junho de 2002. Disponível em: http://news.pacificnews.org/news/view_article.html?article_id=601. Acessado em 1º de fevereiro de 2011.

[339] Alvaro Vargas Llosa, "Postcard from Hebron" [Cartão-postal de Hebrom], Washington Post Writers Group, 2 de junho de 2010. Disponível em: http://www.postwritersgroup.com/archives/vargl00602.htm. Acessado em 12 de dezembro de 2010.

em nações emergentes, do Marrocos à Indonésia, assumindo o controle do seu futuro e superando as forças restritivas do passado.

O jornalista Robert Wright fala sobre o fascinante papel do raciocínio da Terceira Alternativa na história dos conflitos humanos. Ele ressalta que nossa vida neste planeta atravessou muitas fases de soma zero, com predomínio da escassez e a eterna presença de um ganhador e de um perdedor. Um conquistador chega, transforma as pessoas em escravos e, tempos depois, é derrotado por outro. Mas Wright argumenta que o curso da história sempre estará orientado no sentido das fases de "sinergia potencial", em que a abundância predomina e todos ganham: "Quando você compra um carro, já pensou em quantas pessoas em quantos continentes diferentes contribuíram para a fabricação daquele automóvel? Na verdade, é com essas pessoas que você está jogando um jogo de sinergia potencial." A sinergia humana pode pôr fim ao conflito entre os povos e os Estados, à medida que eles se tornam profundamente interconectados na criação do futuro. E, à medida que nosso interesse se voltar para as contribuições à nossa sociedade global, velhos ódios desaparecerão. Vejo sabedoria nas conclusões de Wright:

> *Em suma, acho que a história é um saldo positivo no jogo de sinergia potencial. E uma prova disso é que mais me espanta, mais me impressiona e mais me anima — há uma dimensão moral na história, há um sentido moral. Conseguimos perceber progresso moral ao longo dos tempos.*[340]

[340] "Robert Wright on optimism" [Robert Wright fala sobre o otimismo], *TED.com*, fevereiro de 2006. Disponível em: http://www.ted.com/talks/lang/eng/robert_wright_on_optimism.html.

ENSINAR PARA APRENDER

A melhor maneira de aprender com este livro é ensiná-lo a alguém. Todo mundo sabe que o professor aprende muito mais do que o aluno. Então, encontre alguém — um colega de trabalho, um amigo, um familiar — e transmita-lhe as percepções que você adquiriu. Faça as perguntas provocativas da lista a seguir, ou formule as suas próprias.

- O que podemos aprender com a história de Mohammed Dajani sobre o poder moral do raciocínio da Terceira Alternativa?
- Após frequentar um colégio judaico, Margaret Karram afirmou: "Não abri a boca nos seis primeiros meses." Por que você acha que ela ficou em silêncio? O que o exemplo dela nos ensina sobre o valor da empatia?
- Como surgiram os Acordos de Oslo de 1993? O que podemos aprender sobre o processo de sinergia a partir dessa história?
- Como Jimmy Carter conduziu os Acordos de Camp David? Como essa história exemplifica a importância de se conceder "ar psicológico" às pessoas?
- Qual o papel que os "gestos empáticos" desempenham na resolução de conflitos, segundo Marc Gopin?
- De que maneira Daniel Barenboim é uma "Terceira Alternativa ambulante"?
- Que papel você acha que a Orquestra Divan está desempenhando na busca da paz no Oriente Médio? Que percepções lhe vêm à mente a partir dos relatos dos músicos que participam da orquestra?
- Explique a importância de cada um dos paradigmas de sinergia na busca da paz.
- Segundo a tradição judaica e muçulmana, qual é o papel da autoconscientização e da introspecção na resolução de um conflito?

- "No momento em que você reflete, sua mente se salva", diz Marc Gopin. O que ele quer dizer com isso? Por que esse momento é tão importante na resolução de conflitos?
- "Se você quiser provocar uma mudança de paradigma nos sentimentos de uma pessoa, precisará confundi-la, escutando-a de verdade." Qual é o papel da escuta empática na busca da paz?
- Explique a diferença entre pacificação e construção da paz. O que significa dizer "a construção da paz está relacionada à sinergia"?
- Explique por que a sinergia positiva é o oposto da guerra.
- Por que os estudiosos dizem que a Suíça não deveria nem mesmo *ser* uma nação? O que podemos aprender ao compararmos a história da Suíça com a história do conflito israelense-palestino?
- O que há no curso da história que deveria nos deixar otimistas?

EXPERIMENTE

Pensando nos seus próprios relacionamentos, em sua vizinhança ou comunidade, há conflitos graves que você poderia ajudar a resolver? Inicie a prototipagem de Terceiras Alternativas. Peça a contribuição de outras pessoas. Use a ferramenta "Quatro Etapas para a Sinergia".

QUATRO ETAPAS PARA A SINERGIA

❶ Faça a Pergunta da Terceira Alternativa:

"Você está disposto a encontrar uma solução que seja melhor do que aquilo que qualquer um de nós já apresentou?" Se sim, vá para a Etapa 2.

❷ Defina Critérios de Sucesso

Liste neste espaço as características de uma solução que agradaria a todos. O que é o sucesso? Qual o verdadeiro trabalho a ser feito? O que seria uma situação de "ganha/ganha" para todos os interessados?

❸ Crie Terceiras Alternativas

Neste espaço (ou em outros) crie modelos, desenhos, peça emprestadas ideias, transforme o seu modo de pensar. Trabalhe de maneira rápida e criativa. Suspenda todos os julgamentos até aquele momento emocionante em que você sabe que chegou à sinergia.

❹ Chegue à Sinergia

Descreva aqui a sua Terceira Alternativa e, se quiser, explique como pretende colocá-la em prática.

GUIA DO USUÁRIO PARA AS QUATRO ETAPAS DA FERRAMENTA DE SINERGIA

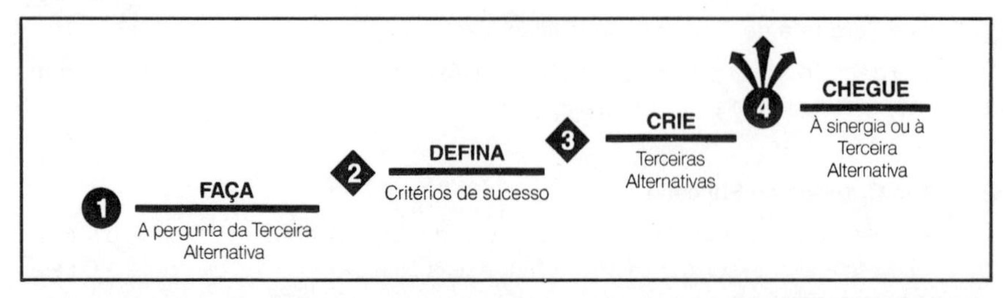

As Quatro Etapas para a Sinergia. Este processo ajuda a colocar o princípio de sinergia em prática. (1) Mostre disposição para encontrar uma Terceira Alternativa. (2) Defina o que é o sucesso para todos. (3) Teste soluções até (4) chegar à sinergia. Pratique a escuta empática ao longo do processo.

Como Chegar à Sinergia

❶ Faça a Pergunta da Terceira Alternativa

Em uma situação de conflito ou de criação, esta pergunta ajuda todos a abandonar posições rígidas ou ideias preconcebidas em prol do desenvolvimento de uma terceira posição.

❷ Defina os Critérios de Sucesso

Liste as características ou redija um parágrafo descrevendo qual seria um resultado bem-sucedido para todos. Responda estas perguntas conforme você avançar:

- Todos estão envolvidos em estabelecer os critérios? Estamos conseguindo obter o maior número possível de ideias do maior número possível de pessoas?
- Quais resultados realmente queremos? Qual é a verdadeira tarefa a ser realizada?
- Quais resultados significariam "vitórias" para todos?
- Estamos abrindo mão de nossas demandas arraigadas do passado e buscando algo melhor?

❸ Crie uma Terceira Alternativa

Siga estas diretrizes:

- Participe do jogo. Não é "de verdade". Todo mundo sabe que é um jogo.
- Evite um fechamento, acordo prematuro ou consenso.
- Evite julgar as ideias dos outros — ou as suas próprias.
- Faça modelos. Desenhe imagens em quadros-negros, esboce diagramas, construa maquetes, faça rascunhos.
- Transforme as ideias nas mentes dos outros. Subverta a sabedoria convencional.
- Trabalhe rápido. Defina um limite de tempo para manter a energia e as ideias fluindo rapidamente.
- Alimente inúmeras ideias. Não é possível prever qual conclusão repentina pode conduzir a uma Terceira Alternativa.

❹ Chegue à Sinergia

Você reconhece a Terceira Alternativa pelo sentimento de empolgação e inspiração que toma conta do ambiente. O antigo conflito é abandonado. A nova alternativa preenche os critérios de sucesso. Atenção: não confunda acordo com sinergia. O acordo gera satisfação, mas não prazer. Um acordo significa que todos perdem alguma coisa; a sinergia significa que todos ganham.

A Terceira Alternativa na Vida

9

A Terceira Alternativa na Vida

Não é de mais tempo livre que precisamos — é de mais vocação.

— *Eleanor Roosevelt*

Na cidade de Ceiba, Porto Rico, pode-se encontrar uma casa conhecida localmente como "A Manjedoura", onde o grande violoncelista Pablo Casals, morto em 1973, viveu seus últimos 20 anos. Quase um século antes, na Espanha, sua terra natal, ele ouvira, pela primeira vez, o som de um violoncelo, e o instrumento o conquistou antes mesmo que ele o dominasse. Quando menino, não fazia quase nada, a não ser praticar as suítes para violoncelo de Bach com uma velha partitura presenteada por sua mãe, até que um dia sua carreira decolou quando um importante compositor o ouviu e o convidou para tocar para a família real espanhola. Aos 23 anos, ele se apresentou para a rainha Vitória e, aos 85, para o presidente John F. Kennedy, na Casa Branca.

Para ele, as seis décadas compreendidas nesse intervalo foram um longo e ascendente *crescendo* no mundo da música. Casals solou com grandes orquestras, recebeu todas as honras possíveis e foi aclamado como o maior violoncelista do planeta e, talvez, da história. Ele era tão querido na Espanha que, ao tocar para o rei, os espectadores apontaram para o camarote real e gritaram: "Este é o nosso rei, mas Pablo é o nosso imperador!"

Nos últimos anos de vida desse grande homem, seus vizinhos em Ceiba podiam ouvir o som das suítes de Bach vindo das janelas de A Manjedoura. Um dia, quando ele estava com 93 anos, um dos vizinhos perguntou por que ele continuava a praticar três horas diárias de violoncelo. Casals respondeu: "Estou começando a notar alguma melhora. [...] Percebo que fico cada vez melhor nisso."

Viver em *Crescendo*

Pablo Casals nunca parou de tocar até o dia em que descansou seu arco pela última vez, aos 97 anos. Ele refinou seu talento, aprimorou suas aptidões e contribuiu com o que havia de melhor nele até seu último suspiro. Quando os outros perguntavam por que ele não desacelerava ao chegar perto do fim de sua longa vida, ele respondia: "Se aposentar é morrer." Casals poderia ter lhes explicado que, quando a música vai diminuindo, isso se chama *diminuendo*, e, quando a música vai aumentando e cresce em intensidade, o nome é *crescendo*. Ele havia se decidido que sua vida não entraria em *diminuendo*. Ele viveu em *crescendo*.

De todas as ideias que compartilho em minha vida profissional, não conheço nenhuma que estimule e fortaleça mais os outros do que meu lema pessoal: *Viva a vida em* crescendo*! Seu trabalho mais importante está sempre à sua frente.*

Uma vez, transmiti essa ideia para um grupo de profissionais; em seguida, um juiz veio falar comigo com os olhos faiscantes. Ele explicou que havia planejado se aposentar em breve, com a idade típica, mas depois de ouvir a história sobre a vida em *crescendo* ele percebeu que ainda era muito apaixonado por seu trabalho e que poderia contribuir para a resolução de problemas em sua cidade. Ele decidiu adiar a aposentadoria por tempo indeterminado.

Sempre acredite que seu trabalho mais importante está à sua frente, nunca atrás de você. É essencial viver com esse pensamento. Independentemente do que você tenha ou não cumprido, há importantes contribuições a dar. Você pode fazer um trabalho diferente do que realizou no passado; ele pode ser relevante de uma forma diferente, mas, ainda assim, ser um trabalho importante, especialmente se você puder impactar positivamente as vidas das outras pessoas. Devemos evitar a tentação de ficar nos lamentando pelo que fizemos e, em vez disso, olhar para a frente com otimismo.

Não importa nossa idade ou posição na vida, nós, pensadores da Terceira Alternativa, nunca paramos de contribuir. É da natureza de uma mentalidade da Terceira Alternativa estar sempre em busca de algo maior e melhor na vida. Podemos nos satisfazer com as realizações do passado, mas a próxima contribuição significativa sempre estará no horizonte. Como este livro evidencia, há desafios em todos os lugares que exigem a influência criativa de um adepto da sinergia. Temos relações a construir, comunidades a servir, famílias a fortalecer, problemas a resolver, conhecimento a acumular e grandes obras a criar.

No meu caso, já passei da idade normal de aposentadoria, mas ainda estou escrevendo, dando aulas, prestando consultoria e viajando ativamente por conta da minha profissão. A felicidade e o crescimento pessoal dos meus filhos e netos são vitais para mim. Com todos esses desafios emocionantes à minha frente, sou mais do que nunca alguém que busca a Terceira Alternativa. Como afirmou o comediante George Burns, aos 99 anos de idade: "Não posso me aposentar agora, estou muito ocupado!"

Uma de minhas filhas me perguntou se eu nunca mais escreveria algo tão impactante quanto *Os 7 hábitos das pessoas altamente eficazes*. Acho que a assustei com a minha resposta: "Você está brincando? Minhas melhores obras ainda estão por vir! Tenho dez livros na minha cabeça neste exato momento!" Essa não é uma supervalorização da minha pessoa — realmente *acredito* que meu melhor trabalho está à minha frente. Por que eu não deveria me sentir assim? Que motivação eu teria para me levantar todos os dias se pensasse que já tinha dado o meu melhor e não havia mais algo de valor para compartilhar? Concordo com esta afirmação de Ernest T. Trigg: "O homem que cumpriu tudo o que achava que valia a pena começou a morrer" — não importa quantos anos ele tenha!

Muitos de nós vivemos uma espécie de existência de Duas Alternativas: ou trabalhamos ou nos divertimos. Muitas pessoas trabalham *para* se divertir.

Dedicamos longos dias ao trabalho, sem qualquer meta ou objetivo específico em mente, a não ser enfrentar os afazeres tão rápida e despreocupadamente quanto possível, para que possamos relaxar. Ouvimos isso o tempo todo:

"Bem, outra segunda-feira."
"Não vejo a hora desta semana acabar."
"Se eu pudesse fazer este dia passar..."
"Estamos quase no fim de semana."
"Graças a Deus é sexta-feira".

E, assim, nos desligamos de nossos dias, semanas, anos e vidas. Cada dia e uma dicotomia entre "ligar o cérebro" e "desligá-lo". Nós nos vemos através das lentes da Era Industrial, como máquinas que executam uma determinada função até não serem mais necessárias. Nós nos desligamos todas as noites até ligarmos novamente o interruptor na manhã seguinte — e, enfim, chega um dia em que o interruptor é desligado para sempre. O que acontece depois disso?

Vamos para a prateleira. Nós nos aposentamos para nos dedicarmos ao lazer, nos divertirmos para o resto de nossos dias. E exatamente é isso o que muitos de nós queremos, porque sofremos uma lavagem cerebral para encarar toda a nossa vida em termos dessas Duas Alternativas.

Mas essa é uma falsa dicotomia, imposta por uma sociedade com uma mentalidade da Era Industrial. Somos condicionados a acreditar que há apenas duas opções: *continuar trabalhando* ou *aposentar-se*. Acreditamos que, um dia, quando já não formos "máquinas", seremos felizes. *Então* a vida terá significado. Mas, para muitos, como escreveu o poeta William Butler Yeats, "a vida é uma longa preparação para algo que nunca acontece". Suas vidas se consomem em *diminuendo*, e o declínio pode ser demorado e ingrato.

Acredito que a Terceira Alternativa é, de longe, a melhor opção. *Fazer uma contribuição*. Ela pode abarcar as Duas Alternativas iniciais. Você pode continuar se dedicando à sua vida profissional muito além da "idade de ouro" dos 65 anos e prosseguir fazendo uma grande contribuição. Ou pode se aposentar e iniciar uma segunda carreira, fazendo contribuições relevantes para a sua família e para a sociedade, respondendo às grandes necessidades que percebe à sua volta.

Evidentemente, se você tem o paradigma da contribuição, seus anos de trabalho e de aposentadoria serão igualmente significativos.

Proponho uma drástica mudança de paradigma em nossa maneira de pensar o trabalho e a aposentadoria. De acordo com relatórios demográficos dos países desenvolvidos, de 33% a 40% dos homens com mais de 55 anos já não trabalham para sobreviver. Há apenas uma ou duas gerações, nossos antepassados morriam exaustos nessa idade, mas quase todos nós aguardamos ansiosamente uma completa "segunda idade adulta" em nossos últimos anos. A questão de como aproveitar essa segunda idade adulta preocupará uma série de pessoas nas próximas décadas, à proporção que a população mundial acima de 65 anos subir para mais de 25%. O europeu ou o norte-americano médio viverá cerca de 79 anos, o japonês médio, cerca de 82 anos. No século passado, a expectativa de vida dos norte-americanos aumentou sete horas a cada dia; isso se traduz em mais de 25 anos suplementares para cada um! A má notícia é que alguns não saberão o que fazer com esse tempo, podendo perder oportunidades inestimáveis para fazer a diferença na vida de muitas pessoas.

Vamos desperdiçar esses anos sem fazer muitas coisas mais, ou vamos fazê-los valer a pena?

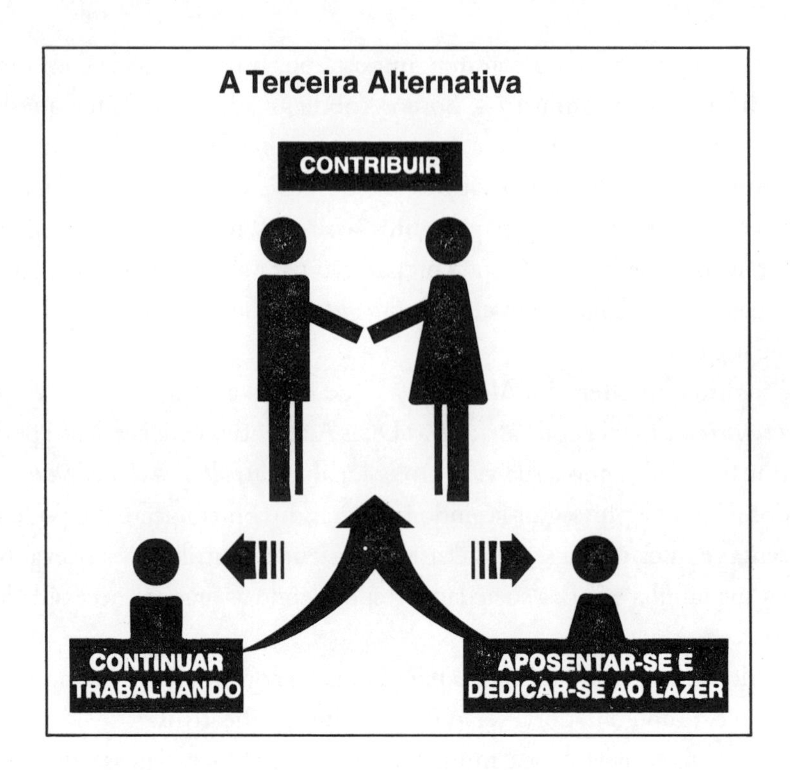

O paradigma da contribuição pode, de fato, salvar sua vida. Tenho observado que, muitas vezes, as pessoas que se aposentam para se dedicar ao lazer entram em decadência mental e física quase que imediatamente, a menos que se dediquem a fazer uma contribuição significativa. O dr. Hans Selye, renomado especialista em estresse, afirma:

> *Com o passar dos anos, a maioria das pessoas precisa de cada vez mais repouso, mas o processo de envelhecimento não caminha com a mesma velocidade para todos. Muitas pessoas de valor, que ainda poderiam te dado vários anos de trabalho útil para a sociedade, adoecem fisicamente e ficam prematuramente senis por causa da aposentadoria forçada, em uma idade em que suas qualificações e habilidades para aquelas atividades ainda seriam consideradas altas. Essa doença psicossomática é tão comum que foi batizada: doença da aposentadoria.*[341]

---

[341] Hans Selye, *Stress: a tensão da vida* (São Paulo: Ibrasa, 1959).

O autor Chuck Blakeman descreve a doença da aposentadoria desta maneira: "Esperarei até os 65 anos para viver de maneira significativa. Vou levando a maré nos primeiros 65 anos para que eu possa chegar lá. Enquanto isso, só ficarei marcando o tempo."[342]

Por outro lado, uma vida com uma missão é rejuvenescedora. As contribuições significativas mantêm a solidez do sistema imunológico e o funcionamento das forças regenerativas do corpo. A impressão que uma missão me provoca é a de plenitude, não a de retraimento, e é por isso que cada novo dia me excita. Simplesmente, não me sinto envelhecendo; como disse Carl Rogers: "me sinto envelhecendo e crescendo."[343]

A noção de abdicar de um trabalho significativo em determinado momento da vida é um conceito relativamente novo. Se olharmos para trás, perceberemos que os grandes homens e mulheres da história nunca cederam em seu desejo de descobrir novos caminhos no percurso da vida. Para mim, todo o conceito de aposentadoria é uma noção equivocada, um vestígio culturalmente desajustado da Era Industrial.

Olhe ao seu redor e você verá muitas pessoas mais velhas que ainda trabalham como engenheiros, diretores-executivos, treinadores, educadores, advogados, empresários, inventores, religiosos, cientistas, empresários, médicos; que não aderem à noção de aposentadoria imposta pela sociedade; e que continuam a contribuir significativamente ano após ano. Outras redefinem totalmente seus papéis e fazem contribuições inesperadas. Elas vivem em *crescendo*.

Vidas da Terceira Alternativa

Em 1981, quando o presidente Jimmy Carter e sua esposa, Rosalynn, voltaram para casa, em Plains, Geórgia, eles se perguntaram: "Existe vida após a Casa Branca?" O casal havia se envolvido tão ativamente no Senado

[342] Chuck Blakeman, "Business diseases of the Industrial Age" [Doenças ocupacionais da Era Industrial]. Disponível em: http://chuckblakeman.com/ 2011/2/texts/business-diseases-of-the-industrial-age.

[343] Carl Rogers, *Tornar-se pessoa* (São Paulo: Martins Fontes, 2009).

e no governo estaduais e, por último, no mais alto cargo da Terra, que para onde iriam a partir de então? Desestimulados e compulsoriamente aposentados, eles se sentiram vazios, temendo que suas vidas fossem se apagar em *diminuendo*.

É claro que eles desfrutaram de um tempo ao qual já não estavam acostumados com a família, os amigos e sua paróquia. Ainda assim, faltava alguma coisa em suas vidas. Certamente, não ficariam se divertindo para sempre no campo de golfe. Nem queriam se contentar com o que seria esperado de um ex-presidente: escrever memórias e montar uma biblioteca presidencial. Carter queria deixar algo mais do que um livro e um edifício como legado. Então, certa noite, lhe ocorreu a ideia de levar uma vida da Terceira Alternativa. Ele percebeu que, agora, estava livre para fazer coisas que nunca poderia fazer na Casa Branca: ainda poderia usar o seu *status* de ex-presidente dos Estados Unidos para ajudar a resolver alguns dos problemas mais difíceis do mundo.

Sua intenção era se transformar em um estimulador da mudança, um agente de paz e recuperação. Ele começou a trabalhar fervorosamente em seu primeiro projeto: a criação de um refúgio onde pessoas de todo o mundo pudessem se encontrar, conversar e explorar alternativas criativas para seus problemas. Esse projeto, que se tornou o Carter Center, empolgou também sua esposa. Foi então que eles perceberam o que vinha faltando em suas vidas: a oportunidade de fazer contribuições maiores e ainda mais significativas do que nunca.

Apesar de a presidência dos Estados Unidos ser o ápice da realização humana, os Carter sentiam que poderiam alcançar coisas mais elevadas. “Quem sabe?”, eles se perguntaram. “Se estabelecermos objetivos ambiciosos, poderemos até fazer mais do que se tivéssemos vencido a eleição de 1980.” Foi uma percepção poderosa, que revigorou a ambos. “O que poderia estar além da Casa Branca?”, poderíamos nos perguntar. Os Carter são a resposta a essa pergunta.

Eles vivem em *crescendo*. Estão mais ocupados do que nunca. Trabalham no Carter Center, resolvendo conflitos e promovendo a democracia e os direitos humanos em todas as partes do mundo. Como parte de uma coalizão entre 70 países, eles patrocinam projetos de saúde pública, como a erradicação do verme da Guiné, que já desfigurou dolorosamente milhões de pessoas na África. Promovem, ainda, o projeto Habitat para a Humanidade, construindo casas para pessoas carentes; uma cena comum é ver Jimmy Carter, martelo e pregos na mão, trabalhando ao lado de outras pessoas para levantar uma casa. Ele é reconhecido, quase que universalmente, como o mais produtivo ex-presidente na história.

Como Jimmy e Rosalynn Carter poderiam saber, ao deixarem a Casa Branca, que seu trabalho mais importante talvez ainda estivesse à sua frente? Eles não se aposentaram da vida, e nos desafiam a entrar em sinergia com os outros para atender às necessidades da humanidade:

> *Promover o bem para os outros tem feito uma enorme diferença em nossas vidas nos últimos anos. Existem sérias necessidades em todos os lugares do mundo para voluntários que queiram ajudar os famintos, desabrigados, cegos, aleijados, viciados em drogas ou álcool, analfabetos, doentes mentais, idosos, presos ou apenas os que estão sem amigos e solitários. Claramente, há muito a fazer, e para realizarmos tudo mais que ainda pretendemos, é melhor irmos em frente.*[344]

Um desses que está "indo em frente" é Harris Rosen, um hoteleiro de Orlando, Flórida. Criança pobre em Hell's Kitchen, na cidade de Nova York, frequentemente ouvia de seus pais que "uma boa educação vai tirá-lo daqui". Colocando em prática seus conselhos, Harris foi o primeiro da família a ter ensino superior. Ele quitou todas as dívidas contraídas no negócio da hotelaria e, por fim, se tornou dono de sete hotéis na próspera área de Orlando. Ele poderia muito bem se dar o luxo de descansar e gozar dos frutos de seu trabalho.

No entanto, não conseguia ignorar o Tangelo Park, vizinho de um de seus hotéis de luxo na International Drive, mas a léguas de distância em termos de medo e pobreza; infestado de criminalidade, drogas, desemprego e alarmantes 25% de abandono escolar no ensino médio. Determinado a oferecer uma boa educação às crianças de Tangelo Park, ele se manifestou

---

[344] Jimmy e Rosalynn Carter, *Everything to gain: making the most of the rest of your life* [Tudo a ganhar: Fazendo o máximo do resto da sua vida*]* (Fayetteville: University of Arkansas Press, 1987), p. 171.

de maneira inesperada em uma reunião escolar, dizendo à multidão atordoada: "Prometo custear o curso superior de todos os alunos da Tangelo Park que se formarem no ensino médio!" As pessoas mal podiam acreditar, mas Rosen não esmoreceu em sua iniciativa. E ele fez mais: financiou pré-escolas, de modo que as crianças pequenas não apresentassem mais qualquer deficit educacional e fundou um centro de recursos familiares, onde os pais podiam obter aconselhamento e adquirir aptidões para fortalecer suas famílias.

"Essa é uma história incrível", diz o professor Charles Dziuban, da University of South Florida e membro do conselho consultivo do Programa Tangelo Park. Os resultados dessa infusão de esperança foram quase imediatos: a taxa de criminalidade caiu 66% e a de abandono escolar passou de 25% para 6%. Agora, 75% dos jovens frequentam a faculdade, o que é um índice admirável.[345]

Rosen foi mais do que recompensado quando, certo dia, estava preenchendo seus dados em uma prescrição médica e o jovem farmacêutico o reconheceu: "Sr. Rosen, participei do Programa Tangelo Park e me formei na universidade. Hoje, sou farmacêutico por sua causa!" Outro jovem formando do programa se tornou "Professor do Ano" em Orange County. Esse excelente professor poderia viver em qualquer outro lugar, mas optou por viver em Tangelo Park e criar sua família perto dos alunos que deseja motivar.

Na casa dos 70 anos, Harris Rosen poderia obter uma pródiga aposentadoria na Flórida. Ou poderia continuar trabalhando, cuidando obstinadamente de seu próprio negócio, indiferente ao sofrimento do outro lado da rua. Mas ele rejeita ambas as alternativas. O que o entusiasma é uma Terceira Alternativa — a renovação integral desse bairro paupérrimo e cheio de problemas. Ele desafia outras pessoas abastadas a seguirem o seu modelo, acreditando que isso poderá transformar a sociedade.

Agora consigo ouvir você dizendo: "Mas não sou ex-presidente nem executivo milionário." A essa altura você deveria saber a minha resposta: isso não

---

345 DeWayne Wickham, "An amazing story of giving that could change our world" [Uma história incrível de solidariedade que poderia mudar o nosso mundo], *USA Today*, 20 de março de 2007. Disponível em: http://www.usatoday.com/news/opinion/2007-03-19-opcom_N.htm.

importa. Dentro de nossos próprios círculos de influência podemos causar, proporcionalmente, o mesmo impacto que os Carter ou Harris Rosen.

No outro extremo possível do espectro das celebridades está "Jackie", cujo verdadeiro nome realmente desconheço. Jackie vive em uma casa que mede 3,60m^2, com um único cômodo. Não tenho ideia de onde fica essa casa, mas é em algum lugar na América do Sul. Peço, apenas, que você não saia à procura de Jackie.

Passamos a conhecê-la por meio dos notáveis relatos de William Powers, jornalista ambiental de Nova York. Powers procurou Jackie e recebeu permissão para contar sua história, porque ela pode contribuir com importantes discernimentos sobre como levar um estilo de vida verdadeiramente sustentável.

Entre seus vizinhos, Jackie é conhecida como a "guardiã da sabedoria", em uma tradição que remonta aos povos indígenas americanos. "São mulheres mais velhas que nos inspiram a mergulhar mais profundamente na vida." De acordo com a legislação do Estado em que Jackie vive, uma construção de 3,60m^2 ou menos não é considerada uma casa, mas um barraco, de modo que Jackie fica completamente "fora da rede" de códigos e serviços públicos: ela não dispõe de gás, eletricidade, água corrente, esgoto ou telefone. Para o mundo burocrático, afirma Powers, Jackie é "invisível".

Médica, Jackie sentia que sua relação com o ritmo caótico da vida urbana era debilitante, e ansiava por uma conexão com um mundo mais silencioso. Depois de criar sua família, e já perto de seus últimos anos de vida, ela diminuiu sua carga de trabalho e encontrou um pedaço de terra selvagem, onde se redefiniu como uma "agricultora de permacultura", dedicando-se a viver em estável harmonia com a terra. Na permacultura os insumos equivalem à produção; isto é, nada que é de fora entra no sistema, e todos os resíduos são reutilizados de maneira que nada deixe o sistema.

A vida de Jackie pode parecer difícil, mas, na verdade, é idílica. Powers descreve seu primeiro encontro com Jackie:

Ela estava parcialmente escondida atrás dos arbustos de chá. A distância, tudo que eu conseguia ver era parte de seu rosto e o cabelo preso em um rabo de cavalo. [...]

Conduzindo-me tranquilamente, Jackie me mostrou alguns reservatórios de água da chuva, próximos aos arbustos de chá. Nos agachamos ali, e uma abelha saiu voando do meu braço para pousar ao lado do reservatório. Sobre nós havia uma colmeia. Jackie me disse que suas abelhas italianas produziam 18 quilos de mel por ano, o suficiente para presentear os amigos. "Ouça como as abelhas são calmas", disse ela. [...]

Um leve zumbido se misturou ao murmúrio da água. Estávamos cercados por frutas vermelhas, figos, avelãs e árvores de canela. A abelha que pousara no meu braço estava agora bebericando no reservatório. Jackie estendeu a mão e acariciou as asas da abelha, enquanto ela bebia. "Às vezes acordo de manhã aqui, em silêncio, e choro de alegria."

Jackie descreve a permacultura como "as coisas que seus avós conheciam e das quais seus pais se esqueceram". Mais complexo do que parece, seu pequeno acre florestal é dividido em zonas, algumas das quais protegidas por cercas contra cervos e coelhos selvagens. Além de sua horta, ela cultiva frutas nativas, pecãs, maçãs e papaias com aparência de manga. Da floresta, ela colhe cogumelos shiitake. Sua minúscula casa tem perfume de cedro e é "surpreendentemente espaçosa. [...] Ao se refugiar nesse ínfimo espaço humano, Jackie se deixou envolver pela natureza. Sem eletricidade, sem esgoto".

Ainda assim, Jackie não é uma eremita. Ela cuida de pacientes, desfruta de sua família e viaja — sem grandes custos — para trabalhar com grupos de pacifistas e ambientalistas. Seu modo de vida é uma Terceira Alternativa para os dois males de sua geração: o materialismo entusiástico e uma indistinta falta de propósito. Powers identifica um forte contraste entre Jackie e uma conhecida sua que "se aposentou como diretora financeira aos 48 anos de idade e, ao lado de seu terceiro marido, comprou uma casa com vista para o mar. Lá, ela tem passado seus últimos anos, nem feliz nem infeliz, [...] [em] 'férias permanentes', com *piñas coladas* acompanhando cada pôr do sol".[346]

---

[346] William Powers, *Twelve by twelve: a one-room cabin off the grid and beyond the American dream* [Três por três: a casa de um cômodo fora da rede e muito além do sonho americano] (Novato, CA: New World Library, 2010), p. xiv, 15-17, 75.

Férias Permanentes ou uma Missão Permanente?

Reconheço que muitas pessoas adoram a ideia de férias permanentes. Algumas sonham com isso durante toda a vida profisisonal. Ficamos tão desolados e esgotados em nossos empregos da Era Industrial que é natural sonhar com um cruzeiro interminável pelos trópicos ou uma viagem fluvial pela floresta. *Devemos* nos descontrair quando for preciso — não há nada de errado com um belo dia à beira-mar ou uma viagem exótica —, mas é uma ilusão pensar que essa escapada nos fará felizes. É contra a natureza das coisas. Não importa em que momento estivermos na vida, podemos nos viciar em porcarias: programas estúpidos de tevê, fixação em mídias sociais, jogos e idas constantes ao clube, romances idiotas, obsessão por medicamentos, dormir o dia todo. Essas coisas podem enfraquecer qualquer pessoa, mas os aposentados, em especial, correm o risco de sucatear suas vidas.

Meu avô Richards me ensinou: "A vida é uma missão, não uma carreira". Ele poderia ter acrescentado "e não férias". Pense cuidadosamente sobre as contrastantes vidas daqueles que estão em férias permanentes e daqueles que estão em uma missão permanente.

Um desses homens que está em missão permanente é James Kim, um ex-soldado sul-coreano que aos 15 anos de idade se feriu e quase morreu em um campo de batalha na brutal Guerra da Coreia. Menino profundamente devoto e humilde, ele pediu a Deus que poupasse sua vida para que ele pudesse "devolver amor aos meus inimigos", os exércitos da Coreia do Norte e da China.

Ele sobreviveu à guerra e, a partir daí, se dedicou a cumprir o juramento de ajudar seus vizinhos do Norte, de "salvar suas vidas, e não matá-los". Apenas um jovem adulto sem muita instrução e sem dinheiro, ele não tinha ideia, inicialmente, do que poderia fazer para ajudar seus antigos inimigos, cujas fronteiras, de qualquer maneira, já estavam fechadas para ele. Mas sabia que precisaria de recursos e, então, foi para os Estados Unidos fazer algum dinheiro.

Kim se tornou cidadão norte-americano, abriu um negócio de importação de perucas da Coreia e, ao longo do tempo, acumulou uma pequena fortuna — apenas um meio de realizar o objetivo que tinha em mente. Ele estava ciente de que um passaporte dos Estados Unidos o ajudaria a entrar nas então fechadas sociedades da Coreia do Norte e da China. Na década de 1980, já estava pronto para realizar sua missão. O trabalho a ser feito, segundo ele, era ajudar a educar os jovens e abrir suas mentes para a aprendizagem. Era o melhor presente que ele poderia oferecer aos seus velhos inimigos.

Convidado a dar uma palestra em uma conferência de negócios em Pequim, ele usou a oportunidade para anunciar que fundaria uma pequena universidade em Yanji, na fronteira com a Coreia do Norte. Céticas, mas curiosas, as autoridades chinesas decidiram que a instituição poderia servir como apoio à sua estratégia de abertura para o Ocidente. Alguns anos mais tarde Kim e sua esposa, Grace, se mudaram para o dormitório, onde ele poderia conviver e fazer amizade com os alunos da nova Universidade de Ciência e Tecnologia de Yanbian. Em contrapartida, paralelamente aos estudos, os alunos fariam trabalhos voluntários em escolas e hospitais locais. A universidade prosperou, atraindo talentosos professores de todo o mundo.

Então, em 1998, ao tomar conhecimento da escassez de alimentos na Coreia do Norte, Kim se ofereceu para cruzar a fronteira com suprimentos, sendo imediatamente detido. Acusado de espionagem, foi preso e interrogado todos os dias durante um mês e meio:

> *"Fiquei muito tranquilo ao ser detido. Escrevi que não tinha medo de morrer, porque sabia que iria para um lugar melhor. E escrevi que, se morresse, doaria meus órgãos para pesquisas médicas na Coreia do Norte. Eu lhes disse que estava em paz". Segundo Kim, o Querido Líder ficou comovido com a sua postura.*[347]

Por fim libertado, Kim continuou insistindo para que os norte-coreanos o deixassem construir uma universidade para eles. Em 2001, ele conseguiu convencer o governo e iniciou os preparativos da nova Universidade de Ciência e Tecnologia de Pyongyang, financiada pelas economias de Kim

---

[347] Bill Powell, "The capitalist who loves North Korea" [O capitalista que adora a Coreia do Norte], *Fortune*, 15 de setembro de 2009. Disponível em: http://money.cnn.com/2009/09/14/magazines/fortune/pyongyang_university_north_korea.fortune/index.htm.

e por doadores que recrutou. Depois de nove anos, em 25 de outubro de 2010, a universidade finalmente abriu suas portas, saudando os 160 primeiros estudantes mais brilhantes do país. Kim acredita que a universidade ajudará os norte-coreanos a se conectarem com o mundo da tecnologia da informação e, em última análise, a derrubarem barreiras.[348]

Muitos de seus beneficiários ficam perplexos com a generosidade de Kim. "Pergunte a Kim onde ele encontra sua inspiração, e ele sempre responderá: 'No amor.' Para o jovial professor, o amor é uma força que vai além das fronteiras, e a educação é a sua ferramenta de aplicação." Quando seus anfitriões norte-coreanos e chineses perguntaram se ele se considerava um capitalista ou um comunista, ele se lembra da resposta que lhes deu: "Eu disse que era, simplesmente, um 'amor-ista'."[349]

Eu chamaria James Kim de uma "contratipagem ambulante". Enquanto as feridas da guerra deixam algumas pessoas amarguradas, as feridas dele sensibilizaram seu coração em relação aos seus inimigos. Enquanto muitos prefeririam exterminar o último de seus inimigos, Kim praticamente derrubou portas para ajudá-los. Atualmente em idade avançada, em um momento em que tantos estão em *diminuendo*, ele ainda está vivendo em *crescendo*. Ele poderia ter escolhido aproveitar a vida em alguma praia ou ter se esquecido de seu juvenil e irrefletido juramento e continuar conduzindo seus negócios na Flórida. Ambas as alternativas são inteiramente defensáveis.

Mas não para Kim. Ele optou por uma Terceira Alternativa. É melhor e mais ambicioso estar em férias permanentes ou em uma missão permanente? Esta é uma pergunta que você terá de responder por si mesmo.

Você pode estar se perguntando: "Mas, depois de uma longa vida de trabalho, não mereço desacelerar, descansar e levar as coisas com mais facilidade? E se eu simplesmente não me sentir forte o suficiente? E se a minha saúde estiver falhando?"

---

[348] Richard Stone, "PUST update", *North Korean Economy Watch*, 1º de novembro de 2010. Disponível em: http://www.nkeconwatch.com/category/dprk-organizations/state-offices/pyongyang-university-of-science-and-technology/.

[349] Geoffrey Cain, "Former prisioner of North Korea builds university for his former captors" [Ex-prisioneiro da Coreia do Norte constrói universidade para seus ex-algozes], *Christian Science Monitor*, 16 de fevereiro de 2010.

Eu seria muito pouco empático se não entendesse tais sentimentos. Embora me canse com mais facilidade, precise de mais horas de sono e considere muito mais difícil viajar do que há alguns anos, sou grato pelo fato de minha própria saúde ser muito boa. Minha esposa Sandra, porém, passou por uma série de cirurgias na coluna, que mudaram inteiramente a sua vida. Ela está confinada a uma cadeira de rodas e depende da ajuda dos outros, mesmo para as tarefas simples. Tem sido difícil nos ajustarmos a esse novo estilo de vida, e toda a nossa família tem sofrido junto com ela nessa difícil experiência.

É claro que Sandra deseja ter a liberdade de andar novamente e fazer irrestritamente o que quiser, mas, por enquanto, não pode ser assim. Apesar dessas dificuldades, sua atitude tem sido notável e inspiradora: ela está fazendo o que pode, com o que tem. Seu lema é a frase latina *Carpe diem!*, "Aproveite o dia!". Ela continua envolvida com sua família, seus amigos e as causas que considera importantes. Ela age dentro de seu círculo de influência, constantemente ampliado a cada dia, apesar dos desafios. Está engajada em seu clube do livro e no grupo de almoço com amigos, dá aulas em nossa igreja, participa do conselho consultivo de uma universidade, embrulha os biscoitos no dia de St. Patrick para os vizinhos, prega peças em sua família no dia da mentira. Ela cobre seus netos com cartões, ligações telefônicas e visitas. Lê vorazmente, permanece politicamente ativa e apoia um centro de artes para o qual levantou sozinha grande parte do financiamento. Não é tão ruim estar em uma cadeira de rodas! Como se costuma dizer: "Não 'menospreze' a deficiência!"

Embora a vida de Sandra tenha mudado radicalmente, ela ainda vive em *crescendo*, contribuindo tanto quanto é capaz. O filósofo Friedrich Nietzsche disse: "Quem tem *por que* viver pode suportar quase qualquer *como.*"

Acredito que nós também temos a responsabilidade de ajudar os outros a viver em *crescendo*. Não importa a idade ou a enfermidade, cada pessoa é valiosa e capaz de contribuir. Tenho um amigo que vive sob grande pressão no trabalho e tem uma agenda bastante cheia. Recentemente, sua mãe idosa chegou a um ponto de sua vida em que não poderia mais viver de maneira independente, e a família refletiu sobre o que seria melhor para ela: ficar em casa, contando com a ajuda de profissionais contratados, transferir-se para uma instituição de repouso ou ir morar com seu filho. Meu amigo era muito ocupado e não tinha certeza de que havia espaço em sua vida para dar conta dos cuidados com a mãe. Felizmente sua magnífica e devotada esposa não foi tão relutante, e recebeu a sogra em sua casa. Pequena, frágil, praticamente cega e surda, a senhora idosa ficou totalmente desorientada com a mudança. Era como ter um bebê dependente dentro de casa; eles tinham de fazer a maioria das coisas para ela: dar banho, alimentá-la, retirá-la da cama pela manhã e colocá-la para dormir à noite. Impaciente, mas sentindo-se culpado por conta disso, meu amigo se pôs a pensar se esse esquema realmente funcionaria.

Então, certa noite, na mesa de jantar, ele se surpreendeu observando a mãe e a esposa, respectivamente ao seu lado e à sua frente. A mãe estava contando à nora uma pequena história sobre sua infância na fazenda da família, sobre como eles catavam feijão juntos e engarrafavam os grãos para o inverno. Meu amigo percebeu que a tevê estava desligada, a casa estava silenciosa e a luz do sol, caindo sobre o rosto de sua mãe, a fazia parecer muito mais jovem. Ele foi tomado pela alegria inaudita de uma conexão que não sentia há muito tempo. Para sua surpresa, ele estava aproveitando para realmente *ver* sua mãe, para ouvi-la e para desfrutar de sua tranquila influência. Ela estava tão agradecida por tudo, tão cortês e tão gentil, que parecia vir de outro mundo e de outro tempo. Sua mulher sorria, descansando a mão no queixo, ouvindo as histórias da sogra como se tivesse a noite toda disponível.

Gradualmente, a geografia da vida do meu amigo mudou. Ele e sua esposa levavam a mãe para caminhadas curtas e extremamente lentas. Eles ouviam música juntos e gravavam as histórias que ela contava sobre sua vida. Ela lhes deu velhas dicas sobre panificação e, sob sua supervisão, eles prepararam, não sem alguma hesitação, a receita de seu pão caseiro. À noite, eles assistiam a antigos filmes em preto e branco, principalmente comédias dos anos 1930, das quais ela mal se lembrava, e seu filho repetia em seu ouvido as falas engraçadas que ela não conseguia ouvir.

Com o tempo, meu amigo percebeu como sua vida anterior havia sido fria e incompleta. Embora sua mãe já tivesse mais de 90 anos, e fosse incapaz de ver, ouvir ou trabalhar no sentido usual, essa última contribuição que ela estava fazendo enriquecia-o de uma maneira que ele jamais poderia ter imaginado. Ele, que estava tão acostumado a passar correndo pela vida, aprendeu a andar mais devagar, a demorar-se mais em um relaxante jantar, a desfrutar de uma velha história e a sentar-se contente ao lado da mãe, apenas para segurar sua mão. Até o fim, a mãe dele viveu em suave *crescendo*.

Eu valorizo em meu amigo a sensibilidade de permitir que sua mãe fizesse uma contribuição significativa em seus últimos dias. "Ela nos fez um favor vindo morar conosco", diz ele. "Fomos nós os beneficiados." Ele poderia tê-la enviado para uma instituição de repouso e, talvez, ela tivesse gostado das conexões que estabeleceria por lá e dos cuidados recebidos. Mas *ele* teria se privado de algo que transformou sua vida: as serenas recompensas do amor e da prestação de serviços.

Em nossa precipitada busca pelo sucesso secundário — dinheiro e *status* social —, corremos um sério risco de perder totalmente as satisfações mais profundas do sucesso primário: o amor, a confiança e a gratidão daqueles a quem servimos.

Tenho a convicção pessoal de que estamos nesta Terra para servir aos outros, de que Deus espera que façamos a Sua obra auxiliando os nossos semelhantes. Podemos ser a resposta para a ajuda solicitada por qualquer outra pessoa. Por meio do dom da consciência, Deus nos inspira a abençoar Seus filhos, tanto no aspecto material quanto no espiritual. Acredio que servir é o segredo para a felicidade duradoura, além de ser a *medida do verdadeiro sucesso nesta vida.*

Alguns, como máquinas, seguirão em suas rotinas maçantes e diárias, sem ter muita noção desse tipo de sucesso, até que a morte os leve. Outros vão fugir e se divertir até morrer. Outros, ainda, escolherão uma Terceira Alternativa e se esforçarão, enquanto estiverem vivos, para fazer contribuições maiores e melhores para a felicidade de seus semelhantes. Esse é o verdadeiro "trabalho a ser feito".

Você escolherá a Terceira Alternativa para fazer sua contribuição e viver a vida em *crescendo*? Ou permitirá que sua vida diminua à medida que você envelhece? Qual vai ser o seu legado? Não olhe para trás. Com o que mais você pode contribuir? Que aventura emocionante está à sua frente? Que obra sua será duradoura? O que você vai fazer quando tiver mais tempo para oferecer aos que estão à sua volta, quando já tiver acumulado sabedoria e experiência suficientes? Que relação importante você precisa construir ou reatar? O seu maior trabalho ainda está à sua frente? Aqueles à sua volta estarão esperando e desejando que você consiga responder aos assustadores desafios de nosso mundo. E, ao responder com a sinergia entre a mente e o coração, você será abençoado com uma vida plena de significados e propósitos.

Em seu grande poema "Ulysses", Tennyson imagina o herói de Troia como um "rei preguiçoso", sentado em seu trono muito tempo depois de a odisseia épica ter se encerrado, cercado por mesas de banquete e jogos tediosos, envelhecendo e se sentindo inútil com sua autoindulgência. Ele reflete sobre seus atos passados, sobre suas lutas com tempestades e gigantes, sobre os desafios que enfrentou e como superou obstáculos colossais — e percebe que não pode morrer onde está. Não daquela maneira.

Não mais o jovem herói, mas ainda motivado para ir em busca de algo maior e melhor, Ulysses se levanta da cadeira e ordena que preparem seu navio. Seus velhos companheiros nutrem um sentimento idêntico e, ao zarparem juntos, eles sabem que suas maiores aventuras ainda estão por vir.

A mim não resta senão viajar: beberei
A vida até o fundo. Sempre desfrutei
Da fartura, e com fartura sofri, junto àqueles
Que me amavam com amor ímpar. [...]
Que triste é deter-se, chegar a um fim,
Enferrujar, enrugar, não brilhar com o uso!
Assim como respirar, era a vida! Vida cheia de vida
E de tudo fica um pouco. [...]

[...] E ainda
Que perdida a força dos velhos dias
Que movia céus e terras; nós somos o que somos;
Uma coragem única nos corações heroicos,
Enfraquecidos pelo tempo e pelo destino, mas persistentes
Em lutar, buscar, encontrar, jamais se render.

ENSINAR PARA APRENDER

A melhor maneira de aprender com este livro é ensiná-lo a alguém. Todo mundo sabe que o professor aprende muito mais do que o aluno. Então, encontre alguém — um colega de trabalho, um amigo, um familiar — e transmita-lhe as percepções que você adquiriu. Faça as perguntas provocativas da lista a seguir, ou formule as suas próprias.

- O que significa viver a vida em *crescendo*? E viver em *diminuendo*?
- Muitos de nós vivem uma espécie de existência de Duas Alternativas. Como descrever essas Duas Alternativas? Quais são as limitações de cada alternativa para uma pessoa que procura viver uma vida plena? Qual é a Terceira Alternativa?
- O paradigma da contribuição pode, de fato, salvar a sua vida. Que processos naturais fazem disso uma realidade?
- Quais eram as Duas Alternativas diante de Jimmy e Rosalynn Carter depois dos anos que passaram na Casa Branca? De que modo os Carter vivem uma vida da Terceira Alternativa?
- As vidas de Terceira Alternativa de Harris Rosen e "Jackie" são praticamente opostas em relação ao tamanho de seus círculos de influência, mas ambos estão fazendo contribuições. O que podemos aprender com tais exemplos sobre a escala de nossas contribuições na vida?
- É uma ilusão pensar que a felicidade são "férias permanentes". Por que isso é contra a natureza das coisas?
- O que há de tão libertador na ideia de estar em uma "missão permanente"? O que a história de James Kim nos ensina sobre isso?
- Eu chamaria James Kim de uma "contratipagem ambulante". De que modo a vida de Kim é uma contratipagem?
- Nietzsche disse: "Quem tem *por que* viver pode suportar quase qualquer *como.*" Como o exemplo de Sandra Covey exemplifica essa percepção? De que maneira tal discernimento a ajuda na avaliação das suas próprias limitações?

- O que podemos aprender sobre viver em *crescendo* a partir da história de meu amigo e sua mãe? Por que temos a responsabilidade de ajudar os outros a viverem em *crescendo*? Quem você poderia ajudar a viver em *crescendo*?
- O que as linhas reproduzidas aqui do poema "Ulysses", de Tennyson, significam para você? "Que triste é deter-se, chegar a um fim, / Enferrujar, enrugar, não brilhar com o uso!"

EXPERIMENTE

Como você poderá viver "em *crescendo*"? Quais são os seus próprios critérios de sucesso? Que Terceiras Alternativas podem transformar sua vida? Inicie a prototipagem de Terceiras Alternativas. Peça a contribuição de outras pessoas. Use a ferramenta "Quatro Etapas para a Sinergia".

QUATRO ETAPAS PARA A SINERGIA

❶ Faça a Pergunta da Terceira Alternativa:

"Você está disposto a encontrar uma solução que seja melhor do que aquilo que qualquer um de nós já apresentou?" Se sim, vá para a Etapa 2.

❷ Defina Critérios de Sucesso

Liste neste espaço as características de uma solução que agradaria a todos. O que é o sucesso? Qual o verdadeiro trabalho a ser feito? O que seria uma situação de "ganha/ganha" para todos os interessados?

❸ Crie Terceiras Alternativas

Neste espaço (ou em outros) crie modelos, desenhos, peça emprestadas ideias, transforme o seu modo de pensar. Trabalhe de maneira rápida e criativa. Suspenda todos os julgamentos até aquele momento emocionante em que você sabe que chegou à sinergia.

❹ Chegue à Sinergia

Descreva aqui a sua Terceira Alternativa e, se quiser, explique como pretende colocá-la em prática.

GUIA DO USUÁRIO PARA AS QUATRO ETAPAS DA FERRAMENTA DE SINERGIA

As Quatro Etapas para a Sinergia. Este processo ajuda a colocar o princípio de sinergia em prática. (1) Mostre disposição para encontrar uma Terceira Alternativa. (2) Defina o que é o sucesso para todos. (3) Teste soluções até (4) chegar à sinergia. Pratique a escuta empática ao longo do processo.

Como Chegar à Sinergia

❶ Faça a Pergunta da Terceira Alternativa

Em uma situação de conflito ou de criação, esta pergunta ajuda todos a abandonar posições rígidas ou ideias preconcebidas em prol do desenvolvimento de uma terceira posição.

❷ Defina os Critérios de Sucesso	**❸ Crie uma Terceira Alternativa**
Liste as características ou redija um parágrafo descrevendo qual seria um resultado bem-sucedido para todos. Responda estas perguntas conforme você avançar: • Todos estão envolvidos em estabelecer os critérios? Estamos conseguindo obter o maior número possível de ideias, do maior número possível de pessoas? • Quais resultados realmente queremos? Qual é a verdadeira tarefa a ser realizada? • Quais resultados significariam "vitórias" para todos? • Estamos abrindo mão de nossas demandas arraigadas do passado e buscando algo melhor?	Siga estas diretrizes: • Participe do jogo. Não é "de verdade". Todo mundo sabe que é um jogo. • Evite um fechamento, acordo prematuro ou consenso. • Evite julgar as ideias dos outros — ou as suas próprias. • Faça modelos. Desenhe imagens em quadros-negros, esboce diagramas, construa maquetes, faça rascunhos. • Transforme as ideias nas mentes dos outros. Subverta a sabedoria convencional. • Trabalhe rápido. Defina um limite de tempo para manter a energia e as ideias fluindo rapidamente. • Alimente inúmeras ideias. Não é possível prever qual conclusão repentina pode conduzir a uma Terceira Alternativa.

((❹)) Chegue à Sinergia

Você reconhece a Terceira Alternativa pelo sentimento de empolgação e inspiração que toma conta do ambiente. O antigo conflito é abandonado. A nova alternativa preenche os critérios de sucesso. Atenção: não confunda acordo com sinergia. O acordo gera satisfação, mas não prazer. Um acordo significa que todos perdem alguma coisa; a sinergia significa que todos ganham.

10

De Dentro para Fora

Um verão, muitos, muitos anos atrás, eu coordenava um grupo de jovens em um curso de sobrevivência ao ar livre. A finalidade era ensiná-los a sobreviver na selva, com poucas provisões, mantendo-se principalmente, com o que pudessem obter da própria natureza. Perto do fim daquela semana estávamos lhes mostrando como atravessar um rio com uma corda grossa, amarrada firmemente em duas grandes árvores, em ambos os lados do rio. Eu tinha de mostrar aos adolescentes como atravessar — segurando a corda firmemente, com mãos e pernas, e movendo as mãos aos poucos, até chegar ao outro lado. No meio do caminho, decidi me divertir e me exibir, balançando descontroladamente a corda. O rio era profundo e sem muita correnteza; portanto, nesse caso, o risco era pequeno. As crianças adoraram. Rindo, até comecei a provocá-las: "Aposto que *vocês* não vão fazer isso tão bem quando *vocês* atravessarem!" O problema foi que gastei tanta energia fazendo essas gracinhas que quando retomei a tarefa de atravessar senti que meus músculos estavam começando a ter câimbra e perdendo o tônus. Reuni toda a força de vontade que consegui, me determinando a percorrer o resto do caminho. Logo, porém, eu não conseguia fazer mais um movimento sequer. Fiquei pendurado por alguns segundos. Os músculos estavam esgotados. Caí na água. Lutei para chegar à margem, saí encharcado e tive de aguentar a merecida provocação pelo resto da semana!

Aprendi uma grande lição, que nunca mais esqueci. O corpo, como a maioria das coisas na natureza, nos ensina a lei da colheita — você colhe o que planta. Existem leis naturais. Em última análise, são elas que governam toda a vida. Independentemente do quanto eu me esforçasse mentalmente e quisesse cumprir o restante da travessia, eu estava, de qualquer maneira, sujeito à condição, à força e à capacidade de resistência dos meus músculos. Sem força interior, eu não poderia esperar ser bem-sucedido exteriormente.

Você vai enfrentar essa mesma realidade quando tentar criar soluções da Terceira Alternativa para seus mais difíceis problemas e desafios. Apesar de todos os seus melhores desejos e esforços, garanto que vai se sentir aquém das expectativas e vivenciar algo semelhante ao fracasso ao tentar superar uma grande diferença com um amigo, um colega ou um familiar e as coisas não saírem como você esperava. Pode parecer até que as coisas pioraram.

Defronto-me com esses limites o tempo todo. Perco a paciência. Reajo de maneira exagerada. Acho que, às vezes, é realmente difícil ouvir... especialmente quando SEI que estou certo! E, tendo ensinado esses princípios repetidas vezes ao longo dos anos para os meus filhos, hoje já crescidos, eles não hesitam em chamar a minha atenção quando não estou escutando. Assim, aprendi a sorrir, a respirar fundo, a pedir desculpas rapidamente e, então, dizer: "Ok, me ajude a entender." E, para ser honesto, às vezes levo algum tempo para chegar lá.

Talvez tenhamos belas intenções como ponto de partida, mas, no meio da luta, percebemos estar na defensiva, magoados, reativos ou recaindo nos velhos padrões da comunicação de "lutar ou fugir". Isso não indica necessariamente um fracasso, mas sim que precisamos trabalhar interiormente nossas almas e fortalecer os "músculos" de nossa personalidade.

Quanto mais estivermos atentos, mais tentaremos viver segundo uma mentalidade da Terceira Alternativa em cada grande desafio e oportunidade da vida; quanto mais desejarmos enfrentar as questões centrais e importantes, mais precisaremos de força interior. Quanto maior o problema, quanto mais importante a relação ou o assunto, maior será a necessidade de segurança interna, de um abundante raciocínio de ganha/ganha, de paciência, amor, respeito, coragem, empatia, tenaz determinação e criatividade. Quanto mais largo o rio, mais força de vontade será necessária para atravessá-lo.

Como podemos desenvolver a força interior da personalidade? Essa é uma das questões verdadeiramente importantes na vida. Está no cerne do que tentei abordar quando escrevi *Os 7 hábitos das pessoas altamente eficazes*. O subtítulo original era "Restabelecendo a ética do caráter". Portanto, sugiro que você leia ou releia *Os 7 hábitos*. Faço-o sem reservas, pois é um livro de princípios atemporais, universais e evidentes sobre a eficácia humana. Eles pertencem a todas as culturas, sociedades, religiões, famílias e organizações sistematicamente prósperas. Não os inventei; simplesmente os arrumei e organizei em uma estrutura que possibilita que as pessoas os acessem individualmente. Acredito que esses princípios universais são frutos de Deus, uma manifestação do Seu amor por nós e de Seu desejo pela nossa felicidade. Também reconheço e tenho o mais profundo respeito por muitos que talvez não compartilhem dessa crença, mas que, ainda assim, vivem uma vida de princípios, prestando grandes serviços e contribuições.

O sucesso do pensador da Terceira Alternativa vem de dentro para fora. Recomendo 20 coisas que descobri serem muito úteis para desenvolver a força interior e a segurança ao se criar soluções da Terceira Alternativa:

1. Cuidado com o orgulho. Não insista na necessidade de estar sempre "certo". De qualquer maneira, sua compreensão sobre a realidade será sempre parcial. Permita-se fazer progressos importantes nos relacionamentos e em soluções criativas que, talvez, nunca serão realizados se você continuar atendo-se teimosamente em estar "certo".
2. Aprenda a dizer: "Eu sinto muito." Faça-o rapidamente, assim que perceber que decepcionou ou magoou alguém. Seja sincero e não se detenha. E não vá apenas até a metade do caminho. Peça desculpas plenamente, assuma a responsabilidade e expresse seu desejo de compreender.
3. Seja rápido para perdoar os deslizes. Lembre-se: você escolhe se deve ou não se sentir ofendido. Se você se sentir ofendido, esqueça.

4. Faça e sustente pequenas promessas para si mesmo e para os outros. Dê passos bem pequenos. Depois de estabelecer esse padrão, proponha e sustente promessas maiores. Sua própria integridade se tornará sua maior fonte de segurança e força.
5. Passe algum tempo na natureza. Faça longas caminhadas. Crie um espaço em sua vida todos os dias para refletir sobre as sinergias do mundo ao seu redor.
6. Leia muito — é uma das melhores maneiras de fazer conexões mentais e obter percepções que podem levar à Terceira Alternativa.
7. Pratique exercícios com regularidade, diariamente se possível, e coma alimentos saudáveis, com equilíbrio e moderação. O corpo é o instrumento da mente e do espírito.
8. Durma o suficiente, pelo menos de sete a oito horas diariamente. A ciência nos diz que o cérebro estabelece novas conexões durante o sono, e é por isso que muitas vezes acordamos com novas e brilhantes ideias. E você vai se descobrir muito mais pleno das energias emocional, mental e espiritual necessárias para criar Terceira Alternativas.
9. Estude literatura inspiradora ou sagrada. Pondere, medite ou ore. Novas percepções aparecerão.
10. Gaste algum tempo consigo mesmo a fim de pensar em soluções criativas da Terceira Alternativa para os seus desafios.
11. Expresse o amor e o apreço por aqueles com quem se relaciona. Escute-os empaticamente. Dedique tempo para conhecê-los, para saber o que é importante para eles, qual é a história de cada um.
12. Você tem dois ouvidos e uma boca: use-os proporcionalmente.
13. Pratique a generosidade com os outros — com o seu tempo, seu coração, seu perdão e seu reconhecimento. Seja sábio e generoso ao compartilhar seus recursos com os necessitados. Seja generoso consigo mesmo e se perdoe. Todos nós temos fraquezas. Todos nós temos forças. Olhe para o futuro e siga em frente. Todas essas coisas farão brotar dentro de você um espírito de abundância.
14. Evite comparar-se aos outros. Simplesmente, não faça isso. Você é único. Você tem um valor infinito e um grande potencial. Defina sua própria missão excepcional na vida. Seja fiel a ela, seja você

mesmo e sirva aos outros e ao mundo de maneira simples e magnífica!

15. Seja grato. Expresse a gratidão.
16. Aprenda a ser entusiasticamente incansável na descoberta de grandes vitórias — vitórias que aumentem a paz, a felicidade e a prosperidade dos outros. Isso vai se tornar contagioso e, muitas vezes, você perceberá que as outras pessoas estão querendo fazer o mesmo por você. Esse é o segredo para produzir sinergias notáveis.
17. Quando as coisas não estiverem indo bem, faça uma pausa, dê uma volta no quarteirão, durma tranquilo por uma noite e retorne com o frescor e a perspectiva de um novo dia.
18. Se você realmente não conseguir chegar ao ganha/ganha, lembre-se que "Nada feito", em alguns casos, é a melhor alternativa.
19. Quando se tratar de outras pessoas, suas reações, suas fraquezas e peculiaridades, sorria muito. E quando se tratar de seus filhos adolescentes, lembre-se: "Isso também passará."
20. Nunca pare de acreditar na possibilidade da Terceira Alternativa.

Ao conquistar essas Vitórias Particulares, você descobrirá que as Vitórias Públicas virão como consequência.

Para encerrar, expresso o meu amor, a minha crença em você e no seu potencial, e a minha confiança de que, ao optar por percorrer o caminho de uma vida da Terceira Alternativa, você produzirá um grande bem ao mundo. Você é inteiramente necessário. Deus o abençoe.

— *Stephen R. Covey*

Agradecimentos

Agradeço imensamente a várias pessoas maravilhosas que contribuíram para este livro. Aos amigos, colegas, clientes e "estabilizadores" ao redor do mundo que exemplificam a Terceira Alternativa — estejam eles neste livro ou não —, declaro, com profunda gratidão, que vocês me inspiram. Obrigado por compartilharem suas histórias e vidas com tão boa vontade.

Obrigado aos meus colegas da FranklinCovey: Sam Bracken, que administrou habilmente o projeto com empenho e compromisso contagiantes; dr. Dean Collinwood, que conduziu nossa pesquisa Grandes Desafios ao redor do mundo; Jody Karr, cuja talentosa equipe desenhou os gráficos; Terry Lyon, que coletou centenas de autorizações; e Debra Lund, minha assessora de imprensa que faz acontecer, cuja lealdade e dedicação têm contribuído de diversas maneiras para o alcance e o impacto dos meus livros e do meu trabalho; do mesmo modo, Janita Andersen, que tem feito o mesmo magnificamente na arena internacional. O trabalho foi incomensuravelmente aprimorado por informações valiosas dos revisores e colaboradores — Annie Oswald, Michael Ockey e meu filho Sean Covey.

Meus agradecimentos especiais vão para Boyd Craig, meu sócio, amigo e colega por mais de duas décadas, que propôs originalmente a ideia deste livro e estabeleceu suas bases, reunindo anos de trabalho de sinergia que fizemos em muitas das dimensões principais deste livro. Ele é um dos mais extraordinários líderes da Terceira Alternativa que conheço, e um dos modelos mais corajosos e sábios de raciocínio, criatividade, ensino e resolução de problemas por meio da Terceira Alternativa com quem já trabalhei. O fruto de seu trabalho e sua personalidade se manifestam por meio deste livro e em muito de minha vida profissional.

Meu reconhecimento aos meus assistentes: Julie Gillman e Darla Salin; à assistente de Boyd, Victoria Marrott; e a todos os meus assistentes e sócios ao longo dos anos, tão importantes capacitadores para o meu trabalho. Com sua invisível e incansável dedicação, me abençoaram de um modo que, tenho certeza, ninguém nunca vai entender plenamente.

Também agradeço a Bob Whitman, presidente e diretor-executivo da FranklinCovey, a meus colegas de nosso conselho administrativo, à nossa equipe de executivos e a todos os nossos associados em todo o mundo, que oferecem uma liderança inspiradora e um serviço de comprometimento todos os dias. Eu amo e aprecio vocês todos.

Quanto ao projeto gráfico, à produção editorial e à comercialização do livro, agradeço o excelente trabalho de nossos amigos da Simon & Schuster/Free Press, incluindo Carolyn Reidy, Martha Levin, Dominick Anfuso, Maura O'Brien, Suzanne Donahue e Carisa Hays. Obrigado, também, à minha querida amiga Jan Miller e à sua sócia Shannon Miser-Marven, por sua excelente representação.

À minha esposa, Sandra, a meus filhos, Cynthia, Maria, Stephen, Sean, David, Catherine, Colleen, Jenny, Joshua, e a seus admiráveis cônjuges, que contribuíram com muitas experiências para enriquecer o livro, expresso meu amor e agradecimentos. Nossos filhos, netos, bisnetos e a posteridade são a luz e a esperança de nossas vidas, e acabarão por ser a realização e a manifestação do meu eterno desejo de "viver a vida em *crescendo*". Sou particularmente grato à minha filha Cynthia Covey Haller, que é a grande responsável pelo capítulo "A Terceira Alternativa na Vida".

Presto homenagem aos meus pais e avós, que me abençoaram com segurança interior e me amaram, me deram confiança e me criaram com uma mentalidade de abundância — os fundamentos do raciocínio da Terceira Alternativa. Agradeço também às minhas queridas irmãs e, especialmente, ao meu irmão John, que tem sido o mais leal e verdadeiro amigo de toda a minha vida, e que muito contribuiu para o capítulo "A Terceira Alternativa em Casa". Sua liderança no trabalho de Casamento, Casa e Família da FranklinCovey em todo o mundo está deixando um legado que será sentido por gerações.

Sou especialmente grato a meu velho amigo, o juiz Larry M. Boyle, do sistema de Cortes Distritais dos Estados Unidos, que assinou comigo o capítulo "A Terceira Alternativa e a Lei". Um exemplo de raciocínio da Terceira Alternativa nos mais altos níveis do Poder Judiciário, Larry nos deu, neste livro, o benefício de sua experiência única em resolver sinergicamente os mais difíceis conflitos. Também gostaria de reconhecer a contribuição de Brian L. Boyle, um habilidoso advogado com sua mentalidade da Terceira Alternativa, cujas perspicazes ideias para o capítulo sobre a legislação forneceram uma perspectiva sobre os atuais juristas. Obrigado, também, aos assistentes de pesquisa jurídica Brandon Karpen, Kristin Fortin Lewnes, Michael Miles, Mark Shaffer e Rebecca Symbrowski.

Um agradecimento especial vai, ainda, para Ward Clapham, cuja vida e liderança baseada em princípios no mundo do policiamento estão colocando um fim à criminalidade, fortalecendo os jovens e plantando as sementes da sociedade civil onde quer que ele vá. Sou grato a ele por suas contribuições significativas para o capítulo "A Terceira Alternativa na Sociedade".

Finalmente, e acima de tudo, registro minha gratidão a Breck England, redator-chefe da FranklinCovey, pelas centenas de horas de pesquisa e escrita que tornaram possível este livro. Sua contribuição foi zelosa e dedicada, indo buscar em todas as partes do mundo as melhores reflexões sobre sinergia. Como todos os meus colegas, ele simboliza a missão da FranklinCovey: promover a grandeza em todas as pessoas, organizações e sociedades, em todos os lugares.

Índice

Sobre o Autor

Stephen R. Covey, um dos 25 norte-americanos mais influentes segundo a revista *Time*, dedicou sua vida a demonstrar com profunda, porém simples, orientação, como cada pessoa pode controlar o seu destino. Autoridade internacionalmente respeitada em liderança, especialista em questões familiares, professor, consultor organizacional e autor, vendeu mais de 20 milhões de livros (em 38 idiomas), e *Os 7 hábitos das pessoas altamente eficazes* foi considerado o livro de negócios mais influente do século XX. Entre seus outros livros mais vendidos, estão *Liderança baseada em princípios, Primeiro o mais importante, Os 7 hábitos das famílias altamente eficazes, O 8º hábito: da eficácia à grandeza* e *The leader in me: how schools and parents around the world are inspiring one child at a time greatness.* Ele foi cofundador da FranklinCovey, uma empresa líder global de educação e treinamento, com escritórios em 147 países. O dr. Covey foi professor titular da Huntsman School of Business, da Universidade Estadual de Utah, onde ocupava a cátedra presidencial Jon M. Huntsman em Liderança. Faleceu em 16 de julho de 2012, vítima de complicações devido a um acidente ciclístico em abril do mesmo ano.

O **dr. Breck England** é escritor-chefe da FranklinCovey Co. e colaborou com o dr. Covey em vários livros, incluindo *Resultados previsíveis em tempos imprevisíveis* e *grande trabalho, Grande carreira*. Em mais de duas décadas de experiência em consultoria, ele tem ajudado algumas das maiores corporações do mundo a aprimorar sua liderança e seus processos de comunicação. Coordenou projetos desse tipo para a Fortune 50, e da Suíça à Arábia Saudita. Ph.D. em inglês, ensinou comunicação organizacional por sete anos na Marriott School, da B.Y.U. Ele e sua esposa vivem na região montanhosa ao norte de Utah.

[FRENTE]

PROMOVER A GRANDEZA DAS PESSOAS E ORGANIZAÇÕES EM TODO O MUNDO

A **FranklinCovey** é uma empresa especializada em melhoria de performance.

Nós ajudamos as organizações a alcançarem resultados que requerem mudança de comportamento.

Nossa especialidade abrange sete áreas:

Liderança, Produtividade, Execução, Confiança, Vendas, Lealdade do Cliente e Educação.

Três fatores nos distinguem dos demais:

Nossas soluções de classe mundial baseada em princípios.

Nossa presença global, com operações em 140 países.

O impacto transformacional que temos sobre as pessoas e organizações.

[VERSO]

10%

Assim como há milhões de pessoas que leem nossos livros *best sellers* todo ano, milhares delas e também empresas no mundo todo têm suas vidas impactadas e transformadas ao participarem de nossos treinamentos e colocarem em prática as ferramentas que dispomos para aplicação.

Converse com nossos consultores para saber as datas e locais dos próximos treinamentos e como utilizar esse cupom de desconto.

Nossa especialidade abrange sete áreas:

Liderança, Produtividade, Execução, Confiança, Vendas, Lealdade do cliente e Educação.

– Válido para 1 inscrição em um treinamento aberto;

– Cupom não acumulativo com outras promoções;

– Desconto válido com a apresentação deste cupom.

Rua Flórida, 1568 | Brooklin
São Paulo, SP | Brasil | 04565-001

Tel: 55.11 5105 4400
info@franklincovey.com.br
www.franklincovey.com.br

Este livro foi composto na tipologia Adobe Garamond Pro,
em corpo 11,5/15,3, e impresso em papel off-white
no Sistema Cameron da Divisão Gráfica
da Distribuidora Record.